¡A que sí!
Second Edition

Instructor's Manual

María Victoria García-Serrano
Emory University

Cristina de la Torre
Emory University

Annette Grant Cash
Georgia State University

HH Heinle & Heinle Publishers
Boston, Massachusetts 02116

I(T)P® A division of International Thomson Publishing, Inc.
The ITP logo is a trademark under license.

Boston • Albany • Bonn • Cincinnati • Detroit • Madrid • Melbourne • Mexico City • New York •
Paris • San Francisco • Singapore • Tokyo • Toronto • Washington

The publication of ¡**A que sí!**, Second Edition, was directed by the members of the Heinle & Heinle College Foreign Language Publishing Team:

Wendy Nelson, Editorial Director
Tracie Edwards, Market Development Director
Gabrielle B. McDonald, Production Services Coordinator
Beatrix Mellauner, Development Editor

Also participating in the publication of this program were:

Publisher:	Vincent P. Duggan
Project Manager:	Anita Raducanu/A Plus Publishing Services
Compositor:	PrePress Company, Inc.
Images Resource Director:	Jonathan Stark
Associate Market Development Director:	Kristen Murphy
Production Assistant:	Lisa LaFortune
Manufacturing Coordinator:	Wendy Kilborn
Photo Coordinator:	Martha Leibs
Illustrator:	David Sullivan
Interior Designer:	Kenneth Hollman
Cover Illustration:	*The Collector (El Coleccionista)*, Gonzálo Cienfuegos, ca. 1951 Chilean, Kactus Foto, Santiago, Chile SuperStock, Inc.
Cover Designer:	Ha Nguyen

Library of Congress Cataloging-in-Publication Data

García-Serrano, M. Victoria.
  ¡A que sí! / M. Victoria García-Serrano, Cristina de la Torre.
  Annette Grant Cash. — 2. ed.
      p. cm.
    ISBN 0-8384-7706-2
      1. Spanish language—Textbooks for foreign speakers—English.
  I. De la Torre, Cristina.   II. Cash, Annette Grant, 1943–   .
  III. Title.
  PC4129.E5G37   1998
  468.2'421—dc21   98-21726
                                              CIP

Manufactured in the United States of America

ISBN: 0-8384-7706-2 (Student Edition)
ISBN: 0-8384-7724-0 (Instructor's Edition)

10 9 8 7 6 5 4 3 2

Instructor's Manual Contents

¡A que sí!

... getting students to speak their minds

WHAT SHOULD A CONVERSATION BOOK DO?

Conversation courses are extremely demanding to teach because they require a higher than usual degree of interest and energy to elicit active student participation. *¡A que sí!*, Second Edition, is a hot-topics book that contains more than forty selections that have been carefully chosen from a variety of different genres. High-interest literary and non-literary readings, including newspaper and magazine articles, comic strips, advertisements, political propaganda, health brochures, songs, and films capture students' attention and engage them in provocative classroom discussions.

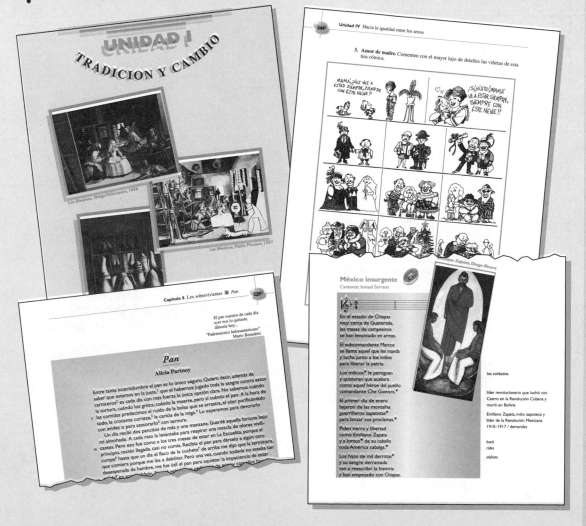

HOW SHOULD A CONVERSATION BOOK BE ORGANIZED?

Many of the materials available for conversation courses jump from one unrelated reading to the next without giving students the opportunity for in-depth exploration or examination of the many facets of a given topic.

¡A que sí! exposes students to a variety of different thought-provoking reading selections by organizing all of them around four thematic units: **Tradición y cambio, Contrastes culturales, Los derechos humanos, Hacia la igualdad entre los sexos.** Each unit is divided into three chapters, and the chapters into lessons. Exposure to multiple readings on a theme allows students to thoroughly investigate different aspects of that theme and gives them a level of authority on the topic. This organization also offers instructors the flexibility to pick and choose the sections that best suit the interests of their students.

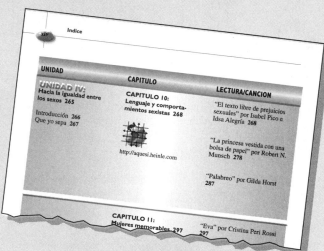

WHAT SHOULD A CONVERSATION BOOK DO ...

to build students' vocabulary?

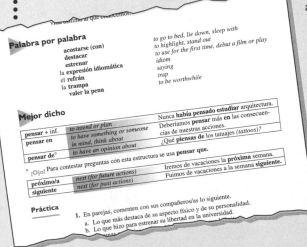

Acquiring appropriate and useful vocabulary for active use is one of the challenges of conversation courses. *¡A que sí!* starts every lesson with two vocabulary sections:

- **Palabra por palabra** highlights frequently-used Spanish words that appear in the reading.

- **Mejor dicho** examines false cognates and other problem words.

¡A que sí! helps students retain and use new words and phrases by practicing and recycling them in both the textbook and the *Cuaderno*.

¡A que sí! also features a detachable bookmark to provide students with the most important function words needed for discussion at a quick glance.

WHAT SHOULD A CONVERSATION BOOK DO ...

to develop reading?

Some students have problems under-standing and retaining written infor-mation. *¡A que sí!* includes pre-reading activities and strategies specifically designed to teach and improve students' reading skills, as well as help them develop critical thinking skills.

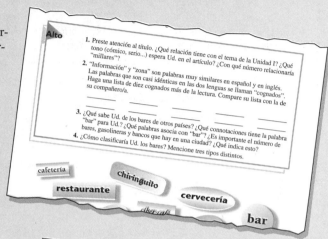

... and cultural competence?

Language and culture go hand in hand. The more students know about Hispanic culture, the better they can understand the characteristics of its people and its language. More than twenty new, up-to-date, and provocative selections were added to the second edition of *¡A que sí!* to reflect the diversity and changing nature of Hispanic cultures. By debating and analyzing contempo-rary issues from different cultural perspectives, students' awareness and understanding grows not only of Hispanic cultures, but also of their own.

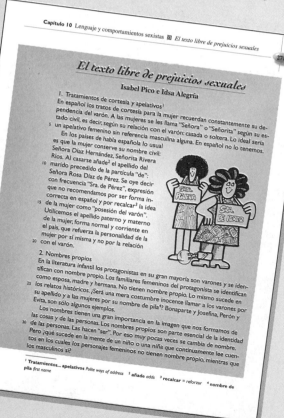

WHAT SHOULD A CONVERSATION BOOK DO ...

to help students express themselves?

One of the main goals of a conversation textbook is to improve students' oral proficiency. *¡A que sí!* contains many varied group and pair activities that encourage students to talk and express their opinions freely, as well as strategies that help students acquire idiomatic Spanish.

- **¿Entendido?** checks students' basic comprehension of the reading and prepares them for the ensuing classroom discussion.

- **En mi opinión** is a thought and analysis section.

- In order to familiarize students with colloquial expressions used by native speakers, and to develop communication skills, *¡A que sí!,* Second Edition, has added a new section, **Estrategias comunicativas,** that provides the kind of negotiated interactions that have been shown to promote oral proficiency at this level. Students develop more idiomatic Spanish, which they then apply and practice in **En (inter)acción.**

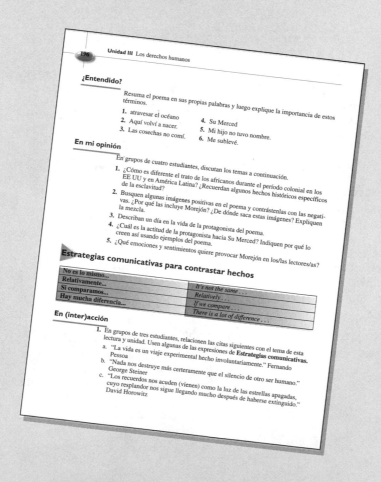

Unidad III Los derechos humanos

¿Entendido?

Resuma el poema en sus propias palabras y luego explique la importancia de estos términos.

1. atravesar el océano
2. Aquí volví a nacer.
3. Las cosechas no comí.
4. Su Merced
5. Mi hijo no tuvo nombre.
6. Me sublevé.

En mi opinión

En grupos de cuatro estudiantes, discutan los temas a continuación.

1. ¿Cómo es diferente el trato de los africanos durante el período colonial en los EE UU y en América Latina? ¿Recuerdan algunos hechos históricos específicos de la esclavitud?
2. Busquen algunas imágenes positivas en el poema y contrástenlas con las negativas. ¿Por qué las incluye Morejón? ¿De dónde saca estas imágenes? Expliquen la mezcla.
3. Describan un día en la vida de la protagonista del poema.
4. ¿Cuál es la actitud de la protagonista hacia Su Merced? Indiquen por qué lo creen así usando ejemplos del poema.
5. ¿Qué emociones y sentimientos quiere provocar Morejón en los/las lectores/as?

Estrategias comunicativas para contrastar hechos

No es lo mismo...	It's not the same . . .
Relativamente...	Relatively . . .
Si comparamos...	If we compare . . .
Hay mucha diferencia...	There is a lot of difference . . .

En (inter)acción

1. En grupos de tres estudiantes, relacionen las citas siguientes con el tema de esta lectura y unidad. Usen algunas de las expresiones de **Estrategias comunicativas.**
   a. "La vida es un viaje experimental hecho involuntariamente." Fernando Pessoa
   b. "Nada nos destruye más certeramente que el silencio de otro ser humano." George Steiner
   c. "Los recuerdos nos acuden (vienen) como la luz de las estrellas apagadas, cuyo resplandor nos sigue llegando mucho después de haberse extinguido." David Horowitz

WHAT SHOULD A CONVERSATION BOOK DO ...

to improve grammatical accuracy?

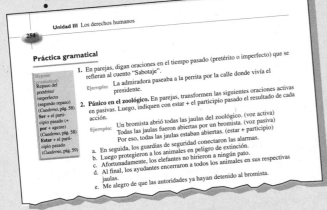

Many instructors supplement their conversation course with a grammar component.

¡A que sí! features a clear and concise grammar reference in the first section of the *Cuaderno*. Students have ample opportunity to practice, review, and reinforce grammar and vocabulary through the self-correcting activities found in the second section of the *Cuaderno*.

The **Práctica gramatical** section in the text reinforces the grammar points covered in the *Cuaderno* through guided grammar exercises that are interactive and communicative, and are thematically related to the reading.

WHAT SHOULD A CONVERSATION BOOK DO ...

to improve students' listening?

Instructors have told us that students who listen effectively speak better. Listening skills and speaking skills are very closely connected to each other, which is why the second edition of *¡A que sí!*, added a brand-new listening component in the *Cuaderno*.

¡A que sí! is one of the only upper-level conversation textbooks to offer a listening comprehension component. The audio includes debates, surveys, stories, newscasts, and songs that are recorded by native Spanish speakers from different regions of the Spanish-speaking world.

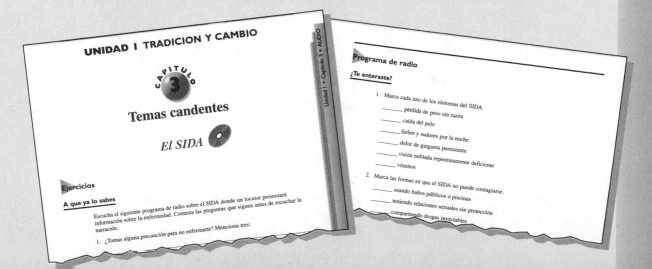

WHAT SHOULD A CONVERSATION BOOK DO ...

for writing?

Writing skill development and oral skill development complement each other. *¡A que sí!* incorporates **Creación** writing activities that allow students to expand on classroom discussions. In addition, the variety and number of activities in *¡A que sí!* provide ample material for writing assignments, all of which make this an excellent textbook for a combined conversation/composition course.

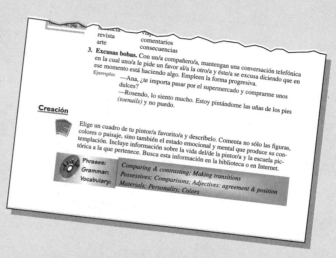

WHAT SHOULD A CONVERSATION BOOK DO ...

to encourage students to explore the rich cinema of the Hispanic world?

Many instructors want to make use of authentic films in their curriculum but dread the lengthy preparation time necessary to make that experience rewarding and effective for both students and instructor. That's why the *Instructor's Edition* for *¡A que sí!* now contains detailed guidelines, including pre- and post-viewing activities, for two feature films per unit. **El mar y el tiempo, Como agua para chocolate,** and **La historia oficial** are some of the films featured in this section. The exercises and activities for these films can be adapted to the alternative films that are suggested for each unit.

WHAT SHOULD A CONVERSATION BOOK DO?

What ¡A que sí! does!

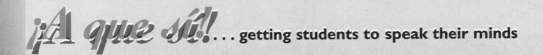

¡A que sí! ... getting students to speak their minds

Preface

Why ¡A que sí! was Written

- This intermediate/advanced (according to ACTFL guidelines) Spanish conversation textbook has grown out of the deeply-felt need to increase students' awareness of Hispanic culture, to encourage critical thinking, and to challenge students' abilities in Spanish by providing them with the chance of *in-depth* exploration of relevant contemporary cultural issues.
- *¡A que sí!*, Second Edition, presents four main topics around which all readings and other materials revolve: **Tradición y cambio, Contrastes culturales, Los derechos humanos,** and **Hacia la igualdad entre los sexos.**
- The readings in *¡A que sí!* have been chosen from a wide diversity of sources—many genres of literature, newspapers, magazines, comic strips, advertisements, political propaganda, health brochures, songs, and films. Both Spain and many Latin American countries are represented, as are men and women writers, and the different races that make up Hispanic culture.

New Features of ¡A que sí!, Second Edition

Student Audio CD

New to the second edition of *¡A que sí!* is the Student Audio CD program to accompany the new Listening Comprehension section of the *Cuaderno*. The twelve highly contextualized listening selections include dialogues, debates, surveys, stories, newscasts, and songs.

Internet Activities

Visit: http://aquesi.heinle.com

Every chapter of *¡A que sí!*, Second Edition, is accompanied by Internet activities that guide students through the wealth of sites related to the Hispanic world. The Internet activities correspond to the various topics covered in *¡A que sí!* References to the Internet throughout the book encourage students to explore and further research topics of interest to them.

Bookmark

A detachable bookmark provides students with frequently-used conversational expressions and function words needed for discussion.

Speaking and Reading Strategies

New to the second edition of *¡A que sí!* is the inclusion of speaking and reading strategies. **Estrategias comunicativas** contains phrases that help students express themselves in everyday situations, such as starting, continuing, or ending conversations and expressing emotions. The **Alto** section before every reading selection features techniques for improving reading skills, taps previous background knowledge, and examines grammatical items.

Varied Forms of Address

In the second edition of *¡A que sí!*, **tú, Ud.,** and **Uds.** are used in an attempt to familiarize students with formal and informal forms of address and to help them feel at ease with them.

Feature Films

Watching films in Spanish is a unique way to expose students to authentic language input that gives them an opportunity to develop their language skills in an enjoyable way. The Instructor's Manual for the second edition of *¡A que sí!* now contains detailed guidelines for two films per unit, including pre- and post-viewing activities. These exercises and activities can be adapted to the additional films that are suggested for each unit.

Changes to the Second Edition

Thematic Organization

This successful feature of *¡A que sí!* has been retained and improved in the second edition. Some of the unit and chapter themes were changed from the first edition in order to reflect contemporary relevance and to address current student interests. As in the first edition, the wide diversity of themes within a topic allows exploration of many different facets of a theme, presents students with a variety of different thought-provoking reading selections, and allows for in-depth exploration of a topic.

Readings

The authors have carefully selected new readings to provide even more flexibility, variety, and choice for both instructors and students, and to reflect contemporary themes. Some of the remaining stories were reworked, others repositioned. Some of the new readings, for example, present portraits of famous women and explore the experience of immigration/exile, so much a part of Hispanic history. Some of the new readings include: "La doble fundación de Buenos Aires" by Carlos Fuentes, "La historia de mi cuerpo" by Judith Ortiz Cofer, "Eva" by Cristina Peri Rossi, "El arte de Remedios Varo" by Peter Engel, and "Pan" by Alicia Partnoy.

Vocabulary

As suggested by reviewers, we have placed the two vocabulary sections, **Palabra por palabra** and **Mejor dicho,** sequentially to facilitate vocabulary acquisition and practice before the actual reading.

Cuaderno

The *Cuaderno* has been thoroughly revised taking into account the comments from reviewers and other users of the textbook, as well as the authors' own experience from working with the first edition. The *Cuaderno* has been reorganized and redesigned to be more user friendly, difficult grammar points have been clarified by adding charts, and a listening comprehension section has been added.

Instructor's Manual

The Instructor's Manual has also been thoroughly revised and provides many additional teaching guidelines and teacher support, such as extensive suggestions for two feature films per unit, a detailed lesson plan, the *Audio CD* tapescript, and much more.

Ancillaries

The following ancillary material can be purchased: *Atajo* **3.0 CD-ROM** is a writing assistant program that is designed to guide students through the writing process with the following extensive on-line tools:
- A bilingual dictionary including over 10,000 words with examples of usage that can be accessed in Spanish or English

- Sound! The sound feature of this new release highlights pronunciation of the core vocabulary, definitions, and examples of usage.
- A spellchecker
- A grammar reference with over 250,000 conjugated verb forms and examples of use
- A phrase book including hard-to-define idiomatic expressions and models for correspondence and everyday conversation
- A thematic dictionary that offers groups of words organized by topic

Atajo is integrated with the writing activities in the textbook and the *Cuaderno*.

> COMPONENTS: for students
> Student text
> *Cuaderno*
> Audio CD
> Internet Activities

> COMPONENTS: for teachers
> Instructor's Edition

The Classroom: General Principles

Every class, especially those that rely heavily on discussion, will vary widely depending on the make-up of the group. It is up to the individual instructor to choose from among the selections in the book the ones she or he wants to cover and determine the course emphasis that best fits the class. The reading selections in *¡A que sí!*, Second Edition, have *not* been organized in order of difficulty but rather in thematic clusters. Authors have *not* been chosen according to their sex or nationality.

Specific Teaching Strategies

1. Students have vague notions about what is involved in a conversation course. Prepare a syllabus explaining what is expected from them (see samples on page IM-30) in terms of homework, attendance, class participation, etc., and go over it with them.

2. Each class should consist of at least four or five different activities chosen from the different sec-

tions of the particular lesson. In addition to discussing the reading selection and **¿Entendido?,** try to include some vocabulary work, opinion activities, and a few interactive thematical as well as grammar practice exercises.

3. Pair and group activities must be closely controlled and supervised so that they do not degenerate into chatting in English. Divide your time among the groups to listen, guide, and answer questions. It is also crucial that directions for these exercises be very clear to avoid wasting class time. Always give students less time than they will comfortably need for such activities. Minimize dependence on the text by asking students to close their book whenever possible. In this way they will be forced to use their own words.

4. Encourage students to bring to class Spanish-speaking friends, souvenirs from their trips, music, and relevant materials of any kind.

5. State your own opinions when asked. Students are taking risks expressing themselves and they will be curious about your position.

6. Daily homework assignments should *always* include:
   a. one reading selection plus the **Alto** section.
   b. a writing assignment that can be taken from **Entendido, En mi opinión,** or **Creación** depending on the difficulty of the selection and the instructor's inclinations. We find it appropriate to vary these writing assignments to avoid so much predictability. Please see the sample syllabus for more details.
   c. the corresponding grammar review section in the *Cuaderno,* plus the accompanying exercises.

7. Other assignments:
   a. Students should explore the World Wide Web at least once each unit, either independently or by using the *¡A que sí!* Internet activities. The Web can also be used for extra-credit projects. Instructors should be encouraging but flexible since some students will delight in these assignments while others, with less computer experience, might find them a bit daunting.
   b. At least once each chapter, students will be expected to do some listening activities and related exercises at home using the *Student Audio CD.*

Do's & Don'ts

Do's

- Aim for a student-centered classroom where student participation is maximized by the use of pair/group/whole-class activities.
- Focus on what concepts you want students to grasp, yet be flexible when guiding the discussions. The aim of the course is fluency and cultural understanding.
- Compare and contrast cultures.
- Push students to reflect on topics and make interconnections. Relate to current events.
- Select among the readings and the exercises the ones you find most appropriate.
- Build up the discussion from simple to complex.
- Feel free to change the order of presentation of the material and the way activities are done.
- Vary the class format, even changing seats yourself. Have students move around while doing the polls or greeting each other in Spanish. Have them stand up to do chain–answer exercises. TPR (Total Physical Response) works wonders!
- Recycle concepts and use vocabulary words frequently.
- Correct common errors, such as *la problema* (refer to **Errores frecuentes** section of Instructor's Manual) and intervene when communication breaks down.
- Give daily writing assignments. It will practice that skill, help focus students' thoughts, and frame their reactions.
- Be everything (imaginative, active, curious, outrageous) you want students to be!

Don'ts

- Don't monopolize the discussion. Don't lecture. Don't do extensive literary analysis of the readings.
- Don't cut off a lively exchange in order to cover all the material.
- Don't shy away from controversial topics. They often lead to interesting conversations.
- Don't continue an activity that is not eliciting good student participation.
- Don't hesitate to supplement the textbook with related materials.
- Don't accept English, mechanical answers, or simple **Sí** or **No** responses. Push students to think on their feet, elaborate, and answer in their own words.

• Don't interrupt students constantly to correct them. Keep a list of mistakes for the end of the discussion.

The Textbook: Uses of Each Section

To begin each unit

The general summary at the beginning of each unit orients students to its theme and content. **Que yo sepa** probes their previous knowledge, personal experiences, and opinions. This is a crucial component of each unit because it greatly facilitates subsequent discussions.

Each reading selection begins with an introduction that presents a framework for the reading and can be expanded according to the instructor's knowledge and/or the students' interests.

Palabra por palabra is a vocabulary section that precedes each reading. Most of the words are taken from the texts, and are limited to a maximum of twelve words, chosen for their usefulness. Varying techniques for practicing the vocabulary have been used in the exercises.

The **Mejor dicho** section features frequently misused words (many false cognates) and shows the correct usage of the terms. The instructor should make a point of using these words, as well as those from **Palabra por palabra,** during the class.

Alto is a pre-reading section that will help students to start thinking about the topic, tap their prior knowledge, and make them aware of syntactical/ grammatical aspects of the text as well as its context. (It should generally not be used as a written assignment.) Keep in mind the following principles:

• Before students can talk about the reading, they have to understand it and be able to relate it to their own framework of experiences. It can be useful to do this section at the end of class to prepare students for that day's assignment, particularly with the longer or more difficult selections.

• People read best when they have a clear purpose in mind. Be specific about what you want students to get out of the reading and in how much detail. Are they reading for information, tone, development of theme, characterization?

• We have asked some very pointed and specific grammatical questions in these activities in order to focus students' attention on some of the more

difficult aspects of reading in Spanish (i.e., determining the subject—in the absence of pronouns— and objects of a sentence).

• Notice that we have purposely used a variety of forms of address (**tú, usted,** and **ustedes**) in the exercises. This will provide students with the basis for familiarity with the different possibilities, from formal to informal, from singular to plural.

For further help in reading strategies you may consult:

Bernhardt, E. *Reading Development in a Second Language.* Norwood, N.J.: Ablex, 1991.
Carrell, P. L., Devine, J., and Eskey, D. *Interactive Approaches to Second-Language Reading.* Cambridge: Cambridge University Press, 1988.

Reading selection. About fifty percent of the texts are new to the second edition. The texts that we have generated have been thoroughly revised. Our criteria for selection has been twofold. First, we favored very up-to-date readings. Second, we chose from among the many wonderful but less well-known authors in order both to introduce new voices into the classroom and to avoid standard readings with which students might already be familiar.

The **¿Entendido?** section forms the basis for the discussion of the reading selection. It should be answered in students' own words (either as homework or orally in class) while paying attention to grammatical structures. It is very important that the instructor check the written work regularly to make sure that it is being done correctly. In the margins, she or he should suggest that students review, on their own, the grammatical points in which they are weak. In class, the instructor can use this exercise to gauge students' grasp of the reading, adding other detailed questions that she or he deems important. Occasionally, it is useful to begin by asking whether there was any part of the section that students could not answer, and then either have other students give the answer or work it out as a group.

En mi opinión. At this point in the lesson, students have enough information for discussion. This section lends itself to working in pairs or groups with the different topics divided among them. Ideally, students should concentrate on only one question and later share their ideas/conclusions with the rest of the class. Use the questions and/or topics as open guidelines letting students go where their interests lead them. This part usually takes up most of the class time because it demands reflection and improvisation in the use of the language. Don't worry about silences here; students need time to think and will eventually say something!

The **Estrategias comunicativas** section is new to the second edition. It provides a list of expressions to help the flow of conversations. There are expressions for connecting, reacting, starting, continuing, and ending exchanges. They are practiced in the next section.

The **En (inter)acción** section offers activities for lively and spontaneous communication. There may only be enough time in class for one of these exercises. Students particularly enjoy doing the surveys early in the semester to break the ice.

The grammatical points that will be reviewed in the *Cuaderno* lesson that corresponds to this reading are indexed at this point, in the box labeled **Repaso gramatical.** This is followed by several practice exercises, **Práctica gramatical,** which reinforce the homework. We devote two full days in each unit to grammar review, but it is useful to allow a few minutes in every class meeting for questions and/or clarification of this section.

Finally, the **Creación** section can be used to further the class discussion or given as a written assignment. Students should incorporate some of the words featured in **Mejor dicho** and the vocabulary in **Palabra por palabra.** They are also encouraged to consult the writing program *Atajo* and to use the grammatical points that have been reviewed.

Pay special attention to the songs, cartoons, illustrations, photographs, and realia throughout each unit. They have been carefully chosen to provide a change of pace and explore other forms of communication. These elements should be fully exploited since they represent revealing aspects of the culture.

Songs. You can use the ones we have included, or choose your own. If you use others, make sure to provide both the lyrics and some summarizing questions/comments to focus their listening.
- Whenever possible play the song in class so students can listen without looking at the lyrics.
- Ask them to write down all the words they recognize.
- Ask them if they know what the song is about.
- Use cloze exercises for them to do while listening.
- Contrast these songs with similar ones from the United States.
- Yes, have them sing along!

There are videos of Rubén Blades singing his famous song "Pedro Navaja" (Unidad II: Contrastes culturales), and many others that might be suitable. Keep your eyes and ears open, and ask students to bring in music in Spanish that is appropriate. They are probably the best source of information!

Cartoons. Extra cartoons and comic strips are always a welcome addition to class. Humor is difficult to understand in a foreign language, so having it in visual form helps a lot.
- Have students explain what the joke is about.
- As a group, decide whether it is a typically Hispanic joke or a universal one and why.
- Ask students if they identify with any of the characters and why.

Illustrations, Photos, and Realia. Examine, compare, and contrast illustrations, photos, and realia for cultural details.

To end each unit

There are many ways to end each unit, from focusing on the realia/cartoons to playing music or games, from oral reports to films and debates. Following are some specific suggestions for these last two.

Films. Films in Spanish might make diffficult viewing for students who are used to Hollywood movies. It is advisable for the instructor to preview the films and give students a short introduction as well as questions to focus and guide them. Students should read the summary of the films *before* the screening so that they can be free to watch for details other than plot development only. Have students see the film at a scheduled showing outside of class or on their own time (if available from the college/university or at local video stores). The class discussion, highlighting the theme of the particular unit, should take place the day after the screening.

We have included summaries and activities for two films for each unit. For assistance in choosing and getting the films, you may consult the annotated list of recommended films for each unit. There are many companies that distribute Spanish films for rental and/or purchase. Two of them with very good selections are:

FACETS MULTIMEDIA, INC.,
1517 W. Fullerton Avenue, Chicago, Illinois 60614.
Phone: 1-800-331-6197;
Fax: 1-773-929-5437

GLOBAL VIDEO, INC.,
P.O. Box FLD-4455, Scottsdale, Arizona 85261.
Phone: 1-800-548-7123; Fax: 1-602-860-8650

Mesa redonda. This should be assigned to a small group of students who will make oral presentations and be responsible for engaging the rest of the class in further discussion. Each student should have at least one turn each quarter/semester to participate in this activity, which may or may not require research.

The **Mesa redonda** can take many forms.

- A debate or performance in which students summarize the studied topics (i.e., drugs, change, human rights, etc.).
- Presentations of aspects of the topic that were not included but that particularly interest students (e.g., the moral implications of test-tube babies, Arabic influence in Spanish cuisine).
- Elaborating on the **Creación** or other activities in the unit, especially those for which there might not have been enough time.

Other options for ending a unit

- Discussing the Audio segment, which further elaborates on the unit theme.
- Summarizing what has been learned in the unit and doing further analysis and synthesis of the opinions about a topic.
- Having a final review before the test. This is another opportunity to recap concepts or play games, such as categories (with titles, authors' names, etc.) or pictionary with vocabulary words.

Suggested Films for Each Unit

Following are brief reviews and activities for two films related to each of the units, as well as annotations for other recommended films.

- Most films are in Spanish with subtitles, unless otherwise noted.
- There are some films that do not specify the distributor. These are recent, or as yet unavailable. We have listed them so that you will recognize them whenever they become available.
- Some films are suited to more than one unit. You choose.
- While all films are appropriate, the ones preceded by an asterisk (listed under Additional Recommended Films) are particularly good.
- Many of the films can be found at local video stores. Be sure to check their supplies!

Unidad I: Tradición y cambio

FILM 1: *Mujeres al borde de un ataque de nervios,* (1989, Spain), World Video, 88 mins. Dir. Pedro Almodóvar. This movie could well be called "Desperately seeking Iván." It presents two chaotic days in the life of Pepa, an actress whose lover is about to leave her. Also appropriate for Unit IV.

Resumen

La relación de Pepa e Iván, los protagonistas, ha llegando a su fin. El mayor problema es que Pepa acaba de descubrir que está embarazada y no puede encontrar a Iván para decírselo. La película ocurre en un espacio de dos días en que Pepa busca a Iván desesperadamente y poco a poco va descubriendo cosas sobre su compañero. Numerosos personajes se cruzan en su camino: Lucía, la ex mujer de Iván, Carlos, el hijo de Iván y Lucía y la novia de éste, Candela, una amiga de Pepa que ha estado saliendo con un terrorista shiíta, una abogada que es el último amor de Iván y un taxista que sirve de "ángel de la guarda" a Pepa. Al final Pepa e Iván están por fin frente a frente y pueden aclarar su situación aunque, acaso, no de la manera tradicional.

Durante la película

Durante la proyección de la película, el/la estudiante apunta en un cuaderno expresiones, estructuras o vocabulario que reconocen por haberlas aprendido en clase. A continuación tienen algunos ejemplos.

Palabra por palabra

"[Lucía] es capaz de todo."
"Tire eso a la basura."
"Voy a acabar preocupándome."
"Es una mujer peligrosa."

Mejor dicho

"Me has salvado la vida."
"Quise salvar nuestra pareja."

Estructuras verbales

"Soy infeliz porque sé que no me quieres."
"Estaría muerta si no hubieras vuelto."
"Estoy desesperada. No estoy curada."
"No debería fumar."
"¡Me encantan las vistas!"
"A mi novia le gustó el autógrafo."
"A Iván le encanta el gazpacho."
"Iván ya no me interesa."
"¿Le molesta el rock? ... El mambo me encanta."

Después de ver la película

1. En parejas, los estudiantes van por la clase haciendo a sus compañeros/as una de las preguntas siguientes que el/la profesor/a les habrá asignado. Una vez que tengan suficiente información, presentan la respuesta a la clase. (Aunque parezca que todos los/las estudiantes responderán lo mismo, lo cierto es que unas recuerdan ciertos detalles y otros recuerdan otros diferentes.)

   a. ¿Por qué están las mujeres de la película al borde de un ataque de nervios?

   b. ¿En qué sitios tiene lugar la película?

   c. ¿Cómo es el apartamento de Pepa?

   d. ¿Cuánto tiempo transcurre desde el principio de la película hasta el final?

   e. ¿Cómo se prepara un "gazpacho"?

   f. ¿Qué función tienen el teléfono y el contestador automático?

   g. ¿Es similar el humor de esta película al de las comedias norteamericanas?

   h. ¿Tiene un final feliz y optimista la película?

2. En grupos, relacionen la película con los temas estudiados en **Tradición y cambio.** Por ejemplo, Pepa vigila a Lucía desde el bar que está enfrente de su casa; hay referencias a drogas, crímenes, etc.

3. En grupos, hagan una lista de actividades tradicionales y modernas que presenta la película. (La figura del donjuan, las madres solteras, las novias vírgenes, "De tal palo tal astilla".)

4. En parejas o en grupos de tres estudiantes, representen en clase una escena de 2–3 minutos de la película. Usen el vocabulario y las estructuras verbales anotadas antes. Sugerencias:

   a. en el taxi

   b. en el aeropuerto

   c. el anuncio de la televisión

   d. la terraza

5. Los/Las profesores/as muestran una secuencia de la película tapando los subtítulos, para evaluar la comprensión de los estudiantes. Hay que mostrarla varias veces.

6. Por lo visto, el título original era "¿Qué he hecho yo para que me abandones?" Los estudiantes deben buscar otros títulos para la película y explicar por qué también serían apropiados.

7. Como actividad escrita, cada estudiante debe llegar a clase con una carta dirigida a Iván.

FILM 2. *Plaff o Demasiado miedo a la vida,* (1989, Cuba), 97 mins. An intriguing look at the tradition of "santería" and some new uses for it. A delightful film, especially for would-be sleuths!

Resumen

Gira en torno a las tensiones y conflictos de una familia cubana que consta de la madre (Concha), su hijo y su nuera (Clarita), los cuales viven todos juntos. La época es la Cuba de los 80 y se contrastan las dos generaciones enfocando en los cambios hechos por la revolución, particularmente en la situación de las mujeres. Estos dos personajes femeninos interpretan la realidad por medios diametralmente opuestos: la santería y la ciencia.

Se trata de una película detectivesca y de tono humorístico. Hay un misterio: ¿quién tira huevos a la casa? Para resolverlo habrá que prestar mucha atención.

Antes de ver la película

Los estudiantes deben buscar información en Internet sobre la Revolución Cubana. Además deben leer las preguntas siguientes.

1. ¿Qué quiere decir "plaff"? ¿A qué se refiere?

2. ¿Qué problema tiene Concha?

3. ¿Por qué consulta Concha a Asunción?

4. ¿Qué poderes tiene la tortuga?

5. ¿En qué consiste el experimento de Clarita Rodríguez Estrada?

6. ¿Quiénes le tiraban huevos a Concha? ¿Por qué?

7. ¿Quién tiró el primer huevo? ¿Por qué?

8. ¿Cuántos finales tiene la película? ¿Y principios?

9. ¿Cuáles son algunas escenas cómicas de la película?

10. ¿Puede comentar alguna de las técnicas cinematográficas empleadas en la película?

Durante la película

Los/Las estudiantes deben apuntar oraciones y expresiones que caracterizan a los personajes. También deben señalar escenas que les dan pistas para decidir quién(es) es responsable de las acciones que están volviendo loca a Concha. Acaso, si la situación lo permite, se podría parar la película antes del desenlace final para que los estudiantes pudieran discutir sus conjeturas acerca del/de la culpable del vandalismo.

Después de ver la película

Al día siguiente en clase, los estudiantes pueden discutir la película basándose en las preguntas anteriores. Deben comentar algunos ejemplos específicos de tradiciones y cambios que han ocurrido en Cuba en las últimas décadas.

Additional Recommended Films

*FILM 3: *Como agua para chocolate,* (1992, Mexico), Facets, 105 mins. Dir. Alfonso Arau. A very popular and enchanting film about tyrannical traditions and the ways around them. Themes of love, war, madness are all focused around cooking and eating rituals. Also appropriate for Unit IV, where it is summarized. (violence, nudity, sexual situations)

FILM 4: *Rodrigo: No Future,* (1990, Colombia), World Video, 93 mins. Dir. Víctor Gaviria. Documentary style portrayal of Colombian children growing up without a future on drug-filled streets.

FILM 5: *Detalles de un duelo,* (1989, Colombia), World Video, 97 mins. Dir. Sergio Cabrera. A hilarious look at changes in dueling rites in a small Colombian town.

Unidad II: Contrastes culturales

FILM 1: *El Norte USA,* (1984), World Video, 134 mins. (English and Spanish subtitles) This is the story of a Guatemalan brother and sister who emigrate illegally to the United States. The film examines their reasons, their expectations, and the realities of their new life.

Resumen

La película cuenta la historia de la emigración a Estados Unidos de dos hermanos guatemaltecos: Rosita y Enrique. La narración se divide en tres partes. La primera tiene lugar en Guatemala y nos presenta la situación política del país a la vez que explora las razones por las cuales los hermanos tienen que irse de allí. La segunda trata de las vicisitudes del viaje a través de México y de su entrada ilegal en Estados Unidos. En la tercera parte, que tiene lugar en Los Angeles, vemos a los hermanos desenvolverse en su país adoptivo y podemos apreciar las dificultades de su nueva vida en Estados Unidos.

El Norte, en momentos trágica y en momentos humorística, trata un tema aún de gran actualidad con gran destreza y es seguro que hará a los estudiantes pensar de nuevo en el asunto de los inmigrantes ilegales en Estados Unidos.

Antes de ver la película

Busque información en Internet sobre los "ilegales" para discutir en clase después de ver la película. (¿Quiénes son principalmente los "ilegales"? ¿Cuáles son sus razones para entrar así en el país? ¿Adónde van principalmente?)

Preguntas

1. Describa lo que ocurre en la primera parte (la familia y la situación política) y dónde tiene lugar la acción.

2. ¿Por qué abandonan su país Rosita y Enrique?

3. Hable de la imagen de EE UU en esta parte. ¿Cómo es y de dónde viene?

4. Mencione algunas de las aventuras de los hermanos a su paso por México. ¿Qué es un "coyote"? ¿Por qué no se quedan allí?

5. Describa el cruce de la frontera.

6. Comente la situación de los hispanos en Los Angeles. ¿Hay solidaridad entre ellos?

7. ¿De qué trabajan Rosita y Enrique?

8. Mencione algunos episodios cómicos o trágicos que ocurren en esta parte.

9. ¿Por qué se enferma Rosita? ¿Cómo ha ido cambiando Enrique a lo largo de la película?

10. Explique la presencia de los padres en la última parte.

11. ¿Cuántas lenguas se hablan en la película?

12. ¿Cuáles eran sus sueños al venir a Estados Unidos? ¿Se hacen realidad? Explique.

13. Discuta la representación de los norteamericanos en la película y dé ejemplos que Ud. considera ofensivos, simplistas, estereotipados.

14. ¿Cambió en algo su percepción de los "ilegales"? ¿Cómo?

15. Comente el título de la película con referencia a la oposición entre lo imaginado y lo real.

Después de ver la película

1. **Y ahora ¿qué?** Escriba un párrafo explicando lo que hace Enrique tras la muerte de Rosita.

2. Hagan, en grupos, dos clasificaciones (*ratings*) de la película indicando:
   a. quién puede verla
   b. cuántas estrellas merece

FILM 2. *El mar y el tiempo,* (1989; Spain), Casa de España, 100 mins. Dir. Fernando Fernán Gómez. A belated family reunion sparks nostalgia for the past and surprise about new lifestyles.

Resumen

Abarca varias generaciones de la misma familia desde la época de la Guerra Civil (1936–39) hasta el presente y destaca los cambios que han ocurrido en sus miembros y en España. Los personajes principales son dos hermanos que resultaron separados por la contienda bélica: uno emigró a Argentina mientras que el otro permaneció en España. Ahora, después de la muerte de Franco, el hermano vuelve a la patria y se da cuenta de lo argentino que se ha vuelto en todos esos años.

La película no solamente contrasta España con Latinoamérica sino que también explora las diferencias entre generaciones, las nuevas libertades adquiridas por los jóvenes desde la implantación de la democracia y los conflictos entre los sexos.

Antes de ver la película

Busque información sobre la Guerra Civil española (sus causas, líderes, aliados, consecuencias) para compartirla o presentarla en clase después. Es una buena oportunidad para repasar la historia reciente de España y comentar las diferencias dentro del mundo hispano.

Preguntas

1. Describa a la familia de España (los miembros, su nivel de vida, etc.) ¿Cómo es (o no) la "típica familia española"?

2. Comente las diferencias generacionales existentes en la familia.

3. ¿Por qué emigró el hermano a Buenos Aires? ¿Cuándo lo hizo? ¿Por qué vuelve ahora?

4. Describa al visitante y algunas de sus reacciones a los cambios que encuentra.

5. Mencione dos episodios que Ud. considera clave en el desarrollo de la trama *(plot).*

6. Discuta el título de la película contrastando los recuerdos de los emigrantes con la realidad vivida de los que no se fueron.

7. Recuerde la famosa frase de Tom Wolfe, ¿es posible volver a casa? Coméntela en relación con la película.

Después de ver la película

1. Escriba una carta de agradecimiento a la familia en España, como si fuera el hermano que vuelve a Argentina, explicando sus sentimientos sobre la visita.

2. En grupos, discutan qué aspectos de la película les gustaron más y menos. Expliquen por qué.

Additional Recommended Films

FILM 3: *La línea del cielo,* (1984, Spain), World Video, 84 mins. Dir. Fernando Colombo. A young Spanish photographer comes to New York in search of fame and fortune. He finds he is not quite prepared for the demands of a new culture.

*FILM 4: *Barcelona,* (1992, USA). In English, this film tells the story of two young Americans working in Barcelona and their amusing cultural mishaps. Should be available in regular video stores.

*FILM 5: *Cosas que dejé en La Habana,* (1997, Spain). 110 mins. Dir. Manuel Gutiérrez Aragón. The adventures of three young sisters who leave Cuba for Spain. The cultures are not as similar as the sisters expected.

Unidad III: Los derechos humanos

*FILM 1: *La historia oficial,* (1985, Argentina), Facets, 112 mins. Dir. Luis Puenzo. Award-winning film exploring the issue of the *desaparecidos* from a unique perspective.

Resumen

Roberto y Alicia, una pareja acomodada pero sin hijos, adoptaron a una niña, Gaby. Alicia no sabe las verdaderas circunstancias del nacimiento de su hija y cree lo que le han dicho su esposo y el cura que estaba con ellos cuando recibieron a Gaby. Alicia que enseña historia, por supuesto la historia oficial de los libros, empieza a aprender la historia verdadera de sus propios estudiantes.

Alicia empieza a sentirse incómoda y aún más al hablar con Ana que había sido "desaparecida", encarcelada y torturada simplemente por ser amiga de alguien considerado enemigo del Estado. Ana le menciona a Alicia los casos de mujeres embarazadas arrestadas, cuyos hijos nacieron en las cárceles.

Después de esta conversación, Alicia empieza a investigar el origen de Gaby y se pone en contacto con las madres y abuelas de la Plaza de Mayo, las cuales se esfuerzan en averiguar el paradero de sus seres queridos desaparecidos. Entre ellas se encuentra una mujer que dice ser la abuela de Gaby. Roberto se enfurece con Alicia cuando ella trata de averiguar la verdad y la acusa de querer destruir la familia.

Antes de ver la película

Los estudiantes deben comentar/discutir lo siguiente. Pueden buscar información en Internet o el/la instructor/a puede introducir la película.

1. El título de la película —¿qué anticipa?
2. La Guerra Sucia de Argentina.
3. Las Madres de la Plaza de Mayo.

Preguntas

1. ¿Cuál es la profesión de Alicia? ¿Cuál es su relación con los estudiantes ¿Cambia esta relación a lo largo de la película?
2. ¿Qué tiene que ver la profesión de Alicia con lo que ocurre en la película?
3. ¿Qué función tiene Ana (la amiga de Alicia) en la película?
4. ¿Por qué se asusta tanto la niña durante su fiesta de cumpleaños? ¿A qué están jugando los niños?
5. ¿Quiénes conocen la historia verdadera?
6. ¿Por qué protestan las Madres de la Plaza de Mayo?
7. ¿Cuál es la relación de Roberto con sus padres y hermano?
8. ¿Cuál es la historia oficial?
9. ¿Cuál es la historia verdadera?
10. ¿Qué sucede al final de la película?
11. ¿Hay alguna semejanza entre la vida de Alicia y la de Gaby?
12. ¿Es relevante la canción que canta la niña en la película?

> En el país de No-me-acuerdo
> doy tres pasitos y me pierdo:
> un pasito para allí
> no recuerdo si lo di;
> un pasito para allá
> ¡ay! qué miedo que me da...

Después de ver la película

1. Los estudiantes deben discutir lo que les pasará a Alicia, a Gaby y a la señora que dice que es su abuela.

2. ¿Será justo que Gaby vaya a vivir con esta mujer si ella puede probar que sí es su abuela? ¿Qué ha pasado en casos de este tipo? ¿Cómo reaccionaría Gaby si tuviera que vivir con otra familia cuando Alicia es la única madre que conoce?
3. Y ¿qué le sucederá a Roberto? ¿Se arrepentirá? ¿Se suicidará?
4. En grupos de cuatro estudiantes, sugieran otro desenlace.

FILM 2: *Fresa y chocolate,* (1994, Cuba), Facets, 104 mins. Dir. Tomás Gutiérrez Alea. A delightful film about the difficult friendship between a devoted revolutionary and a dissenting homosexual in Cuba. Both serious and funny at times, the film presents the marginalization and even persecution of homosexuals, artists, and religious people in that country in the late seventies and early eighties.

Resumen

Diego y David se conocen comiendo helado en una cafetería muy popular de La Habana. De ese encuentro parte la exploración de la relación entre estas dos personas diametralmente opuestas. Humilde, provinciano, devoto revolucionario el uno; burgués, educado, disidente el otro. Ambos intentan convencer al otro de que su punto de vista es el correcto y la dinámica de los encuentros así como el diálogo son chispeantes y provocativos. Por el camino analizan la estrechez de la vida bajo un régimen que no deja sitio para la creatividad, ni libertad para elegir, ni libertad para expresarse. Todos estos temas están tratados con la ironía característica de Gutiérrez Alea.

Antes de ver la película

1. Hagan una "lluvia de ideas" *(brainstorming)* sobre la situación de los homosexuales en los Estados Unidos: ¿qué les está legalmente permitido y qué no?
2. Reciclen lo aprendido sobre la Revolución Cubana en la Unidad II (al leer "¡Ay, papi, no seas coca-colero!").

Después de ver la película

1. Mencionen tres momentos clave de la película, y expliquen su importancia y significado.
2. Discutan la presencia de estereotipos en la película y decidan si está justificado su uso o no.

3. Mencionen tres problemas que tiene Diego y tres que tiene David.

4. Hablen del papel de la comida en la película y del llamado "mercado negro".

5. Comenten el final y sugieran otros dos posibles desenlaces.

6. Analicen la imagen de Cuba y de la Revolución que nos ofrece este film hecho en Cuba. ¿Es positiva o negativa? Expliquen y den ejemplos.

7. Relacionen la cita siguiente con la película.

"En la imagen del héroe revolucionario cubano se confundieron los conceptos de hombría *(manhood)* y nación *(nationhood)*. Para redimir al país se requería la creación de un hombre nuevo y no tanto de una mujer. Nada parece amenazar *(threaten)* la utopía del nuevo hombre más que la homosexualidad." (Ruth Behar, ed. *Bridges to Cuba,* p. 12)

Additional Recommended Films

FILM 3: *Romero,* (1989, USA), World Video, 105 mins. Dir. John Dulgan, (English or dubbed into Spanish). A look at the last years in the life of the most famous Archbishop of El Salvador with a view of "liberation theology" in action.

FILM 4: *Improper Conduct,* (1984, USA), Facets, 112 mins. Dir. Néstor Almendros. Controversial and powerful documentary about intellectuals and homosexuals who have been persecuted under the Castro regime.

FILM 5: *Camila, (1984, Argentina), Facets, 90 mins. Dir. María Luisa Bemberg. A young Catholic socialite falls in love and runs away with a priest with disastrous consequences. A film based on historical facts and set in the late nineteenth century during the Rosas dictatorship in Argentina. (Nudity, sexual situations)

Unidad IV: Hacia la igualdad entre los sexos
FILM 1: *Como agua para chocolate* (See Films for Unit I for description.)

Resumen

En la familia de La Garza existe la tradición de que la hija menor no se case y así pueda dedicarse a cuidar a su madre hasta su muerte. A Tita, por ser la menor, le corresponde cumplir con la tradición, pero se enamora de Pedro e intenta rebelarse. Doña Elena, que así se llama la madre, evita la rebelión haciendo que

Pedro se case con otra de sus tres hijas, Rosaura. Numerosos conflictos familiares surgen a partir de la boda entre Rosaura y Pedro, porque todo el mundo puede darse cuenta de que Pedro sigue enamorado de Tita. A pesar de las restricciones impuestas por doña Elena, Tita consigue acercarse a Pedro a través de la comida.

Antes de ver la película

Busque en Internet reseñas e información sobre esta película y tráigala a clase el día de la discusión para compartirla con sus compañeros/as.

Preguntas

1. ¿Qué significado tiene el título y cómo se relaciona con la película?

2. ¿Quién narra la historia? ¿En qué tiempo? ¿Cuándo tiene lugar?

3. Describa algunos hechos históricos de la época de la narración.

4. ¿Por qué no podía casarse Tita?

5. Explique el comentario de Chencha cuando la madre le ofrece la mano de Rosaura a Pedro, en lugar de la de Tita. Dice: "No se pueden cambiar tacos por enchiladas."

6. ¿Por qué accede Pedro a casarse con Rosaura? ¿Está justificado? ¿Es Rosaura una víctima o tiene ella culpa también?

7. Cuente el episodio de la boda de Rosaura y el bizcocho de bodas.

8. Mencione algunos problemas del matrimonio de Pedro y Rosaura.

9. ¿Cuál es la importancia de la cocina en la película?

10. ¿Cómo cambia la vida de Gertrudis después de comer las codornices?

11. Mencione otros efectos de la comida en la película.

12. ¿Cuál era el secreto de la madre? ¿Por qué se muere el padre de Tita? ¿Cómo muere la madre?

13. Por qué regresa el fantasma de la madre? ¿Cuándo no vuelve más?

14. ¿Había otras opciones que la obediencia en la situación de la familia? ¿Cuáles?

15. Comente el papel de Gertrudis en la historia.

Después de ver la película

A. Entre todos/as los/las estudiantes busquen en la clase a las personas que mejor podrían representar los personajes de la película: Doña Elena, Tita, Rosaura, Pedro, Gertrudis y el doctor Brown. Después, deben sentarse delante de la clase como si estuvieran en un *Talk Show* y el/la profesor/a o bien otro/a estudiante hace el papel de Geraldo o de Ricki Lake. El resto de la clase es el público, que hará preguntas a los distintos miembros de esta familia disfuncional.

B. Discutan la importancia de la comida o de la magia en la película.

C. Intenten expresar las ideas o comentarios siguientes en sus propias palabras. No hay que traducirlas literalmente. Digan si están de acuerdo con lo que expresan.

1. *"But Tita, who is relegated to the role of family cook, turns out to be something of a kitchen magician. Whatever she is feeling is channeled into whatever she is cooking."* (Eleanor Ringel)

2. *"My understanding is that your book has been used by psychotherapists so their patients could access their tears. Do you like the fact that your book is being used in this way?"* (Claudia Loewenstein)

3. *"Como agua para chocolate is a Mexican idiom that means extremely agitated or, in the English equivalent, boiling mad. The expression describes Tita's anger at her confinement to the kitchen as she endeavors to surmount the obstacles of her happiness."* (Janice Jaffe)

4. *"Everyone's past is locked up in their recipes. The past of an individual and the past of a nation as well. When I cook certain dishes, I smell my grandmother's kitchen, my grandmother's smells."* (Laura Esquivel)

5. *"As a very young girl, I understood that the interior activities of the home are as significant as the exterior activities of society."* (Laura Esquivel)

D. Traduzcan al inglés las oraciones siguientes, procedentes del artículo de Antonio Marquet, "La receta de Laura Esquivel", **Plural** 237 (1991): 58–67. Después digan si están de acuerdo con lo que dice el autor o no y por qué sí/no.

1. "Mamá Elena es la madre omnipotente, que puede dar la vida, determinar el destino de su hija y exigir, a cambio, la absoluta devoción de ésta."

2. "Pedro, el ideal de la protagonista, es un hombre que permite que se le imponga la voluntad de Mamá Elena. Siempre vigilado, es un ser pasivo que sólo se contenta con soñar y con una vida sexual muy pobre."

3. "Tita de la Garza es una especie de Cenicienta moderna. De una posición marginal y subordinada, dedicada a los quehaceres domésticos, asciende al cielo junto a Pedro a la felicidad perfecta."

4. "Los elementos fálicos que constituyen el centro de estas imágenes, es decir, el chorizo destajado y el caldo de colita, permiten descubrir que el fondo de la disputa entre doña Elena y Tita es una lucha por el falo, por el poder."

5. "La primera cocina del mundo es el vientre materno que produce el alimento más delicioso que existe."

FILM 2: *La ardilla roja (The Red Squirrel),* (1993, Spain), Mirada; Sogetel S.A., 104 mins. Dir. Julio Medem. Premio de la Juventud en Cannes. A comedy brimming with youthfulness, suspense, and lies. Available at Facets. (Violence, nudity, sexual situations, language)

Resumen

Jota era el cantante de un grupo de rock llamado "Las Moscas". Ultimamente las cosas no le van muy bien, pues su novia lo ha abandonado y le falla la creatividad. Al principio de la película está intentando suicidarse tirándose por una barandilla cerca de la playa. En ese momento un motociclista tiene un accidente y él va a socorrerlo. Descubre que es una mujer y que tiene amnesia. La lleva a un hospital y desde ese momento la hace creer que es su novio. Juntos van a un camping llamado *La ardilla roja* donde empiezan a descubrir la verdad el uno de la otra. Lisa está huyendo de su marido psicópata, Félix, que la encuentra en el camping. Jota, Lisa y Félix son personajes muy especiales.

Antes de ver la película

Escriba una composición sobre el tipo de películas (policíacas, románticas, de terror, infantiles, musicales, de humor) que le gusta ver (o no) y explique por qué.

Preguntas

1. ¿Cuánto tiempo te llevó saber lo que estaba pasando en la película? ¿Qué propósito tendría el director?

2. Hay muchas escenas que se repiten, pero con un pequeño cambio. Menciona cinco distintas.

3. Haz una lista de las "mentiras" que los personajes dicen a lo largo de la película. Menciona cinco como mínimo.

4. Explica la relación entre el taxista, Carmen y sus dos hijos. ¿Es una familia típica?

5. ¿Qué tipo de mujeres presenta la película? ¿Y de hombres?

6. Según un crítico, *"La ardilla roja* es una parábola contra el machismo en clave de misterio." ¿Estás de acuerdo con esta afirmación?

7. ¿Crees que la película es un poco rara por ser extranjera o por la manera como se realizó?

8. ¿Qué significado puede tener el título de la película?

Después de ver la película

1. Comparen esta película con otras que a Uds. les parezcan semejantes.

2. Cada grupo menciona una escena y se van poniendo en orden en la pizarra. (O bien el/la profesor/a puede darles una lista.)

> Por ejemplo: 3. En la radio dicen que el marido de Lisa la está buscando.
>
> 1. Lisa sale del hospital con Jota y montan en la moto.
>
> 2. Alberto hipnotiza a su hermana Cristina.

3. Contrasten/comparen el comportamiento de los animales (como la ardilla) y el de los seres humanos (a) en la película y (b) en la vida real. ¿Qué tenemos en común con ellos?

4. Busquen otro título para la película y explíquenlo.

Additional Recommended Films

FILM 3: *La mitad del cielo (Half of Heaven),* (1986, Spain), 95 mins. Dir. Manuel Gutiérrez Aragón. Contrasts three generations of women during the Franco regime. Each one has very special powers. Spanish with English subtitles. Pacific Arts Video 685.

*FILM 4: *Boom Boom,* (1989, Spain), 90 mins. Dir. Rosa Vergés. A delightful contemporary love story seen through the lens of a postmodern camera. Some critics say it is a modern version of *Tristán e Isolda.* United International Pictures.

FILM 5: *Abre los ojos,* (1997, Spain). Dir. Alejandro Amenábar. A film that is an engrossing mixture of

mystery and relationships. It sticks with the viewer long after its end.

Answers to Some Textbook Exercises

Unidad II: ¡Qué guay!

En mi opinión (respuestas)

2. a. De tal palo, tal astilla.
   b. Dios los cría y ellos se juntan.
   c. Mucho ruido, pocas nueces.

En (inter)acción (adivinanzas)

2. a. La oscuridad
   b. El sueño
   c. La mesa

"Nocturno chicano" y "Canción de la exiliada"
En (inter)acción (respuestas)

3. dinero: limitado $10.000 máximo
   ropa: limitada a uso personal (¡sólo por el exceso de equipaje!)
   frutas y vegetales: prohibidos
   tabaco: 100 puros o 200 cigarrillos
   medicinas: prohibidas (excepto con carta del médico/a)
   bebidas alcohólicas:1 litro por persona
   libros: ilimitado (excepto los pirateados)

Cuaderno

The *Cuaderno* contains grammatical explanations as well as exercises for vocabulary, grammar, and writing review. Students should keep up with the assignments on a daily basis, checking their answers against the key in the back. Assignments should be collected and checked by the instructor at the end of each unit.

The need to review specific grammar points will become evident immediately. The instructor should monitor errors and assign grammar sections as needed. Individual students can be responsible for studying the grammar points in which they are weak and for doing the appropriate exercises. Twice during each unit (or as often as necessary according to the level of the class), set aside some time to go over the grammar points covered in the lessons. For practice in class, use the interactive exercises provided in the text under

Práctica gramatical. At home, students can work on their own in the **Repaso gramatical** section. To discourage mechanical responses we have randomly included some playful phrases that will catch the eye of alert students, such as **¿Prefiere Ud. leer una novela o una cuenta?**

The *Student Audio CD* (packaged with the student text) is a new feature of the second edition. There are twelve listening segments, one per chapter. The exercises to accompany this section appear at the end of each chapter in the *Cuaderno.* They provide further opportunity for developing listening skills in the most difficult of all formats: without recourse to visual clues such as lip reading or body language. The scripts for these segments follow.

Audio Tapescripts
Unidad I, Capítulo 1

... Que comieron... ¿qué?
Dick Reavis

Antes de que los españoles conquistaran México, sus habitantes eran capaces de comerse cualquier cosa que se moviera. ¡Ahora Ud. también puede!

La camarera me ha traído un plato de gusanos tostados. Yo se lo pedí. Son gusanos rojos, de esos que a veces se encuentran en el fondo de las botellas de mezcal. Miden dos pulgadas de largo y son del ancho de una cápsula de aspirina. Pruebo unos cuantos, llevándomelos a la boca en grupos de dos o tres. Están casi vacíos por dentro y bien tostaditos, como cualquier *snack* norteamericano. Son caros —un plato de gusanos cuesta 30.000 pesos (11 dólares), es decir, casi el doble de lo que gana el trabajador mexicano medio al día— y se me ocurre que a este precio probablemente pueda conseguir un pilón, algo extra, lo que la gente de Nueva Orleans llama *lagniappe.* Por eso pido unos pocos gusanos vivos para picar.

No es por perversidad. Es la moda. Ahora que los restaurantes mexicanos son populares desde Bangkok a San Diego, los verdaderos conocedores de la cocina mexicana buscan lugares que sirvan platos auténticos, sin europeizar, de México y Centroamérica. Se llama comida prehispánica o precolombina, el tipo de cosas que los mexicanos comían antes de que la región fuera dominada por los españoles. Los gusanos, cocinados o crudos y vivos, son parte integrante de la cocina prehispánica. Comerlos se ha convertido en un rito de

pasaje para los que quieran conocer a fondo el pasado mexicano.

—Por lo general no los servimos vivos —dice la mesera como si la idea le resultara repulsiva.

—Pero, ¿los tienen? —insisto yo.

Afirma con la cabeza y tras de un poco más de charla, accede. Dos minutos después una docena de gusanitos rojos se contonean en un plato frente a mí.

Con la yema de los dedos me meto uno en la boca. No sabe a nada pero está un poco duro. Eso me sorprende. Pruebo otro. Antes de masticarlo siento un escozor en la lengua, un escozor que en seguida se vuelve agudo. ¡No lo puedo creer! ¡Me está mordiendo!

Aunque la maniobra no es delicada, me meto varios dedos en la boca, agarro un pedazo de gusano y lo tiro. El escozor no cesa sino que, muy por el contrario, se hace más fuerte. ¡Me duele! No hay más que una alternativa. Apretando la lengua contra los dientes, mastico furiosamente. El escozor cede. Trago, tomo un poco de cerveza y llamo a la mesera.

—¿Muerden estos gusanos? —le pregunto.

—Pues claro, por eso preferimos no servirlos vivos —contesta sonriente.

Unidad I, Capítulo 2
Las parrandas puertorriqueñas

ALICIA: Hola, Anamari. ¿Qué me cuentas?

ANAMARI: Nada especial. Estoy pensando mucho en mi casa estos días.

ALICIA: Y entonces, ¿por qué estás tan nostálgica?

ANAMARI: Es que estoy recordando las parrandas y las fiestas navideñas que ya han empezado en Puerto Rico. ¿Sabes que allí los estudiantes tienen un mes de vacaciones? Entre el 10 de diciembre y el 10 de enero más o menos.

ALICIA: ¡No me digas, vaya suerte! Y... a propósito, ¿qué es eso de una parranda?

ANAMARI: Es una de nuestras tradiciones más queridas. Una familia despierta a otra a medianoche cantando villancicos desde la calle y luego entran en la casa para continuar la canción. Después de un rato, todos van a otra casa y hacen lo mismo otra vez. Finalmente, a las 5 de la mañana, va todo el grupo a la última casa donde cantan y comen un asopao de pollo o bacalao. Todo acaba alrededor de las 6 de la mañana, cuando se marchan todos a sus casas.

ALICIA: ¡Qué curioso! ¿Tienen otras tradiciones como ésa, que no practicamos aquí en Estados Unidos?

ANAMARI: ¡Claro que sí! Por ejemplo, el intercambio de regalos se hace no el 25 de diciembre sino el 6 de enero, el día de los Reyes Magos. Generalmente recibimos sólo tres cada uno. Además, los regalos no se ponen debajo del árbol de Navidad sino al pie de la cama de cada uno. Y no dejamos leche y galletas para Santa Claus sino yerba y agua para los camellos de los Reyes.

ALICIA: ¡Ay, Anamari, cuánto me gustaría ver todo en persona!

ANAMARI: Pues muy bien, te invito. Ven conmigo a mi casa durante las vacaciones.

Unidad I, Capítulo 3
El SIDA

La palabra SIDA corresponde a las iniciales del Síndrome de Inmunodeficiencia Adquirida. Es una enfermedad infecciosa producida por el virus llamado "Virus de la Inmunodeficiencia Humana" (VIH).

La enfermedad se caracteriza por el deterioro del sistema defensivo natural del organismo, que tiene como consecuencia la aparición de infecciones y procesos cancerosos que son resistentes a los tratamientos habituales. Las infecciones son "oportunistas" porque aprovechan la debilidad y el descenso de la capacidad defensiva de la persona enferma.

Los principales síntomas son:
- fiebre con escalofríos y sudores nocturnos
- tos que no es resultado de un resfriado
- aumento de tamaño de los ganglios
- pérdida de peso sin razón aparente
- diarrea prolongada
- cansancio y constante debilidad
- pérdida del apetito

El virus del SIDA se transmite:
- por relaciones sexuales con personas infectadas
- al compartir agujas para inyectarse drogas
- por transfusiones de sangre contaminada
- de una madre infectada al feto

Algunas de las complicaciones de la enfermedad son:
- inflamación de la pelvis en las mujeres
- cáncer
- esterilidad
- infecciones repetidas

Es importante tener en cuenta que la persona infectada puede contagiar a otros aunque parezca saludable y se sienta bien.

Es necesario que nos enfrentemos a este problema con responsabilidad, sin dejarnos llevar por el temor ni por información equivocada. Su bienestar y el de su familia están en sus manos.

Adaptado del panfleto
"Las enfermedades de transmisión sexual"
Instituto de la Mujer
Ministerio de Asuntos Sociales, España

Unidad II, Capítulo 4
El Spanglish

"Muchos jóvenes están convencidos de que el llamado *Spanglish* (una mezcla de inglés y español) es la lengua del futuro." Dice Nely Galán, 32, presidenta de Galan Entertainment, una compañía de Los Angeles que trabaja con el mercado latino: "Es el fenómeno de ser de dos culturas. Es maravilloso. Yo hablo inglés perfectamente pero prefiero hablar las dos lenguas simultáneamente. ¿Es *cool* o no?"

Este tipo de *Spanglish* no es el lenguaje primitivo y macarrónico que los recién emigrados emplean para comunicarse en su nuevo país. Hoy día lo hablan inmigrantes de segunda y tercera generación, con papeles visibles e influyentes en las distintas comunidades. Se ve en las revistas de moda, se oye en las canciones de *rap* y hasta poetas y novelistas le están dando vida y legitimidad literaria.

En la vida diaria el *Spanglish* puede ser una mezcla vívida y exuberante, un verdadero baile en que el inglés y el español se abrazan y giran juntos sin esfuerzo. Por ejemplo, uno *parquea* el carro, apaga el *casete* donde sonaba música de Selena, pone unos *cuartos* en el parquímetro —no vaya a ser que la policía le ponga un *ticket*— y va al lugar que anuncia ayuda en la preparación del *income tax.*

Las dos lenguas forman una pareja equilibrada ya que el inglés es una lengua eficiente y el español tiene sabrosura, como afirma Gustavo Pérez Firmat, profesor de Duke y escritor. Y muchos hablantes lo confirman al usar principalmente el inglés para los negocios y el español para expresar sus emociones.

Adaptado de "Spanglish", Lizette Alvarez,
NYT, 25 marzo 1997,
y
"El vigor del Spanglish", Javier Valenzuela,
5 mayo 1997

Unidad II, Capítulo 5

Cupido al diván

Rafael Molano

Bajo la dirección del psicólogo de la Universidad de Michigan (Estados Unidos) David M. Buss, un equipo de especialistas esparcidos por seis continentes y cinco islas, trató de establecer cuáles son las verdaderas razones que hombres y mujeres tienen en cuenta para escoger su pareja. De la zona latinoamericana sólo se incluyeron tres países en la muestra: Colombia, Venezuela y Brasil.

Todas las variables buscaban establecer qué incide más en el acercamiento hacia la posible pareja: la cultura de un país o la simple diferencia de sexos. La conclusión inicial muestra que la cultura tiene mucho mayor efecto (en las 31 características expuestas) que el que se da por poseer características masculinas o femeninas.

Esa primera lectura sugiere que hay más similitud entre hombres y mujeres de una misma cultura que la que existe entre los hombres de una cultura y los de otra, o entre las mujeres de un país y las de otro.

La variable cultural con más efectos cambiantes se da en un punto que parecía olvidado por los nuevos tiempos: "la castidad". China, Irán, Indonesia y los árabes palestinos le dan suma importancia a ese aspecto. Irlanda y Japón le ponen moderado interés. En cambio, Suecia, Finlandia, Noruega y Alemania apenas si se acuerdan de su existencia.

En el área de la personalidad, franceses, japoneses, brasileños, norteamericanos, españoles e irlandeses se van por el lado de la personalidad excitante, la buena disposición de ánimo y la amabilidad. Entre tanto, la población negra de Suráfrica, los chinos y los iraníes casi no se inmutan con esas dotes.

A pesar de que la opinión por diferencia de sexos no tiene tanto impacto como la cultural, sirve para ratificar viejos chistes que circulaban sin una base confiable. El estudio confirma que la mayor diferencia entre hombres y mujeres de todo el mundo está en los puntos "buenas perspectivas económicas y atractivo físico". Las mujeres se inclinan, en su mayoría, por las cuentas bancarias de sus pretendientes, mientras los hombres pierden la cabeza ante una cara linda o un cuerpo voluptuoso.

Pero sería exagerar si se dijese que las motivaciones "materialistas" son el único motor de atracción entre seres humanos. La cuestión queda un poco atenuada cuando se comprueba, mediante una correlación general, que tanto para los hombres como las mujeres de toda la muestra, la solicitud fundamental es la de "atracción mutua y amor".

También se observa algo curioso en la tabla de ordenamiento (13 puntos). En ésta, que no incluía la variable de atracción "mutua", los encuestados de los 33 países dan los primeros lugares (en diferente orden) a los mismos cuatro puntos: "comprensión y bondad, inteligencia, personalidad excitante y salud".

Esa identidad general sugiere la existencia de un grado de unidad en ciertas preferencias, típico de la especie humana, que trasciende geografía, raza, política y diversidad sexual.

En países de Europa Occidental, como Alemania, Francia y España, se encuentra concordancia en opciones como similitud "política", pero en el caso de la "vida social", de la que son muy partidarios los españoles, el puntaje alemán es muy bajo.

Como último aporte novedoso está el de naciones como Nigeria y Zambia, dos de las muestras con más alto grado de diferencia en las opiniones de los sexos. Lo interesante ahí, es que son los dos países donde se practica la poligamia. Aunque los venezolanos también producen sorpresa cuando se establece que su muestra es una de las tres únicas (de todo el estudio) en la que hombres y mujeres colocan como característica más importante para elegir pareja a la variable "inteligencia".

Unidad II, Capítulo 6

"Hispano ¿yo?"

LUCAS (A): Hola, Luis Miguel. ¿Hace mucho que me esperas?

LUIS MIGUEL (B): No, nada, acabo de llegar yo también.

A: ¿Qué tal te va la vida en "tu nueva tierra"?

B: Bastante bien, pero hay algo que no tengo claro.

A: Pues, dime.

B: ¿Qué es eso de hispano? Yo soy venezolano.

A: Sí, es cierto, tú *todavía* eres venezolano.

B: No te entiendo. ¿Qué quieres decir con eso?

A: Pues que ser hispano es más que nada un estado mental.

B: Sigo sin entenderte.

A: Te explico. El censo estadounidense registraba 19 millones de hispanos en 1988, pero no los definía ni por el apellido ni por el país de origen. Simplemente les preguntaban: ¿Es Ud. blanco, negro o hispano?

B: Esa selección es absurda, porque se puede ser hispano blanco o hispano negro.

A: Exactamente. Date cuenta que alguien podía llamarse Martínez, haber llegado de México hacía apenas dos años y, con decir que era blanco, pasaba estadísticamente a engrosar la mayoría.

B: En otras palabras, era su opción, realmente sencilla, renunciar a su hispanidad.

A: Sin duda, pero lo cierto es que 19 millones de residentes de Estados Unidos, libremente, han escogido ser hispanos.

B: Es decir, que lo son por vocación.

A: Muy bien dicho. Creo que ya entiendes eso de que ser hispano es un estado mental. A propósito, ¿y tú vas a marcar la casilla de hispano en el próximo censo o no?

B: Sólo si incluyen hispano-venezolano como una nueva opción.

(Risas)

Adaptado de "Los Hispanos-Hispanics"
UNO, La Revista de América, 1989.

Unidad III, Capítulo 7

El alquiler barato: la solución

Cooperativa Jóvenes de Villaverde-Pueblo Unido

El problema de la vivienda en España es enorme. Debido a la política empleada hasta ahora, alquilar un piso es tan caro como comprar una casa. Y en esta situación las personas nos vemos empujadas a realizar un sobreesfuerzo durante 10, 20 o 30 años si queremos comprar una casa.

A esto hay que añadir los problemas que los jóvenes tenemos para acceder a la primera vivienda (o única en la vida), directamente relacionados con la situación laboral tan negativa que existe. Más del 70% del total de parados somos jóvenes, y los pocos que trabajan lo hacen en una situación precaria.

Con todo esto los jóvenes nos emancipamos muy tarde, cosa que no ocurre en otros países de Europa, donde la vivienda en alquiler a precios muy asequibles es la solución a esta necesidad del joven de iniciar su propia vida fuera de casa. La mayoría de los jóvenes que se pueden comprar un piso, tienen que hacerlo en el extrarradio de las ciudades, con lo que los barrios de Madrid se están quedando sin jóvenes (envejecimiento paulatino), situación que deteriora el recambio generacional de un barrio.

Nosotros somos un grupo de jóvenes movidos por la necesidad de conseguir vivienda. En los proyectos llamados de Autogestión de Vivienda en Alquiler para Jóvenes, la Administración cede el suelo y será propietaria de las viviendas. La cooperativa se hace cargo de la gestión total de las mismas: el cobro de las cuotas de alquiler y gastos de mantenimiento y conservación. Con esta propuesta se consigue solucionar el problema de la vivienda que afecta a los jóvenes y además se consigue que los jóvenes del barrio permanezcan en él.

Denunciamos la pasividad de la Comunidad de Madrid ante este problema que nos afecta, negándose a trabajar para resolverlo. Por todo lo anterior, solicitamos el apoyo de los socios, su concienciación y su disponibilidad para luchar por esto. También pedimos el apoyo de los vecinos porque queremos que las viviendas sean para los jóvenes del barrio.

Unidad III, Capítulo 8

Uno más uno

Cantantes: Sabiá

Pudo ser Juan o María o Manuel
ahora es Javier quien desapareció.
Se perdió un día cualquiera
como si fuera una perla revuelta*   *mixed in*
en toneladas de arroz.
Durante mucho tiempo
no se supo más de él.
Desapareció, no sabemos de él,
simplemente desapareció.
No sabemos de él, pero pudo ser Juan
o María o Manuel, ahora es Javier
quien desapareció.
Ahora es Javier... (bis)
Ahora entre cuatro paredes
el tiempo vuela
y ya son tres años
y el silencio pesa.* (bis)   *weighs (heavily)*
Mi voz quisiera cantar
que somos el día de mañana
que vendremos todos juntos
que abriremos tu ventana.
Uno a uno llegarán
los brazos entrelazados*   *intertwined*
con el limpio cuerpo erguido*   *standing tall*
y los puños encrispados.*   *clenched fists*
La tarde se vuelve gris
y el silencio pesa,
y los presos regresan
a sus tristezas.

Tras las rejas* hay obreros   *behind bars*
campesinos y profesores que
por querer participar
los llaman agitadores.
Muchos no tuvieron
ese privilegio.
Muchos ya pagaron
muy alto precio.
Mi voz quisiera cantar
que somos el día de mañana,
que vendremos todos juntos,
que abriremos tu ventana.
Uno a uno llegarán,
los brazos entrelazados,
con el limpio cuerpo erguido
y los puños encrispados.

Unidad III, Capítulo 9

Los comedores de la solidaridad

Teky

Mucha gente desconoce el trabajo y esfuerzo creativo
que realizan hombres y mujeres, sobre todo estas últimas, para luchar contra la pobreza y hacer frente a sus
necesidades primarias. Las iniciativas de las mujeres
de Perú son un ejemplo de los muchos que existen en
los países del mal llamado Tercer Mundo y que son un
testimonio de que estos pueblos tienen respuestas que
merecen todo nuestro apoyo y respeto.

Se trata del trabajo de las mujeres en los llamados
Comedores Populares del Perú. Organizaciones de
base autogestionaria, surgieron en 1978 como consecuencia de una de las más graves crisis económicas de
la historia del Perú. Actualmente existen, sólo en los
barrios urbano-marginales de Lima, unos siete mil.
Estos comedores de la solidaridad tienen como objetivo principal el preparar la comida colectivamente
para alimentar a sus familias y a otros miembros del
barrio que se encuentran en situación de emergencia.
Comprar y cocinar para muchos permite abaratar los
precios y lograr una nutrición equilibrada, lo que no
sería posible si cada mujer tuviera que preparar la
comida individualmente. Esta iniciativa contribuye a
aliviar el problema del hambre y de la malnutrición
muy extendido en los sectores populares y rurales del
Perú. Los comedores populares son una organización
de base que cuentan con dos organismos: la Asamblea
General (destinada a la participación democrática de
todas las beneficiarias y dónde se discuten los problemas y acontecimientos de todas las socias) y el
Comité responsable (formado por las mujeres que diri-

gen el comedor y que se ocupa de la gestión cotidiana
como es la elaboración de menús, las compras y la
organización de los turnos de cocina entre las socias).

Pero los comedores no sólo realizan esta tarea sino
que también tienen otras actividades que capacitan a la
mujer para tener un papel activo en el barrio y en la
comunidad; asimismo le posibilita una formación técnica para actividades en pequeños talleres productivos:
artesanías, panaderías, tejidos, etc. que les permiten
obtener ingresos para la familia. El salir del hogar y
asumir otras tareas en servicio de la comunidad permite
que la mujer crezca en su autoestima, pierda el miedo y
mejore su capacidad de expresión y comunicación. Los
Comedores Populares tienen sus raíces en la cultura y
tradición indígena caracterizada por la reciprocidad, la
colectividad y la solidaridad. Esta experiencia peruana
ha saltado las fronteras del país y ha interesado a
Canadá donde se ha copiado esta iniciativa.

Unidad IV, Capítulo 10

El machismo

Al hablar del machismo es necesario empezar con la
siguiente observación: aunque existe la tendencia a
relacionarlo con el mundo hispano, lo cierto es que
este fenómeno se extiende igualmente por otras
regiones geográficas y, además, en cada país posee
características propias. Si comparáramos los estudios
hechos sobre el machismo en México, Cuba y en la
cultura latina de Estados Unidos, observaríamos que
su significado varía notablemente.

En el diccionario encontramos definido el machismo como "actitud de prepotencia de los varones
respecto de las mujeres". Esta prepotencia se puede
manifestar de múltiples maneras: en la importancia
que un hombre le da a la potencia sexual, a la conquista de un gran número de mujeres, a la procreación
de numerosos hijos, preferentemente varones, a la
represión sexual de la mujer, a la exhibición de su
cuerpo o partes del cuerpo.

Algunos autores mantienen que no todos los rasgos
asociados con el machismo son negativos o patológi-
cos. Rafael Ramírez en su libro *Dime capitán. Re-
flexiones sobre la masculinidad* menciona los siguientes aspectos positivos que otros autores han
señalado: "el valor, la fortaleza, la responsabilidad, la
preserverancia y la protección de la familia". (pág. 23)

Otra distinción que se hace al estudiar el machismo
es la diferencia de comportamiento que exhibe un
hombre machista estando con mujeres y estando con
otros hombres. Mientras con las mujeres puede adop-

tar una actitud caballeresca y cortés, con los hombres suele ser agresivo y competitivo.

Por último, hay que tener en cuenta un hecho que puede resultar contradictorio, pero que no lo es en absoluto: "La homosexualidad y el machismo no son términos mutuamente excluyentes: pueden coexistir en una persona."Así lo declara Marcelo Fernández-Zayas en el Mirador de Washington y también otros estudiosos. Y añade Fernández-Zayas: "La apariencia masculina y la actitud machista no es garantía de que el varón no sea homosexual. Las historias de las instituciones militares están llenas de ejemplos de hombres de indiscutibles apariencias masculinas y actitudes machistas, con sentimientos y preferencias homosexuales."

Unidad IV, Capítulo 11
La Monja Alférez (*ensign, second lieutenant*)

Catalina de Erauso, más conocida como La Monja Alférez, nació en 1592 en San Sebastián, en el norte de España. Pasó algunos años en un convento con otras dos hermanas suyas, pero a los quince años se escapó de allí. Guiada por su espíritu aventurero y deseos de libertad, recorrió gran parte de España vestida de hombre. Se embarcó en un buque que salía para América. Estando en el Nuevo Mundo se unió al ejército español y se distinguió por su valor en las luchas contra los indígenas. Debido a sus acciones heroicas obtuvo el grado de alférez.

Tanto en tierras españolas como americanas, Catalina peleó contra numerosos hombres y llegó a matar a quince en duelos o riñas. (Uno de ellos fue su hermano.) Su carácter altivo y poco sociable le ocasionó diversas aventuras. En ocasiones tuvo que salir huyendo de la justicia y en otras terminó en la cárcel.

Durante todo este tiempo vivió como un hombre sin que sus compañeros se dieran cuenta de que era, en realidad, una mujer. En Guamanga (Perú), Catalina le reveló al obispo que era no sólo una mujer, sino también una monja. Incluso se sometió a un examen para demostrar que era virgen. Cuando llegó a España, el rey Felipe IV le permitió conservar su título militar de alférez y le concedió una recompensa por el valor que había mostrado luchando contra los indígenas americanos. El Papa Urbano VIII le dio permiso para que pudiera vestir siempre el traje masculino.

Volvió a Latinoamérica, pero en 1635 desapareció. Se ignora la fecha de su muerte.

(Texto adaptado de la Enciclopedia Espasa-Calpe, Madrid, pág. 412.)

Unidad IV, Capítulo 12
La superpoblación
Conversación entre dos amigas, María Luisa y Sofía

SOFÍA (A): Hola, María Luisa, te encuentro muy pensativa, ¿te pasa algo?

MARÍA LUISA (B): Hola, Sofía. Estoy un poco preocupada. Acabo de leer un artículo sobre las predicciones de la población en el futuro.

A: ¿Y qué es lo que dice?

B: Dice que no va a haber bastante comida ni viviendas para todo el mundo si la población mundial sigue aumentando a este ritmo. En 47 años se va a duplicar la población de la tierra.

A: Por lo que dices, es un artículo bastante alarmista.

B: Sí, pero no hay duda que alimentar a diez mil millones de personas en el año 2010 va a resultar imposible.

A: ¡Qué raro! En la tele hace una semana dijeron que en algunos países europeos están animando a las parejas a que tengan más de un hijo y que el crecimiento de la población allí es cero. ¿Mencionaba el artículo algo de este asunto?

B: Supongo que será diferente en unos países y en otros, pues unos gobiernos han impuesto un control de natalidad muy estricto y otros no.

A: Exactamente, y además en unos países los métodos anticonceptivos son más accesibles que en otros.

B: ¿Te imaginas que no hubiera métodos anticonceptivos ni abortos en todo el mundo?

A: No, la verdad es que no me lo puedo imaginar.

B: Pero volviendo al tema, lo que importa no es que haya más en un país que en otro sino el número total de habitantes, ¿no crees?

A: Por supuesto. ¿Y cómo piensas remediar tú el problema de la superpoblación?

B: De momento, no teniendo hijos.

A: Si todas las mujeres tomaran esa decisión, se correría el riesgo de que la tierra se quedara vacía.

B: Yo no digo que todas las mujeres tengan que hacer lo mismo. Pero lo que sí está claro es que hoy día, la procreación no es una decisión personal. Hay que pensar en el bienestar de la gente en el futuro y actuar en consecuencia.

A: Pero te olvidas que hay guerras, epidemias, catástrofes naturales y otros fenómenos que hacen imposible predecir el futuro.

B: Ya lo sé. Pero, fíjate, desde principios del siglo XX hasta finales del mismo el planeta ha pasado de tener mil millones de habitantes a tener seis mil millones. ¿Qué te hace suponer esto? ¿Eh?

Un breve silencio.

A: ¡Ajá! Ahora entiendo por qué estabas tan pensativa cuando llegué.

Programa del curso (Sample Syllabus)

Course Description

Goals. The main goal of this course is to build student's oral proficiency while increasing their awareness of Hispanic culture. Reading, listening, and writing skills are also practiced.

Content and Activities. The textbook is divided into four units. Each one includes reading selections, vocabulary, and creative activities. The *Cuaderno* has a grammar review section, plus an exercise section for individual practice and review of vocabulary and grammar. The answers, when possible, appear in the back of the *Cuaderno*. Students must learn (i.e., memorize) words listed in **Palabra por palabra** and **Mejor dicho** and read the material assigned for class (**Introducción, Alto,** and **Lectura**). Grammar explanations are studied before and outside of class. Written practice activities are to be completed the day before the class meets. Instructors will reserve the class hour for hands-on practice, avoiding long grammar explanations. Students will be asked to use the grammar and vocabulary when speaking in class and to keep this in mind when listening (in class and with films) and writing (mostly outside class), and reading (mostly outside class).

Testing and Evaluation. Tests include four exams, which focus on knowledge of the vocabulary, grammar, and culture studied in each unit. Speaking is evaluated through daily participation in class and during the oral exams. Students' daily writing will also be evaluated. All the exams include a written section and two of them an oral presentation to be done with a classmate. Completion of the *Cuaderno* will be included in the final grade.

Grades

The final grade will be determined in accordance with the following distribution:

Participation/Attendance	30%
Homework/Workbook	30%
Written Exams (2)	20%
Oral and Written Exams (2)	20%

Grading Scale

A = 93–100	B+ = 87–89	C+ = 77–79
A– = 90–92	B = 83–86	C = 73–76
	B– = 80–82	C– = 70–72
D+ = 67–69	F = 0–62	
D = 63–69		

Course Rules and Routines

1. *Attendance.* Given the emphasis that must be placed on participation and interaction in foreign language courses, students are required to attend **all** classes.

2. You are responsible for all material covered on days that you are absent.

3. You must arrive on time and participate actively every day.

4. Plan on studying approximately two hours per day.

5. All homework assigned by the instructor must be completed on time. No excuses, no exceptions.

6. You should obtain a full-sized English/Spanish dictionary. You will need it to complete writing assignments.

You are encouraged to consult with the instructor at any time if you have questions or problems. If there should be additional difficulties, please contact the course coordinator.

Unidad I: Tradición y cambio

Día 1:
Presentación del curso. Cómo leer en español.

Día 2
Vocabulario: Estudiar **Palabra por palabra** y **Mejor dicho,** pág. 3–4
Lectura: **Introducción, Alto** y "Bares a millares", pág. 3, 5–7
Práctica gramatical: El presente de indicativo, **Ser/estar/haber**; ejercicios pág. 11
Tarea escrita: Conteste una *(only one)* de las preguntas de **En mi opinión,** pág. 9 *(Write at least 100 words.)*

Día 3
Vocabulario: Estudiar **Palabra por palabra** y **Mejor dicho,** pág. 13
Lectura: **Introducción, Alto** y "Picar a la española", pág. 13, 14–17
Práctica gramatical: El presente de indicativo de los verbos irregulares, **Gustar** y verbos afines; ejercicios, pág. 21

Tarea escrita: Resuma la lectura *(Summarize the reading in your own words, 100–150 words.)*

Día 4

Vocabulario: Estudiar **Palabra por palabra** y **Mejor dicho,** pág. 22–23

Lectura: **Introducción, Alto** y "¡Oye cómo va!", pág. 22, 24–26

Práctica gramatical: La posición de los adjetivos; Las expresiones de comparación, el superlativo absoluto y relativo; ejercicios, pág. 33

Tarea escrita: **Creación,** pág. 34

Día 5

Repaso de los puntos gramaticales asignados hasta hoy: Presente de indicativo **Ser/estar,** etc.

Día 6

Vocabulario: Estudiar **Palabra por palabra** y **Mejor dicho,** pág. 35–36

Lectura: **Introducción, Alto** y "El mexicano y las fiestas", pág. 35, 37–40

Práctica gramatical: Los verbos reflexivos, **Pero, sino (que), no sólo... sino también;** ejercicios, pág. 44–45

Tarea escrita: Contestar una *(only one)* de las preguntas de **En mi opinión,** pág. 41 *(Write at least 100 words.)*

Día 7

Vocabulario: Estudiar **Palabra por palabra** y **Mejor dicho,** pág. 72

Lectura: **Introducción, Alto** y "¿Liberalizar la droga?", pág. 72, 74–76

Práctica gramatical: El condicional; ejercicios, pág. 81

Tarea escrita: **Creación,** pág. 81

Día 8

Vocabulario: Estudiar **Palabra por palabra** y **Mejor dicho,** pág. 82

Lectura: **Introducción, Alto** y "La pasión por lo verde", pág. 82, 83–86

Práctica gramatical: El presente perfecto, el pluscuamperfecto; Los números; ejercicios, pág. 92

Tarea escrita: **Creación,** pág. 92

Película *Mujeres al borde de un ataque de nervios,* 7:30–9:30 P.M.

Día 9

Discusión de la película

Día 10

Repaso gramatical

Día 11

Examen escrito 1

Sugerencias para enseñar las dos primeras semanas

Día 1, Bienvenida

- Entregar el programa del curso a los/las estudiantes y revisarlo con ellos/as. Explicarles cómo van a ser los exámenes (orales, escritos, etc.). Avisarles de lo importante que es ver las películas antes de la discusión, etc. (5–8 min.)
- Pasar lista y que los/las estudiantes empiecen a memorizar los nombres de los/las demás. Se pueden poner de pie y que se presenten unos/as a otros/as. O bien se pueden escribir en la pizarra algunas preguntas personales para que las hagan en parejas. (5–8 min.)
  1. ¿Dónde se siente feliz?
  2. ¿Qué no haría nunca?
  3. ¿Qué detesta Ud.?
  4. Si pudiera cambiar algo de su vida o del mundo, ¿qué cambiaría?
- Negociación. Preguntarles a los/las estudiantes qué es lo que consideran justo o no que haga un/a profesor/a y un/a estudiante. (5 min.)
- Para comprobar el nivel de la clase, se puede repasar el vocabulario (animales, electrodomésticos, comidas, profesiones, etc.) rápidamente. (5 min.)
- Introducir el tema de la primera unidad. (5 min.)
- En grupos de tres estudiantes deben escribir una lista de tres cambios que han ocurrido en Estados Unidos o en el mundo en los últimos 10–15 años. Después la presentan a la clase. Se pueden escribir en la pizarra los resultados. (5 min.)
- En grupos, los/las estudiantes deben contestar las preguntas de la sección **Que yo sepa** y después se discuten los temas con toda la clase (10–15 min.)
- Explicar la tarea del próximo día. Dar algunos consejos sobre cómo leer: no hay que buscar todas las palabras, observar los cognados, leer en voz alta, leer la lectura más de una vez, etc. (5–8 min.)

Día 2, Bares a millares

- Pasar lista y repasar los nombres de los/las estudiantes. (2 min.)
- En parejas, Práctica de **Palabra por palabra.** Importante: El/La estudiante que contesta la pregunta no debe tener el libro abierto. Deben turnarse para que no siempre conteste el/la mismo/a. (5 min.)
- Los/Las estudiantes se intercambian la tarea y la leen. Importante: El/La profesor/a recoge la tarea en ese momento. (3 min.)

- Contestar con toda la clase las preguntas de **Entendido** y otras para comprobar la comprensión de la lectura. (5–8 min.)
- Se les asigna a grupos de tres estudiantes una de las preguntas de **En mi opinión** y luego las presentan al resto de la clase. (10 min.)
- **En (inter)acción**, ejercicio 1; comentar los resultados. (10 min.)
- **Mejor dicho,** Práctica. (10 min.)
- Con fotos o recortes de bares, los/las estudiantes en parejas los describen utilizando los verbos **ser/estar.** (5 min.)
- Breve repaso de **ser/estar.** (5 min.)

Día 3, Picar a la española

- Pasar lista, devolver corregida la tarea del día anterior y recoger la de hoy. (3 min.)
- Repartir a los/las estudiantes fichas *(index cards)* con las palabras de este vocabulario y el anterior para que las definan en español y el resto de la clase adivine el término. (5 min.)
- Poner una lista de palabras en la pizarra que resuma el contenido de la lectura: **tapa, Sevilla, moscas, cubrir, postres, horarios,** etc. y que lo expliquen los/las estudiantes. (10 min.) Asegurarse de que entienden lo de las copas y las moscas. Dibujarlo en la pizarra.
- Poner los productos que sirven como tapas en la pizarra y aprovechar este vocabulario para practicar el verbo **gustar.** (5 min.)
- En grupos de tres estudiantes, **En mi opinión** 1–5. (5 min.)
- En grupos de cuatro estudiantes, **En (inter)acción** 3–4. (8 min.)
- **Mejor dicho** A, B, C. (5 min.)
- Llevar a clase varios menús de tapas y en grupos de tres estudiantes, uno/a hace el papel de camarero/a y los/las otros/as de clientes. Sólo el/la camarero/a debe tener las traducciones de lo que son las tapas y debe intentar explicárselo en español a los/las clientes. (10 min.)

Día 4, Oye cómo va

- Pasar lista. (3 min.)
- Los/Las estudiantes se intercambian las tareas ("Mi canción favorita") y las leen y subrayan los términos de **Palabra por palabra/Mejor dicho** que encuentren. Luego que 2 o 3 las lean en voz alta a la clase. Importante: Recoger la tarea en este momento. (3 min.)

- Escuchar (o ver en vídeo) una canción y que tomen nota de las palabras que entienden, o bien se les puede dar la letra y que ellos/as completen las palabras que faltan. (8 min.)
- Contestar las preguntas de **¿Entendido?** y otras que se les ocurran. (5 min.)
- En grupos de tres, los/las estudiantes contestan las preguntas de **En mi opinión.** (8 min.)
- En grupos de cuatro estudiantes, **Creación** 2. Presentarla a la clase al final. (8 min.)
- En grupos, **En (inter)acción** 3 (bailar "La Macarena").

Día 5, Repaso gramatical

- Pasar lista y devolver corregida la tarea del día anterior. (3 min.)
- Mostrarles la manera de hacer los ejercicios del cuaderno. Primero leen la explicación, luego hacen los ejercicios y por último los corrigen. Algunos/as tendrán hechos los ejercicios, pero la mayoría no. (5 min.)
- Repaso del presente de indicativo
- Repaso de **ser/estar**
- Repaso de **gustar** y verbos afines
- Repaso de los verbos reflexivos

Día 6, El mexicano y las fiestas

- Pasar lista, devolver corregida la tarea del día anterior y recoger la de hoy. (3 min.)
- Escribir antes de ir a clase un párrafo de cinco frases con las palabras del vocabulario. Escribirlo en la pizarra y que los/las estudiantes lo lean en voz alta. Poco a poco ir borrando las palabras mientras que los/las estudiantes siguen repitiendo el párrafo. Se termina el ejercicio cuando se ha borrado todo y todos/as los/las estudiantes han memorizado el párrafo. (8 min.)
- Si hay televisión en el aula, mostrarles unas escenas de la Fiesta del Grito que aparece en el vídeo de Carlos Fuentes, *El espejo enterrado,* o un calendario hispano con el nombre de los santos. (5 min.)
- Para evaluar la comprensión del texto, que cada estudiante mencione algo de lo que recuerda. Después hacerles preguntas. (10 min.).
- **En (inter)acción**, primero que los/las estudiantes digan qué se celebra en esas fiestas (según Paz, "con las fiestas se celebran hombres y acontecimientos") y luego que hagan la encuesta. Al final, comentar los resultados. (10 min.)
- **Mejor dicho,** A (en parejas), B (con toda la clase), C (con toda la clase), D (en parejas). (10 min.)

Sample Tests

Following are some of the tests that we have used in our own classes. We have gathered some sample exercises for each category (vocabulary, readings/content, grammar, composition/essays) for ease of reference and to highlight the many different ways of testing and evaluating the covered materials. Keep in mind that it is always a good idea to test using a format similar to the one used in class for practice or to the one in the *Cuaderno* exercises so that students are familiar with it.

UNIDAD I (examen escrito I)
VOCABULARIO

- **Conexiones.** Relacione cada elemento de la primera columna con un elemento de la segunda columna. (20 puntos)

a. drogadicto	1. _____ bares
b. fiesta del Grito	2. _____ Cuba
c. tapas	3. _____ ecología
d. basura	4. _____ toros
e. nueva trova	5. _____ santería
f. corridas	6. _____ fumar
g. bionatural	7. _____ día de la independencia mexicana
h. Changó	8. _____ 15 de septiembre
i. Populares	9. _____ aperitivo
j. tomar una copa	10. _____ reciclaje

- Escriba oraciones de siete palabras o más con cada término a continuación refiriéndose a las ilustraciones. (10 puntos) [El/La instructor/a debe buscar tiras cómicas divertidas y apropiadas!]

  sentirse   libre   tener ganas de   sentir

LECTURAS/CONTENIDO

- **Preguntas cortas.** Responda con oraciones completas a cinco de las preguntas siguientes. (20 puntos)

1. Explique el significado de "picar a la española".
2. Discuta tres influencias en la música de los países hispánicos.
3. ¿Qué funciones tienen los disfraces en las fiestas mexicanas?
4. Mencione tres efectos inmediatos que tendría en la sociedad la legalización de las drogas.
5. ¿En qué aspectos de la rutina diaria española se observa la preocupación por el medio ambiente?
6. Mencione tres tradiciones hispanas que aparecen en los textos (o película) de esta unidad.
7. Mencione tres cambios que han ocurrido o están ocurriendo en la sociedad hispana.
8. Contraste las corridas de toros con otros deportes violentos como el boxeo.
9. Compare la santería con el catolicismo y hable de sus raíces.
10. Relacione la película con el tema de esta unidad.

- **Verdadero/Falso.** Escriba *V* o *F* en el espacio en blanco. Cuando sea falsa la oración, explique por qué lo es. (10 puntos)

_____ 1. La costumbre de servir tapas en España sigue existiendo porque todavía hay muchas moscas *(flies)* en los bares.

_____ 2. El lugar preferido de los madrileños es la calle.

_____ 3. La guitarra es un instrumento de origen indígena.

_____ 4. En México, todas las fiestas son religiosas.

_____ 5. Según Octavio Paz, "la fiesta es participación".

_____ 6. Antonio Gómez Rufo afirma que para ir a un bar "no hay que ir a algo; simplemente hay que ir".

_____ 7. Cualquier cosa sirve de tapa, con tal que la ración sea pequeña.
_____ 8. La mayor parte de los drogadictos mueren por sobredosis, según el artículo de esta unidad.
_____ 9. Algunos conservadores norteamericanos están a favor de la legalización de las drogas.
_____ 10. En EE UU se recicla más papel que en Europa.

ENSAYOS

- Escriba acerca de *uno* de los temas siguientes. (20 puntos)

1. El humor de la película.
2. ¿Cómo refleja la película el tema de esta unidad? Enumere por lo menos cuatro razones.
3. ¿Debemos o no liberalizar las drogas? Defienda su posición dando cuatro razones.
4. La música en el mundo hispánico.

GRAMATICA

- Ponga atención a las estructuras gramaticales al traducir *cinco* de las oraciones siguientes al español.
  (20 puntos)

1. *There are many people in our city who are living on the streets.*
2. *They saw* La traviata *last year and now they love the opera and go every Friday.*
3. *She had never gone to bed as early as yesterday.*
4. *He must have been 21 years old when we met.*
5. *They were doing a poll to see if Atlanta is the best city in the world.*
6. *In Lucia's case, I would have killed Pepa.*
7. *Our impression is that everybody had a good time with this film.*
8. *There are animals in Pepa's apartment because she likes them.*
9. *Pepa met Iván in 1989.* (write the number in words.)
10. *The year before, he had left his wife Lucía, but she had not forgotten him.*

UNIDAD I (examen escrito 2)
VOCABULARIO

- Llene los espacios en blanco con palabras de la lista siguiente. Las palabras se pueden usar solamente una vez y los verbos hay que ponerlos en la forma que corresponde. (20 puntos)

medio ambiente	argumento	recurso	hecho	enterarse	costumbres
lujos	apetecible	delito	fiestas	ocio	reunirse
modas	querer decir	libre	horario		

Es un _____ que las _____ están cambiando en todas partes del mundo. Desde tradiciones tan antiguas como las _____ , a la definición de lo que constituye un _____ , hasta nuestra relación con el _____ . Tanto en el _____ como en el trabajo, debemos _____ de las nuevas _____ . Eso _____ que es nuestra responsabilidad _____ de lo que está ocurriendo a nuestro alrededor.

- Tache la palabra que no pertenezca en *cinco* de los grupos. (10 puntos)

1. castigo	descansar	pegar	cárcel
2. disfrazarse	divertirse	pasarlo bien	gozar
3. querer decir	soler	costumbre	tomar una copa
4. cita	reunirse	fracaso	horario
5. ocio	tolerar	fiesta	divertirse
6. suerte	corrida	plaza	defraudado/a
7. burlarse	ponerse	hacerse	volverse

LECTURAS/CONTENIDO

- Identifique los términos siguientes con una o varias oraciones. (20 puntos)

1. las tapas	6. el color verde
2. las drogas adulteradas	7. bar de enfrente
3. el 15 de septiembre	8. Dorados
4. servilletas de papel	9. ritmos africanos
5. el día del santo	10. barbaridad

- Combine las palabras de la primera columna con las de la segunda columna, como mejor correspondan. (20 puntos)

1. _____ jerez	a. aficionado
2. _____ tauromaquia	b. papel reciclado
3. _____ orishá	c. humo de segunda mano
4. _____ revuelta	d. protesta
5. _____ autorizar consumo	e. penalizar tráfico
6. _____ peligroso	f. fiestas
7. _____ nueva trova	g. santería
8. _____ medio ambiente	h. acabar
9. _____ costumbre civilizada	i. bar
10. _____ terminar	j. picar

ENSAYOS

- Opine sobre los cambios en *dos* de las tradiciones siguientes. ¿Son buenos o malos? (15 puntos)

1. Los hijos vuelven a vivir a la casa de sus padres después de terminar la universidad.
2. Las clases de educación sexual en las escuelas primarias donde antes no se mencionaba la palabra sexo.
3. Las canciones contemporáneas que promueven la violencia, el sexismo, etc.
4. La comercialización progresiva de las fiestas religiosas como la Navidad.
5. La prohibición de fumar en lugares cerrados.

GRAMÁTICA

- Describa la ilustración que sigue usando **ser/estar/hay.** Escriba por lo menos diez oraciones. (15 puntos) [El/La instructor/a debe buscar una imagen apropriada.]

UNIDAD II (examen oral 1)

El segundo examen constará de dos partes, una escrita (50%) y otra oral (50%).
A. La parte escrita la haremos en clase. Habrá una sección de vocabulario y otra de gramática (traducciones).
B. La parte oral tendrá lugar en la oficina del/de la profesor/a y versará sobre el contenido de las lecturas y las discusiones en clase. En parejas tienen que preparar las siguientes preguntas y/o actividades.

TEMAS

1. Contestar varias preguntas que les hará el/la profesor/a sobre las capitales, las nacionalidades y la ubicación geográfica de los países hispanos. (5 minutos)
2. Mantener una conversación sobre los contrastes culturales mencionados en los textos leídos y otros que Uds. conozcan. (8 minutos)
3. Encuentro entre Judith Ortiz Cofer y Mirta Toledo. Un/a estudiante hace el papel de Judith y el/la otro/a de Mirta. Basándose en lo que han leído en clase y lo que pueden encontrar en Internet, deben preparar las preguntas y respuestas de ese encuentro. (10 minutos)

4. Sobre la película preparen una discusión como hacen Siskel y Ebert en la televisión. Mencionen aspectos de la película tomando dos puntos de vista diferentes. (5 minutos)

• BONO. Si los/las estudiantes escriben una pregunta original y se la entregan al/la profesor/a dos días antes del examen, pueden ejercer el derecho de sustituirla por una de las cuatro que tienen que contestar.

Forma del examen

El examen durará alrededor de 30 minutos y se hará en parejas. Deben prepararlo con sus compañeros/as y practicar antes de hacerlo.

La nota se basará en lo siguiente: las ideas, la fluidez de expresión, el uso correcto de expresiones del vocabulario y de formas gramaticales estudiadas (20%), así como en el contenido (30%). No deben hablar solamente en presente sino que tienen que intentar usar diversos tiempos verbales. (Ver hoja de calificaciones al final del manual.)

Observaciones

1. No improvisen las respuestas durante el examen oral. Sus respuestas deben estar bien preparadas. Escríbanlas en una hoja y corríjanse los errores. Practiquen delante del espejo y graben *(record)* su presentación. Limítense a los 25–30 minutos que durará el examen.
2. No se permiten notas durante el examen solamente ficha con breves apuntes.
3. Es *importantísimo* que incorporen en sus presentaciones el vocabulario aprendido y los puntos gramaticales de esta unidad y de la anterior.

UNIDAD II (examen oral 2)
TEMAS

• Escoja cuatro de los cinco temas siguientes y prepárelos.
1. Comente/Discuta "El eclipse" de Augusto Monterroso, a la luz de los contrastes culturales. (5 minutos)
   a. Presente un resumen del cuento (hechos).
   b. Identifique las dos culturas y su relación (tema).
   c. Exprese su reacción/opinión (crítica).
   d. Relacione el cuento con las relaciones entre culturas hoy en día.
2. Haga una reseña de la película *El Norte USA* (10 minutos)
   a. Narre las tres partes del argumento.
   b. Describa a los protagonistas (su origen, problemas, relación, sueños) en detalle.
   c. Comente el choque de las culturas y los estereotipos que se presentan.
   d. Hable sobre dos aspectos o escenas que les interesaron especialmente.
   e. Clasifique la película basándose en la actuación, la cinematografía, el guión, etc. (pueden consultar las reseñas de películas en un periódico para ver cómo se hace).
      **** excelente   *** muy buena   ** tiene sus momentos   * malísima
3. Comente dos de las lecturas de la unidad (una que escogen ustedes y una que escoge el/la profesor/a) a la luz de los contrastes culturales. (10 minutos)
4. **Nacionalidades y capitales.** También habrá preguntas sobre la ubicación geográfica de los países hispanos. **Ejemplo:** ¿Que países están cerca de Puerto Rico, y de Perú, y de Argentina? (5 minutos)
5. Conteste dos de las tres preguntas siguientes.
   a. Señale tres diferencias entre dos países hispanos. (5 minutos)
   b. Indique tres diferencias entre el mundo hispano y los Estados Unidos. (10 minutos)
   c. Seleccione uno de los refranes de la lectura y coméntelo. Explique en qué situación se emplearía. (5 minutos)
6. La administración de la universidad quiere saber si este curso de español satisface el requisito de los cursos de cultura general. Prepárese a demostrarles que sí o no con ejemplos de las diversas lecturas y, específica-

mente, con respecto a los estereotipos. Cómo y por qué se forman, si son malos, buenos, inevitables, ciertos, falsos, sus funciones en la cultura, consecuencias de ellos, etc. (5 minutos)

UNIDAD II (examen escrito 1)
VOCABULARIO

• Completa los espacios en blanco del siguiente texto con la palabra adecuada. En algunos casos, deberás conjugar el verbo o concordar el sustantivo con el adjetivo. (10 puntos)

faltar	perder	hora	trabajar	vez
mover	poner	mudarse	al contrario	falta
además	tiempo	echar de menos	funcionar	hacer

El próximo fin de semana voy a _____ a un nuevo apartamento. Este año me he cambiado ya

tres _____ de apartamento porque he tenido problemas con mis vecinos.

De todas formas, no me gusta mucho este apartamento porque tiene miles de cucarachas. _____ ,

el aire acondicionado no _____ bien y paso mucho calor en verano.

Tendré que pedirle prestado su coche a Luis porque el mío es muy pequeño y me _____ _____ uno

grande para poder meter todas las cosas que quiero llevarme.

• Define, en español, las siguientes palabras y luego escribe una oración con cada una de ellas. (20 puntos)

1. cotidiano/a
2. refrán
3. disparate
4. destacar
5. saludar

6. trampa
7. malentendido
8. engañar
9. pareja
10. aislar

GRAMATICA

• Traduce al español *cinco* de las siguientes oraciones. (20 puntos)

1. *In Puerto Rico I was taller than my girlfriends; but when I came to the United States, I was shorter than they were. How weird!*
2. *Jasmín, my friend Lucy's daughter, turns seven years old today, and she is sad because her stereo does not work.*
3. *Since I am a child, everyone thinks they can give me orders: "Do your homework!" "Greet our relatives!" "Don't eat the whole dessert!" "Don't hurt (harm) the cat!"*
4. *It is certain that the stranger is always sitting on the bench, but we are not sure if she sleeps there.*
5. *Sometimes my friends from other Spanish-speaking countries don't understand me when I speak because of my Castilian accent.*
6. *The word* tortilla *does not mean the same thing in Spain and in Mexico.*
7. *I really miss my country sometimes even though I am glad to be living here now.*

UNIDAD II (examen escrito 2)
VOCABULARIO

• Elija la palabra que mejor complete la oración. (10 puntos)

1. No entiendo por qué quieres (dejar / salir) a tu novio.
2. Maribel y Maite (lograron / tuvieron éxito) hablar con sus padres ayer.
3. No sé qué (pensar en / pensar de) sus historias.
4. Este libro contiene cincuenta (cuentos / cuentas) de terror.
5. Julián no supo qué responder porque (era confuso / estaba confundido).

- Tache la palabra que no pertenezca al grupo. (5 puntos)

a. extraño	desconocido	turista	extranjero
b. pronto	hora	tardar	el esfuerzo
c. postre	vínculo	dulce	sabroso
d. trabajar	funcionar	puesto	pereza
e. insultar	el colmo	saludar	estar mal visto

- Combine diez de las palabras de la primera columna con otras diez de la segunda columna. (10 puntos)

1. _____ cuenta	a. estrenar
2. _____ usar por primera vez	b. en seguida
3. _____ estúpido	c. después
4. _____ muchas veces	d. bobo
5. _____ tener fe	e. historia
6. _____ no tener interés	f. confiar
7. _____ cuento	g. tener éxito
8. _____ luego	h. comprobar
9. _____ inmediatamente	i. a menudo
10. _____ verificar	j. aburrirse
11. _____ lograr	k. consultar
12. _____ aconsejar	l. dinero

GRAMATICA

- Rellene el espacio en blanco con una de las palabras entre paréntesis. **¡Ojo!** Si es un verbo, tiene que conjugarlo. (25 puntos)

1. Brasil es el país _____ (más / tan) grande _____ (en, de, que) América del Sur.
2. Ir a México cuesta _____ (menos / tanto) dinero _____ (como / que) ir a Paraguay.
3. ¿A _____ (cuál / qué) de estos restaurantes prefieres ir?
4. Creo que mis hermanos _____ (querer) salir mañana temprano.
5. Es necesario que nosotros _____ (comprar) las provisiones.
6. El coche, ¿ _____ (lo / la / le) has guardado en el garaje?
7. (Traer) _____ leche del mercado, ¿quieres?
8. Es muy raro que ella no _____ (llamar) todavía.
9. Nos alegramos de que tú _____ (estar) aquí.
10. ¿Te molesta que te _____ (preguntar) tu edad?

UNIDAD III (examen escrito 1)
VOCABULARIO

- Traduzca al español *cinco* de las palabras siguientes y luego escriba una oración con cada una. (10 puntos)

to warn	*to fight*	*to sense*
to review	*to die*	*the right*

- Elija la palabra correcta. (10 puntos)

1. Los torturadores no tienen (sentimientos / sensaciones / sentidos).
2. No me explico cómo no (acuerda / recuerda) su equivocación.
3. El pueblo no tiene ningún (respecto / respeto) por sus líderes.
4. A muchos presos políticos los (matan / mueren) sin hacerles juicio.
5. Nuestros niños no hacen más que (pelear / luchar) con los de los vecinos.
6. (Aconsejaron / Avisaron) al médico porque el enfermo estaba muy mal.
7. La brisa del mar me produce (una sensación / un sentimiento / un sentido) agradable.

8. A Gianni Versace lo (murieron / mataron / se murió).
9. Hay que (avisar / aconsejar)les que no vengan. Es muy peligroso.
10. De pequeña, mi hermana me molestaba (haciendo chistes / gastando bromas) constantemente.

LECTURAS/CONTENIDO

- Relacione una palabra de la primera lista con otra de la segunda lista. (10 puntos)

1. _____ huipiles	a. piscina
2. _____ Timerman	b. religión catolica
3. _____ *La historia oficial*	c. tribu quiché
4. _____ teología de la liberación	d. perro
5. _____ "Pan"	e. un ojo
6. _____ Montero	f. comida
7. _____ dibujos	g. censura
8. _____ Morejón	h. Madres de la Plaza de Mayo
9. _____ "Sabotaje"	i. "Literatura del calabozo"
10. _____ tomar el sol	j. esclavos

- Identifique con una oración estas palabras, explicando su relación con un personaje, texto o película de esta unidad. Mencione el título de la selección y el autor. (20 puntos)

1. los desaparecidos
2. los militares
3. los pájaros
4. el derecho a buscar el cielo aquí en la tierra
5. "La historia es la memoria de los pueblos" (Película)
6. "un hijo macho le parí"
7. las cárceles clandestinas
8. las canciones de protesta
9. la picana *(prod)* eléctrica y el submarino *(drowning)* (Película)
10. la imaginación

- Identifique el texto, el/la autor/a, y explique el significado y la importancia de *cinco* de las siguientes. (10 puntos)

1. "Me sublevé."
2. "Amén."
3. "Los niños nacen para ser felices."
4. "Tú me enseñaste que podíamos ser Compañeros del Llanto."
5. "...Que otros puedan tener lo que uno disfruta y ama... "
6. "Los derechos humanos deberían empezar en casa."

ENSAYOS

- Escoja *uno* de los temas siguientes y escriba un párrafo comentándolo (20 puntos)

1. Explique la ironía del título de la película *La historia oficial*. ¿Qué otras historias hay?
2. Mencione los modos de sobrevivir en condiciones terribles, como las de los presos políticos, según algunos de los textos leídos en esta unidad.
3. En una dictadura hay que buscar maneras de expresarse sin ser censurado. Mencione algunas de las posibilidades de expresión que son posibles para los ciudadanos en una situación así, de acuerdo con las lecturas de la tercera unidad.

GRAMATICA

- Complete las siguientes oraciones según el contenido de las lecturas y la película. ¡Preste mucha atención al tiempo del verbo! (20 puntos)

1. Milay cambió el dibujo para que_____.
2. Timerman conoce a un preso que_____.
3. Los gitanos esperaban que _____.
4. Dudo que Ana (en *La historia oficial*) _____.
5. Según la canción "La vida no vale nada" hay que ayudar a otros para _____.
6. El dueño de la piscina quería que los gitanos _____.
7. Si yo no hubiera leído *Un día en la vida* _____.
8. Alicia Partnoy desea que _____.
9. En la tira cómica el profesor quiere que el pájaro _____.
10. Los animales también deben tener derechos porque _____.

- Llene los espacios en blanco con la forma correcta del verbo. (10 puntos)

1. En esa tienda no _____ (ser / estar / haber) nada que me _____ (gustar).
2. Yo _____ (querer [pasado]) que él me _____ (escribir) más a menudo.
3. _____ (Ser / Estar / Haber) increíble que ella no _____ (asistir) a la universidad.
4. Si yo _____ (sacar [improbable]) buenas notas, mis padres me _____ (comprar) un coche nuevo.
5. Me molesta que algunos hombres _____ (tratar) a las mujeres rubias como si _____ (ser) tontas.
6. Siempre me _____ (llamar) después de que _____ (terminar) el programa de TV.
7. Estas gafas *(eyeglasses)* _____ (ser / estar) _____ (para / por) leer.
8. Me encanta este vestido. Pagué una pequeña fortuna _____ (para / por) él.
9. Hacía mucho calor allí pues las ventanas _____ (ser / estar) cerradas.
10. En esa compañía buscaban a alguien que _____ (saber) usar Excel.

UNIDAD III (examen escrito 2)
VOCABULARIO

- Llene el espacio en blanco con la palabra correspondiente. (10 puntos)

1. Tengo los pies helados. No tengo ninguna _____ *(feeling)* en ellos.
2. Anoche tuve una _____ *(nightmare)*. El _____ *(army)* vino a _____ *(to inspect)* mis cosas. Cuando me desperté estaba muy _____ *(frightened)*.
3. Para _____ *(to find out)* lo que pasó, la policía va a interrogar a _____ *(the priests)* que estaban con él.
4. ¿Quién _____ *(is guilty)* del accidente?
5. Le dieron muchos _____ *(blows)* aunque _____ *(swore)* que no sabía nada.

LECTURAS/CONTENIDO

- Escriba en el espacio en blanco *V* si la oración es verdadera y *F* si es falsa. Cuando la oración sea falsa, explique por qué lo es. Conteste sólo *diez*. (20 puntos)

1. _____ Los indígenas oaxaqueños exigen participar en el gobierno de México.
2. _____ La literatura de calabozo es muy realista.
3. _____ "Sabotaje" es un manual para reclutar terroristas.
4. _____ Los españoles no saben lo que es y, por lo tanto, no practican el racismo.
5. _____ Los presos políticos juegan en las cárceles clandestinas.
6. _____ Los niños cubanos también son víctimas de represión política.
7. _____ Al final de la película, Gaby es adoptada por una familia rica.
8. _____ "La teología de la liberación" es un movimiento religioso.

9. _____ Por fortuna, todo el mundo puede sentirse seguro con su familia.

10. _____ Los campesinos recibían mucha ayuda de los curas tradicionales.

11. _____ En las cárceles clandestinas los presos beben Coca-Cola.

- Conteste brevemente *cinco* de estas preguntas. (10 puntos)

1. ¿Cuál es el tono de "Uno más uno"?

2. En la tira cómica, ¿por qué mete el policía al hombre en una jaula?

3. Resuma el poema "Mujer negra".

4. ¿Qué momento recuerda Timerman más vividamente de su estancia en la celda? ¿Por qué?

5. ¿Por qué es importante el nombre propio?

6. Comente el comportamiento de los presos en el texto de Timerman o de Partnoy.

7. ¿Qué tienen en común los textos de esta unidad y la película?

- Explique muy brevemente *cinco* de los términos siguientes relacionándolos con el material de esta unidad. (10 puntos)

1. el nombre propio	4. CUC	7. revolucionario
2. migas	5. la mirilla	8. cirugía plástica
3. desaparecidos	6. cárcel clandestina	9. trabajos voluntarios

ENSAYOS

- Escoge *uno*. (20 puntos)

1. En esta unidad hemos leído cuatro diferentes experiencias de presos políticos latinoamericanos. Elige dos textos y contrasta las experiencias que tuvieron esos presos en las cárceles.

2. Imagínate que eres un cura partidario de la teología de la liberación. Escribe un pequeño discurso que darías a unos campesinos de acuerdo con esa ideología.

GRAMATICA

- Completa las oraciones siguientes de acuerdo con el contenido de la lectura "Sabotaje". Presta atención al tiempo (pasado/presente) y modo verbal (indicativo/subjuntivo), pronombres, concordancia, etc. (30 puntos)

1. El presidente tenía una admiradora que_____.

2. Era muy posible que la admiradora _____.

3. El presidente quería proponer una ley contra los perros antes de que _____.

4. Los enemigos planearon un atentado para que _____.

5. El edificio se vino abajo cuando _____.

6. Si el presidente no hubiera ido a inaugurar el edificio _____.

7. Cuando llegaban flores de la admiradora al hospital _____.

8. Después de la operación, el presidente comenzó a actuar como si _____.

9. Los médicos temían que el presidente _____.

10. La operación médica habría sido un éxito si _____.

UNIDAD IV (examen oral 1)

TEMAS

- Preparar las siguientes preguntas.

1. ¿Qué es el feminismo? ¿Se considera Ud. feminista? ¿Por qué sí o no? (5 minutos)

2. Analice una propaganda de la televisión, un anuncio en un periódico, una película, etc. ¿Qué tipo de ideología presenta con respecto a la mujer? (5 minutos)

3. **Identificaciones.** El/La profesor/a le dirá una serie de palabras relacionadas con el contenido de la Unidad IV que Ud. tendrá que reconocer. Por ejemplo, "señorito", "dragón", etc. (10 minutos)

4. Hable de una lectura, canción, tira cómica, etc. de esta unidad. Explique por qué la eligió. (5 minutos)
5. Presente un caso que conoce (de la TV, noticias, literatura, etc.) de conflicto entre un hombre y una mujer, analice las causas y ofrezca una solución. (5 minutos)

UNIDAD IV (examen oral 2)
TEMAS

- Preparen una discusión sobre *cuatro* de los temas siguientes. Las dos primeras preguntas son obligatorias. Pueden escoger entre las últimas.

1. La administración de la universidad quiere establecer una política y estrategias para evitar el sexismo en el campus. Uds. forman parte del comité que propondrá el plan piloto. Basándose en la información de esta unidad sobre las diversas causas del sexismo, discutan posibles maneras de disminuirlo en nuestra comunidad universitaria. (10 minutos)
2. Preparen un programa de radio en que los oyentes llaman para pedir consejos. Presenten el caso de alguien que tiene problemas similares a los que hemos visto en esta unidad. (10 minutos)
3. Debatan la decisión que toma la mujer de *La brecha* después de tener su primer hijo.
4. Cada uno/a describa uno de los personajes femeninos de *Como agua para chocolate*. (Película)
5. Comenten el efecto que tendría en los niños y las niñas el cuento de "La princesa vestida con una bolsa de papel".
6. Expliquen su opinión sobre La Malinche y/o Eva.

UNIDAD IV (examen escrito 1)
VOCABULARIO

- Elimina la palabra que no pertenezca al grupo. (5 puntos)

1. amar	casarse	jubilación	desear	encantar
2. embarazo	nacer	aborto	suegra	pañal
3. crecer	chismoso	malcriar	mayor	educar
4. violación	abuso	desgraciada	mantener	dolor
5. quitar	introducir	presentar	aplicar	solicitar

- Explica los dibujos usando palabras del vocabulario. (10 puntos) [El/La instructor/a debe buscar dibujos apropiados.]
- Escribe dos oraciones que aclaren el significado de las dos palabras opuestas. (10 puntos)

1. papel/trabajo
2. solicitar/aplicar
3. dato/fecha
4. embarazada/embarazoso
5. molestar/acosar

GRAMATICA

- Lee este texto de la novela *Como agua para chocolate* y después completa las siguientes actividades.
   "Mientras Chencha cocinaba los frijoles, trataba de capturar el interés de Tita en vano. Pero por más que exageró los incidentes que había visto en la plaza y le narraba con lujo de detalles la violencia de las batallas, sólo interesaba a Tita por breves momentos."

1. Transforma la oración "Mientras Chencha cocinaba los frijoles" en una oración pasiva con **ser.**
2. Transforma la oración "Pero por más que exageró los incidentes" en una oración pasiva con **se.**
3. ¿A quién se refiere el pronombre **le** en la línea dos?

4. Subraya los objetos directos e indirectos. Luego reescribe las siguientes oraciones sustituyendo los objetos directos e indirectos que has encontrado por sus correspondientes pronombres.
   a. "Mientras Chencha cocinaba los frijoles, trataba de capturar el interés de Tita en vano."
   b. "...le narraba con lujo de detalles la violencia de las batallas...."
   c. "...interesaba a Tita por breves momentos."
5. Explica por qué la autora usa el infinitivo *capturar* en la línea 1.

• Conjuga los siguientes verbos utilizando la forma apropiada del imperfecto o del pretérito.

Desde que Tita era niña, Nacha le _____ (enseñar) a preparar platos deliciosos. Por eso, Tita

_____ (conocer) la riqueza y el poder de la comida. Después que murió Nacha, Tita _____

(continuar) trabajando en la cocina. Ella siempre _____ (recordar) la ternura y sabiduría de Nacha.

La emociones de Tita _____ (ser) tan fuertes que los transmitía en su comida. Cada vez que alguien

_____ (comer) sus platos, _____ (sentir) las mismas emociones intensas de la cocinera.

UNIDAD IV (examen escrito 2)
VOCABULARIO

• Llene los espacios en blanco usando las palabras siguientes. (10 puntos)

exigir	solicitar
medida	pañal
reivindicación	soportar
apoyar	represalia
ileso	no tener más remedio
mantener	apoderarse
estar a favor/en contra	privaciones
conseguir	llevarse bien/mal
reforzar	arma
ocultar	tener razón

Queridos fabricantes de juguetes:

Pertenecemos a un grupo feminista clandestino que _____ _____ _____ de los juguetes sexistas porque éstos _____ el sexismo ya existente. El propósito de esta carta es _____ su destrucción total. Otra de nuestras _____ consiste en la eliminación de juguetes bélicos pues las _____ no son buenas para nadie y menos para los/las niños/as.

Ojalá Uds. se den cuenta de que (nosotras) _____ _____ y en consecuencia (Uds.) _____ nuestra causa. Si no colaboran, nosotras _____ _____ _____ _____ que asaltar todas las tiendas de juguetes y _____ de ellos. Para _____ nuestros objetivos, estamos dispuestas a todo.

¡Paz y amor!   Comando AJS

GRAMATICA
Traducciones

• Del español al inglés. (10 puntos)

"Un día, acompañando a su prima, llegó Gastón, todo un joven y promisorio abogado. Sabía por mi amiga que había obtenido, durante todos sus años de universidad, las calificaciones más altas." (La brecha)

• Del inglés al español. Escoja *cinco*. (20 puntos)

 1. *It is not fair that women have been treated worse than men by society from the beginning.*
 2. *He had been touching them (her hand and her knee) while talking about feminism.*
 3. *If I had known how difficult it is to be single, I would have tried harder to get along with my boyfriend.*

4. *I would love to introduce you to my wife. Do you know that she gave birth to our daughter five days ago?*
5. *When the beautiful princess was born she was hidden, so that she did not run the risk of being kidnapped by the enemies.*
6. *By going so fast, you might cause an accident.*
7. *He fell down in front of his girlfriend's parents and felt embarrassed.*
8. *Do you think that we are not in a position to argue against the new abortion law?*
9. *I was told that the princess had killed it (the dragon) in order to save the prince.*
10. *We would always ask them for their opinion before doing anything.*

Clave de correcciones para composiciones/tareas

a	Falta o sobra un acento.
c	Hay un error de concordancia *(agreement):* género, número o persona.
e	Eliminar. La palabra o la oración es innecesaria.
estr	La estructura gramatical empleada es incorrecta.
ex	La expresión empleada es una traducción literal del inglés. En español la idea se expresa de otra manera. Por ejemplo: *On the other hand* = en cambio; *to have a good time* = divertirse o pasarlo bien.
fv	El verbo empleado está mal conjugado.
f	Falta(n) una o varias palabras: un artículo, una preposición, un pronombre, etc.
g	El género (masculino, femenino o neutro) empleado es incorrecto.
m	Debe usar otro modo verbal: el indicativo en lugar de subjuntivo o el condicional, el infinitivo en lugar del gerundio, etc.
n	El número (singular, plural) empleado es incorrecto.
ñ	Añadir a su lista personal de errores.
o	La ortografía *(spelling)* empleada es incorrecta.
ord	El orden de las palabras es incorrecto.
p	Falta, sobra o es incorrecto el signo de puntuación empleado (comas, dos puntos, punto y coma, etc.). **¡Ojo!** En una serie de palabras delante de una **y** *(and)* generalmente no se pone coma en español.
pers	Tiene que emplear otro pronombre u otra forma verbal.
prep	Hay que usar otra preposición (por, para, a, en...) o bien no usar ninguna.
pro	El pronombre empleado es incorrecto.
s/e	El verbo elegido *(ser, estar* o *haber)* es incorrecto.
t	El verbo debe estar en otro tiempo: presente, pasado o futuro.
voc	Busque otra palabra en un buen diccionario.
??	La oración o expresión no tiene sentido.

Hoja para la calificación de los exámenes orales

A. La pronunciación (5 puntos)

Excelente/muy buena		
Buena		las vocales (la u en especial)
Con problemas menores	Atención a:	las consonantes (la h)
Con problemas mayores/serios		los diptongos
Bastante deficiente		

B. La fluidez (5 puntos)

Excelente/muy buena
Buena
Con problemas menores   Atención a:
Con problemas mayores/serios
Bastante deficiente

la fragmentación
la demora en hablar

C. La gramática (5 puntos)

Excelente/muy buena
Buena
Con problemas menores   Atención a:
Con problemas mayores/serios
Bastante deficiente

ser/estar
la concordancia
las formas verbales
los pronombres
el subjuntivo

D. El vocabulario (5 puntos)

Excelente/muy buen
Buen
Con problemas menores   Atención a:
Con problemas mayores/serios
Bastante deficiente

el género de las palabras
los falsos cognados
los modismos
los anglicismos

Errores frecuentes

Esta es una lista de faltas básicas y generales. Los/Las estudiantes deben hacer una lista personal de sus propios errores más comunes, derivada de las tareas y composiciones.

¡Ojo! La forma correcta aparece generalmente en mayúscula o negrita. Los asteriscos indican formas erróneas.

1. TITULOS. Solamente la primera palabra y los nombres propios llevan mayúscula.
   El viejo y el mar The Old Man and the Sea
2. *Por que de = POR
   I did not call him for that reason.   No lo llamé **por** eso.
3. *It,* NUNCA se traduce al español cuando es el sujeto de la oración. Sí, cuando es el objeto del verbo.
   It is raining. = Ø Está lloviendo.   *I found it yesterday.* = **Lo** encontré ayer.
4. *Un otro = OTRO
   I have to buy another car; mine does not work anymore.
   Tengo que comprar **otro** coche; el mío ya no funciona.
5. *Buscar para = BUSCAR
   They are looking for a new house.   Ellos están **buscando** una casa nueva.
6. *También no = TAMPOCO
   We also cannot go tomorrow.   Nosotros **tampoco** podemos ir mañana.
7. *Tener un buen tiempo = DIVERTIRSE
   Have fun!   ¡Que **se diviertan!**
8. *Todo de = TODO
   I am not going to eat all of that.   No me voy a comer **todo** eso.
9. *Pedir por = PEDIR
   Did you ask for their phone number?   ¿Les **pediste** el teléfono?

10. *Saber cómo (+inf.) = SABER + inf.
    You really know how to cook!   ¡Tú sí que **sabes** cocinar!

11. *La cosa = LO
    In life, the most important thing is being there, according to Woody Allen.
    En la vida, **lo** más importante es estar ahí, según Woody Allen.

12. *Al primero = AL PRINCIPIO
    At first, I did not like Atlanta.   **Al principio,** no me gustaba Atlanta.

13. *Años pasados = HACER
    Two years ago I started running.   **Hace** dos años que empecé a correr.

14. *El militario = EL EJERCITO, LAS FUERZAS MILITARES, LOS MILITARES
    The military are in control of the government.
    Los militares tienen el control del gobierno.

15. *La resulta = EL RESULTADO
    The result of the accident was that he lost his license.
    Como **resultado** del accidente le quitaron la licencia.

16. Sustantivos masculinos que terminan en A: **EL** PROBLEMA, **EL** TEMA, **EL** POEMA, **EL** MAPA, **EL** SISTEMA

17. Evitar el uso constante de la palabra "personas". Pueden usar: ALGUNOS/AS, GENTE, OTROS/AS o simplemente la nominalización del adjetivo.
    Old people and young people = **Los** viejos y **los** jóvenes

18. Cuidado con "necesitar", NO se usa cuando significa TENER QUE o DEBER (DE).
    They need to go to the store because they need milk.
    Tienen que ir a la tienda porque **necesitan** leche.

19. Cuidado con IRSE = to leave; SALIR = to go out with someone or from an enclosed space to the open.
    I have to leave now.   Tengo que **irme** ya.
    I'll see you after leaving class.   Te veo al **salir** de clase.

20. Tomar (for taking someone somewhere) = LLEVAR.
    I will take you to the airport tomorrow.
    Te **llevo** al aeropuerto mañana.

21. Cuidado con "pensar" y "creer". En español se usan generalmente al revés que en inglés.
    I think Clinton is a good president.   Yo **creo** que Clinton es un buen presidente.
    I believe it is a good hotel.   **Pienso** que es un buen hotel.

22. UNA CUENTA = *a bill to be paid ($$$$$$)*
    UN CUENTO = *a story*

Nombre _____

Mis errores más frecuentes

Incorrecto	Correcto
***La** problema	**El** problema. Otras palabras: el tema, el programa, etc. (Cuaderno, pág. 1)

NOTES

¡A que sí!

Second Edition

María Victoria García-Serrano
Emory University

Cristina de la Torre
Emory University

Annette Grant Cash
Georgia State University

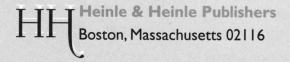

Heinle & Heinle Publishers
Boston, Massachusetts 02116

I(T)P® A division of International Thomson Publishing, Inc.
The ITP logo is a trademark under license.

Boston • Albany • Bonn • Cincinnati • Detroit • Madrid • Melbourne • Mexico City • New York •
Paris • San Francisco • Singapore • Tokyo • Toronto • Washington

The publication of **¡A que sí!,** Second Edition, was directed by the members of the Heinle & Heinle College Foreign Language Publishing Team:

Wendy Nelson, Editorial Director
Tracie Edwards, Market Development Director
Gabrielle B. McDonald, Production Services Coordinator
Beatrix Mellauner, Development Editor

Also participating in the publication of this program were:

Publisher:	Vincent P. Duggan
Project Manager:	Anita Raducanu/A Plus Publishing Services
Compositor:	PrePress Company, Inc.
Images Resource Director:	Jonathan Stark
Associate Market Development Director:	Kristen Murphy
Production Assistant:	Lisa LaFortune
Manufacturing Coordinator:	Wendy Kilborn
Photo Coordinator:	Martha Leibs
Illustrator:	David Sullivan
Interior Designer:	Kenneth Hollman
Cover Illustration:	*The Collector (El Coleccionista),* Gonzálo Cienfuegos, ca. 1951 Chilean, Kactus Foto, Santiago, Chile SuperStock, Inc.
Cover Designer:	Ha Nguyen

Library of Congress Cataloging-in-Publication Data

García-Serrano, M. Victoria.
   ¡A que sí! / M. Victoria García-Serrano, Cristina de la Torre.
   Annette Grant Cash. — 2. ed.
       p. cm.
     ISBN 0-8384-7706-2
     1. Spanish language—Textbooks for foreign speakers—English.
   I. De la Torre, Cristina.   II. Cash, Annette Grant, 1943–   .
   III. Title.
   PC4129.E5G37   1998
   468.2'421—dc21   98-21726
                                        CIP

Manufactured in the United States of America

ISBN: 0-8384-7706-2 (Student Edition)
ISBN: 0-8384-7724-0 (Instructor's Edition)

10 9 8 7 6 5 4 3 2

Sumario

Indice

Acknowledgments

This conversation text is the result of collective and collaborative efforts. The authors, therefore, owe many a debt of gratitude. First of all, we thank all the people who gave us permission to reproduce their work (writers, artists, singers, painters, photographers, etc.) for their generosity and understanding of our purpose. Many others offered invaluable suggestions and assistance in gathering all the materials: José Luis Boigues, Rebecca Borell, Mariángeles Casado Pérez, Lucía Caycedo Garner, Justin Crumbaugh, Martha Ebener, Remedios García Serrano, Dara Goldman, Paul Mandell, Patrick Moriarty, Martha Rees, and Mirta Toledo. We are also grateful to our students. All of our material has been class-tested, and we appreciate the many suggestions as we tried out new ideas, texts, exercises, and activities for the second edition of *¡A que sí!*

We would particularly like to thank our reviewers:

Kurt Barnada	Elizabethtown College
Charles Grove	Arizona State University
Linda Ledford-Miller	University of Scranton
Gerardo Lorenzino	Yale University
William Rosa	William Paterson College
Rebeca Torres-Rivera	Central Michigan University

The editorial and production teams at Heinle & Heinle were not only exceptionally knowledgeable and helpful, but also flexible and open to our questions and suggestions. We are indebted to Wendy Nelson and especially to our editor, Beatrix Mellauner, whose good humor and graciousness carried us through not a few critical moments. Gabrielle McDonald and Anita Raducanu saw the book through its final stages to completion, making numerous incisive comments along the way. Our task was made easier by dealing with all of these expert professionals.

Finally, we thank our respective families. Without their unwavering faith, inexhaustible patience, and unqualified support, *¡A que sí!* could never have been finished.

María Victoria García-Serrano
Cristina de la Torre
Annette Grant Cash

Preface

Overview

¡A que sí! is a very colloquial expression that serves both as an affirmation and a dare, and always requires a response. This is a most appropriate title for a textbook that challenges students' abilities while empowering them in the use of their new language. Written in Spanish, *¡A que sí!*, Second Edition, is designed for an intermediate/advanced conversation course (according to ACTFL guidelines) and can be adapted to either the semester or the quarter system. The book intentionally contains more material than can be covered during one semester or quarter in order to give instructors flexibility in selecting the sections best suited to the level and interests of their classes. The *¡A que sí!*, Second Edition, program consists of a textbook (with an *Instructor's Edition),* a *Cuaderno* containing a complete grammar review with exercises, and a *Student Audio CD.* Writing activities are referenced to *Atajo: Writing Assistant for Spanish* (Heinle & Heinle). For further exploration of a topic, we have incorporated references to the World Wide Web throughout the program, as well as recommended films. The main goals of the program are to build students' oral proficiency while increasing their awareness of Hispanic culture, and to practice reading, listening, and writing.

Organization

The textbook is divided into four thematic units, the units into three chapters each, and most of these, in turn, into three lessons. Each lesson includes interactive vocabulary exercises, a reading selection, content exercises, opinion questions, communicative strategies, and creative writing activities with references to *Atajo.* There is also a section of interactive exercises to practice the grammar points reviewed in each lesson.

The *Cuaderno* contains a grammar review and exercise section for each lesson, to be done at home. The exercises, which progress from purely mechanical (i.e., traditional fill-in the blank and multiple choice varieties) to open-ended and more meaningful ones, provide students with individual grammar and vocabulary practice outside the classroom. There is also an exercise section for the *Student Audio CD,* to be done after listening to the chapter selection. An answer key appears at the end of the *Cuaderno.*

The *Student Audio CD* consists, first, of twelve recorded segments, one per chapter for each of the four units. They take the form of debates, surveys, newscasts, dialogue, and other types of dramatizations. These are completely integrated into the units and reflect the theme of the chapter in which they appear. Secondly, there are two songs (the lyrics appear in the textbook, accompanied by content questions).

The *Instructor's Manual,* found at the front of the *Instructor's Edition,* is an important component of the program. It gives general principles for the communicative classroom, explains the specific uses of each section, and provides teaching strategies. We also include information about how to obtain the films that are suggested for each unit, the videos which contain some of the songs in the text, as well as our own syllabi, and oral and written tests we have used in our classes. A new feature of the second edition is a detailed plan for the first six days of classes. The *Instructor's Manual* also includes all the scripts for the *Student Audio CD*.

Thematic Division

¡A que sí!, Second Edition, is organized around four high-interest themes: **Tradición y cambio, Contrastes culturales, Los derechos humanos,** and **Hacia la igualdad entre los sexos.** These topics were selected both for their general contemporary relevance and because they help raise students' awareness and understanding of Hispanic and global issues. The strong human interest component of the readings helps foster lively exchanges and a stimulating classroom environment. By reading a variety of selections on each theme, the students are able to explore many facets of each topic, master the related vocabulary, and discuss the issues with some authority. Since instructors may not all teach the same selections each semester, and most likely will not teach all of the selections included in the book, the readings not covered in class serve as an additional source of enrichment. These texts can be used for extra-credit work, reports, papers, etc.

Unit Structure

Each unit includes reading selections in different genres (short stories, poems, novel excerpts, essays, newspaper articles), cartoons, song lyrics, and movie suggestions (which appear in the *Instructor's Manual).* This diversity allows students to become familiar with different styles of expression in Spanish.

Each reading is preceded by an **Introducción,** a brief paragraph to present the author of the reading selection and give some relevant contextual clues.

Next are two vocabulary sections, **Palabra por palabra** and **Mejor dicho.** The first one—limited to a maximum of twelve active vocabulary items—highlights frequently used Spanish words that usually appear in the reading. The second vocabulary section gives students the chance to examine false cognates and other problem words. The exercises and activities that follow allow students to practice these words and, in so doing, to expand their vocabulary. Aside from the oral exercises for pair or group classroom work there are also written exercises in the *Cuaderno* for independent practice.

Before the text itself, the **Alto** section presents reading strategies and pre-reading questions that draw on students' prior knowledge and/or background. The reading selection that follows has been glossed to ease the comprehension of the general story line and thus reduce students' frustration. Our rationale for glossing has been to provide translations or synonyms for the less frequently used words, thereby removing unnecessary obstacles and encouraging students to do a deeper reading.

The next section, labeled **¿Entendido?,** may be assigned as homework. Its purpose is to check students' basic comprehension of the reading and prepare them for the ensuing classroom discussion. **En mi opinión** is a thought and analysis section.

Estrategias comunicativas presents a list of colloquial expressions used by native speakers in conversation. This is a very important section since it is precisely in these exchanges where students often have the most trouble expressing themselves.

The **En (inter)acción** part, closely related to the content of the reading, provides activities for the practical use of communicative skills in groups.

The specific grammar points to be reviewed in the **Repaso gramatical** are listed after **En (inter)acción** for quick reference. The **Práctica gramatical** section in the textbook contains activities of the pair/group variety and is communicative in nature.

The final section is **Creación,** which offers suggestions for composition practice related to the theme of the reading and for using the grammatical structures reviewed in the *Cuaderno*. This writing activity is referenced to *Atajo: Writing Assistant for Spanish* (Heinle & Heinle). There is also a **Glosario** at the end of the book for quick vocabulary reference.

We suggest that each unit end with the viewing and discussion of a film in Spanish. The film should be seen outside of class (see *Instructor's Manual* for further details). Another possibility is to end the unit with a **Mesa redonda**, which can take any number of different formats: debates, dramatizations, oral reports, newscasts, interviews. The World Wide Web contains a wealth of information about Hispanic culture and is an invaluable resource for projects of any type. We have made suggestions throughout the book that will give students a start in researching different topics related to the main themes of the textbook. In addition to the World Wide Web suggestions, *¡A que sí!* features a Web site with Internet activities for all twelve chapters of the book, for further exploration of the topics covered in class. Students should be regularly encouraged to indulge their curiosity by exploring its many sites, and to share the information they have found with the rest of the class.

Grammar Review

The **Repaso gramatical,** referenced after **En (inter)acción,** appears in the *Cuaderno*. The grammar explanations are in Spanish, with English translations for most of the examples to facilitate student comprehension. The grammar points are recycled throughout the text for reinforcement and, where appropriate, are illustrated by charts and tables. The exercises in the *Cuaderno* can be done even without being familiar with the corresponding reading.

Summary

Conversation courses are extremely demanding to teach. They are neither lecture nor drill courses and require a higher than usual degree of interest and energy to elicit active student participation. *¡A que sí!,* Second Edition, and the program that accompanies it, presents varied, up-to-date readings that bring many new and talented voices into the classroom. It poses the challenge of critical thinking, debating, and analyzing basic contemporary issues from a different cultural perspective. Most importantly, *¡A que sí!,* Second Edition, offers students the opportunity to improve their oral proficiency as well as their listening, reading, and writing skills while increasing their cultural awareness not only of the Hispanic world but also of their own cultural heritage.

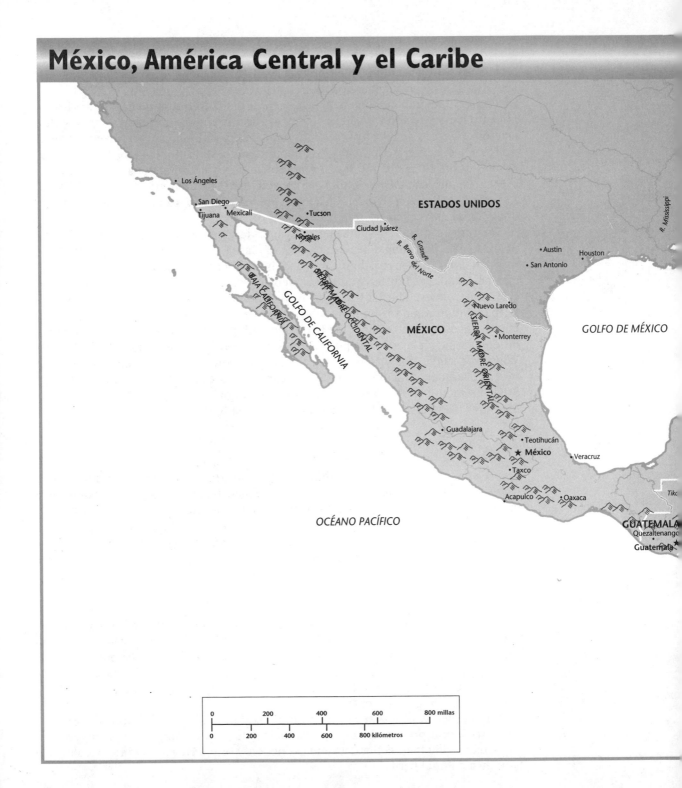

México, América Central y el Caribe

Los Ángeles
San Diego
Tijuana Mexicali
Nogales •Tucson
Ciudad Juárez

ESTADOS UNIDOS

R. Mississippi

R. Grande
R. Bravo del Norte

•Austin Houston
•San Antonio

BAJA CALIFORNIA

SIERRA MADRE OCCIDENTAL

GOLFO DE CALIFORNIA

Nuevo Laredo

MÉXICO

SIERRA MADRE ORIENTAL

•Monterrey

GOLFO DE MÉXICO

•Guadalajara
•Teotihuacán
★ México
Veracruz
•Taxco
Acapulco• •Oaxaca

Tikal

GUATEMALA
Quezaltenango
Guatemala★

OCÉANO PACÍFICO

0		200		400		600		800 millas
0	200	400	600	800 kilómetros				

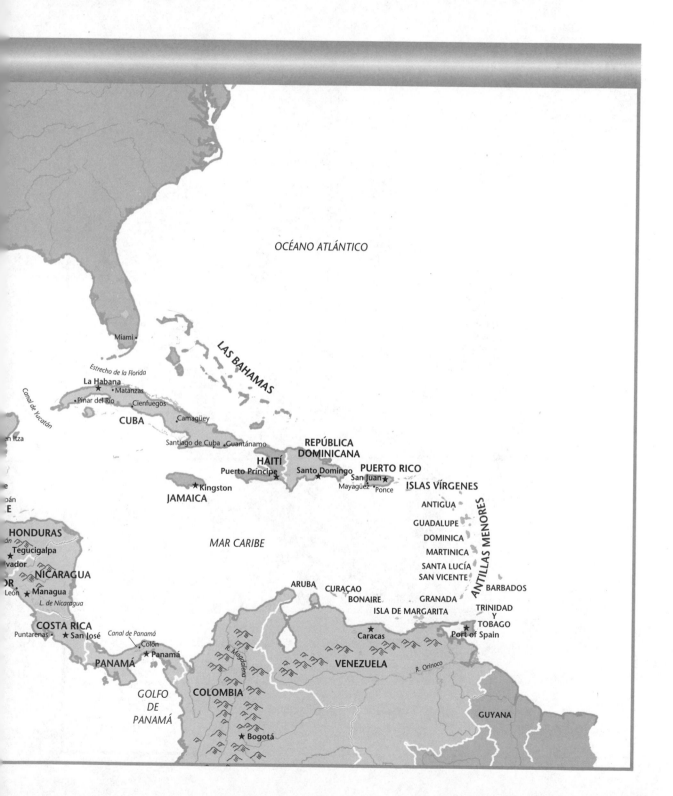

OCÉANO ATLÁNTICO

LAS BAHAMAS

Miami •

Estrecho de la Florida

La Habana
★
• Matanzas
• Pinar del Río
• Cienfuegos

Canal de Yucatán

CUBA

Camagüey

Santiago de Cuba • Guantánamo

en Itzá

REPÚBLICA
DOMINICANA

HAITÍ

Puerto Príncipe

Santo Domingo
★

PUERTO RICO

San Juan ★

Mayagüez • • Ponce

ISLAS VÍRGENES

★ Kingston

JAMAICA

ANTIGUA

GUADALUPE

DOMINICA

MARTINICA

SANTA LUCÍA

SAN VICENTE

ANTILLAS MENORES

BARBADOS

MAR CARIBE

HONDURAS

Tegucigalpa

lvador

NICARAGUA

León • • Managua

L. de Nicaragua

COSTA RICA

Puntarenas • ★ San José

Canal de Panamá

• Colón

★ Panamá

PANAMÁ

GOLFO
DE
PANAMÁ

COLOMBIA

R. Magdalena

ARUBA CURAÇAO

BONAIRE

ISLA DE MARGARITA

GRANADA

TRINIDAD
Y
TOBAGO

Port of Spain ★

★ Caracas

VENEZUELA

R. Orinoco

GUYANA

★ Bogotá

América del Sur

MAR CARIBE
Barranquilla
Cartagena
Maracaibo
Caracas
Port of Spain
TRINIDAD Y TOBAGO
R. Orinoco
VENEZUELA
Georgetown
Paramaribo
GUYANA
SURINAM
Cayenne
GUAYANA FRANCESA
OCÉANO ATLÁNTICO
Medellín
Manizales
Cali
Bogotá
COLOMBIA
Quito
Guayaquil
ECUADOR
Iquitos
PERÚ
ISLAS GALAPAGOS
R. Amazonas
Manaus
Belém
R. Madeira
Cajamarca
Recife
Machu Picchu
Lima
Ayacucho
Cuzco
BRASIL
Salvador
BOLIVIA
L.Titicaca
Brasilia
Arequipa
La Paz
Sucre
Arica
Potosí
Belo Horizonte
Iquique
OCÉANO PACÍFICO
Antofagasta
São Paulo
Rio de Janeiro
Santos
PARAGUAY
Salta
Asunción
Tucumán
CHILE
R. Paraná
R. Uruguay
Pôrto Alegre
Córdoba
Rosario
URUGUAY
Valparaíso
Mendoza
Buenos Aires
Montevideo
Santiago
La Plata
Río de la Plata
Concepción
ARGENTINA
Bahía Blanca
Puerto Montt
CORDILLERA DE LOS ANDES
PATAGONIA
ISLAS MALVINAS

0	200	400	600	800 millas
0	200 400 600			800 kilómetros

Punta Arenas
Estrecho de Magallanes
TIERRA DEL FUEGO
Cabo de Hornos

España

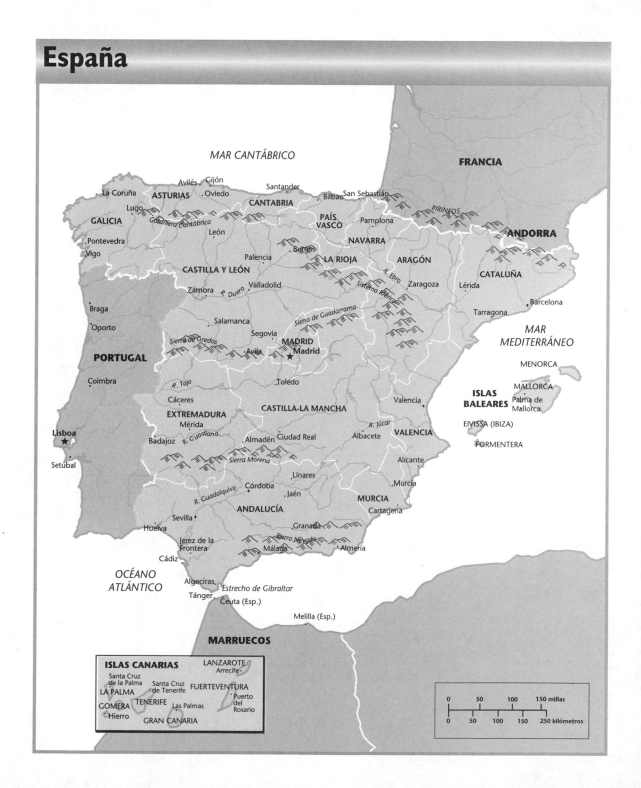

MAR CANTÁBRICO

FRANCIA

Avilés · Gijón
La Coruña · **ASTURIAS** · Oviedo   Santander
Lugo · **CANTABRIA**   Bilbao · San Sebastián
GALICIA   Cordillera Cantábrica   **PAÍS** Pamplona   PIRINEOS
· Pontevedra   León ·   **VASCO**   **ANDORRA**
· Vigo   Palencia ·   **NAVARRA**   **ARAGÓN**   **CATALUÑA**
    Burgos   **LA RIOJA**   R. Ebro   · Lérida
· Braga   **CASTILLA Y LEÓN**   Sistema Ibérico   Zaragoza   · Barcelona
· Oporto   Zamora · R. Duero Valladolid ·   Tarragona

    Salamanca ·   Sierra de Guadarrama
        Segovia ·
    Sierra de Gredos   · Ávila   **MADRID**   **MAR**
PORTUGAL   ★ Madrid   **MEDITERRÁNEO**
· Coimbra   MENORCA
    · Cáceres   R. Tajo   · Toledo   MALLORCA
                Valencia ·   **ISLAS**   Palma de
EXTREMADURA   **CASTILLA-LA MANCHA**   **BALEARES**   Mallorca
· Mérida
Lisboa   Badajoz ·   R. Guadiana   Almadén · Ciudad Real   R. Júcar   EIVISSA (IBIZA)
★   · Albacete   **VALENCIA**
· Setúbal   Sierra Morena   FORMENTERA
            Alicante ·
            Linares ·
            R. Guadalquivir   Córdoba ·   · Murcia
                · Jaén   **MURCIA**
    Sevilla ·   **ANDALUCÍA**   Cartagena ·
Huelva ·
    Jerez de la   Granada ·
OCÉANO   Frontera   Sierra Nevada
ATLÁNTICO   Cádiz ·   · Málaga   · Almería
    Algeciras,
    Tánger ·   Estrecho de Gibraltar
        · Ceuta (Esp.)

        Melilla (Esp.) ·

MARRUECOS

ISLAS CANARIAS   LANZAROTE
    Arrecife ·
Santa Cruz
de la Palma   Santa Cruz   **FUERTEVENTURA**
LA PALMA   de Tenerife   · Puerto
    TENERIFE   del
GOMERA   Las Palmas ·   Rosario
· Hierro   **GRAN CANARIA**

0	50	100	150 millas
0	50	100	150	250 kilómetros

UNIDAD I
TRADICION Y CAMBIO

Las Meninas, Diego Velázquez, 1656

Las Meninas, Pablo Picasso, 1957

Las Meninas, Ramiro Arango, 1989

La cultura siempre consta de dos aspectos: el tradicional y el innovador. En esta unidad tenemos ambos en cuenta para poder abarcar la complejidad del mundo hispano contemporáneo.

Los dos primeros capítulos de esta unidad están relacionados con prácticas culturales que caracterizan a la sociedad hispana, prácticas que manifiestan, además, la continuidad del pasado en el presente. Los textos agrupados bajo el capítulo **El ocio,** examinan la popularidad de los bares ("Bares a millares"), las comidas típicas ("Picar a la española") y la tradición musical ("¡Oye cómo va!"). En el segundo capítulo, **Costumbres de ayer y de hoy,** se han incluido textos sobre las numerosas celebraciones y festejos populares ("El mexicano y las fiestas"), las corridas de toros ("Una fiesta de impacto y de infarto") y las religiones afrolatinoamericanas ("La santería: una religión sincrética").

Las lecturas incluidas en el tercer capítulo, **Temas candentes,** presentan algunos de los cambios que se están produciendo en las sociedades hispanas. Los tres textos giran en torno al tema de la "salud" del individuo y del planeta. Aunque tanto el tabaquismo como la drogadicción y el interés por el medio ambiente constituyen fenómenos sociales que afectan a todos los países del mundo, los artículos seleccionados ("Una bola de humo", "¿Liberalizar la droga?" y "La pasión por lo verde") ofrecen acercamientos y puntos de vista de autores hispanos.

Que yo sepa

En parejas o grupos, discutan los temas siguientes.

1. Definan lo que es una tradición. ¿Es bueno conservar las tradiciones? ¿Por qué? ¿Qué función tienen las tradiciones? ¿Cuáles son algunas tradiciones de los Estados Unidos? ¿Qué tipo de tradiciones tiene su familia? Expliquen algunas de ellas.

2. Mencionen tres cambios que han ocurrido en los últimos 100, 50 y 10 años y después discutan si han sido buenos o malos estos cambios. ¿Qué cosas no han cambiado en los últimos veinte años? ¿Por qué razón creen Uds. que no han cambiado?

3. Hagan una lista de tres cosas que están de moda y otras que no lo están. Comparen su lista con la de los otros grupos y comenten los resultados.

De moda *(In)*	Pasado/a de moda *(Out)*

4. Busquen las semejanzas y las diferencias entre los tres cuadros de la página 1.

http://aquesi.heinle.com

El ocio

Bares a millares

Antonio Gómez Rufo

"Un bar", según el diccionario, "es el lugar donde se toman bebidas y cosas de comer, especialmente de pie o sentándose en taburetes *(stools)* delante del mostrador *(counter)*". Aunque la definición es acertada, sin embargo no explica la popularidad de los bares y la asiduidad con que la gente los frecuenta en las sociedades hispanas. El texto siguiente, "Bares a millares", nos ofrece una definición más completa que la del diccionario, ya que nos habla de la función social que tienen estos establecimientos para la mayoría de la gente.

▶ Palabra por palabra[1]

la **costumbre**	*habit, custom*
la **encuesta**	*poll, survey*
el **hecho**	*fact*
el **horario**	*schedule*
los **medios de comunicación**	*media*
el **ocio**	*leisure time*
todo el mundo	*everybody*
tomar una copa	*to have a drink*

▶ Mejor dicho

salir con	*to go out with, have a date*	¿**Con** quién vas a **salir** esta tarde?
una cita	*an appointment*	¿A qué hora tienes **cita** con el dentista?
un/a acompañante, novio/a, amigo/a...	*a date (referring to a person)*	Voy a salir con un **amigo.**

---

[1] El vocabulario siguiente lo encontrarán utilizado en la lectura. Deben memorizarlo para poder entender más fácilmente el texto y expresarse mejor en español.

el pueblo	*village*	Mi **pueblo** se llama Jérica.
	people from a nation, place, or race	Hay que luchar por la independencia de los **pueblos** indígenas.
la gente (sing.)	*people, crowd*	Mucha **gente** no participó en la encuesta.
la(s) persona(s)	*person(s), individual(s)*	¿Qué desean esas **personas** que nos están esperando?
el público	*audience*	El **público** estuvo aplaudiendo media hora a Monserrat Caballé.

Práctica

1. En parejas, contesten las preguntas siguientes. Presten atención a las palabras del vocabulario.

   a. Explíquele detalladamente a su compañero/a su horario de clases, trabajo y ocio.

   b. ¿Cuántas horas de ocio tiene Ud. al día? ¿Y a la semana? ¿Qué hace Ud. durante sus horas de ocio? ¿Qué hacen otras personas? "Ocioso" y "perezoso" ¿significan lo mismo?

   c. Defina en español lo que es una encuesta. ¿Son útiles las encuestas? ¿Para quiénes? ¿Ha hecho Ud. una encuesta alguna vez o participado en alguna? ¿De qué tipo? ¿Qué opina Ud. de las encuestas por teléfono? ¿Y de las que hacen en la calle o en otros lugares públicos?

   d. ¿En qué se diferencia un "hecho" de una opinión? ¿Los medios de comunicación presentan alguna vez hechos falsos?

   e. En su país, ¿todo el mundo puede entrar en los bares? ¿Todo el mundo puede pedir una bebida alcohólica? ¿Cómo es esto diferente de otros países?

2. Explíquele a su compañero/a por qué las costumbres siguientes son buenas o malas.

   a. Llegar muy tarde a una fiesta.
   b. Posponer el trabajo.
   c. Tomar un café antes de acostarse.
   d. Aparcar en un lugar prohibido.
   e. Ir al oftalmólogo una vez al año.
   f. Leer las cartas de otra persona.
   g. Estudiar la noche anterior a un examen.
   h. Levantarse antes de las 6 de la mañana.

3. ¿Adónde va Ud. cuando tiene una cita con... ?

   a. un veterinario
   b. un profesor
   c. una agente de viajes
   d. una peluquera
   e. un consejero universitario
   f. un agente inmobiliario *(real estate agent)*

4. ¿A qué tipo de bares o restaurantes va Ud. cuando sale con... ?

   a. sus padres
   b. sus hermanos/as
   c. su mejor amigo/a
   d. sus abuelos
   e. su compañero/a de cuarto
   f. alguien por primera vez

5. Según mi abuelo, hay dos tipos de personas: las que tienen sentido del humor y las que no lo tienen. Con un/a compañero/a hagan una clasificación semejante y luego compárenla con la de las otras parejas.

—Hay personas que... y personas que no...

6. Utilice dos adjetivos para describir al público que asiste a:

a. una manifestación política
b. un concierto de jazz
c. una conferencia sobre el SIDA
d. una corrida de toros
e. la ópera
f. una película de terror
g. un partido de fútbol
h. un rodeo
i. una procesión

Ejemplo: un museo
elegante e inteligente

Alto

1. Preste atención al título. ¿Qué relación tiene con el tema de la Unidad I? ¿Qué tono (cómico, serio...) espera Ud. en el artículo? ¿Con qué número relacionaría "millares"?

2. "Información" y "zona" son palabras muy similares en español y en inglés. Las palabras que son casi idénticas en las dos lenguas se llaman "cognados". Haga una lista de diez cognados más de la lectura. Compare su lista con la de su compañero/a.

_____ _____ _____ _____ _____

_____ _____ _____ _____ _____

3. ¿Qué sabe Ud. de los bares de otros países? ¿Qué connotaciones tiene la palabra "bar" para Ud.? ¿Qué palabras asocia con "bar"? ¿Es importante el número de bares, gasolineras y bancos que hay en una ciudad? ¿Qué indica esto?

4. ¿Cómo clasificaría Ud. los bares? Mencione tres tipos distintos.

Bares a millares

Antonio Gómez Rufo

Unos datos recientemente conocidos han puesto de manifiesto que en Madrid, en el tramo[1] comprendido entre Atocha y Antón Martín, hay más bares que en toda Noruega. Si eso es cierto, en Madrid debe haber más bares que en el resto de Europa y en España más bares que en el resto del mundo. O casi.

5   La verdad es que los españoles entendemos muy bien la sociología del bar. La taberna, la tasca, el bar, el pub o la cafetería forman parte de nuestra vida con la misma intensidad que nuestro propio hogar y nuestro centro de trabajo. De hecho, en una encuesta realizada meses atrás, las preferencias de los madrileños se decantaban,[2] en primer lugar, por su bar de costumbre, en segundo lugar, por la

10 calle en general, y el hogar, el dulce hogar, se tenía que conformar con quedar relegado a un discreto tercer puesto.[3]

    Aquí siempre quedamos[4] en el bar de enfrente (en el de al lado es más complicado, pues hay que especificar si es en el de la derecha o en el de la izquierda y eso crea confusión), porque enfrente siempre hay un bar. Esté uno donde esté,[5]

15 nada más salir del portal[6] siempre hay un bar enfrente. Y a veces dos.

    El bar es ese lugar de encuentros en el que a cualquier hora puede encontrarse un amigo, un rato de conversación y una caña[7] de cerveza o un chato[8] de vino. Y una máquina tragaperras.[9] El bar es una excusa, una justificación, una metáfora. Se va al bar a cerrar un trato,[10] a reponer fuerzas o a matar el tiempo. Al bar se

20 acude[11] aunque no haya motivo, porque está pensado para acoger[12] a cualquiera, por muy inmotivada que esté su presencia. Es más, si todo el mundo tuviese una razón para acudir al bar, habría que poner en cuestión la propia naturaleza del lugar, pues en tal caso se tendría clara su utilidad, su finalidad. Al bar se va sin más.[13] No hay que ir "a algo"; simplemente hay que ir.

25   A golpe de multinacionales que instalan maquinitas de café, refrescos y otras variedades en los pasillos de las oficinas de sus empresas, se quiere acabar con el "cafelito" de media mañana en el bar de enfrente. No creo que lo consigan, porque aquí el "cafelito" consiste en un barreño de café con leche, un pincho de tortilla o unas porras, una tostada o lo que se tercie,[14] y no en ese vaso de plás-

30 tico mediado de café huérfano de pedigrí.[15] Los bares siguen ganando, por mucho que se establezcan normas que les pretendan marginar.

    Lo extraño, volviendo al origen, no es que existan tantos bares entre Atocha y Antón Martín. Lo verdaderamente extraño es que en Noruega haya alguno, si

---

[1] **tramo** = zona, área   [2] **se decantaban** = inclinaban   [3] **se tenía... puesto** *had to take third place*
[4] **quedamos** *we agree (to meet)*   [5] **Esté... esté** *wherever you are*   [6] **portal** *building entrance*   [7] **caña** = vaso mediano   [8] **chato** = vaso pequeño   [9] **máquina tragaperras** *slot-machine*   [10] **trato** *deal*   [11] **se acude** = se va   [12] **acoger** *to welcome*   [13] **sin más** = sin motivo   [14] **lo que se tercie** *whatever comes up*   [15] **de café... pedigrí** = café de poca calidad

exceptuamos los de las gasolineras de carretera y los clubes sociales privados.
35 Porque la gente en el norte de Europa vive entre el trabajo y la casa, en la que se encierran a la hora española de la sobremesa[16] y de la que salen en cuanto amanece, y aun antes. El ocio en Europa es más triste que una aventura de Heidi[17] y más soso[18] que (un partido de fútbol entre) el Celta y el Murcia.[19] A ver si la presencia española en la Comunidad Europea les ha enseñado algo y les ha conven-
40 cido de que adopten costumbres más civilizadas. Como la de ir al bar, por ejemplo.

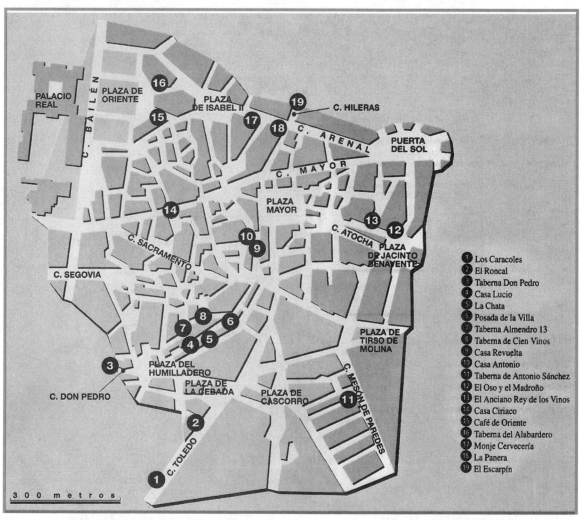

¿De qué ciudad es este plano? (Fíjate en el nombre de las calles.)

---

[16] **sobremesa** = tiempo que pasa la gente después de comer conversando   [17] **Heidi** *character in a famous cartoon*   [18] **soso** = sin interés   [19] **el Celta y el Murcia** = equipos de fútbol de segunda división

¿Entendido?

Complete las oraciones siguientes según el contenido de la lectura, pero utilizando sus propias palabras; es decir, no copie las oraciones que aparecen en el texto.

1. Una diferencia entre las costumbres de España y las de otros países europeos es...
2. Según Antonio Gómez Rufo, el bar (tasca, taberna, etc.) es tan importante porque...
3. Los madrileños prefieren estar en... porque...
4. Por lo general, cerca de una vivienda (piso, casa) española hay... bares.
5. La gente va a los bares (tabernas, pubs, etc.) por los tres motivos siguientes: ...
6. El autor prefiere tomarse todas las mañanas un café en... porque...
7. En el norte de Europa se frecuentan menos los bares que en España porque...
8. Según el autor, el ocio en España...

Tú eliges: ¿al aire libre o en un lugar cerrado, céntrico o a las afueras, moderno o tradicional?

En mi opinión

Con un/a compañero/a de clase, hablen de algunos de los temas siguientes.

1. ¿Es el bar parte de la vida norteamericana? ¿Qué grupos específicos de personas frecuentan los bares aquí? Compare la función y las posibilidades de un bar español y uno norteamericano.

2. Ir al bar en España se considera, según el artículo, una "costumbre civilizada". ¿Qué opina Ud. de esa afirmación? ¿Cuáles cree Ud. que son otras costumbres civilizadas?

3. ¿Pasa Ud. mucho tiempo en la calle? ¿Sale a pasear *(to take a walk)* alguna vez? ¿Es pasear una de sus costumbres? ¿Es igual caminar (o correr) que pasear? ¿Cuál es el propósito de caminar? ¿Y el de pasear?

4. ¿Hay "bares a millares" en su ciudad o pueblo? ¿Cómo se llaman algunos? ¿Va Ud. frecuentemente a los bares? ¿Por qué razón (no) va? ¿Cómo se llaman algunos de los bares o restaurantes más famosos de su país?

5. Aunque en muchos países hispanos hay también como en EE UU una edad "legal" para empezar a beber, por lo general no se requiere ningún documento para pedir una bebida alcohólica. ¿Indica esto que las sociedades hispanas tienen una actitud diferente hacia el alcohol? Explique.

6. Según el artículo, ¿en España la gente va a los bares porque quiere emborracharse *(to get drunk)*? Para emborracharse, ¿hay que ir a un bar? ¿Por qué cree Ud. que el artículo no menciona el problema del alcoholismo?

7. El abuso del alcohol causa numerosos accidentes de carretera. Mencione algunas medidas que se están tomando para prevenir este tipo de accidentes.

8. Ya que el abuso del alcohol causa tantas muertes entre los jóvenes, ¿preferiría Ud. poder beber a los 16 años y no conducir hasta los 21? Explique su respuesta.

▶ Estrategias comunicativas para invitar a alguien...

¿Tienes planes para esta noche, este fin de semana... ?	*Do you have any plans for tonight, this weekend . . . ?*
¿Qué te parece si vamos al cine, a un restaurante... ?	*How would you like to go to the movies, to a restaurant . . . ?*
¿Te apetece ir a tomar un café?	*Do you feel like going for a cup of coffee?*
¿A qué hora/Dónde quedamos?	*At what time / Where do we meet?*
¿Te importa si viene un/a amigo/a mío/a... ?	*Do you mind if a friend of mine comes along?*

... para aceptar la invitación...   ... o para rechazarla *(turn it down)*

¡Con mucho gusto! *(It will be a pleasure!)*	Lo siento, he quedado con...
¡Cómo no!	Me gustaría mucho, pero no voy a poder.
¡Me encantaría! *(I'd love to!)*	Hoy me es imposible, pero quizás en otra ocasión.
¡Por supuesto que sí!	¡De ninguna manera! *(No way!)*
Me parece una idea estupenda.	Ya tengo planes.

En (inter)acción

1. Ahora, delante de toda la clase, un/a estudiante invita a otro/a a salir. Utilicen algunas de las expresiones que aparecen en **Estrategias comunicativas.**

2. Realicen una encuesta en clase para determinar cuál es el lugar preferido de los jóvenes norteamericanos. Cada estudiante debe preguntar sobre un sitio específico y escribir el resultado en la pizarra. Entre todos/as comenten los resultados. •[Si en la clase hay más de 14 estudiantes, los/las profesores/as deben añadir otros nombres a la lista.]

lugar	sí	no
a. su casa		
b. su residencia *(dorm)*		
c. la calle		
d. el gimnasio		
e. el centro comercial		
f. la iglesia, la sinagoga, etc.		
g. el parque		
h. la biblioteca		
i. el cine		
j. la discoteca		
k. el campo *(countryside)*		
l. la cafetería de la universidad		
m. el estadio de fútbol		
n. la casa de un amigo		

3. Busquen en Internet información sobre los bares, restaurantes, cines y teatros de Madrid u otra ciudad hispana. Con la información que han encontrado, organicen con un/a compañero/a una noche loca. •[Si el/la profesor/a piensa hacer esta actividad en clase, obviamente debe asignarla con anterioridad al día de clase.]

Práctica gramatical

Repaso
gramatical:
El presente de
indicativo de los
verbos regulares
(*Cuaderno*, pág. 5)
El verbo **ser**
(*Cuaderno*, pág. 5)
El verdo **estar**
(*Cuaderno*, pág. 6)
Contraste: **ser** y
estar + adjetivo
(*Cuaderno*, pág. 6)
Haber (*Cuaderno*,
pág. 7)

1. **En la cafetería de la universidad.** En grupos, indiquen acciones que pueden pasar o no en la cafetería de su universidad. Utilicen el presente de indicativo.

   Ejemplo: —Algunos estudiantes escriben sus tareas.
   —Los cocineros no bailan la rumba.

2. **Descripciones.** En parejas, observen las fotos siguientes y describan todo lo que ven usando **ser, estar** y **haber.** ●[Se les puede dar a los estudiantes dos fotos o recortes de periódicos diferentes y sin ver la del compañero/a deben averiguar si son iguales o no haciendo preguntas con estos verbos.]

   Ejemplo: Algunos de los clientes están charlando.

Creación

Después de haber estudiado el presente de indicativo de los verbos y **ser, estar** y **haber,** escriba una pequeña composición describiendo su lugar de ocio preferido. Cuando se escribe una descripción, hay que incluir respuestas a preguntas como las siguientes:

1. ¿Qué información va a presentar? ¿Dónde está ese lugar? ¿Cómo es? ¿Qué hay dentro? ¿Por qué es su lugar preferido? ¿Quiénes pueden entrar? ¿Qué hacen los clientes/visitantes? ¿Cómo se llama el lugar? ¿Cómo lo descubrió? (**¡Ojo!** Estas preguntas son para ayudarle a Ud. a redactar la composición. No tiene que contestarlas, ni seguir el orden en que aparecen. Intente ser original.)

2. Una vez que sabe lo que va a decir sobre su lugar de ocio preferido, haga un bosquejo *(outline)* para ordenar los detalles que ha reunido. ¿Por qué ha elegido ese orden cronológico, espacial, etc.? ¿No sería más efectivo o interesante otro orden?

	Phrases:	*Describing places; Expressing location; Encouraging*
	Grammar:	*Verbs:* ser & estar; *Verbs:* tener; *Verbs: present*
	Vocabulary:	*House; Food: restaurant; Sports*

Hay gente que colecciona tarjetas, menús o posavasos *(coasters)* de los bares en los que ha estado; otra gente colecciona camisetas del Hard Rock Café. Y tú, ¿qué coleccionas?

Picar a la española

Colman Andrews

Colman Andrews es colaborador del diario *Los Angeles Times*. Sus reseñas periodísticas versan principalmente sobre gastronomía. Muchos de sus artículos, que aparecen en revistas como *Harper's Bazaar*, presentan las costumbres culinarias de otros países. En "Picar a la española" (*The Spanish Way To Snack*) nos ofrece su impresión de una de las prácticas peculiares de España: el tapeo.

▶ Palabra por palabra

apetecible	*tempting, appetizing, mouth-watering*
enterarse (de)	*to find out, hear, learn*
evitar	*to avoid*
mostrar (ue)	*to show, display*
resultar + adj.	*to find, look like, be*
ser capaz de + inf.	*to be capable of*
la **servilleta**	*napkin*
soler (ue)	*to be accustomed to, be in the habit of*
tener sentido	*to make sense* (sujeto inanimado)

▶ Mejor dicho

gratis	*free* = que no cuesta dinero	Las tapas ya no son **gratis.**
estar libre	*free* = estar desocupado/a	Teresa, ¿estás **libre** esta tarde?
	free = fuera de la prisión	Cinco de los terroristas ya estarán **libres.**
ser libre	*free* = que uno/a puede elegir su conducta y acciones, y es responsable de ellas.	Lamentablemente, no todo el mundo es **libre.**

pedir	*to ask for or order something, request*	¿Por qué no **pedimos** una ración de tortilla?
preguntar	*to request information from someone*	**Pregúntale** a la camarera si tienen agua con gas y cerveza sin alcohol.
preguntar por	*to inquire about someone or something*	Nos **preguntó por** un restaurante llamado Doñana.

¡Ojo! *To ask a question* se dice **hacer una pregunta.**

Práctica

En parejas, escriban tres preguntas con una de las palabras o expresiones anteriores. Luego cada uno de los miembros de una pareja se junta con otro/a de otra pareja y se hacen las preguntas que han escrito. Se siguen formando nuevas parejas hasta que todos/as han podido contestar la mayoría de las preguntas. •[Para evitar que todo el mundo utilice el mismo término, el/la profesor/a puede asignarle a cada pareja una de las palabras. También se les puede decir que no hagan preguntas que requieran como respuesta sólo sí o no.]

Ejemplo: ser capaz de + inf.

¿En cuántos minutos eres capaz de comer?

¿Quiénes son capaces de no comer en todo el día?

¿Qué eres incapaz de comer?

Alto

1. Observe el título de la lectura: "Picar a la española". ¿Le orienta sobre qué país hispano va a ser el tema de la lectura? ¿A qué parte de la oración pertenece "picar"? ¿Es un adjetivo, un adverbio... ?

2. Eche una ojeada *(Skim through)* a las formas verbales de la lectura y haga una lista de diez de ellas. ¿Qué persona gramatical abunda: yo, nosotros, ellos? ¿Y en qué tiempo están esas formas? ¿Puede anticipar si el artículo tratará de lo que le ocurrió a una persona o no?

_____

_____

_____

_____

_____

_____

_____

_____

_____

3. ¿Es importante lo que/cuándo/cómo/dónde comemos? ¿Qué revela esto de una persona o cultura?

4. ¿Qué sabes de la comida española? ¿Y de la mexicana? ¿Qué relación hay entre el tema de la comida y las tradiciones de un país?

No te dejes engañar por la apariencia de las tapas. Las más "sospechosas" suelen ser las más deliciosas.

Picar a la española

Colman Andrews

Lo único que no me gusta de las tapas es que nunca sé bien cuándo comerlas.

Las tapas, como ya sabrán todos
5 los que hayan estado en España alguna vez, son aperitivos,[1] delicias culinarias. Se sirven en sitios llamados tascas o tabernas y van acompañadas de conversación animada
10 (hacen falta dos personas, mínimo, para tapear como es debido), de copas de jerez[2] o de chatos de vino local, por lo regular tinto. La cerveza también sirve.

---

[1] **aperitivos** *appetizers* [2] **jerez** *sherry*

15   En sus principios las tapas eran el equivalente español de lo que se conoce como *beer nuts* o *trail mix* en inglés —aceitunas, almendras, anchoas o jamón.[3] Su propósito era también similar: animar[4] a los clientes a quedarse más tiempo y seguir bebiendo. Las tapas se servían en platillos[5] lo suficientemente pequeños para encajar[6] encima de la estrecha apertura de una copa de jerez —evitando así

20 la presencia de moscas[7] distraídas. A veces, si se trataba de jamón o cualquier otra cosa apropiada, se utilizaban pequeñas tostadas redondas que podían igualmente situarse sobre la copa. De ahí el nombre *tapas,* del verbo *tapar* que quiere decir *cubrir.*

     Parece ser que la costumbre de servir estas tapas (gratis en los viejos tiempos)

25 se originó en los bares de la Andalucía del siglo XVIII. En esta región del suroeste del país se encuentra Sevilla, ciudad que muchos expertos consideran aún hoy la capital española de las tapas, y Jerez de la Frontera, donde se produce el vino que lleva su nombre, buen amigo de cualquier aperitivo.

     Hoy día las tapas se comen hasta en los más remotos rincones de la península y

30 todos, menos los turistas más remilgados y quisquillosos,[8] tarde o temprano sucumben a sus encantos. Los limitados bocados de antaño[9] han sido reemplazados por un enorme repertorio de platos, muchos cientos de ellos, desde pedazos de queso manchego[10] y firmes trozos de tortilla española[11] a elaboradísimas croquetas y sofisticados salpicones de mariscos.[12] También se encuentran comidas típicas

35 como paella valenciana[13] y callos madrileños,[14] servidas en diminutas porciones. Básicamente cualquier cosa, menos los postres,[15] sirve de tapa con tal que la cantidad sea pequeña.

     Como sucede con cualquier otro tipo de bar, hay tascas de muchas clases, desde las más refinadas hasta las más escandalosas. Lo que tienen en común es

40 que casi siempre resultan bastante desordenadas[16] a los ojos de un extranjero. En todas se encuentran pequeños recipientes de metal que guardan servilletas de papel encerado;[17] es perfectamente aceptable tirarlas al suelo después de haberse limpiado la boca y los dedos. El resultado, tras dos o tres horas de entusiasta tapeo comunal en una tasca concurrida,[18] puede parecer poco apetecible. Pero...

45 ¡ánimo!, cuantas más servilletas cubran el suelo, mejores serán las tapas.

     No hay dos bares de tapas que sirvan la misma variedad. Algunos lugares se especializan en un solo plato —como jamón, queso, incluso champiñones o caracoles[19]— preparado de diferentes modos. En otros sitios, en cambio, es posible encontrar más de treinta o cuarenta platos distintos.

---

[3] **aceitunas... jamón** *olives, almonds, anchovies, or cured ham* [4] **animar** *to entice* [5] **platillos** *saucers* [6] **encajar** *to fit* [7] **moscas** *flies* [8] **remilgados y quisquillosos** *skittish and fussy* [9] **bocados de antaño** = las tapas de antes [10] **manchego** = de la Mancha, región de España [11] **tortilla española** = *omelet de huevos y patatas* [12] **salpicones de mariscos** *shellfish stews* [13] **paella valenciana** *yellow rice with chicken or seafood* [14] **callos madrileños** *tripe stew* [15] **postres** *desserts* [16] **desordenadas** *messy* [17] **encerado** *waxed* [18] **concurrida** = con mucha gente [19] **champiñones o caracoles** *mushrooms or snails*

50   No es difícil enterarse de qué sirven exactamente en una tasca específica. Algunos bares ponen sus menús en la puerta, otros anotan las tapas del día en una pizarra situada estratégicamente, muchos muestran sus delicias en cacerolas de barro sobre el mostrador.[20] (Algunos platos se hacen en el momento pero la mayoría de las tapas se comen del tiempo.[21]) Estas condiciones facilitan el proceso
55 de decidir. El cliente puede ver lo que hay antes de pedir y, si no habla muy bien el español, puede simplemente señalar con el dedo. En los sitios más amplios y elegantes las tapas se sirven en las mesas, lo cual puede ser muy conveniente si hay más de tres personas en su grupo, pero los verdaderos aficionados prefieren picar de pie, con las tapas a la vista.

    El ritual del aperitivo, que incluye también porciones generosas de bebida y conversación, se conoce como tapeo. Aunque se puede practicar a cualquier hora, ya que las tapas están disponibles[22] desde la mañana hasta la medianoche, lo común es entregarse a este agradable pasatiempo entre el mediodía y las dos de la tarde, y entre las ocho y las diez de la noche. ¿Cree Ud. que eso interfiere con
65 la hora de comer y de cenar? Es evidente que no ha ido aún a España. Si todo lo que se ha dicho de las tapas hasta ahora le ha parecido bien (quizá a excepción de las servilletas sucias y arrugadas[23] en el suelo) las horas pueden representar el primer obstáculo.

    No cabe duda que los españoles no comen ya tan tarde como solían. Se al-
70 muerza alrededor de las dos y, en consecuencia, la cena no aparece sino hasta las diez de la noche. La idea de las tapas, según los expertos, es entretener[24] el hambre hasta tan tarde. El punto flaco de esa teoría es que cuando uno se acostumbra al horario, no hay problema. Si se desayuna a las diez es normal comer a las dos y media. Cenar a las diez tiene perfecto sentido si no se abandonó la mesa hasta las
75 cuatro de la tarde. Traducido a horas norteamericanas se reduce a desayunar a las siete y media y comer al mediodía. En ese caso poca gente se aparecería en el bar de la esquina en busca de croquetas de bacalao[25] o de un platito de angulas[26] ¡a las nueve y media de la mañana!

    Cualquier buen español señalaría de inmediato que muchos fanáticos de las
80 tapas las consumen en lugar de la comida o de la cena, sólo que más temprano. Sería la versión ibérica del *fast food*, o lo que los dueños de restaurantes norteamericanos llaman ahora *grazing*. Y no es mala idea si no fuera porque a mí las tapas, especialmente cuando las como de pie, no me parecen una comida. Soy perfectamente capaz de zamparme[27] seis u ocho de estas minucias y después sen-
85 tarme a comer "de verdad" en algún sitio. Lo que cuesta[28] admitir es que, cualquiera que sea la calidad de la comida formal, siempre acabo prefiriendo las tapas.

---

[20] **mostrador** *counter*   [21] **del tiempo** *at room temperature*   [22] **disponibles** *available*   [23] **arrugadas** *crumpled*   [24] **entretener** *to stave off*   [25] **croquetas de bacalao** *salt-cod puffs*   [26] **angulas** *baby eels*   [27] **zamparme** *downing*   [28] **lo que cuesta** *what is hard*

¿Entendido?

Completa las oraciones siguientes según el contenido de la lectura, pero emplea tus propias palabras.

1. Las tapas son...
2. Se sirven en... normalmente entre las... y las... de la tarde, y entre las... y las... de la noche.
3. Hay muchas variedades: ...
4. Para "tapear" bien hay que ir con... y pedir de beber...
5. La costumbre surgió en... porque...
6. El verbo **tapar** quiere decir...
7. Hay servilletas en el suelo porque...
8. Algunos turistas norteamericanos tienen problemas con... de las tapas.
9. Si no sabemos cómo se llama una tapa, podemos pedirla...
10. En algunas tascas escriben en una pizarra...
11. Los verdaderos aficionados...

Este menú tiene cinco tipos de carne, dos tipos de pescado y dos vegetales. ¿Puedes identificarlos?

En mi opinión

Con un/a compañero/a, contesten algunas de las preguntas siguientes.

1. ¿A qué hora comes? ¿Sigues siempre el mismo horario? ¿Por qué sí/no? ¿Comes de todo? ¿Te gusta probar *(to try)* nuevas comidas? ¿Por qué sí/no?

2. ¿Sueles pedir aperitivos en un restaurante? ¿Cuáles son tus favoritos? ¿Sirven los mismos aperitivos en todas partes? ¿Por qué sirven nachos gratis en los restaurantes mexicanos?

3. ¿Te gusta picar cuando ves la televisión? ¿Y una película? ¿Y cuando estudias? ¿Qué picas en estas circunstancias? ¿Qué picas en las fiestas?

4. ¿Qué comidas de otros países has probado? ¿Qué es lo más exótico que has comido? ¿Qué quiere decir "un gusto adquirido"? ¿Cuáles son algunos? ¿Qué tapas de las mencionadas te resultaría difícil comer?

Estrategias comunicativas para disculparse *(apologize, excuse oneself)*

Muchas gracias, pero...	*Thank you very much, but . . .*
Se lo agradezco muchísimo, pero...	*I really appreciate it , but . . .*
Discúlpenme, pero es que...	*Excuse me, but the thing is that . . .*
Lo siento mucho, pero...	*I am very sorry, but . . .*
Me encantaría (probarlo/a, verlo/a, ...), pero en este momento...	*I would love to (try it, see it, . . .), but right now . . .*

En (inter)acción

1. **¡Qué apuro!** Imagínense que una familia hispana los/as ha invitado a comer y les sirve algo que no les gusta nada, por ejemplo, angulas *(baby eels),* gusanos *(worms)* o pulpo *(octopus).* En parejas, busquen dos maneras de salir de la situación sin ofender a la familia. Utilicen algunas de las expresiones de **Estrategias comunicativas.**

2. **Cocina imaginativa.** En grupos, seleccionen una de las tapas mencionadas en la lectura u otra de su invención, prepárenla y tráiganla a clase. Un/a estudiante puede explicar el proceso de preparación.

3. **Sobre gustos no hay nada escrito.** Algunos de nuestros gustos culinarios son muy personales y no tienen que ver con ninguna tradición cultural. Hay gente que combina productos muy diferentes: aceitunas + anchoas, naranjas + cebollas, etc. Haga una encuesta entre los miembros de la clase para averiguar qué combinación es la más extravagante, deliciosa o repulsiva.

20

4. **Contraste fotográfico.** Contrasten la presentación de comidas y productos en restaurantes y mercados hispanos con la de su país.

Práctica gramatical

Repaso
gramatical:
El presente de
indicativo de los
verbos irregulares
(Cuaderno, pág. 8)
Gustar y verbos
afines *(Cuaderno,*
pág. 9)

1. **¡Que les aproveche!** En parejas y usando algunos de los verbos que aparecen a continuación, decidan a qué restaurante van a ir a cenar. Cuidado con el presente de estos verbos, pues algunas formas son irregulares.

servir	tener	elegir	estar	oír	ir
conocer	dar	hacer	poner	salir	venir

   Ejemplo: —Yo prefiero ir a un sitio barato. ¿Y tú?
   —Estoy de acuerdo contigo. Conozco un mesón relativamente barato.

2. **Para chuparse los dedos** *(Finger-licking good).* En grupos, comenten sus preferencias culinarias usando el verbo **gustar** y otros con los que se emplea la misma estructura.

   Ejemplo: —A mí me encantan las patatas fritas. ¿Y a ti?
   —No, no me gustan mucho porque engordan.

3. **Una señal de nuestros tiempos.** En parejas y usando el verbo **gustar** y otros con los que se emplea la misma estructura, describan a una persona que está a dieta.

   Ejemplo: —Le importan mucho las calorías.
   —Le encantan las comidas sin grasa *(fat).*

Creación

Imagínate que vas a pasar un semestre en un país hispanohablante. Como vas a vivir con una familia hispana, antes de ir quieres escribirle una carta (a) para informarle del tipo de comida que a ti te gusta (o no) y también (b) para informarte de las costumbres alimenticias que tiene la familia. La carta debe tener por lo menos dos párrafos.

Phrases:	*Writing a formal letter; Appreciating food; Expressing a preference*
Grammar:	*Verbs:* dar, poder, tener; *Interrogatives; Negation:* no, nada, nadie
Vocabulary:	*Food: restaurant; Food:* tapas; *Food: spices, seasoning*

El anuncio de este restaurante dice "Venir a Puebla y no comer a lo poblano es venir en vano". ¿Qué quiere decir "comer a lo poblano"?

¡Oye cómo va!

Una manera de conocer una cultura es a través de su música. El ritmo y los instrumentos que se emplean en un determinado lugar nos revelan algo de su historia, de sus influencias musicales, de su nivel económico. En el caso de la música hispana, su enorme variedad nos muestra la pluralidad de influencias que constituye su herencia histórica.

Palabra por palabra

la **canción**	*song*
el/la **cantante**	*singer*
la **letra** (sing.)	*lyrics*
el **ritmo**	*rhythm*
sonar (ue)	*to sound*
la **tendencia**	*trend*

Mejor dicho

tocar	*to play a musical instrument*	¡Hay que ver lo bien que **toca** la guitarra Paco de Lucía!
poner	*to play records/music*	¿Quieres escuchar el último disco de *Los Gipsy Kings?* Te lo voy a **poner** ahora mismo.
poner	*to turn on appliances*	**Pon** la radio y apaga la televisión.
jugar	*to play a game, specific sports°*	David se enfada muchísimo con Maribel cuando **juegan** al ajedrez.

° ¡Ojo! *To play sports* (en general) se dice **practicar algún deporte.**

saber	*to know specific information, as dates, facts, events . . .*	**Sabemos** bastante de la música andina.
saber + si/qué/ quién/cuándo...	*to know whether, what, who, when . . .*	Ninguno de los concursantes (*game participants*) **supo quién** era José Carreras.
saber + inf.	*to know how to do something*	¡Qué mala suerte! Mi compañero de anoche no **sabía** bailar.
conocer	*to be familiar with something or someone; to know by experience*	¿Cuántos cantautores chilenos **conoces?**

Práctica

1. Utilizando algunas de las palabras del vocabulario, en parejas identifiquen o definan los términos siguientes. Después añadan dos términos más.

   a. "La bamba"
   b. una serenata
   c. Julio Iglesias
   d. la lambada
   e. "Cumpleaños feliz, cumpleaños feliz, te deseamos todos, cumpleaños feliz."
   f. "las sillas musicales"

   g. un himno nacional
   h. las castañuelas *(castanets)*
   i. los villancicos *(carols)*
   j. Gloria Estefan
   k. "Las mañanitas"
   l. Plácido Domingo
   m. el karaoke

El vocalista del conjunto Gabinete Caligari y el batería de El Norte.
¿Les pedirías un autógrafo?

2. En grupos de tres estudiantes, hagan una lista de instrumentos musicales, aparatos eléctricos, juegos y deportes. Luego pregunten al resto de la clase qué verbo utilizarían con esas palabras: tocar, poner o jugar.

¿Tocan o juegan?

3. Entérese de cuánto saben sus compañeros/as de la música hispana, haciéndoles preguntas con los verbos saber y conocer.

Ejemplo: ¿Sabes qué es una zarzuela?
¿Conoces la obra del compositor cubano Ernesto Lecuona?

Alto

1. ¿Le suena (Does it ring a bell) la oración "oye cómo va"? ¿Recuerda de qué?

2. "Además", "sin embargo" y "en segundo lugar" son términos que marcan la transición de ideas dentro de un párrafo o entre dos. Busque otros tres en la lectura. ¿Conoce Ud. otras expresiones?

_____   _____   _____

3. ¿Se relaciona la música con el tema de "Tradición y cambio"? ¿Cómo?

4. ¿Qué sabe Ud. de la tradición musical de su país? ¿Qué es lo que la gente de otra nacionalidad debería saber? ¿Es la música, como dicen, un lenguaje internacional?

5. Mencione algunas características de la música de otras décadas.

¡Oye cómo va!

"La bamba", "La cucaracha", "Guantanamera" y, desde hace algunos años, "La Macarena", son canciones de origen hispano populares en todo el mundo. Aunque a los que somos duros de oído[1] nos parezca que muchas de las canciones procedentes de Latinoamérica y España suenan igual, en opinión de los entendidos[2]

5 los ritmos hispanos son muy diversos. Un *corrido* mexicano, un *tango* argentino, un *huayno* peruano, una *cumbia* colombiana y unas *sevillanas* españolas son tan diferentes entre sí como un vals y una polca.

El célebre crítico José Juan Arrom en *Hispanoamérica: Panorama contemporáneo de su cultura* resume "la extraordinaria variedad y riqueza de la tradición musical

10 latinoamericana" con estas palabras: "En unas regiones predominan ecos e instrumentos de origen indígena; en otras, inflexiones y ritmos africanos; en otras, metros y melodías de ascendencia[3] española" (pág. 123). Así pues, no sólo es el ritmo —lento, rápido, alegre, melancólico o sensual— lo que diferenciaría un tipo de música de otro, sino también los instrumentos empleados: guitarras, quenas,[4]

15 bongós, maracas,[5] arpas, charangos,[6] panderetas,[7] güiros.[8]

Ahora bien, en todos los países hispanos la música tradicional o folklórica —digamos, de Celia Cruz, Beny Moré, Carlos Gardel, Mercedes Sosa, Vicente Fernández, Isabel Pantoja— coexiste con tendencias musicales más recientes y actuales. Por ejemplo, a partir de la década del 60 se puso de moda la canción (de)

20 protesta, también llamada "nueva canción". Sus principales representantes, Víctor Jara, Inti-Illimani, Violeta Parra, Silvio Rodríguez y Pablo Milanés, denuncian en sus canciones la situación política del continente americano y reclaman una sociedad más justa. Para comprender lo arriesgado[9] que era en su momento dedicarse a este tipo de música, basta con recordar que al cantante chileno Víctor Jara le cor-

25 taron la lengua y las manos durante un concierto para que no volviera a cantar ni a tocar sus canciones de protesta (al menos eso es lo que cuentan).

Otros tipos de música moderna, como el pop, el rock, el jazz y el rap, no tienen sus raíces en el mundo hispano, pero eso no quita[10] que se puedan escuchar igualmente en todas partes, tanto interpretados por artistas nacionales como extran-

30 jeros. En Colombia, y más exactamente en Cali, han aparecido varios grupos de rap, entre ellos *Sweet Tang,* cuyo objetivo principal es "detener con su música la violencia surgida por causa de los carteles de cocaína y heroína que han hecho de Cali una ciudad infame en todo el mundo" (*The New York Times,* 29 de nov., 1996). En España, por otra parte, algunos grupos, como *Triana,* han buscado maneras de

---

[1] **duros de oído** *tone-deaf*   [2] **los entendidos** = los expertos   [3] **ascendencia** = origen   [4] **quenas** = flautas típicas de los Andes   [5] **maracas** *rhythm instruments made of dried gourds filled with seeds or pebbles*   [6] **charangos** *small five-stringed guitars*   [7] **panderetas** *tambourines*   [8] **güiros** *small Puerto Rican instruments made of dried gourds with a round opening as in a guitar*   [9] **arriesgado** = peligroso   [10] **no quita** = no impide

35 combinar lo tradicional con lo moderno y su resultado se denomina "flamenco rock". Incluso los cantantes de origen hispano que viven en Estados Unidos siguen esta tendencia. El estilo de *King Changó*, un grupo formado en el *Spanish Harlem*, se caracteriza por "el mestizaje[11] de la música latina con el *ska* y el *reggae*" (*El País*, 3 de enero, 1997).

40 Un fenómeno digno de mención con respecto al tono de las canciones modernas y en especial las que forman parte del repertorio de los grupos de rock, es su gran dosis de humor, empezando por los nombres graciosos, chocantes e ingeniosos seleccionados por los grupos —*Los inhumanos*, *Un pingüino en mi ascensor*, *Kaka de Luxe, Diabéticas aceleradas*— pasando por la interpretación burlona e
45 irreverente de los cantantes y terminando con la letra misma de la canción. Dos ejemplos de esto último son las canciones "Yo quiero ser muy promiscuo" de Ismael Serrano y "Tengo un problema" de un grupo español rebelde e inconformista llamado *Ilegales*. Una de las estrofas[12] de la última canción dice así: "Tengo un problema, / un problema sexual, / un serio problema, / problema sexual: / me
50 gusta ver la televisión".

El humor puede surgir también de la presentación de temas considerados estrictamente tabú. Sirva de ejemplo la canción del verano de hace varios años en España: "Mi agüita amarilla" hablaba de un hombre que mientras orina se imagina adónde irá a parar ese líquido corporal. Del mismo grupo, *Los toreros muertos*, es
55 una canción en la que un chico niega su paternidad recurriendo a una excusa muy original: la impotencia.

A veces las canciones con un contenido sexual explícito también provocan la risa (y si no el escándalo, seguramente el éxito). El álbum del cantante puertorriqueño Lalo Rodríguez, "Ven, devórame otra vez", del cual se vendieron más de
60 100.000 copias en dos meses nada más aparecer en el mercado, incluye canciones como la que da título al álbum y otras como "Voy a escarbar[13] tu cuerpo" y "Después de hacer el amor", no aptas[14] para menores de edad.

Pero no todo son risas o irrespetuosidad en el panorama musical de Latinoamérica y España. Otros artistas actuales prefieren la seriedad al humor cuando
65 cantan sobre la drogadicción, la delincuencia, los derechos de los marginados, la homosexualidad, el SIDA, las relaciones amorosas, los sucesos políticos internacionales o las figuras notorias del momento. En resumidas cuentas, en el mundo hispano hay música para todos los gustos.

---

[11] **mestizaje** *mixing, blending*   [12] **estrofas** *stanzas*   [13] **escarbar** = explorar   [14] **aptas** = apropiadas, recomendadas

Rubén Blades

Selena

Enrique Iglesias

¿De dónde son estos tres cantantes?
No, no son de La Loma, ni de Santiago,
ni de La Habana.

¿Entendido?

Las oraciones siguientes son falsas. Corríjalas de acuerdo con el contenido de la lectura.

1. "La Macarena" es una canción de protesta.
2. Hay influencias africanas en la música española.
3. *El charango, la pandereta* y *el güiro* son bailes regionales.
4. Muchos grupos modernos mezclan el humor con la seriedad.
5. Los expertos dicen que ver la televisión causa problemas sexuales.
6. La sexualidad es un tema tabú en las canciones hispanas.

En mi opinión

En grupos de tres estudiantes, contesten las preguntas siguientes.

1. ¿Conoce Ud. otras canciones hispanas no mencionadas en la lectura? ¿Cuáles? ¿Es Ud. admirador/a de algún/alguna cantante o grupo hispano? ¿Qué cantantes norteamericanos cantan en español?

2. ¿Sabe Ud. tocar algún instrumento musical? Si no toca ninguno, ¿cuál le gustaría tocar? ¿Qué instrumento le parece más difícil de tocar?

3. ¿Cuáles son algunas tendencias de la música contemporánea? ¿A qué se denomina música "alternativa"? ¿Por qué se ponen de moda melodías de otras décadas? ¿De qué depende esto?

4. En su ciudad natal, ¿dónde se pueden comprar discos de música internacional? ¿Y de distintas épocas y estilos? ¿Ha cambiado con los años la cantidad de discos que compra?

5. ¿Escucha Ud. diferentes tipos de música? ¿Cuáles? ¿En algún momento del día le gusta escuchar ópera? ¿Música clásica? ¿Y canciones románticas? ¿Y canciones de rock? ¿Y de protesta? ¿Por qué sí/no?

6. ¿Cree que la música influye en las ideas y comportamiento de los jóvenes? Dé algunos ejemplos.

7. ¿Qué piensa Ud. de la idea de indicar en los discos si las letras son obscenas o poco apropiadas para jóvenes menores de 16 años? ¿Es eso un tipo de censura?

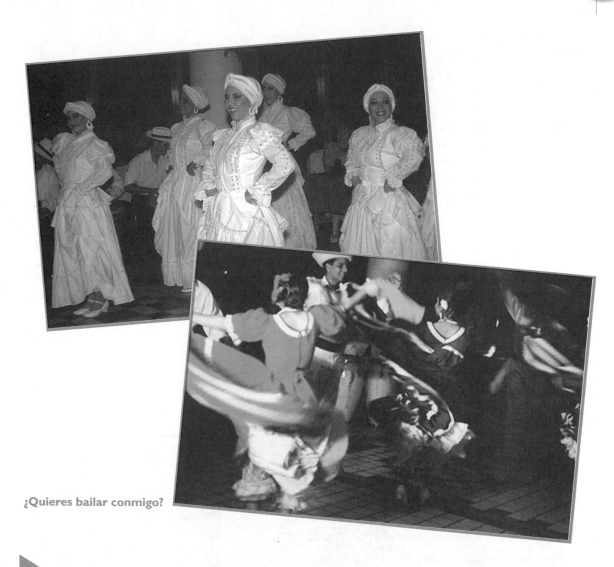

¿Quieres bailar conmigo?

▶ Estrategias comunicativas para reaccionar con entusiasmo

Positivamente	Negativamente
¡Estupendo/a!	¡Horroroso/a!
¡Fabuloso/a!	¡Fatal!
¡Maravilloso/a!	!Terrible!
¡Fenomenal!	¡Espantoso/a!
¡Chévere! (Latinoamérica)	¡Atroz!

En (inter)acción

1. Cada estudiante dice el nombre de una canción conocida (por ejemplo, "No llores por mí, Argentina") o un/a cantante (Julio Iglesias) o una composición musical ("El concierto de Aranjuez"), y la clase reacciona diciendo uno de los términos de **Estrategias comunicativas.**

2. En clase, lean la famosísima canción de Rubén Blades, "Pedro Navaja" (o si pueden conseguir el disco, escúchenla). Después, en parejas escriban una lista de cinco adjetivos que describan la canción. Comparen su lista con las de otras parejas. •[El/La profesor/a puede darles una copia de la letra siguiente a los estudiantes con algunos espacios en blanco para que los llenen mientras escuchan la canción.]

Rubén Blades nació en Panamá, se graduó de la Facultad de Derecho de la Universidad de Harvard y ha actuado en varias películas norteamericanas. Es uno de los cantantes de música en español más conocidos del mundo. Su música da expresión a algunas de las experiencias de los hispanos en Estados Unidos.

Pedro Navaja

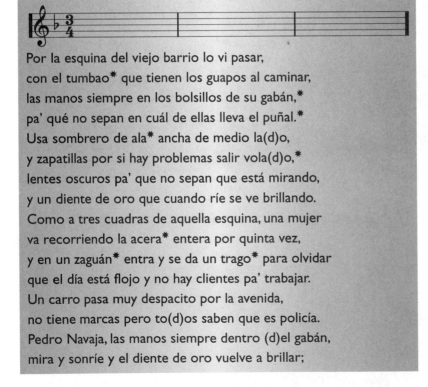

Por la esquina del viejo barrio lo vi pasar,
con el tumbao* que tienen los guapos al caminar,   *rhythmic way of walking*
las manos siempre en los bolsillos de su gabán,*   *overcoat*
pa' qué no sepan en cuál de ellas lleva el puñal.*   *knife*
Usa sombrero de ala* ancha de medio la(d)o,   *brim of a hat*
y zapatillas por si hay problemas salir vola(d)o,*   *to take off*
lentes oscuros pa' que no sepan que está mirando,
y un diente de oro que cuando ríe se ve brillando.
Como a tres cuadras de aquella esquina, una mujer
va recorriendo la acera* entera por quinta vez,   *sidewalk*
y en un zaguán* entra y se da un trago* para olvidar   *foyer / takes a drink*
que el día está flojo y no hay clientes pa' trabajar.
Un carro pasa muy despacito por la avenida,
no tiene marcas pero to(d)os saben que es policía.
Pedro Navaja, las manos siempre dentro (d)el gabán,
mira y sonríe y el diente de oro vuelve a brillar;

mientras camina pasa la vista de esquina a esquina,
no se ve un alma, está desierta to(d)a la avenida,
cuando de pronto esa mujer sale del zaguán
y Pedro Navaja aprieta un puño* dentro (d)el gabán,　　*makes a fist*
mira pa' un lado, mira pa'l otro y no ve a nadie,
y a la carrera pero sin ruido cruza la calle,
y mientras tanto en la otra acera va esa mujer,
refunfuñando* pues no hizo pesos con que comer.　　*grumbling*
Mientras camina del viejo abrigo saca un revólver,
esa mujer, y va a guardarlo en su cartera pa' que no estorbe,*　　*hinder*
un 38 Smith & Wesson del especial,
que guarda encima pa' que la libre de todo mal.*　　*keep from harm*
Y Pedro Navaja, puñal en mano, le fue pa' encima,
el diente de oro iba alumbrando to(d)a la avenida,
mientras reía el puñal le hundía* sin compasión,　　*sunk in*
cuando de pronto sonó un disparo* como un cañón.　　*shot*
Y Pedro Navaja cayó en la acera mientras veía a esa mujer
que, revólver en mano y de muerte herida, a él le decía:
"Yo que pensaba hoy no es mi día, estoy salá,*　　*I'm out of luck*
pero, Pedro Navaja, tú estás peor, tú estás en na'."*　　*you're out of it*
Y créame, gente, que aunque hubo ruido nadie salió,
no hubo curiosos, no hubo preguntas, nadie lloró.
Sólo un borracho* con los dos muertos se tropezó,*　　*drunkard / stumbled*
cogió el revólver, el puñal, los pesos y se marchó.
Y tropezando se fue cantando desafina(d)o,*　　*out of tune*
el coro que aquí les traje, mira el mensaje de mi canción:
La vida te da sorpresas,
sorpresas te da la vida, ¡ay Dios!
Pedro Navaja, matón* de esquina;　　*bully*
quien a hierro mata a hierro termina.*　　*who lives by the sword, dies by the sword*

El chotis, la sardana, la muñeira y las sevillanas son los bailes representados en este dibujo. ¿En qué parte de España se baila cada uno?

3. **Mapa musical.** Con sus compañeros/as de clase, sitúen en el mapa siguiente los nombres de los bailes o canciones típicas de Latinoamérica, como "merengue", "salsa", "cha-cha-chá", "bolero", "joropo", "jarocho", "corrido", "tango", "Tex-Mex", "rumba", "cueca", "jarabe tapatío", "danzón".

4. **Un nombre llamativo.** En grupos de tres estudiantes, elijan uno de los nombres que aparecen en Internet (www.abdn.ac.uk/~u17sc/bandas/html) y expliquen por qué han elegido ese nombre para el grupo. O si no, imagínense que Uds. acaban de formar un grupo pero todavía no saben cómo llamarse. Discutan qué nombre le darían al grupo y por qué.

Ejemplo: Andrés Blanco, vocalista de *King Changó:* "El nombre debería reflejar nuestras raíces caribeñas y, como la santería está presente en todas partes, se nos ocurrió el nombre de Changó, el dios africano del trueno, el dios del tambor, transformado en virgen al ser trasladado a América por los esclavos. Simboliza la raíz de la cultura y la música afroamericana" *(El País,* 3 de enero, 1997).

5. **Zapatos de gamuza azul.** Suponga que Ud. es un rockero hispano que busca la fama. En parejas, escojan una canción famosa de Elvis, los Beatles o cualquier otro conjunto y traduzcan una estrofa *(stanza)* al español.

6. **El mambo.** En el diagrama que sigue se muestra cómo se baila el mambo. En grupos, expliquen a la clase cómo se bailan algunos de los bailes folklóricos o modernos *(square dance, twist, chicken,* merengue, La Macarena o su baile favorito). Si no pueden hacerlo con palabras, tendrán que bailarlo Uds. mismos/as delante de la clase.

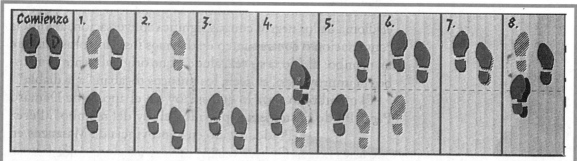

Comienzo. El mambo consta de 6 pasos que se bailan en 8 conteos. La pareja comienza en posición firme con los pies en paralelo.

Paso 1: Los pasos del hombre serán repetidos por su pareja en sentido inverso. El pie izquierdo se mueve un paso hacia atrás.

Pasos 2 y 3: Con el pie derecho se da otro paso por detrás del pie izquierdo. Al tercer paso se levanta el pie izquierdo regresando a la misma posición.

Paso 4 (cuadros 4 y 5): Se levanta el pie derecho y se lleva por delante del pie izquierdo colocándolo delante de éste. En este paso se dan dos conteos.

Paso 5 (cuadros 6 y 7): El pie izquierdo se levanta y se lleva delante del derecho. Se levanta el derecho y se deja en la misma posición; aquí se dan dos conteos.

Paso 6 (cuadro 8): Se levanta el pie izquierdo, se lleva un paso detrás del derecho volviendo al comienzo.

Práctica gramatical

Repaso
gramatical:
La posición de
los adjetivos
(*Cuaderno*, pág. 10)
Las expresiones
de comparación
(*Cuaderno*, pág. 12)
El superlativo
absoluto y relativo
(*Cuaderno*, pág. 13)

1. En parejas, con algunos de los sustantivos que aparecen en el vocabulario o en la lectura, mencionen diez adjetivos que podrían ir delante y diez que podrían ir detrás. Expliquen la razón de su posición y, si el adjetivo es de los que pueden ir delante o detrás, indiquen cuál sería su significado.

   Ejemplo: mi melodía preferida   (mi = adj. posesivo) (preferida = adj. calificativo)

   una voz única   (única = *unique)*

2. En grupos, escriban tres preguntas con expresiones de comparación con los términos siguientes. Luego, hagan esas preguntas a los miembros de otro grupo.

   dos instrumentos musicales   dos compañías discográficas   dos músicos
   dos grupos de pop   dos discos de un/a mismo/a   dos conciertos
                                     cantante

   Ejemplo: —¿Es la trompeta tan pesada como el piano?
                —¡Qué tontería! No, el piano es mucho más pesado que la trompeta.

3. **Exageraciones.** Como bien sabemos, mucha gente tiende a exagerar. En grupos de tres estudiantes, hablen de las virtudes y los defectos suyos o de otra persona. Utilicen el superlativo relativo y absoluto, o adjetivos que ya indican una cualidad en su máximo grado.

   Ejemplo: —No se lo van a creer, pero mi cuarto es el más sucio de la residencia estudiantil.
                —Me levanto tempranísimo.
                —Tengo una paciencia extraordinaria.

Creación

Escriba una composición sobre su canción favorita, pero antes que nada, piense en lo que va a decir y cómo va a presentar la información.

1. Primero, reúna los datos que quiere mencionar sobre el/la cantante o grupo. ¿Son todos estos datos necesarios o relevantes? Elimine los que considere menos importantes.

2. Luego, pase a hablar de la canción misma. Explique dónde la escuchó por primera vez, por qué le gusta tanto, lo que siente al escucharla, cuántas veces la escucha al día, etc.

3. Por último, evalúe el impacto que ha tenido en Ud. esta canción.

Phrases:	*Expressing an opinion, Expressing preferences, Making transitions*
Grammar:	*Comparisons, Verbs:* ser & estar
Vocabulary:	*Musical Instruments, Time expressions, Dreams & Aspirations*

http://aquesi.heinle.com

Costumbres de ayer y de hoy

El mexicano y las fiestas

Octavio Paz

Octavio Paz (1914–1998), ganador del Premio Nobel de Literatura en 1990, es uno de los ensayistas y poetas más prestigiosos de la literatura hispana. Ha sido embajador de México en Estados Unidos, Japón y la India, y profesor en las universidades de Harvard, Cambridge y Pittsburgh.

"El mexicano y las fiestas" procede de su libro *El laberinto de la soledad* (1950), obra que ha sido ampliamente editada y traducida. En este libro de ensayos, Paz analiza los rasgos distintivos de la cultura mexicana. El texto que hemos seleccionado es un extracto del capítulo titulado "Todos santos, día de muertos" y contiene algunas de sus observaciones sobre las fiestas y el pueblo mexicano.

▶ Palabra por palabra

burlarse (de)	*to make fun of*
disfrazarse (de)	*to disguise oneself, dress up as*
emborracharse	*to get drunk*
la **fiesta**	*holiday, celebration, party*
gastar	*to spend (money)*
el **lujo**	*luxury*
la **pobreza**	*poverty*
la **revuelta**	*revolt, rebellion*

▶ Mejor dicho

conocer (en el pretérito)	*to meet for the first time*	Lo **conocí** en Toledo durante el Corpus Christi.
encontrarse (ue) con	*to come across, run into*	¡Qué milagro! Acabo de **encontrarme con** Jesús en la calle Mayor.
reunirse	*to have a meeting, get together*	La junta **se reunirá** a las 12:00.

pasarlo bien	*to have a good time*	Siempre **lo pasamos bien** en México.
divertirse (ie, i)	*to have a good time, amuse oneself*	Los Hernández **se divirtieron** como locos en la fiesta del Grito.
disfrutar de	*to enjoy*	Hay que ver lo que **disfrutan de** la comida picante.
gozar de	*to enjoy*	Elena **gozó** mucho **de** su visita a las pirámides mayas.

¡Ojo! **Tener buen tiempo** significa *to have good weather.*

Práctica

1. En parejas, contesten las preguntas siguientes. Presten atención a las palabras del vocabulario.

   a. ¿Cuáles son los significados de la palabra "fiesta"? ¿Cuáles son algunas de las fiestas que se celebran en su región/estado? ¿En qué fecha se celebran? ¿Hay fiestas nacionales, locales y religiosas? ¿Y de otros tipos? ¿Participa Ud. en todas las fiestas? ¿En cuáles no?

   b. Mencione algunas actividades que realizan en estas ocasiones: el día de Navidad, el día de Año Nuevo, Pascua *(Easter),* el día de San Valentín, el 4 de julio, el día de la Madre.

   c. ¿Cuándo se divierte más: el 4 de julio o el 31 de octubre? ¿Por qué? ¿Se emborracha mucha gente esos días? ¿Y Ud.? ¿Por qué sí/no?

   d. ¿De qué o quiénes se burlan los programas como "Saturday Night Live"? ¿Se divierte Ud. viendo esos programas?

   e. Cuéntele a su compañero/a detalladamente dónde y cuándo conoció a su mejor amigo/a o a su novio/a.

   f. ¿Se ha encontrado alguna vez con alguien famoso? Coméntele el encuentro a su compañero/a o grupo.

2. Expliquen dónde se reúnen los siguientes grupos de personas y para qué.

   los ejecutivos
   la policía
   los estudiantes de física
   los niños de 3–5 años
   las atletas
   los médicos
   los músicos
   las astronautas

3. En su ropero han encontrado los siguientes objetos. Mencionen las posibilidades que estos objetos presentan para disfrazarse de alguien o algo.

Ejemplo: una sábana blanca *(sheet)*
Con ella puedes disfrazarte de fantasma o romano/a.

una guitarra eléctrica
un vestido negro largo
dos dientes largos
una capa roja
un traje verde
unas gafas y un bigote

4. Formen oraciones con los términos indicados. Utilicen para el término de la izquierda **pasarlo bien** o **divertirse** y para el de la derecha **disfrutar de** o **gozar de**.

Ejemplo: la playa / el sol
Lo paso muy bien en la playa porque disfruto del sol.

las vacaciones / las horas de ocio
las discotecas / la música
las montañas / el aire puro
los viajes / las aventuras
mis amigos / su compañía
el invierno / la nieve
los museos / el arte

Alto

1. Las palabras que tienen una raíz *(stem)* común forman familias (de palabras). Intente adivinar *(guess)* el significado de las siguientes palabras:

festejar, los festejos, las festividades
las burlas, burlón/burlona
lujoso/a
borrachera, borracho/a

2. En español el orden de palabras no es tan estricto como en inglés. Examine las oraciones siguientes y diga qué tienen todas ellas en común.

No bastan las fiestas que ofrecen a todo el país la Iglesia y la República.
Se arrojan los sombreros al aire.
Se violan reglamentos.

3. ¿Cree Ud. que son importantes las fiestas públicas? ¿Por qué sí/no? ¿Qué función tienen las fiestas en la sociedad? Compare la función de una fiesta pública y la de una privada.

Trajes típicos de México.

El mexicano y las fiestas

Octavio Paz

El mexicano ama las fiestas y las reuniones públicas. Todo es ocasión para reunirse. Cualquier pretexto es bueno para interrumpir la marcha del tiempo y celebrar con festejos[1] y ceremonias hombres y acontecimientos.[2] Somos un pueblo ritual. El arte de la Fiesta, envilecido[3] en casi todas partes, se conserva intacto entre
5 nosotros. En pocos lugares del mundo se puede vivir un espectáculo parecido al de las grandes fiestas religiosas de México, con sus colores violentos, agrios[4] y puros, sus danzas, ceremonias, fuegos de artificio,[5] trajes insólitos[6] y la inagotable[7] cascada de sorpresas de los frutos, dulces y objetos que se venden esos días en plazas y mercados.
10 Nuestro calendario está poblado[8] de fiestas. Ciertos días, lo mismo en los lugarejos[9] más apartados que en las grandes ciudades, el país entero reza,[10] grita,

---

[1] **festejos** = celebraciones [2] **acontecimientos** *special events* [3] **envilecido** *degraded* [4] **agrios** lit., *sour,* fig., *harsh* [5] **fuegos de artificio** *fireworks* [6] **insólitos** = extraordinarios [7] **inagotable** *inexhaustible*
[8] **poblado** *full* [9] **lugarejos** = pueblos pequeños [10] **reza** *prays*

come, se emborracha y mata en honor de la Virgen de Guadalupe o del General Zaragoza.[11] Cada año, el 15 de septiembre[12] a las once de la noche, en todas las plazas de México celebramos la Fiesta del Grito; y una multitud enardecida[13] efecti-
15 vamente grita por espacio de una hora. Durante los días que preceden y suceden al 12 de diciembre,[14] el tiempo nos ofrece un presente perfecto y redondo, de danza y juerga,[15] de comunión y comilona.[16]

Pero no bastan[17] las fiestas que ofrecen a todo el país la Iglesia y la República. La vida de cada ciudad y de cada pueblo está regida[18] por un santo, al que se festeja
20 con devoción y regularidad. Los barrios y los gremios[19] tienen también sus fiestas anuales, sus ceremonias y sus ferias. Y, en fin, cada uno de nosotros —ateos,[20] católi-cos o indiferentes— poseemos nuestro Santo, al que cada año honramos. Son incal-culables las fiestas que celebramos y los recursos y tiempo que gastamos en festejar.

Nuestra pobreza puede medirse por el número y suntuosidad[21] de las fiestas
25 populares. Los países ricos tienen pocas: no hay tiempo, ni humor.[22] Y no son nece-sarias; las gentes tienen otras cosas que hacer y cuando se divierten lo hacen en grupos pequeños. Pero un pobre mexicano, ¿cómo podría vivir sin esas dos o tres fiestas anuales que lo compensan de su estrechez[23] y de su miseria? Las fiestas son nuestro único lujo; ellas sustituyen, acaso[24] con ventaja, al teatro y a las vacaciones,
30 al *weekend* y al *cocktail party* de los sajones,[25] a las recepciones de la burguesía y al café de los mediterráneos.

En esas ceremonias —nacionales, locales, gremiales o familiares— el mexicano se abre al exterior. Todas ellas le dan ocasión de revelarse y dialogar con la di-vinidad, la patria, los amigos o los parientes. Durante esos días el mexicano grita,
35 canta, arroja petardos.[26] Descarga su alma.[27] La noche se puebla de canciones y aullidos.[28] Los enamorados despiertan con orquestas a las muchachas. Hay diálogos y burlas[29] de balcón a balcón. Nadie habla en voz baja. Se arrojan los sombreros al aire. Brotan[30] las guitarras. En ocasiones, es cierto, la alegría acaba mal: hay riñas, in-jurias, balazos, cuchilladas.[31] También eso forma parte de la fiesta. Las almas esta-
40 llan[32] como los colores, las voces, los sentimientos. Lo importante es salir, abrirse paso,[33] embriagarse[34] de ruido, de gente, de color. México está de fiesta.

En ciertas fiestas desaparece la noción misma de Orden. El caos regresa y reina la licencia.[35] Todo se permite: desaparecen las jerarquías habituales, las distinciones sociales, los sexos, las clases y los gremios. Los hombres se disfrazan de mujeres,
45 los señores de esclavos, los pobres de ricos. Se ridiculiza al ejército, al clero, a la magistratura.[36] Gobiernan los niños y los locos. El amor se vuelve promiscuo. Se violan reglamentos,[37] hábitos, costumbres.

---

[11] **Zaragoza** = General mexicano que derrotó a los franceses en la batalla de Puebla el 5 de mayo de 1862.
[12] **15 de septiembre** = día de la Independencia Mexicana   [13] **enardecida** = excitada   [14] **12 de diciembre** = el día de la Virgen de Guadalupe, patrona de México.   [15] **juerga** *merriment, partying*   [16] **comilona** = mucha comida   [17] **no bastan** = no son suficientes   [18] **regida** *ruled*   [19] **gremios** = asociaciones de trabajadores   [20] **ateos** *atheists*   [21] **suntuosidad** = lujo   [22] **humor** = deseos   [23] **estrechez** = pobreza   [24] **acaso** = quizás   [25] **sajones** = británicos/norteamericanos   [26] **petardos** *firecrackers*   [27] **Descarga su alma.** *He relieves his soul.*   [28] **aullidos** *wild shouts*   [29] **burlas** *jokes*   [30] **brotan** *are brought out*   [31] **riñas... cuchilladas** *quarrels, insults, shots, stabbings*   [32] **estallan** *burst out*   [33] **abrirse paso** *to make one's way*   [34] **embriagarse** = emborracharse   [35] **licencia** *licentiousness*   [36] **clero, magistratura** *clergy, judges*   [37] **reglamentos** = leyes

Así pues, la Fiesta no es solamente un exceso, un desperdicio[38] ritual de los bienes[39] penosamente acumulados durante todo el año; también es una revuelta. A través de la Fiesta la sociedad se libera de las normas que se ha impuesto. Se burla de sus dioses, de sus principios y de sus leyes: se niega a sí misma.

La sociedad comulga[40] consigo misma en la Fiesta. Todos sus miembros vuelven a la confusión y libertad originales. La estructura social se deshace y se crean nuevas formas de relación, reglas[41] inesperadas, jerarquías caprichosas. Las fronteras[42] entre espectadores y actores, entre oficiantes y asistentes, se borran.[43] Todos forman parte de la Fiesta, todos se disuelven en un torbellino.[44] Cualquiera que sea su índole,[45] su carácter, su significado, la Fiesta es participación. Este rasgo[46] la distingue de otros fenómenos y ceremonias: laica[47] o religiosa, la Fiesta es un hecho social basado en la activa participación de los asistentes.

L	M	X	J	V	S	D
			1 San José Obrero	**2** San Anastasio	**3** San Felipe y Santiago	**4** San Florián
5 San Máximo	**6°** San Juan Ante Portam Latinam	**7** Santa Flavia	**8** San Victor	**9** San Gregorio Ostiense	**10** Beato Juan de Avila	**11** San Francisco Jerónimo
12 Santos Nereo y Aquiles	**13** San Miguel Garicoits	**14°** San Matías y Santa Gemma Galgani	**15** San Isidro	**16** Santa Felicia	**17** San Pascual	**18** San Juan I
19 San Juan de Cetina	**20** San Bernardino de Siena	**21** San Andrés Bobola	**22°** Santa Rita y Quiteria	**23** San Desiderio	**24** Maria Auxiliadora	**25** San Beda
26 San Felipe Neri	**27** San Agustín de Cantorbery	**28** San Justo	**29°** San Félix	**30** San Fernando	**31** Santa Petronila	

¿Se celebra en mayo el día de su santo?

---

[38] **desperdicio** *waste*   [39] **los bienes** = el dinero   [40] **comulga** *becomes one*   [41] **reglas** *rules*   [42] **fronteras** *boundaries*   [43] **se borran** *are blurred*   [44] **torbellino** = confusión   [45] **índole** = tipo   [46] **rasgo** = característica   [47] **laica** = no religiosa

¿Entendido?

Explique, identifique o defina con sus propias palabras los términos siguientes sacados de la lectura.

1. Colores, danzas, ceremonias, fuegos de artificio, trajes, frutos, dulces
2. La Virgen de Guadalupe
3. La Fiesta del Grito
4. El día de la Independencia Mexicana
5. El día del santo
6. "Los enamorados despiertan con orquestas a las muchachas."
7. "...la alegría acaba mal."
8. La fiesta es también una revuelta.
9. Desaparecen las distinciones sociales y sexuales.
10. "...la Fiesta es participación."

En mi opinión

En grupos de tres estudiantes, contesten las preguntas siguientes.

1. Si el 15 de septiembre es el día de la Independencia Mexicana, entonces ¿qué acontecimiento se celebra el 5 de mayo? ¿Y el 12 de diciembre?
2. "A través de la Fiesta la sociedad se libera de las normas que se ha impuesto. Se burla de sus dioses, de sus principios y de sus leyes: se niega a sí misma." ¿Puede relacionar esta oración de Octavio Paz con lo que ocurre en Nueva Orleans durante Mardi Gras? ¿Qué cosas hace la gente que no haría en otro lugar o en otro momento?
3. A veces Octavio Paz cae en los estereotipos del mexicano en este ensayo. ¿Puede señalar algún ejemplo?

◤ Estrategias comunicativas para comparar y contrastar hechos o cosas

En comparación con...	*In comparison with . . .*
En contraste con...	*In contrast with . . .*
Comparados/as con...	*Compared with . . .*
Mientras que...	*While . . .*
(No) Son muy parecidas o similares.	*They are (not) very similar.*
No tienen ni punto de comparación.	*There's absolutely no comparison.*
A diferencia de...	*Unlike . . .*

En (inter)acción

1. En grupos, contrasten y comparen las fiestas de México y las de los Estados Unidos. Utilicen algunas de las expresiones de **Estrategias comunicativas.**

2. Decidan cuál es la fiesta más popular entre los estudiantes. A continuación tienen una lista de fiestas a la que pueden añadir otras. Cada estudiante debe preguntar sobre una fiesta específica y luego escribir en la pizarra el número de respuestas afirmativas, negativas, etc. Al final, con toda la clase, comenten los resultados.

Fiesta	Sí	No	No sabe/ No contesta
San Valentín			
Año Nuevo			
el día de la Independencia			
el día de Acción de Gracias			
el día del Padre			
el día de la Madre			
el día del trabajo (*Labor Day*)			
Pascua (*Easter*)			
Hannukah			
Navidad			
el primero de abril			
el día de la Raza/Hispanidad (12 de octubre)			
el día de los Santos Inocentes (28 de diciembre)			

3. Lean el siguiente anuncio de la Oficina de Turismo de España y con un/a compañero/a comparen lo que dice con lo que han leído en "El mexicano y las fiestas".

La fiesta ha comenzado. Ante usted se desarrolla una divertida batalla entre «Moros y Cristianos». Acabará con amigos en los dos bandos.

Cómo ganar amigos.

Seguramente, cuando usted llegue a España nos encontrará divirtiéndonos en alguna de las tres mil fiestas populares que celebramos cada año.

Tal vez nos sorprenda en El Rocío, brindando con jerez, en una marcha interminable de elegantísimos caballos y carros cubiertos de flores. O en Pamplona, vestidos de blanco y rojo, corriendo en los emocionantes «encierros» de San Fermín. O en las «Fallas» de Valencia, quemando en una noche gigantescas esculturas de cartón construidas durante un año de trabajo. O en los famosos «Carnavales» de Tenerife, llenos de colorido y espectaculares disfraces.

En cualquier caso, la diversión está asegurada. Venga a este país en cualquier época del año. Le recibiremos con música, fuegos artificiales, bailes, vino, alegría... Ya en medio de la fiesta, usted notará que para esa gente que está a su lado, ha dejado de ser un turista. Se habrá convertido en un amigo más.

España. Todo bajo el sol.

ESPAÑA

Práctica gramatical

Repaso
gramatical:
Los verbos
reflexivos
(*Cuaderno*, pág. 14)
**Pero, sino (que)
no sólo... sino
también**
(*Cuaderno*, pág. 15)

1. De etiqueta. En parejas, ordenen los dibujos siguientes y luego digan cómo se prepara este joven para una fiesta de etiqueta *(black tie)*.

2. **La fiesta mexicana.** En parejas, completen las oraciones con **pero, sino** o **sino que.**

   Ejemplo: Las fiestas mexicanas no son privadas...
   Las fiestas mexicanas no son privadas sino públicas.

   a.   Muchos pueblos son pobres...
   b.   No hay sólo fiestas nacionales...
   c.   No celebran solamente el cumpleaños...
   d.   Los mexicanos no se reúnen en un café...
   e.   A veces hay violencia...
   f.   En los carnavales hay muchos borrachos...

Creación

Explique detalladamente por escrito alguna fiesta hispánica o norteamericana que conozca bien: los carnavales de La Habana, el día de Todos los Santos, los Sanfermines, las Fallas, Corn Fest, Homecoming, etc. Incluya la información siguiente:

- ¿Qué día se celebra? ¿Cuál es el origen de esta celebración?
- ¿Qué actividades se realizan ese día?
- ¿Para quién/es es importante esta fiesta?

Phrases:	*Appreciating food; Comparing & contrasting; Talking about habitual actions*
Grammar:	*Verbs: reflexives; Possession with* de*; Articles*
Vocabulary:	*Religious holidays; Plants: Flowers; Food; Colors*

Una fiesta de impacto y de infarto

Joaquín Vidal

Joaquín Vidal, un periodista español y comentarista taurino, nos presenta en el texto siguiente dos reacciones opuestas a la fiesta nacional de España, la corrida de toros. Mientras que para los turistas, contemplar el enfrentamiento del torero con el toro suele ser una experiencia traumática, para los aficionados, la corrida de toros es un espectáculo artístico y bello que hay que saber interpretar.

▶ Palabra por palabra

el/la **aficionado/a**	*fan*
la **corrida de toros**	*bullfight*
defraudado/a	*disappointed*
la **muerte**	*death*
la **plaza de toros**	*bullring*
la **sangre**	*blood*
la **sensibilidad**	*sensitivity*
la **suerte**	*luck, bullfighter's maneuvre*

▶ Mejor dicho

asistir a	*to attend*	Como Susana trabaja de periodista deportiva, tiene que **asistir a** muchos partidos de fútbol.
atender a	*to pay attention to*	Si quieres entender bien esta lección de geometría, debes **atender a** mis explicaciones.

sensible	*sensitive*	Mi amigo Raúl ha sido siempre muy **sensible** y se angustia mucho ante la sangre.
sensato/a	*sensible, reasonable*	Elena, ¿te parece **sensato** gastar tanto dinero en obras de arte?

Práctica

En parejas, hagan los siguientes ejercicios.

1. Hagan asociaciones de palabras con las que aparecen en **Palabra por palabra** y **Mejor dicho.**

    Ejemplo: sangre — herida — color rojo — hospital — análisis — SIDA

2. Mencionen características de una personalidad sensible y otra sensata. Si lo prefieren, pueden referirse a personajes literarios o artistas de la televisión.

    Ejemplo: Muchas personas sensibles lloran al ver una película triste.

3. Decidan cuáles de estas acciones son propias de una persona sensata o de una sensible. Luego, digan cuál de estas dos cualidades poseen Uds. ¿Es Ud. más sensible que sensato/a o al revés?

    a. No conduce si ha bebido demasiado.
    b. Siempre le manda una tarjeta de cumpleaños a su abuela.
    c. Le avisa a la gente cuando va a llegar tarde.
    d. No apuesta *(bet)* dinero.
    e. Ahorra 200 dólares todos los meses.
    f. No pone la radio muy alta si hay alguien durmiendo.
    g. Llora si ve a alguien llorar.
    h. No habla con sus plantas.
    i. Tiene una dieta alimenticia variada.
    j. Nunca ha tenido un abrigo de pieles.

4. Mencionen por lo menos tres ejemplos de cuándo es importante asistir y cuándo es crucial atender. Y den alguna anécdota de lo que pasó cuando (Ud. o alguien más) no atendió o asistió cuando debía.

Alto

1. Busque en la lectura siguiente seis términos que tienen que ver con las corridas de toros.

    _____   _____   _____

    _____   _____   _____

2. ¿Ha visto Ud. alguna vez una corrida de toros o algún otro deporte que incluya animales?

3. ¿Qué piensa de la violencia en los deportes tales como el fútbol americano, el boxeo o el hockey?

48

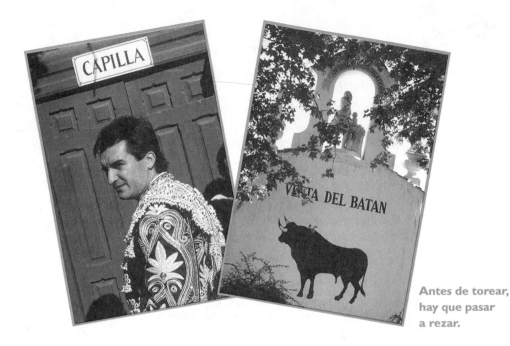

Antes de torear,
hay que pasar
a rezar.

Una fiesta de impacto y de infarto[1]

Joaquín Vidal

Alguien definió las corridas de toros como una bella barbaridad.[2] Otros dicen que
la barbaridad nunca puede ser bella. Naturalmente, depende del catador.[3] Hay
quien considera la más hermosa imagen del mundo una puesta de sol[4] en el horizonte del mar apacible,[5] y quien se extasía con[6] la tormenta en un mar embravecido.[7] A veces todo es bonito o todo es feo, según se tenga el tono del cuerpo.[8]
La contemplación de una corrida de toros también requiere tono y no sólo para
quien se acerca[9] a este espectáculo por primera vez. El aficionado veterano, ducho
en tauromaquias,[10] pone siempre a tono[11] su cuerpo cuando suena el clarín,[12]
porque el espectáculo de la lidia[13] es de impacto y de infarto. Allí hay suerte y hay
muerte. Hay técnica y estética, hay drama y puede haber tragedia.
    Asistir a una corrida de toros, permanecer atento a los múltiples incidentes
que genera, es muy fatigante. El aficionado veterano, ducho en tauromaquias, suele

---

[1] **de infarto** *heart-stopping*   [2] **barbaridad** = crueldad   [3] **catador** = el que juzga o decide   [4] **puesta de sol**
sunset   [5] **apacible** = en calma   [6] **se extasía con** = a quien le encanta   [7] **embravecido** = agitado   [8] **se...
cuerpo** = se sienta uno/a   [9] **se acerca** = asiste   [10] **ducho en tauromaquias** = experto en el arte de torear
[11] **pone... tono** *always readies*   [12] **clarín** = música   [13] **lidia** = práctica de torear

15 decir que cuando acaba la corrida es como si le hubieran dado una paliza.[14] No se trata de[15] que el espectáculo le obligue a realizar ningún ejercicio físico: el ejercicio físico corre a cargo[16] de los toreros y "con perdón" de los toros. Es porque la comprensión cabal[17] de una corrida requiere el ejercicio de múltiples capacidades[18] humanas. Hay que seguir atentamente los movimientos y reacciones del toro para entenderlo; hay que anticipar el toreo adecuado que se le debe hacer; hay que juzgar la actuación de los diestros;[19] paso por paso, desde
20 las suertes de capa[20] a las de pica, banderillas y muleta.[21] Y luego, poner sentimiento para sacarle el jugo[22] a todo lo visto.

Aquel que acuda[23] a la plaza sólo atento al ritual, el colorido, la estética de los movimientos, lo más probable es que se sienta defraudado a poco de ocupar su localidad.[24] Le ocurre a los turistas, que se acomodan en el tendido[25]
20 con esta disposición,[26] y un ratito después unos cuantos huyen de allí despavoridos,[27] porque el peligro cierto de la embestida[28] les hizo pasar malos ratos, el puyazo[29] les pareció un lance desagradable, y quizá, finalmente, el toro vomitó sangre como consecuencia de una estocada defectuosa.[30]

La afición veterana, ducha en tauromaquias, no es que tenga encallecida[31] el
25 alma de tanto contemplar infortunios;[32] es que ha llegado a entender la razón de la lidia, sabe analizarla y la sensibilidad ante la emoción estética le fluye.[33] Pero ¿cómo comunicar todo esto a un turista sorprendido, acaso horrorizado, a punto de ser víctima de un ataque de nervios, en el angosto[34] espacio de un tendido, entre la vertiginosa[35] sucesión de suertes, que además son efímeras, y
30 sin intérprete? La afición veterana, ducha en tauromaquias, también es muy experta en estos trances[36] y cuando un crispado[37] turista le pregunta angustiado por la razón de la sinrazón[38] de un puyazo en el morrillo,[39] responde: "Mí no entender". Y así se evita añadir otro problema a los mil problemas que de por sí[40] tienen la lidia y la vida misma.

¿Entendido?

En parejas y usando las siguientes palabras, resuman el artículo.

| corrida de toros | belleza | espectáculo | espada | aficionado |
| barbaridad | fiesta | capa | torero | turista |

---

[14] **paliza** = muchos golpes *(beating)*   [15] **no... de** = no es   [16] **corre a cargo** *is the business*   [17] **cabal** = completa   [18] **capacidades** = habilidades   [19] **diestros** = toreros   [20] **capa** *bullfighter's cape*   [21] **pica, banderillas, muleta** *bullfighter's goad, small dart to bait the bull, red cloth*   [22] **sacarle el jugo** = disfrutar al máximo   [23] **acuda** = vaya   [24] **ocupar su localidad** = sentarse   [25] **tendido** = asientos   [26] **disposición** = actitud   [27] **despavoridos** = horrorizados   [28] **embestida** = ataque   [29] **puyazo** *lance thrusts*   [30] **estocada defectuosa** *defective death blow*   [31] **encallecida** = dura, insensible   [32] **infortunios** = tragedias   [33] **fluye** *flows over*   [34] **angosto** = estrecho, pequeño   [35] **vertiginosa** = rápida   [36] **trances** = situaciones   [37] **crispado** *tense, on edge*   [38] **la razón... sinrazón** *the reason for the senseless act*   [39] **morrillo** = cuello   [40] **de por sí** *by themselves, separately*

En mi opinión

En grupos de tres o cuatro, contesten las preguntas siguientes.

1. ¿Qué diferencias hay entre la lucha libre y el boxeo? ¿Y entre las corridas de toros y los rodeos?

2. ¿Le parece a Ud. normal comer perros, como se hace en China? En Occidente se come carne de vaca, que es un animal sagrado en la India. Comente estos aspectos culturales que condicionan nuestra relación con los animales.

3. ¿Sabe Ud.—o puede imaginar— por qué los animales vivos y los que comemos tienen nombres distintos? Por ejemplo, en español hay *peces* en el agua pero hay *pescados* en la mesa. Ahora explique la diferencia entre *cows* y *beef, deer* y *venison,* y *pig* y *pork*.

4. ¿Por qué repite tantas veces el autor "el aficionado veterano, ducho en tauromaquias"? ¿Para enfatizar que ellos son los expertos? ¿Para burlarse de ellos? ¿Para disculparse, o qué?

5. ¿Está a favor o en contra de la corrida de toros el autor? Defienda su respuesta con ejemplos del texto.

Estrategias comunicativas para expresar acuerdo y desacuerdo

Acuerdo	Desacuerdo
Tienes toda la razón. *I agree with you completely.*	**Estás equivocado/a.** *You are mistaken.*
Estamos de acuerdo. *We agree.*	**No estoy de acuerdo.** *I do not agree.*
Creo que sí. *I feel the same way.*	**Perdona, pero no lo creo.** *Sorry , I don't believe it.*

En (inter)acción

En grupos de tres o cuatro, realicen las actividades a continuación.

1. Las corridas de toros es un tema muy controvertido hoy en día. Muchos piensan que se deben abolir del todo, dada la crueldad con el animal; otros insisten en que son parte de las tradiciones ibéricas y, por eso, deben continuarse. Discutan esta cuestión y utilicen algunas de las expresiones de **Estrategias comunicativas.**

2. Hagan dos listas. En la primera escriban las razones por las que los animales deben tener derechos similares a los de las personas. En la otra expliquen por qué no deben.

3. Discutan algunas novatadas *(hazings)* de las que han oído hablar o leído. ¿Es justa *(fair)* o no su prohibición?

4. Las fiestas tradicionales no son siempre del agrado de todos los ciudadanos. Muestra de ello es el folleto siguiente realizado por la Asociación para la Defensa de los Derechos de los Animales (Madrid). Lean con cuidado el folleto y luego coméntenlo. Por ejemplo, ¿hay algún tipo de publicidad similar en Estados Unidos? ¿Creen que es efectivo este tipo de protesta publicitaria?

NO A LA TORTURA
NO A LA SANGRE Y MUERTE COMO ESPECTACULO.
NO ASISTAS A LAS CORRIDAS DE TOROS.

EL NEGOCIO TAURINO - MINORITARIO - SE MANTIENE
SUBVENCIONADO CON EL DINERO DE TODOS LOS CONTRIBUYENTES.

QUE NO TE MANIPULEN, TEN EL VALOR DE OPONERTE.

UNETE A A.N.D.A.
ASOCIACION NACIONAL PARA LA DEFENSA DE LOS ANIMALES
GRAN VIA, 31 Tel.(91) 522 69 75 - FAX (91) 523 41 86 - 28013 MADRID

Práctica gramatical

Repaso
gramatical:
Palabras afirmati-
vas y negativas
(*Cuaderno*, pág. 16)
La formación del
adverbio en
-mente
(*Cuaderno*, pág. 17)

1. En parejas, transformen estas oraciones afirmativas en negativas o viceversa.

   a. No vamos a poder entrar porque no tenemos ninguna entrada.
   b. Los jóvenes nunca asisten a una corrida.
   c. Algunos asientos están libres.
   d. Siempre hay peligro durante una corrida.
   e. O el toro o el torero va a morir.
   f. Muchos turistas no saben nada del arte de torear.
   g. También los toros y los otros animales deben tener derechos.
   h. No hay nada bello en una corrida de toros.

2. Completen las oraciones siguientes usando tres adverbios diferentes.

   Ejemplo: La corrida de toros es un espectáculo...
   La corrida de toros es un espectáculo sumamente (verdaderamente, increíblemente) emocionante.

   a. El público mira... lo que ocurre en la plaza.
   b. Creo que en este espectáculo tratan a los toros...
   c. El torero toreó...
   d. Los aficionados asisten a las corridas...

¿Puede explicar el chiste?

Creación

Escriba una carta a un periódico expresando su aprobación o condena de las corridas de toros o de cualquier otro deporte.

Phrases:	*Agreeing & disagreeing; Asking & giving advice; Insisting*
Grammar:	*Adverbs; Comparisons; Negation:* no, nadie, nada
Vocabulary:	*Animals: wild; Sports*

¿Qué ofrece el Café Sol?

La santería: una religión sincrética

Darién J. Davis

Aunque a partir de 1492 el catolicismo se convirtió en la única religión reconocida oficialmente en América Latina, en las plantaciones los esclavos que habían sido traídos de Africa lograron conservar sus creencias y ritos ancestrales. Con el tiempo adaptaron sus tradiciones a la religión católica en el proceso que se ha llamado sincretismo. Una de las religiones sincréticas más conocidas es "la santería" que se practica en el Caribe. El profesor de la Universidad de Tulane, Darién J. Davis, nos explica el origen y características fundamentales de esta práctica religiosa.

▶ Palabra por palabra

el **apoyo**	*(moral) support, backing*
a través de	*throughout*
el **bien** y el **mal**	*good and evil*
hasta	*even, until (time), up to (place)*
la **mezcla**	*mixture*
la **ofrenda**	*offering*
el **pecado**	*sin*

▶ Mejor dicho

	to become	
ponerse (+ adj.)	*physical or emotional changes that are **not** permanent*	**Me he puesto** muy morena. Los gorilas **se pusieron** nerviosos.
volverse (+ adj.)	*sudden or gradual personal changes that **are** permanent*	Bernardo **se volvió** loco. **Nos volvimos** intolerantes.
hacerse (+ adj., + sust.)	*changes due to one's personal efforts*	**Nos hicimos** poderosas. Mi tío **se hizo** santero.
llegar a ser (+ adj., + sust.)	*changes after a period of time*	Con el tiempo la santería **ha llegado a ser** popular. **Llegaste a ser** la primera dama.
convertirse en° (+ sust.)	*a natural or fantastic change*	El vino **se convirtió en** vinagre. La rana **se convirtió en** un hermoso príncipe.

° **¡Ojo!** **Convertirse a** significa *to change one's religion*. Rolando **se convirtió al** protestantismo.

• En general, cuando el sujeto no es animado sino que se trata de una situación, relación, etc. se puede usar cualquiera de los dos primeros verbos:

La discusión **se puso** (**se volvió**) violenta.

- El adjetivo loco/a se emplea casi exclusivamente con el verbo volverse. La expresión volverse loco/a se puede entender en sentido literal o figurado.

- Muchas veces *to become + adj.* se expresa en español con verbos reflexivos específicos: aburrirse, enfadarse, cansarse, enfermarse, perderse, etc.

Práctica

1. En grupos de tres estudiantes, den ejemplos de:

   ofrendas   pecados   mezclas   apoyos   el bien y el mal

2. En parejas, expresen el cambio que muestran las ilustraciones siguientes usando alguno de los verbos de **Mejor dicho.**

El chico...   La costa...   El atleta...   Clark Kent...

El alumno...   La muchacha...   El cielo...   El cliente...

Alto

1. Antes de leer la lectura siguiente, lea el ejercicio de **¿Entendido?** ¿Puede Ud. anticipar de qué va a tratar el texto? Mencione tres cosas.

   a._____

   b._____

   c._____

2. ¿Cuáles son algunas de las contribuciones de las culturas africanas a la cultura norteamericana?

3. ¿Sabe Ud. algo de las religiones africanas, asiáticas o indígenas? Haga una lista de lo que recuerda.

La santería: una religión sincrética

Darién J. Davis

La influencia política de los africanos en Latinoamérica ha sido menor que la de otros grupos étnicos porque entraron en la sociedad americana como clase oprimida, y por ende[1] con poco poder político. Sin embargo, a través de toda la historia de las Américas, el elemento africano siempre ha tenido una influencia im-
5 portante en la economía y la cultura. Uno de los sectores culturales donde su influencia es más evidente es en la religión. En muchos casos las religiones africanas se han combinado con las tradiciones cristianas para formar nuevas religiones, en un proceso llamado sincretismo religioso. Algunos ejemplos de las nuevas religiones son la *santería* en Cuba, el *candomblé* en Brasil y el *vudú* en Haití.
10 La santería es una religión sincrética que combina las religiones Lucumí-Yoruba con el catolicismo. La santería está principalmente asociada con la isla de Cuba, pero se practica en muchas partes del Caribe. Históricamente la santería representaba no sólo un apoyo espiritual sino también un tipo de resistencia en contra de la sociedad blanca dominante. Por eso, su práctica era censurada y a veces
15 hasta prohibida. Sin embargo, con el tiempo la santería cruzó las divisiones de clase y de etnia, y llegó a ser popular entre la población en general. Es importante entender que hoy no sólo los negros participan en estas religiones sino todos los sectores de la sociedad. En los lugares donde existen estas prácticas sincréticas, los participantes vienen de todos los grupos raciales, étnicos y sociales.
20 En la santería, como en la iglesia católica, hay un guía espiritual o sacerdote, llamado el santero o la santera. El o ella es el intermediario entre el *orishá* u *orichá* y los creyentes. Los orishás realmente representan una mezcla o sincretismo de los santos católicos con los dioses africanos. Son evocados tanto por sus nombres africanos como por sus nombres católicos. Por ejemplo, Santa Bárbara es cono-
25 cida como Changó, y San Lázaro como Babalú-Ayé. Y como los santos, cada orishá tiene un día especial de celebración.
No obstante,[2] la santería ha adquirido sus propias características. Los orishás se distinguen de los santos católicos en un elemento esencial: tienen varias características carnales. En este sentido el orishá se considera más poderoso que el ser
30 humano, pero no siempre es moralmente superior. Como nosotros, ellos también tienen platos preferidos. En las celebraciones de cada orishá, se sirven estas comidas y se incluyen en ofrendas para el orishá. Si un ser humano quiere pedir un favor del orishá, le puede regalar comida u otra de sus cosas favoritas. Cada orishá

---

[1] **por ende** = por lo tanto   [2] **no obstante** = sin embargo

también tiene un color con el cual está asociado y en las fiestas del orishá todo el
35 mundo se viste de ese color.

El día 8 de septiembre, por ejemplo, es la celebración de la patrona de Cuba,
que es la Virgen de la Caridad en la tradición católica y Ochún en la santería.[3] La
miel es uno de sus platos preferidos, y se usa en la preparación de dulces que se
comen y se incluyen en ofrendas. Ochún se asocia con el mar y muchas de las ce-
40 lebraciones tienen lugar en la playa.

Debido al gran número de negros que hay en Brasil, las influencias africanas están más próximas a sus orígenes en este país a pesar del mestizaje y sincretismo.
Hay muchas variantes de los cultos[4] afro-brasileños. En Bahía es común el candomblé, en Río de Janeiro se practica la macumba o la umbanda, y en Recife el
45 culto predominante es conocido como el Xangó. Pero todos son variantes del
candomblé.

Así como en la santería, el dios supremo del candomblé es Olofi-Olorún,
creador del mundo. Los sacerdotes del candomblé son conocidos como babalão-
orishá o pai de santo.[5] Si un creyente quiere hacerse miembro del culto, tiene que
50 pasar por un proceso de aprendizaje[6] parecido al catecismo del catolicismo o la
confirmación del protestantismo, pero más riguroso. Como en la santería, hay festividades importantes de cada orishá. También tienen platos y colores preferidos.

En general, hay tres diferencias importantes que distinguen las religiones
africanas de las europeas. Primero, en la tradición africana los seres humanos y los
55 dioses no viven en mundos separados. En cambio, el hombre y la mujer son parte
de una continuidad que también incluye a los muertos y a los dioses. Lo físico es
igualmente importante para el orishá como para el ser humano. Por esta razón se
regalan comida y otras ofrendas, como cigarros y jabón, a los orishás. Segundo, el
mal no es concebido como una fuerza absoluta sino en relación con el bien y la
60 fuerza vital. Es decir, el concepto cristiano del pecado original no existe en la mayoría de las religiones afrolatinoamericanas. Finalmente, la evocación del orishá
produce un cambio objetivo en el creyente. La posesión es un medio de comunicación entre Dios y el ser humano.

La música y el baile son partes integrales de las ceremonias del candomblé, el
65 vudú y la santería. Pero aun en sus manifestaciones seculares, la música latinoamericana tiene raíces africanas. Los bailes de merengue y salsa surgieron de
estos ritmos africanos. Los negros de Brasil bailaban un ritmo que se conocía
como "umbigada". Hoy este baile se conoce como la samba, el baile nacional de
Brasil.

---

[3] También se celebra ese día en Miami y en Puerto Rico.   [4] **cultos** *worship*   [5] **pai de santo** = padre de santo.
Si es mujer ella será la mae de santo.   [6] **aprendizaje** = entrenamiento

"Las botánicas" son tiendas que venden objetos utilizados
en la santería. Esta botánica está en Miami. ¿Te sorprende?

¿Entendido?

Verdadero o falso. Indique si las oraciones a continuación son verdaderas o falsas.
Corrija las oraciones falsas según el texto.

_____ **1.** Los africanos siempre han influido en la política de Latinoamérica tanto
como otros grupos étnicos.

_____ **2.** La santería, el catolicismo y el candomblé son religiones sincréticas.

_____ **3.** La santería era una forma de protesta contra la cultura dominante.

_____ **4.** Solamente los descendientes de esclavos africanos practican estas religiones sincréticas.

_____ **5.** En la santería, el orishá es equivalente a un/a santo/a católico/a.

_____ **6.** Sólo los hombres pueden servir de sacerdotes en estas religiones.

_____ **7.** Los orishás son, como todos los dioses, superiores a los seres humanos.

_____ **8.** Ciertos colores y platos favoritos distinguen a un orishá del otro.

_____ **9.** Se acostumbra ofrecer algo al orishá para obtener un favor.

_____ **10.** La música latinoamericana tiene sus orígenes en los ritmos africanos.

En mi opinión

En grupos de tres estudiantes, contesten las preguntas siguientes.

1. ¿Asiste o no con regularidad a la iglesia, sinagoga, templo, etc.? ¿Por qué sí/no?

2. Discutan si debe haber sólo una religión universal. ¿Qué mandamientos debe tener una religión universal? Mencione cinco.

3. En Miami, hace poco, un santero tuvo que defender su costumbre de matar animales en ciertos ritos de santería. El lo hizo diciendo que en los Estados Unidos existe el derecho a practicar libremente cualquier religión. ¿Qué cree Ud.? En nombre de la religión, ¿se pueden sacrificar animales inocentes? Explique su opinión.

4. ¿Qué diferencia hay entre una creencia y una superstición?

Jean-Pierre, *Baile vudú en el bosque*

Estrategias comunicativas para mantener el interés

Ah, ¿sí? ¿De verdad?	Really? Is that so?	¡Qué bien!	Oh, good! Great!
¿Por ejemplo?	For example?	¡Qué pena!	What a shame!
		¡Qué lástima!	What a pity!
¡No me digas!	No kidding!	¡Qué chisme!	What a piece of gossip!
¡Cuéntame más!	Tell me more.	¡Qué barbaridad!	That's awful!
¿Y qué pasó después?	And then what happened?	¡Mentira!	Unbelievable!

En (inter)acción

1. Uno de sus amigos se ha hecho miembro de una secta *(cult)*. En grupos, un/a estudiante cuenta la historia y los/las otros/as deben animarlo/la a seguir. Utilicen algunas de las expresiones anteriores.

2. Relacionen el "sacrilegio" del que habla la canción siguiente con la lectura anterior.

Mister, Don't Touch the Banana

(Letra: Marisela Verena / Música: Willy Chirino)

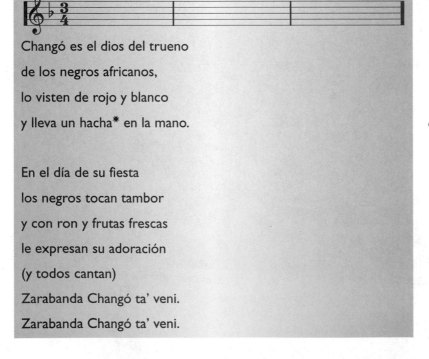

Changó es el dios del trueno

de los negros africanos,

lo visten de rojo y blanco

y lleva un hacha* en la mano.   axe, hatchet

En el día de su fiesta

los negros tocan tambor

y con ron y frutas frescas

le expresan su adoración

(y todos cantan)

Zarabanda Changó ta' veni.

Zarabanda Changó ta' veni.

Entre muchos invitados
a esta fiesta de Changó
había tres americanos
tentados por el folklor(e).

Viendo la mesa de frutas,
ofrenda de amor y fe,
uno cogió un platanito
pues creía que era un buffet
(pues creía quéééé???)
pues creía que era un buffet.

Alguien gritó ¡Sacrilegio!,
madrina se desmayó,
hubo uno que cogió un muerto*   *spoke with the dead*
y otro que se despojó*   *dispelled the evil spirits*
y una que tenía hecho santo
muy furiosa le gritó:

"Mister, don't touch the banana;
Banana belong to Changó."

"Mister, don't touch the banana;
Banana belong to Changó."
"Mister, don't touch the banana."

(coro: La banana es de Changó.)

3. A continuación hay un cuadro con información sobre algunos orishás, el santo católico equivalente, sus poderes, número, colores, comida preferida y símbolo. En grupos, decidan a cuál deben consultar, qué ofrenda le van a hacer, cómo se vestirán para conseguir lo que desean.

a. encontrar empleo

b. solucionar un problema amoroso

c. neutralizar/protegerse de un enemigo

d. aliviar los dolores de cabeza

e. tocarle la lotería

f. tener un hijo

orishá	santo/a	poderes	n°	colores	platos	símbolo
Elegguá	San Antonio	mensajes, controla el destino, lo inesperado	3	rojo y negro	pollos, ron, cigarros, cocos, peces, juguetes, dulces	bordón *(hooked staff)*
Oggún	San Pedro, Santiago	empleos, guerra, hospitales	7	verde y negro	gallos, palomas, ron, cigarros, plátanos	hierro, metal, armas y cuchillos
Oshún	La Virgen de la Caridad	amor, matrimonio, oro	5	blanco y amarillo	miel, calabazas, vino blanco, ron, tortas, joyas y gallinas	abanicos *(fans),* espejos, oro, pavos reales, plumas y barcos
Changó	Santa Bárbara	poder, pasión, control de enemigos	4, 6	rojo y blanco	manzanas, bananas, gallos rojos, carneros *(rams),* cerdos *(pigs)* y toros	hacha de dos filos, mortero *(mortar),* castillo
Yemayá	Nuestra Señora de Regla	maternidad, femineidad	7	azul y blanco	sandía, azúcar, jarabe, cabras *(goats),* patos y gallinas	conchas, canoas, corales, abanicos
Babalú-Ayé	San Lázaro	causa y cura enfermedades	17 o 13	negro o azul claro	tabaco, ron, palomas, gallinas, frijoles y maíz tostado	muletas, cañas *(reeds)* y conchas

4. Y ahora imaginen que los orishás ya les han otorgado ese favor. ¿Qué sacrificio personal o promesa están dispuestos/as hacer?

Ejemplo: Como me dieron el trabajo, yo prometo no comer chocolate durante una semana.

¿Qué símbolos nos indican que esta figura representa a Yemayá?

Práctica gramatical

Repaso
gramatical:
El imperfecto de
indicativo
(*Cuaderno*, pág. 18)
El pretérito de
indicativo
(*Cuaderno*, pág. 18)
Usos del pretérito
y del imperfecto
(*Cuaderno*, pág. 20)

En parejas, continúen las historias siguientes. Añadan cuatro oraciones para cada situación y utilicen el pretérito y el imperfecto.

1. Después de romper un espejo...
2. Después de haberse cruzado un gato negro en mi camino...
3. Después de encontrarme un centavo *(lucky penny)* en la calle...
4. Después de encontrar un trébol de cuatro hojas *(four-leaf clover)*...
5. Después de tocar madera...
6. Después de abrir el paraguas dentro de casa...
7. Después de pasar por debajo de una escalera...
8. Después de entrar en clase con el pie izquierdo primero...

Creación

Narre alguna experiencia suya o de otra persona con fenómenos paranormales (por ejemplo, sueños premonitorios, telepatía, predicción del futuro, comunicación con los muertos, intervención de los ángeles, milagros...). Luego, explique su posición en cuanto a estos fenómenos.

Phrases:	*Expressing an opinion; Hypothesizing; Persuading*
Grammar:	*Verbs: preterite & imperfect; Agreement; Accents*
Vocabulary:	*Body; Calendar; Medicine*

CAPÍTULO 3

Temas candentes
Temas candentes

http://aquesi.heinle.com

Una bola de humo

Mercedes Carrillo

Uno de los productos principales de Cuba, por el cual este país es famoso en todo el mundo, es el tabaco. En el mundo hispano todavía se acepta la costumbre de fumar en lugares públicos y mucha gente la practica. Los que fuman son más numerosos que los que no lo hacen. A continuación tenemos el testimonio de uno de los miembros de la minoría. Este artículo proviene de una antología titulada *Las mujeres y el sentido del humor* (1986) que recoge textos humorísticos producidos por escritoras y periodistas cubanas.

▶ Palabra por palabra

exigente	*demanding*
extraño/a	*odd, weird*
la **fuerza de voluntad**	*will power*
fumar	*to smoke*
el **humo**	*smoke*
ocurrírsele (algo a alguien)	*to occur to someone, think of it*
la **peste**	*stench*
quemar	*to burn*
raro/a	*odd, weird*
tratar de (+ inf.)	*to try to*

▶ Mejor dicho

dejar	*to leave behind*	**He dejado** mis cigarrillos en el taxi.
	to allow	No nos **dejan** fumar a nuestra edad.
dejar de	*to stop doing something*	Carola **dejó de** fumar hace un mes.
salir (de)	*to leave*	Nos veremos después de **salir de** la clase.
salir (con)	*to date or go out with*	Marina **salió con** Ramón anoche.

65

sentir (ie, i)	*to be sorry, regret*	**Han sentido** lo de tu hermana.
sentir (+ sust.)	*to feel*	**Sentimos** mucha pena por lo ocurrido.
sentirse (+ adj., adv.)	*to feel*	**Me siento** muy enérgica. ¿**Te sientes** bien, Rosalía?

Práctica

En parejas, hagan las siguientes actividades.

1. Comparen y contrasten cómo se sienten los fumadores y los no fumadores cuando se ven obligados a estar juntos. (incómodos, encantados, desesperados, violentos, enfermos, tranquilos, resentidos)

2. Hagan una lista de (a) tres cosas que siempre dejan olvidadas, y (b) algunas cosas que han dejado o quieren dejar de hacer Uds. Comparen su lista con la de otra pareja.

3. ¿Hay algo que quieren que dejen de hacer sus padres, su novio/a, su compañero/a de cuarto? Usen la forma "Quiero que dejen de..." y comparen su lista con la de otra pareja.

4. Comenten algunas cosas que les gustan, que toleran o que no aguantan, cuando están saliendo con alguien.

¿**Embarazada?**

He aquí dos buenas razones para dejar de fumar.

¿Cuáles son las dos razones?

Alto

1. A medida que va leyendo el artículo siguiente, fíjese en el tono del artículo. ¿Es cómico, irónico, satírico, crítico?

2. Piense en la dificultad de ser distinto/a en la sociedad y en las consecuencias de tal comportamiento *(behavior)*.

3. ¿Cómo reacciona cuando se siente forzado/a por las circunstancias a hacer alguna cosa? Explique.

Una bola de humo

Mercedes Carrillo

Yo no fumo. Cosa rara. Pasé largos años de mi vida tratando de no adquirir este hábito que dicen que es muy malo, pero que casi todos lo hacen. El bebé ve fumar a su mamá y papá y lo cargan[1] con el cigarro[2] en la boca, en la mano, y el niño entre el humo se siente complacido[3] en los brazos paternos. Así comienza la cosa,
5 créanme. Y después no queremos que fumen.

Pero no debo apartarme del tema. No, nunca pude ser una mujer fatal. Ni interesante. Muchísimo menos mirar con ojos lánguidos tras el humo de mi cigarrillo como en las películas. Pasé todas esas pruebas. Hice el ridículo.

No, no fumo. Lo comprendo soy un espécimen extraño. No fumo. Sin embargo,
10 al paso de los años y al contar con gran fuerza de voluntad tengo condicionado mi sistema respiratorio a absorber el humo de todos los cigarros y tabacos.[4] En las reuniones de sindicato,[5] Yeyo se sienta a mi lado. Ahí nos fumamos él y yo un *H. Upmann No. 2.* Yeyo es muy exigente. Cuando la reunión es en el CDR,[6] Sara se me pega[7] al lado. Es un murciélago:[8] *Populares* uno detrás de otro. Si la cosa es en
15 la peluquería siempre mi turno coincide con Elena y ella no deja pasar diez minutos sin encender un *Dorados* y yo, mientras, voy esperando los rayitos[9] y fumándome el *Dorados* de Elena. Así en todos los lugares. Voy de un paso a otro buscando aire puro; no obstante,[10] fuman en la playa, en nuestra verde campiña,[11] en una Vuelta a Cuba,[12] en el hidrodeslizador,[13] en el tronco de un árbol una
20 niña...[14] FUMAN.

Como nunca he llevado un cigarro ni un tabaco a mis labios no sé qué sienten los fumadores y me inhibo de mala manera cuando me preguntan... ¿usted fuma? No sé si decir que sí o solamente hacerme la que no oigo.[15] Prefiero lo último. Si estoy fumando todo el día es lógico que deba responder plenamente, sí fumo,
25 FUMO. Me fumo el cigarro de todo el departamento, a veces, hasta tres o cuatro cajetillas con tabacos de distintas calidades. Considero que en este vicio no se sabrá nunca quién fuma más. Como la clásica pregunta de quién fue primero, ¿el cigarro o el fumador?

---

[1] **cargan** = toman en brazos [2] **cigarro (cigarrillo, pitillo)** *cigarette* [3] **complacido** = feliz [4] **tabacos** *cigars* [5] **sindicato** = unión de trabajadores [6] **CDR** = Comité para la Defensa de la Revolución [7] **se me pega** = se pone muy cerca [8] **murciélago** *bat (reputed to like smoking)* [9] **rayitos** *highlights* [10] **no obstante** = sin embargo [11] **campiña** = campo [12] **Vuelta a Cuba** = carrera de bicicletas [13] **hidrodeslizador** *waterslide* [14] **en... niña** = letra de una canción popular [15] **hacerme... oigo** *play deaf*

Y de paso queman —con los fósforos y las chispitas[16]— mis blusas, mi vestidito
30 de gasa, la túnica de yersi,[17] la maxifalda de la onda.[18] Por otra parte, debo invertir
una buena cantidad de mi salario en ceniceros[19] porque además de llenarlos de
cenizas y colillas pestilentes[20] los rompen de todo tipo: cristal, cerámica, barro,[21]
porcelana; entonces compro de aluminio y los abollan[22] y a los de madera les dan
candela.[23] Es que los fumadores son nerviosos, inquietos, temperamentales; los
35 hay que echan[24] la ceniza y la colilla en el suelo donde yo me esmero sacándole
brillo a la Teresa.[25]

A todo lugar llevo conmigo la peste a tabaco, a humo de barracón,[26] de reunión larga y tediosa, de tos[27]... de todo... qué espantoso. FUMO. No caben dudas.

A un lado un buen habano[28] y al otro un aromático *Dorados,* entonces, termino
40 fumándome ambos. Me da una sensación rara de usurpación. Y llegamos al punto
sentimental de que fumar es un placer sensual.[29] ¿A quién se le habrá ocurrido?

De pronto y sin motivos siento mareos.[30] Síntomas. Voy al médico.

—Compañera. ¿Usted fuma?

Silencio mortal.

45 —En sus análisis y placas[31] se aprecia que es una fumadora empedernida.[32] Su
salvación está en dejar inmediatamente el cigarro.

Y aterrorizada corro a tratar de dejar el cigarro de todos los fumadores que
me rodean.[33]

¿Entendido?

Complete las siguientes frases de acuerdo con la lectura.

1. La narradora no fuma pero sí...
2. Según la autora, los niños empiezan a fumar...
3. La actitud resignada de la narradora hacia el tabaco se evidencia en...
4. Para los fumadores, dos consecuencias de fumar son...
5. A la narradora le va a resultar difícil hacer lo que le recomienda el médico
   porque...

---

[16] **chispitas** *sparks*   [17] **yersi** *jersey*   [18] **de la onda** *here, trendy*   [19] **ceniceros** *ashtrays*   [20] **colillas pestilentes** *smelly butts*   [21] **barro** *clay*   [22] **abollan** *dent*   [23] **les dan candela** = queman   [24] **echan** = tiran
[25] **sacándole...Teresa** *shining the floor*   [26] **barracón** = lugar pequeño y cerrado   [27] **tos** *cough*   [28] **habano**
= tipo de tabaco famoso de La Habana   [29] **fumar... sensual** = letra de una canción popular   [30] **mareos**
dizzy spells   [31] **análisis y placas** = pruebas y rayos X   [32] **empedernida** *heavy*   [33] **rodean** *surround me*

¡Deje de fumar, ahora!

• Es la acción más importante que personalmente puede hacer para mejorar su salud.

Dejar de fumar no es imposible

• Desafortunadamente, no existe ningún producto que resuelva el problema sin un esfuerzo personal del propio fumador, pero todo fumador puede dejar de serlo: dejar de fumar no es imposible.

• Algunas personas pueden dejarlo sin problemas, pero para otras implica un **esfuerzo** considerable. A pesar de ello es posible dejar de fumar. Hoy se cuentan por millones los fumadores que ya lo lograron.

¿Te convence o no?

En mi opinión

Discutan los temas siguientes de acuerdo con las instrucciones.

1. Hay muchas leyes que regulan el uso del tabaco en lugares públicos por el hecho de ser carcinógeno (cancerígeno) y, por lo tanto, mortal. En grupos pequeños, discutan el hecho de que las armas de fuego, que también son mortíferas, tienen tan pocas regulaciones en nuestra sociedad. Saquen conclusiones y hagan recomendaciones para el gobierno. Luego hagan una encuesta de las opiniones de la clase y continúen el debate divididos en dos grupos: los que están a favor del control de las armas de fuego y los que no.

2. En grupos, organicen la lista a continuación en orden de importancia para la salud. Expliquen sus razones.

   a. Divertirse
   b. Hacer ejercicios
   c. Tener animales domésticos
   d. No comer comidas con grasa

   e. No fumar
   f. No beber café/bebidas alcohólicas
   g. Tener relaciones sin riesgo
   h. Pasar tiempo al aire libre

3. En Estados Unidos parece aceptarse mejor a los que beben que a los que fuman o a los gordos. ¿Les parece justa esta actitud? Expliquen.

Estrategias comunicativas para pedir algo cortésmente...

Perdona, te importa si...	*Excuse me, do you mind if I . . .*
Le molestaría que...	*Would it bother you if I . . .*
Oye, sería posible...	*Listen, would it be possible to . . .*
¿Me harías un favor?	*Would you do me a favor?*

... y para responder a una petición

Claro.	*Sure.*
Está bien.	*Fine.*
No hay problema.	*No problem.*
Desde luego.	*Of course.*
De ningún modo.	*No way.*
Lo siento.	*I'm sorry.*
Preferiría que no.	*I'd rather not.*

En (inter)acción

1. En parejas, intenten convencer a su compañero/a de que deje de hacer algo (llorar, gritar, no dormir...). Den razones y sugerencias constructivas. Cada uno/a debe defender sus gustos y decisiones. Ambos/as deben usar algunas de las **Estrategias comunicativas.**

2. **Confesiones de un fumador.** En parejas, un/a estudiante debe hacer el papel de un gran fumador y contarle al otro/a por qué fuma. Debe mencionar tres cosas que hace por ser fumador y tres que no hace por la misma razón. El/La otro/a debe expresar su opinión ante tales confesiones.

"NO SE PREOCUPE
TOME MUCHO CAFÉ   1789-1956
FUME UN BUEN CIGARRO"
JAVIER PEREIRA - 167 AÑOS DE EDAD
CORREOS DE COLOMBIA
AMERICAN BANK NOTE COMPANY.

5 CVS.

¿Buenos consejos?

Práctica gramatical

Repaso
gramatical:
El futuro simple
(*Cuaderno*, pág. 22)
El participio
pasado
(*Cuaderno*, pág. 22)
El futuro
perfecto
(*Cuaderno*, pág. 23)
Usos del futuro
simple y perfecto
(*Cuaderno*, pág. 23)

En parejas, hagan las siguientes actividades.

1. Basándose en la lectura, hagan predicciones sobre el futuro de la narradora (su salud física y emocional, sus relaciones con sus amigos, colegas, etc.). Después hagan predicciones sobre sus compañeros/as de clase.

   Ejemplo: Tendrá que buscar un trabajo al aire libre.

2. Hagan predicciones sobre el futuro de las compañías productoras de tabaco en el año 2100. (sus ganancias, restricciones, nuevos productos...)

   Ejemplo: Para mediados del siglo XXI, el gobierno habrá prohibido totalmente los anuncios de cigarrillos.

Area de fumadores
Fumar perjudica seriamente
la salud del fumador activo y pasivo.

¿Cómo se dice "fumador
pasivo" en inglés?

Creación

Suposiciones. Elige a un/a compañero/a de clase que no conoces muy bien o bien a uno/a de tus profesores/as y escribe una composición haciendo conjeturas sobre sus gustos, modo de vida, experiencias, etc. Utiliza el futuro simple y el futuro perfecto para expresar probabilidad.

   Ejemplo: Habrá estado en Ecuador muchas veces. Tendrá un gato y dos perros. El gato se llamará "Cuchicuchi".

Phrases:	*Expressing indecision; Hypothesizing; Stating a preference*
Grammar:	*Accents: General rules; Verbs: Compound tenses; Verbs: Future*
Vocabulary:	*Colors; Food; Leisure*

¿Liberalizar la droga?

Juan Tomás de Salas

El uso de drogas y sus violentas consecuencias es algo que nos afecta a todos. Los diversos intentos para erradicarlas, o al menos controlarlas, han resultado fallidos hasta ahora. Una sugerencia atrevida e innovadora es descriminalizar las drogas. El siguiente ensayo de 1990 presenta algunas de las cuestiones más debatidas aun hoy día con respecto a esta posibilidad.

Palabra por palabra

acabar	*to end (up), finish*
la **cárcel**	*jail, prison*
la **culpa**	*fault, blame*
estar a favor/en contra	*to be for/against*
el **negocio**	*business*
peligroso/a	*dangerous*
perjudicial	*harmful*
tener (ie) en cuenta	*to bear in mind*
el **veneno**	*poison*

Mejor dicho

el crimen	*murder (attempt), homicide (attempt)* = matar o herir gravemente a alguien	No nos enteramos de quién cometió el **crimen** hasta el final de la película.
el delito	*offense, misdemeanor, crime* = cualquier acción ilegal que no es un crimen	Robar en una tienda es un **delito.**

el argumento	*plot*	El **argumento** del cuento era muy simple.
	reason for support	Estos **argumentos** nos resultan convincentes.
la discusión	*discussion, argument*	Mis tíos empezaron a hablar de política y tuvieron una **discusión** tremenda.

Práctica

1. En parejas, contesten las preguntas siguientes. Atención a las palabras del vocabulario.

   a. ¿Dónde y cómo acaban algunos drogadictos? ¿En la cárcel, en la Casa Blanca, en el hospital? ¿Dónde acaban los narcotraficantes?

b. ¿Quién tiene más culpa del consumo de drogas: los narcotraficantes o los drogadictos? ¿Por qué? ¿Los países que producen drogas o los que las consumen? ¿Por qué?

c. ¿Qué acción le parece a Ud. más peligrosa?

probar un ácido	esnifar cocaína
fumar marihuana	inyectarse heroína
comer plantas alucinógenas	tomar anfetaminas

d. ¿Qué productos llevan una nota que dice "perjudicial para la salud"? ¿Por qué la llevan? ¿Deberían llevarlas los coches también? ¿Y qué otros objetos? Hagan una lista.

2. En grupos, contesten estas preguntas.

a. ¿Puede describir algún delito que Ud. o alguien que Ud. conoce ha presenciado?

b. En grupos, hablen de algunos de los crímenes más espantosos de la historia. ¿Quién lo cometió? ¿Dónde? ¿Por qué motivo? Ejemplos: El estrangulador de Boston, Hitler, Charles Manson...

c. ¿En qué programas de la televisión se habla de o presentan delitos y crímenes? ¿Qué efecto tiene tanta violencia en el público? ¿Qué le parece el nuevo sistema para indicar si un programa es apto o no para niños? Elijan tres programas de televisión y decidan si son adecuados para los niños.

3. Hagan una lista de las razones por las que los jóvenes discuten con sus padres.

4. Cuente a los miembros de su grupo argumentos de películas, novelas o canciones para que adivinen el título.

5. Entre todos, busquen dos argumentos convincentes.

a. para legalizar o no la marihuana

b. para cambiar o no la edad de beber

c. para eliminar o no las cárceles

d. para abolir o no los exámenes escritos

6. En grupos, decidan cuáles de las oraciones siguientes (adaptadas del artículo "Las razones de una decisión", *Cambio 16)* presentan un argumento a favor (F) o en contra (C) de la legalización de las drogas. Expliquen por qué.

a. _____ Los pueblos indígenas americanos consumían cocaína, peyote, etc., y esto no causó ningún conflicto social.

b. _____ La legalización no acaba con el uso de las drogas; el tabaco es legal, pero hay millones de fumadores.

c. _____ La Ley Seca de Estados Unidos mostró que cualquier prohibición es un fracaso.

d. _____ Aunque se pueda comprar drogas legalmente, esto no acabará con el mercado negro.

e. _____ La ilegalidad no ha podido contener el abuso de la droga.

f. _____ Las drogas dejarían de ser un negocio para los traficantes.

g. _____ La posibilidad de conseguir drogas legalmente podría estimular su consumo en personas que hoy no lo hacen por respeto a la ley.

h. _____ El interés de los jóvenes disminuiría porque ya no tendría el carácter de fruta prohibida.

i. ____ Cuando el adicto pueda obtener dosis controladas a precio accesible, no necesitará robar ni prostituirse.

j. ____ Controlar las drogas despenalizándolas es una utopía impracticable.

Alto

1. Muchas palabras (especialmente las de tres sílabas o más) son similares en inglés y en español porque frecuentemente ambas vienen del latín. Busque en el ensayo siguiente tres palabras de tres o más sílabas que sean similiares en los dos idiomas y escríbalas.

_____   _____   _____

2. En una discusión sobre la legalización de las drogas, ¿puede Ud. anticipar algunos de los argumentos que se mencionarán a favor y en contra? Escriba tres.

_____

_____

_____

¿Liberalizar la droga?

Juan Tomás de Salas

¿Las drogas están prohibidas porque son peligrosas o son peligrosas porque están prohibidas? Esa es la gran pregunta que hay que plantear[1] al abordar[2] el gravísimo problema de la droga en las sociedades occidentales. Emma Bonino, presidenta del Partido Radical Italiano, respondió a la gran pregunta anterior con contundencia[3]
5 en unas recientes jornadas[4] sobre la droga: las drogas son peligrosas sobre todo porque las han prohibido.

La idea de la legalización de las drogas más comunes aún prohibidas —heroína, cocaína, marihuana— va abriéndose paso[5] lentamente[6] en la conciencia occidental, y no sólo entre los círculos "progresistas" sino también en grandes pilares del
10 conservadurismo liberal, como es el caso de Milton Friedman o aún el prestigioso semanario *The Economist*. En las jornadas sobre la droga, el editor del *The Economist*, Nicholas Harman, defendió con elocuencia la necesidad de legalizar las drogas, como el medio más eficaz para combatir sus más perniciosos efectos.

---

[1] **plantear** *to state, raise*   [2] **abordar** = considerar   [3] **contundencia** *forcefulness*   [4] **jornadas** = conferencias
[5] **abriéndose paso** *making its way*   [6] **lentamente** = despacio

La tesis de la legalización sostiene que mucho más peligrosa es el hampa[7] que
15 la libertad de comercio. Al legalizar las drogas, o despenalizarlas, el precio de la
cocaína y la heroína se desplomaría[8] hasta el nivel[9] de la aspirina. Ello acabaría de
un plumazo[10] con todas las mafias, hampas, bandas y gángsters dedicados hoy a
este fabuloso comercio que mueve billones de pesetas anuales. En el acto desa-
parecerían las bandas, por consunción, por hambre, por falta de negocio.

20 Inmediatamente también, el día D de la legalización disminuirían de manera
drástica los asaltos, tirones,[11] robos, puntazos[12] y demás crímenes cometidos hoy
por drogadictos en busca del dinero necesario para poder pincharse.[13] Si la
heroína vale como un paquete de aspirinas, los pequeños, pero continuos delitos
de la droga, se reducirían casi a cero y de golpe[14] (para gran tranquilidad y júbilo[15]
25 de esa ciudadanía que tanto sufre con la violencia drogata[16] en las grandes urbes[17]).

Ipso facto también se reducirían drásticamente las muertes por sobredosis.
Especialmente si se tiene en cuenta que la llamada sobredosis es, la mayoría de las
veces, puro y duro envenenamiento,[18] producido por droga adulterada hasta lo inverosímil[19] después de un corte detrás de otro. Ocurre sólo que la policía y la so-
30 ciedad se defienden con el eufemismo sobredosis, es decir, glotonería o codicia[20]
del muerto, culpa del muerto, en lugar de adulteración o envenenamiento, del que
bien poco responsable será el triste drogadicto fallecido.[21] Trampas[22] verbales
para seguir viviendo cómodamente por encima de los cadáveres de una juventud
condenada a la cárcel, el crimen, el SIDA[23] o la muerte.

35 Estos argumentos a favor de la legalización se apoyan en el principio fundamental de que cada uno es libre de hacer consigo lo que quiera, aunque sea perjudicial,
con tal de no dañar[24] a los demás. Y en la constatación[25] segunda de que se puede
vivir consumiendo heroína o cocaína en buenas condiciones, igual que se puede
vivir consumiendo el veneno alcohol o el veneno tabaco. Todo depende de la canti-
40 dad, pero no debe olvidarse que la mayoría de los muertos por la droga son víctimas de las peregrinas sustancias añadidas a la droga, y no de la droga en sí.

Sólo una seria duda planeó[26] en las jornadas: tras[27] la legalización ¿aumentaría
estruendosamente[28] el número de consumidores de drogas? Esta es la otra gran
pregunta, y bien difícil de responder. Atisbos[29] de respuesta se aportaron[30] con
45 ejemplos de legalización en Holanda, Alaska y algún estado australiano. No se
produjo riada[31] de drogadictos. Pero hay que reconocer que la inquietud tiene
sentido en este punto.

---

[7] **el hampa** *the underworld*   [8] **se desplomaría** *would plummet, drop*   [9] **nivel** *level*   [10] **de un plumazo** *with
the stroke of a pen*   [11] **tirones** *purse snatchings*   [12] **puntazos** *hold-ups (with a knife)*   [13] **pincharse** *to shoot up*
[14] **de golpe** = inmediatamente   [15] **júbilo** = alegría   [16] **drogata** *drug related*   [17] **urbes** = ciudades
[18] **envenenamiento** *poisoning*   [19] **adulterada... inverosímil** *adulterated beyond recognition*   [20] **codicia** *greed*
[21] **fallecido** = muerto   [22] **Trampas** *Tricks*   [23] **SIDA** *AIDS*   [24] **con... dañar** *provided that we do not harm*
[25] **constatación** *proven fact*   [26] **planeó** *surfaced*   [27] **tras** = después de   [28] **estruendosamente** *horrendously*
[29] **Atisbos** *Hints*   [30] **se aportaron** *were provided*   [31] **riada** *flood*

El ex-ministro de Justicia colombiano, Enrique Parejo, que sufrió atentados[32] y persecución por obra de los mafiosos de la droga, desarrolló con elocuencia la
50 tesis prohibicionista actual. Y Domingo Comas, experto hispano, defendió la ambigüedad española de autorizar el consumo y penalizar el tráfico, lo que parece presuponer la llegada mágica de la cocaína al consumidor en forma de maná.[33] Hipocresía legal, por cierto, que a mi entender[34] es bastante más humana que la prohibición pura y dura del presidente norteamericano que está llenando las
55 cárceles americanas de cientos de millares de simples fumadores de marihuana o pobres drogatas de la marginalidad[35] urbana.

¿Entendido?

Verdadero o falso. Corrija las oraciones falsas según el texto.

1. _____ Las drogas están prohibidas porque son peligrosas.

2. _____ Los drogadictos pueden vivir una vida perfectamente normal.

3. _____ Nicholas Harman, un progresista, favorece la legalización de las drogas.

4. _____ Si despenalizamos las drogas, costarán mucho menos y no será necesario cometer crímenes para obtener el dinero para comprarlas.

5. _____ El comercio ilegal de las drogas mantiene activas y florecientes las mafias.

6. _____ Si legalizan las drogas, habrá menos muertes por sobredosis.

7. _____ La muerte por sobredosis ocurre simplemente al tomar demasiadas drogas en poco tiempo.

8. _____ En España, la ley no castiga al consumidor sino al vendedor.

9. _____ Si el uso de drogas perjudica sólo al drogadicto, entonces no tenemos el derecho de prohibirlas.

10. _____ Se puede vivir tomando alcohol o fumando así como consumiendo drogas, siempre que las drogas no estén adulteradas.

11. _____ La verdad es que no sabemos qué efectos tendrá la legalización de las drogas.

12. _____ Las cárceles estadounidenses están llenas de fumadores de marihuana y de drogadictos ricos.

---

[32] **atentados** *assassination attempts*   [33] **maná** *that is, miraculously from the sky*   [34] **a mi entender** = en mi opinión   [35] **marginalidad** *fringe of society*

NO TE LA JUEGUES A COPAS.

No abuses del alcohol

MINISTERIO DE SANIDAD Y CONSUMO

Para entender este anuncio, busca en un diccionario la expresión "jugársela" y los dos significados de la palabra "copa".

En mi opinión

En grupos, discutan los temas siguientes de acuerdo con las instrucciones.

1. Expresen su opinión personal a las afirmaciones de **¿Entendido?**

2. ¿Tiene resultados la campaña de los EE UU contra la droga? ¿Y la campaña contra el SIDA?

3. Comparen los efectos del alcohol y del tabaco con los de las drogas. ¿Por qué la campaña contra el tabaquismo ha sido tan efectiva y no los esfuerzos para controlar las drogas?

4. Expresen su opinión personal a las declaraciones siguientes.

   a. En el campus se puede conseguir cualquier tipo de droga.
   b. La policía debe evitar la venta de drogas en la universidad.
   c. El fracaso de la campaña contra la droga se debe a los atroces anuncios publicitarios.
   d. En los próximos cinco años los políticos se pondrán de acuerdo y legalizarán las drogas.
   e. Vale la pena experimentar los efectos de alguna droga.

Estrategias comunicativas para dar consejos

Francamente creo que...	To tell you the truth, I think that . . .
¿No te parece que... ?	Don't you think that . . . ?
Sería mucho mejor si...	It would be a lot better if . . .
Quizás debes considerar otras opciones como...	Maybe you should consider other options such as . . .
¿Has pensado que... ?	Have you thought about . . . ?

En (inter)acción

1. En grupos (y usando las **Estrategias comunicativas**), hablen sobre un/a amigo/a común que tiene problemas con las drogas y de cómo persuadirlo/la para que cambie de vida.

2. Con toda la clase, discutan qué es exactamente una droga. Hagan una lista en la pizarra de las más comunes, mencionando sus efectos y su grado de adicción. ¿Son drogas, por ejemplo, las aspirinas, los antibióticos, los productos para adelgazar, el alcohol, la cafeína?

3. Una canción del álbum de Ana Belén y Víctor Manuel *Para la ternura siempre hay tiempo* (1986) es "Matador". Lean la canción (o si pueden conseguir el disco, escúchenla) y luego coméntenla en clase relacionándola con el tema de la lectura. (Por ejemplo, discutan el problema de la persona y qué/quién es el "matador".)

Matador

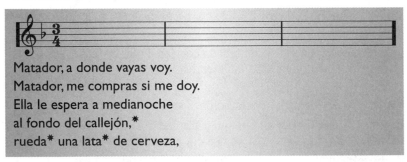

Matador, a donde vayas voy.
Matador, me compras si me doy.
Ella le espera a medianoche
al fondo del callejón,*
rueda* una lata* de cerveza,

at the far end of the alley

rolls / tin can

alguien le grita (des)de un camión,*　　　　*truck*
saca del bolso una polvera,*　　　　　　　　*powder compact*
la leve luz del farol*　　　　　　　　　　　*street lamp*
iluminando a duras penas*　　　　　　　　　*barely*
las manecillas* del reloj;　　　　　　　　　*minute and hour hands*
guarda el dinero en una media
el cuerpo es puro temblor,*　　　　　　　　*trembling*
sola sin ver la pitillera*　　　　　　　　　*cigarette case*
que algún cliente descuidó,*　　　　　　　　*overlooked*
suda* y quisiera ser barrida*　　　　　　　*sweats / swept away*
sin más justificación,
pero al doblar aquella esquina
toda su acera iluminó el Matador.
Dame el veneno por favor
que me quiero poner mejor,
sé que me estás vendiendo muerte
pero no puedo cambiar mi suerte, Matador.
Sólo sintió cristal molido*　　　　　　　　*ground glass*
el tiempo se le borró,*　　　　　　　　　　*got erased*
tira* la puerta del servicio*　　　　　　　*slams / bathroom door*
para aplazar* su ejecución,　　　　　　　　*carry out*
ya reconoce este camino
que termina en el hospital,
una vez más, siempre lo mismo
quién se pudiera descolgar.*　　　　　　　　*overcome an addiction*
Tantos consejos por amigos
no me hablen de voluntad,
sola me quedo ante el peligro
con las heridas* sin cerrar,　　　　　　　　*wounds*
sabe quién es la sombra* aquella　　　　　　*shadow*
al fondo del callejón;
rota la guardia y sin defensa
con alma y cuerpo se entregó*　　　　　　　*gave in*
al MATADOR.

4. En grupos, y como si estuvieran participando en un programa de televisión, discutan el tema de la drogadicción desde distintos puntos de vista: un padre/una madre, un/a doctor/a, un/a joven, un/a abogado/a, etc. Cada estudiante elige y representa uno de los papeles anteriores.

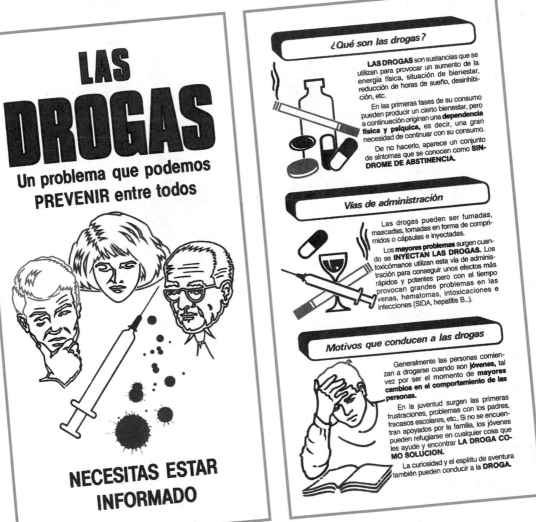

¿Estás de acuerdo con la información
que ofrece este folleto *(brochure)*?

Práctica gramatical

Repaso
gramatical:
El condicional
simple
(*Cuaderno*, pág. 23)
El condicional
perfecto
(*Cuaderno*, pág. 24)
Usos del condicional simple y
perfecto
(*Cuaderno*, pág. 24)

En parejas, hagan los siguientes ejercicios según las instrucciones.

1. Digan lo que harían Uds. en estas circunstancias (y añadan otras) usando el condicional en sus respuestas.

Ejemplo: Está perdido/a en una ciudad que no conoce.
Buscaría a un policía.

a. Está en una fiesta y alguien le ofrece cocaína.
b. En una reunión alguien le pasa un cigarrillo.
c. Caminando por la playa encuentra una jeringuilla *(syringe)*.
d. Alguien que tiene el síndrome de abstinencia *(withdrawal)* le pide ayuda.
e. Está solo/a en casa y muy enfermo/a.
f. Un detective del FBI lo/la detiene en la calle.

2. Digan lo que habrían hecho Uds. en las siguientes circunstancias.

Ejemplo: Mi amigo Felisberto se marchó de la fiesta cuando aparecieron las
primeras drogas.
Yo me habría marchado también.

a. Esther encontró unos polvos sospechosos en el baño de su residencia y se lo comunicó a la administración.
b. Jorge se apuntó a una residencia donde está prohibido usar sustancias que alteran el estado mental.
c. Ernesto y Andrés no compraron lo que les ofrecieron en la calle.
d. La semana pasada los estudiantes protestaron contra las restricciones impuestas a las fraternidades.
e. Gabriela se molestó cuando su madre le preguntó si había usado drogas alguna vez.

> Prohibida la venta de todo tipo de bebidas alcohólicas a los menores de 16 años.
>
> Prohibida la venta de bebidas alcohólicas de más de 18 grados a los menores de 18 años.

> Prohibida la venta de tabaco a menores de 16 años.

Creación

Por sorpresa. Suponga que sus padres lo/la encuentran a Ud. y a unos amigos fumando marihuana. Examine la reacción de sus padres y prepare su defensa. O bien puede ser Ud. el/la que sorprende a sus padres. Use palabras del vocabulario y las formas del condicional simple.

Ejemplo: Yo les **diría** que no me tragué el humo *(inhaled)*.

Phrases:	*Expressing irritation; Expressing indecision; Warning*
Grammar:	*Possession with* de; *Verbs: impersonals; Verbs:* dar
Vocabulary:	*Media: newsprint, TV, & radio; Quantity; Senses*

La pasión por lo verde

Inmaculada Moya y Julia Pérez

En este artículo, Inmaculada Moya y Julia Pérez, dos colaboradoras de la revista *Cambio 16,* hablan de la nueva actitud hacia los problemas y la recuperación del medio ambiente que surgió en España a finales de los años 80. (**¡Ojo!** La información que contiene este artículo se refiere a esos años. Si desea actualizar esta información, consulte en Internet las consejerías del Medio Ambiente creadas en España en la década de los 90.)

▶ Palabra por palabra

la **basura**	*garbage*
contaminar	*to pollute*
el **contenido**	*contents*
desperdiciar	*to waste*
la **investigación**	*research*
el **medio ambiente**	*environment*
la **moda**	*style, fashion*
preocuparse por/de	*to worry about*
reciclar	*to recycle*
el **recurso**	*resource*

▶ Mejor dicho

salvar	*to rescue, save from extinction*	Una mujer desconocida **salvó** al niño. Hay que **salvar** a las ballenas.
guardar	*to keep, put aside*	**Estamos guardando** las botellas en el garaje.
ahorrar	*to save up, set aside, or conserve*	Sus programas de lavado **ahorran** agua y energía.
proteger	*to protect, keep from harm*	Es preciso **proteger** los recursos naturales.

Práctica

En grupos, hagan las actividades siguientes según las instrucciones.

1. Escriban una definición falsa o verdadera de una de las palabras anteriores. Después, léansela a la clase para que decida si la definición es falsa o verdadera.

   Ejemplos: "Salvar" significa "librar de un gran peligro a alguien o a algo". (V)

   "Salvar" significa "economizar, guardar una parte del dinero de que se dispone". (F)

2. Escriban listas de las cosas que cada uno/a guarda y ahorra. Compárenlas y discútanlas entre Uds. y luego con la clase.

3. Imaginen un día en la vida de un/a ecologista fanático/a. Digan lo que hace usando las palabras del vocabulario.

Ejemplo: No desperdicia ni una gota de agua cuando lava los platos.

Aún es pronto para pescarlos.
Si no cuidamos nuestros propios recursos pesqueros,
¿quién lo hará?

NO LOS PESQUES, NO LOS PIDAS, NO LOS COMAS.

"PeZqueñines", ¿entiendes el juego de palabras?

Alto

1. Fíjese en la estructura del texto siguiente. Lea, por ejemplo, el primer párrafo de la sección III del artículo y luego note cómo los párrafos que le siguen desarrollan cada una de las ideas expresadas en él.

2. ¿Qué asocia Ud. con el color verde?

3. ¿Es siempre mejor lo natural? ¿Cuándo no? Explique.

La pasión por lo verde

Inmaculada Moya y Julia Pérez

Frigoríficos,[1] lavadoras, pilas,[2] coches... La publicidad presenta ahora todo como ecológico. Es el fruto del aumento de la enorme demanda de productos verdes, no contaminantes y naturales. El color verde conquista el mercado.

I

Los desodorantes eran de tubo[3] o de spray, ahora dicen ser ecológicos; las em-
5 presas[4] anunciaban calidad y productividad, ahora preservan el medio ambiente; las pilas proclamaban su potencia,[5] ahora se definen como verdes. Los estantes[6] de los supermercados comienzan a estar invadidos de huevos, legumbres y cítricos denominados biológicos. Y los coches serán menos contaminantes.

El mensaje verde es utilizado desde hace escasos[7] meses como un reclamo[8]
10 publicitario que refleja los cambios de mentalidad que se están produciendo en la sociedad española: envases[9] verdes, etiquetas[10] verdes, letras verdes y hasta ha salido al mercado un coche que contamina igual que los demás pero que se presenta como verde.

La extrema sensibilidad[11] hacia las alteraciones del medio ambiente que desde
15 hace años está asentada[12] en Europa ha empezado a extenderse[13] a países mediterráneos como España. Nadie tiene datos, pero todos coinciden en que algo está cambiando desde la divulgación de catástrofes como Chernobil y del avance del agujero[14] de la capa[15] de ozono que es seguido por científicos de todo el mundo en la Antártida.

20 Esa sensibilidad se ha extendido a la Comunidad Económica Europea (CEE) que ya ha adoptado acuerdos[16] tales como la reducción en un 85 por ciento de los clorofluorocarbonos (CFC) para 1993, los gases causantes principales de la desaparición del ozono, y la obligatoriedad de introducir en el mercado, para 1993, gasolina sin plomo[17] y catalizadores que filtren los gases que emiten los coches.
25 Ese año también será crucial para los fabricantes de pilas, que deberán reducir el contenido de mercurio y cadmio.

Si el Parlamento europeo lo aprueba, en 1993 los productos que no dañen[18] al medio ambiente podrán lucir[19] el mensaje de que son ecológicos y, encima, serán más baratos.

---

[1] **frigoríficos** = refrigeradores   [2] **pilas** *batteries*   [3] **de tubo** *stick*   [4] **empresas** = compañías   [5] **potencia** *power*   [6] **estantes** *shelves*   [7] **escasos** = pocos   [8] **reclamo** *lure*   [9] **envases** *packaging*   [10] **etiquetas** *labels*   [11] **sensibilidad** *concern*   [12] **asentada** = establecida   [13] **extenderse** *to spread*   [14] **agujero** *hole*   [15] **capa** *layer*   [16] **acuerdos** *agreements*   [17] **sin plomo** *unleaded*   [18] **dañen** *harm*   [19] **lucir** *to display*

30   Sin embargo, el papel reciclado aún es un recurso poco utilizado. En toda Europa
se desperdician 210 kilos de papel por habitante y año. En otros países, como en
Estados Unidos, el reciclaje se realiza de una manera más generalizada: en muchos
lugares se tienen dos o tres cubos[20] de basura para separar lo desechable[21] de lo
que se puede reciclar. En España hay diversos puntos de reciclaje de papel a los
35   que llevar cartones[22] o periódicos viejos para que puedan ser reutilizados y evitar
así la tala[23] masiva de bosques. Este papel reciclado sólo supone[24] en España un
total de 1.446.900 kilos, mientras que se fabrican más de tres millones de papel y
cartón de primer uso.

    La tendencia a preocuparse por la conservación de la naturaleza ha aumen-
40   tado. Según la casa editorial[25] Espasa Calpe, en un año las ventas de libros sobre
ecología han crecido un 60 por ciento.

II

Para tener una tierra fértil, hay que rotarla[26] y respetar la estratificación. Las semillas[27] tienen que ser del lugar; las plagas se combaten con hormonas naturales y,
para las malas hierbas,[28] no hay nada como la mano y el calor. Los insecticidas se
45   consiguen del crisantemo y de la nicotina. Así, y no de otra forma, son las orde-
nanzas de la agricultura ecológica, también conocida como biológica.

    España, Francia y Dinamarca fueron las pioneras en reglamentar[29] esta produc-
ción, la más moderna y también la más antigua. Fue en noviembre de 1988 cuando
en España se concedió la denominación[30] de origen para esos productos ecológi-
50   cos. En realidad su garantía no es más que asegurar que todos ellos han sido con-
seguidos sin el empleo de productos químicos de síntesis.

    Entre hortalizas, frutas, cítricos, vides,[31] aceites, cereales y cultivos proteicos,[32]
la agricultura ecológica produce en España un total de 12.331 toneladas. Pero,
además, han conseguido una media de[33] 25.250 docenas de huevos, 120.000 kilos
55   de carne, más de millón y medio de litros de leche de vaca y cabra[34] y 20.000 kilos de miel.[35] La mitad se exporta al resto de Europa, lo que les supone unos ingresos[36] cercanos a los 500 millones de pesetas.

III

La búsqueda[37] de productos que no alteren el medio ambiente y la moda por lo
natural también ha irrumpido en los hogares. Desde los *sprays* hasta los frigorí-
60   ficos y lavadoras ecológicas y muebles bionaturales, junto a pinturas que rememoran[38] paisajes naturales y el aumento de la cosmética natural.

---

[20] **cubos** *cans*   [21] **lo desechable** *trash*   [22] **cartones** *cardboard boxes*   [23] **tala** *cutting*   [24] **supone** *amounts to*
[25] **casa editorial** *publishing house*   [26] **rotarla** *rotate it*   [27] **semillas** *seeds*   [28] **malas hierbas** *weeds*
[29] **reglamentar** = regular   [30] **denominación** *name*   [31] **vides** *grapevines*   [32] **proteicos** = variables   [33] **una media de** *an average of*   [34] **cabra** *goat*   [35] **miel** *honey*   [36] **ingresos** *income, revenue*   [37] **búsqueda** *search*
[38] **rememoran** = evocan

El compromiso de la CEE de reducir el consumo de los CFC ha traído consigo[39] que vayan a salir al mercado a principios del próximo año frigoríficos con una reducción del 50 por ciento de esos gases. Pero la mayor innovación está en
65 las lavadoras de la empresa Bosch. Sus programas de lavado[40] ahorran agua, energía y hacen un uso racional del detergente. Ya ha aparecido el detergente ecológico y se llama Bionatur.

Los muebles también tienen su apartado[41] verde, se llaman biomuebles y su símbolo es de ese color. Sus impulsores,[42] una fábrica valenciana, garantizan mue-
70 bles macizos[43] no tóxicos, no alérgicos y en cuya elaboración no ha intervenido ningún producto sintético o derivado del petróleo. Además, en su acabado se utilizan elementos naturales como la cera,[44] grasa, tierra[45] y extractos de árboles.

Fernando Cervigón es uno de los pintores especializados en una técnica que se llama el "trampantojo".[46] Una pared grande, una habitación oscura, un cuarto de
75 baño, son transformados con esta técnica, consiguiéndose paisajes en perspectivas, ventanas al mar, vistas idílicas.

Por último, la cosmética natural hace también furor.[47] Es el caso de los Body Shops que, provenientes de Inglaterra, se han implantado en España. Utilizan una proporción mínima de alcoholes, los tapones,[48] frascos[49] y etiquetas son biode-
80 gradables y en sus investigaciones no experimentan con animales. En España el producto que más se consume es todo lo que tenga zarzamora,[50] además de las sales de baño de frambuesa.[51]

¿Entendido?

Complete las frases siguientes según la lectura.

1. Tres cosas que perjudican el medio ambiente son...
2. Tres medidas que se están tomando para solucionar la contaminación ambiental incluyen:...
3. La agricultura ecológica consiste en...
4. Las lavadoras, frigoríficos y muebles que prefieren los españoles hoy día son...
5. La técnica pictórica del "trampantojo" tiene que ver con la ecología porque...

---

[39] **ha traído consigo** *has led to*   [40] **programas de lavado** *washing cycles*   [41] **apartado** = sección
[42] **impulsores** = promotores   [43] **macizos** = sólidos   [44] **cera** *wax*   [45] **tierra** *soil*   [46] **trampantojo**
trompe-l'oeil; lit. *trick of the eye*   [47] **hace furor** *is all the rage*   [48] **tapones** *bottle caps*   [49] **frascos** *botellas pequeñas*   [50] **zarzamora** *blackberry*   [51] **sales... frambuesa** *raspberry bath salts*

6. Como el color verde, "bio-" es un prefijo que utiliza la publicidad para...
7. Un tema relacionado con el medio ambiente que no menciona la lectura es...
8. Un cosmético "natural" es aquel que...

Y también evitar los incendios.

En mi opinión

Expresen su opinión sobre el tema de la ecología contestando las preguntas siguientes en grupos.

1. ¿Qué efecto tiene, o ha tenido, la publicidad en nuestra preocupación por el medio ambiente? ¿Sabes lo que es el turismo rural? ¿Conoce Ud. organizaciones interesadas en la preservación del medio ambiente? ¿Cuáles?

2. ¿Por qué razón se emplean productos químicos en la agricultura? ¿Cómo pueden saber los consumidores el método de producción de ciertos alimentos? ¿Procura Ud. comprar productos naturales?

3. ¿Cree Ud. que la situación del medio ambiente debe tener prioridad sobre otras cuestiones políticas y sociales? Ponga las siguientes en orden de importancia y mencione algunas otras que sean más y/o menos importantes.
   a. los programas especiales de educación para niños/as muy inteligentes
   b. la deuda externa
   c. la construcción de armas para la defensa nacional
   d. la subvención de las artes

4. ¿Qué responsabilidad debe tener el individuo, el gobierno, los negocios, en cuanto a la recuperación del medio ambiente? Explique y dé ejemplos mencionando especialmente las medidas que se han tomado en su escuela o universidad.

Estrategias comunicativas para expresar preferencias

Personalmente yo prefiero...	Personally I prefer . . .
Para mí...	In my opinion . . .
A mí me parece mejor que...	I think it is better to . . .
Me gusta más...	I like . . . better
Después de pensarlo he decidido que...	After thinking about it I have decided that . . .

En (inter)acción

1. En pequeños grupos, comenten algunas de sus preferencias personales con respecto a la ecología o cualquier otro tema de actualidad usando las expresiones de **Estrategias comunicativas.**

2. En grupos de tres estudiantes, preparen una lista de tres productos ecológicos que podrían existir en el futuro. Después, preparen un anuncio televisivo o radiofónico para promocionar uno de ellos. Y por último, preséntenlo a la clase.

3. La clase se divide en dos grupos y cada miembro debe contestar sí o no a las siguientes recomendaciones ecologistas. Al final del ejercicio, se escriben en la pizarra los resultados obtenidos y se decide qué grupo es más verde. Cada respuesta afirmativa vale un punto.

¿Hasta qué punto es Ud. "verde"?	Sí	No
1. Tiende (Hang up) la ropa en lugar de usar la secadora eléctrica.		
2. No acepta bolsas (bags) de plástico cuando puede llevar en la mano lo que acaba de comprar.		
3. Se ducha en vez de bañarse.		
4. Usaría para sus hijos o hermanos pañales (diapers) lavables en casa.		
5. Escribe en las dos caras de una hoja de papel.		
6. Va en autobús o andando al trabajo o a la universidad y no en coche.		
7. Reserva una parte de su jardín para residuos orgánicos.		
8. No acepta frutas y verduras cultivadas con productos químicos.		
9. Planta un árbol todos los años.		
10. No emplea platos o vasos de papel en los picnics.		
11. Recicla aluminio, papel, vidrio y plástico.		
12. Usa sales de frambuesa en el baño.		
13. Sabe qué significa la regla de las tres erres (RRR).		

4. Primero, lean los siguientes consejos ecologistas. Luego, cada un/a de los/las estudiantes debe darle a la clase otro consejo que también contribuya como los anteriores a la preservación del medio ambiente.

Ejemplo: No gasten agua lavando el coche. Esperen a que llueva.

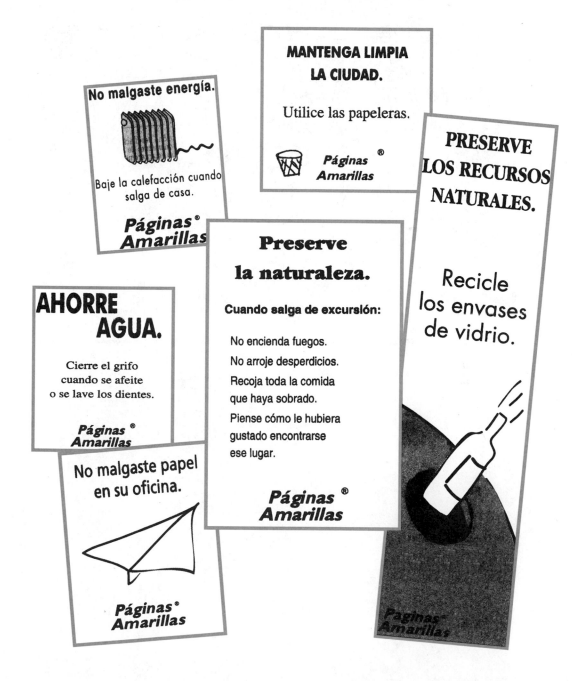

5. Clasifiquen los objetos siguientes en cuatro grupos: a. reciclables, b. no reciclables, c. biodegradables, d. contaminantes.

Izadia arriskuan dago. ¡ZAIN EZAZU!

Este mensaje ecologista en vasco dice:
"La naturaleza está en peligro. ¡Cuídala!"

Práctica gramatical

Repaso
gramatical:
El presente
perfecto
(*Cuaderno*, pág. 25)
El pluscuam-
perfecto
(*Cuaderno*, pág. 25)
Los números
(*Cuaderno*, pág. 25)

1. En parejas, digan lo que había ocurrido antes de la acción que presentan las frases siguientes.

   Ejemplo: Cuando oí decir que las pilas *(batteries)* contaminaban...
   ya las había tirado a la basura.

   a. Cuando vinieron los basureros hoy ya...
   b. Cuando acepté un empleo en un parque nacional ya...
   c. Cuando por fin aprendí a hacer hamburguesas vegetales ya...
   d. Cuando decidí cultivar mis propios vegetales ya...
   e. Cuando empezaron a comprar cosméticos que no usan animales en la investigación ya...

2. En parejas, contesten las siguientes preguntas con números aproximados.

   a. ¿Cuántas veces al mes cena en un restaurante?
   b. ¿Cuántas millas tiene su auto?
   c. ¿Cuántos cheques escribe al año?
   d. ¿En qué año empezó a estudiar en la universidad?
   e. ¿Cuántos refrescos toma al mes?
   f. ¿Cuál es el número de su casa, de su teléfono?

Creación

Escriba un diálogo entre un padre y su hijo sobre el futuro incierto del planeta.

ALGÚN DÍA, HIJO MÍO, ESTA ANGUSTIA ANTE EL FUTURO, SERÁ TUYA

¿Por qué causa
angustia el futuro?

Phrases:	Asserting & insisting; Denying; Expressing conditions
Grammar:	Verbs (compound tenses); Progressive tenses; Adjective position
Vocabulary:	Automobile; Stores & products; Materials

En el fondo todos los seres humanos somos iguales, es decir, compartimos el mismo ciclo de vida, idénticas necesidades básicas. Por eso resulta sorprendente la infinidad de formas de vivir presentadas por las distintas culturas.

Cuando somos pequeños pensamos que sólo hay un modo de hacer las cosas: el nuestro. Crecer es darnos cuenta de las opciones. Sin duda lo que nos es familiar es la norma que siempre usamos para medir otras costumbres y que el encuentro con una cultura diferente nos puede resultar desconcertante. Pero el mundo multicultural en que vivimos exige conocimiento y respeto por otras tradiciones que siempre acaban por enriquecer la propia.

Enfrentarse a lo desconocido implica siempre un replanteamiento *(rethinking)* de nuestra identidad y una revaloración de la propia cultura. La adaptación a un nuevo ambiente es un proceso tan interesante como lento. Así lo reconoce el famoso proverbio árabe cuando dice, refiriéndose a cualquier tipo de evolución psicológica/mental/espiritual, que "el alma viaja siempre a la velocidad de un camello".

El cuarto capítulo, **Así somos,** reúne algunos aspectos culturales significativos de las naciones que componen el mundo hispánico. La primera lectura es una breve selección de Carlos Fuentes sobre "La doble fundación de Buenos Aires" donde se pone de manifiesto el choque entre las culturas indígenas y la europea desde el comienzo de la conquista. La lectura siguiente contrasta España e Hispanoamérica en cuanto al uso del español ("Dime cómo hablas y te diré de dónde eres"). En la tercera lectura, "¡Qué guay!", establecemos algunas diferencias entre el mundo hispánico y los Estados Unidos, basadas en las frases hechas que demuestran que hablar español no es solamente una forma diferente de hablar sino todo un modo distinto de mirar a la vida.

En el quinto capítulo, **Así nos vemos / Así nos ven,** exploramos los estereotipos que son siempre el punto de partida cuando nos enfrentamos con el otro. Nuestra intención es desarrollar una conciencia de la presencia generalizada, y a veces insidiosa, de estas nociones. La primera lectura, "Hamburguesas y tequila", pretende cuestionar la validez de los estereotipos. En "El eclipse" tenemos una ilustración palpable del error que supone juzgar a otros de acuerdo con una imagen estereotipada. Finalmente, en "La historia de mi cuerpo", una escritora nacida en Puerto Rico debate las diferencias entre cómo ella se ve a sí misma y la manera en que personas de procedencia cultural distinta la ven.

En **Aquí estamos: los hispanos en EE UU,** el capítulo seis, se incluyen ejemplos concretos de las experiencias de inmigrantes y exiliados de origen hispano. Es fundamental tener una imagen clara de estos grupos por dos razones principales. Para empezar, casi siempre el primer contacto de muchos norteamericanos con la cultura hispánica es a través de ellos. Por otra parte los hispanos son una presencia muy visible ya, y a principios del nuevo milenio constituirán la minoría más grande de los Estados Unidos. Las selecciones exploran ángulos diferentes de la emigración. Este es un tema común a los hispanos de todas las naciones tanto a los que han venido por un período corto de tiempo, como a los que hace muchos años se han asentado *(settled)* definitivamente en Estados Unidos. "¡Ay, papi, no seas coca-colero!", "*In Between*", y los poemas "Nocturno chicano" y "Canción de la exiliada" constituyen ejemplos de reacciones a la nueva cultura, de las etapas en el acercamiento y la asimilación.

Que yo sepa

La clase se divide en dos grupos para debatir los temas siguientes. Luego ambos deben presentar sus ideas al resto de la clase.

1. Se ha dicho que Estados Unidos tiene tantos ingredientes como la salsa Heinz 57. No hay duda de que es el país multicultural por excelencia, en el sentido de que representa una impresionante mezcla de grupos étnicos y nacionales. ¿Cuáles cree Ud. que son algunos componentes perdurables de esa mezcla? Es decir, ¿qué grupos han influido más decisivamente en lo que es Estados Unidos hoy?

2. Según Mark Twain, la característica principal de sus compatriotas es su pasión por el agua con hielo. ¿Qué le parece a Ud. lo más auténticamente norteamericano? ¿Cuáles son algunas de las contribuciones de Estados Unidos a la cultura mundial?

3. ¿Cuáles son algunas costumbres que proceden de otras culturas pero que ahora forman parte de la vida norteamericana? Piense por ejemplo, en comidas, tipos de música o deportes.

4. Aparte de simple curiosidad y deseo de aventura, ¿tiene algún valor aprender sobre y/o experimentar otras culturas? ¿Cuál sería?

5. ¿Está de acuerdo Ud. con la frase de Anaïs Nin que dice que "no vemos las cosas como son, sino que las vemos como somos"? ¿Qué quiere decir?

6. ¿Qué le sugieren los dos tipos de cartas que aparecen en la página anterior? ¿Se le ocurren otras maneras de mostrar visualmente las diferencias entre la cultura hispana y la norteamericana? Mencione tres.

Así somos

Así somos

http://aquesi.heinle.com

La doble fundación de Buenos Aires

Carlos Fuentes

Carlos Fuentes (1928, México) es autor de una extensa obra, principalmente ensayos y novelas, que le ha merecido reconocimiento internacional. Como parte de la conmemoración del quinto centenario de la llegada de Colón al Nuevo Mundo (1992), Fuentes escribió *El espejo enterrado,* y sirvió de narrador en la versión filmada. En el libro/documental Fuentes resume la historia de España y de los países de América Latina, y aprovecha la oportunidad para reflexionar sobre muchos de los temas planteados *(brought about)* por el encuentro entre culturas.

La lectura, procedente de *El espejo enterrado,* tiene que ver con la curiosa historia de la fundación de Buenos Aires por los conquistadores españoles.

► Palabra por palabra

País	Capital	Nacionalidad°
Argentina	Buenos Aires	argentino/a
Bolivia	La Paz / Sucre	boliviano/a
Chile	Santiago	chileno/a
Colombia	Bogotá	colombiano/a
Costa Rica	San José	costarricense
Cuba	La Habana	cubano/a
Ecuador	Quito	ecuatoriano/a
El Salvador	San Salvador	salvadoreño/a
España	Madrid	español/a
Guatemala	Ciudad de Guatemala	guatemalteco/a

Honduras	Tegucigalpa	hondureño/a
México	México D.F.	mexicano/a
Nicaragua	Managua	nicaragüense
Panamá	Ciudad de Panamá	panameño/a
Paraguay	Asunción	paraguayo/a
Perú	Lima	peruano/a
Puerto Rico	San Juan	puertorriqueño/a
República Dominicana	Santo Domingo	dominicano/a
Uruguay	Montevideo	uruguayo/a
Venezuela	Caracas	venezolano/a

° **¡Ojo!** Noten que la nacionalidad se escribe siempre en letra minúscula *(lowercase)* en español.

Mejor dicho

quedar (le)° **a uno/a**	*to have left*	Me **quedan** sólo dos días de vacaciones.
quedarse	*to stay, remain somewhere*	¿Cuánto tiempo **se han quedado** en Caracas?
quedarse + adj.	*to turn, become suddenly or gradually*	Ali **se quedó** muda *(speechless)* de la sorpresa. Pepe **se quedará** calvo *(bald)* muy pronto.

° **¡Ojo!** Se usa exclusivamente en tercera persona y la estructura es como la de **gustar.**

tomar	*to drink, intake*	Siempre **tomaba** Coca-Cola en el desayuno.
	to take a form of transportation (train, bus, plane, taxi)	**Tomaremos** el tren de las 10 de la mañana.
llevar°	*to carry, take (someone or something somewhere)*	Le **he llevado** el manuscrito al editor de Buenos Aires.
traer°	*to bring (someone or something somewhere)*	¿Podrías **traerme** las fotos cuando vengas a casa hoy?

° **¡Ojo!** El uso depende de la posición de quien habla:

from here to there = llevar
from there to here = traer

Práctica

1. ¿Quién lo sabe? Todos/as los/las estudiantes se ponen de pie y el/la profesor/a menciona un país. Un/a estudiante debe mencionar la capital y el/la siguiente la nacionalidad. Quien lo diga bien, puede sentarse.

Ejemplo: PROFESOR/A: Estados Unidos
          ESTUDIANTE 1: norteamericana/o
          ESTUDIANTE 2: Washington, D.C.

Si disponen de mapas en clase, el/la profesor/a o un/a estudiante debe señalar los países a la vez que se nombran durante el ejercicio.

2. Categorías. Con toda la clase decidan cinco categorías (ríos, escritores, puertos, etc.) y cinco letras del alfabeto. Luego, divididos en grupos de cuatro, traten de rellenarlas con la mayor cantidad de datos posibles pertenecientes al mundo hispánico.

letra	categoría	categoría	categoría	categoría	categoría

3. En parejas, miren la siguiente lista de zonas de un barco transatlántico y hagan una agenda para un día a bordo. Utilicen las palabras de **Mejor dicho.**

Ejemplo: Yo quiero llevar a mi novia a bailar. → de 11 a 2 de la madrugada en la discoteca

bar	restaurante	boutique	cafetería	cocina
discoteca	casino	salón de vídeo	piscina	gimnasio
vestíbulo	veranda	salón de música	cubierta *(deck)*	

4. Digan algunas de las cosas que sus padres les han traído de un viaje y si les han gustado o no.

Alto

1. Antes de leer sobre la fundación de Buenos Aires, recuerde todo lo que sabe de esta ciudad para incorporar a ello la nueva información. Luego lea la última frase del texto y trate de adivinar *(guess)* qué aspectos se van a presentar.

2. ¿Qué es lo que le llama más la atención cuando visita una nueva ciudad?

3. A medida que lee, busque diez cognados en el texto y luego escríbalos abajo.

_____   _____   _____

_____   _____   _____

_____   _____   _____

_____

4. ¿Qué es un mito (myth)? ¿Para que sirven?

Avenida
9 de Julio

La doble fundación de Buenos Aires

Carlos Fuentes

Esta ciudad fue fundada dos veces sobre las riberas del Río de la Plata. La primera vez en 1536, por Pedro de Mendoza. Llegó al Río de la Plata en búsqueda de más oro, en cambio encontró fiebre, hambre y muerte. Los indios de estas regiones sureñas eran pobres y no les tenían miedo ni a los caballos ni a las escopetas.[1]
5 Atacaron las fortificaciones españolas noche tras noche.

Quizás la única consolación para los españoles es que a esta expedición vinieron muchas mujeres, algunas de ellas disfrazadas de hombres. Prestaron servicios como centinelas,[2] animaron los fuegos[3] y, como escribió una de ellas,

---

[1] **escopetas** = rifles   [2] **Prestaron... centinelas** = Sirvieron de guardias   [3] **animaron los fuegos** *stoked the fires*

"comemos menos que los hombres". Pero pronto no había nada que comer; los
10 españoles devoraron las suelas[4] de sus botas y, se rumoreó, incluso canibalizaron
a sus muertos. Mendoza murió de sífilis y fue arrojado[5] al río. Acaso el único oro
jamás visto aquí fue el de los anillos[6] en los dedos del explorador al hundirse en
el turbio[7] Río de la Plata. Buenos Aires fue quemada y abandonada. La primera
fundación fue un desastre, el más grande de cualquier ciudad española de las
15 Américas. Pero 44 años más tarde, un sobrio administrador llamado Juan de
Garay, descendió de Asunción por el río Paraná y fundó Buenos Aires por segunda
vez, pero, en esta ocasión, la ciudad fue dispuesta a escuadra[8] y concebida no
como una población de aventureros y buscadores de oro, sino como ciudad del
orden, el trabajo y la eventual prosperidad, todo lo cual Buenos Aires llegó a ser.
20   La doble fundación de Buenos Aires sirve para dramatizar dos impulsos de la
colonización española en el Nuevo Mundo. Uno de ellos se fundó en la fantasía, la
ilusión, la imaginación. Los conquistadores fueron motivados no sólo por el hambre del oro, la fiebre del Perú, como se le llamó, sino por la fantasía y la imaginación. Se convencían fácilmente de ver ballenas con tetas[9] femeninas y tiburones
25 con dos penes,[10] peces voladores y playas con más perlas que arenas en ellas.
Cuando lograban ver sirenas,[11] sin embargo, podían comentar irónicamente que
no eran tan bellas como se decía. Pero su búsqueda de las fieras guerreras del
mito (las amazonas) les condujo por el largo camino desde California, así llamada
en honor de la reina amazona Califia, a la fuente misma del río más grande de la
30 América del Sur. ¿Se equivocaron en su búsqueda de la fuente de la juventud en
Florida, la tierra de las flores explorada por Ponce de León? La búsqueda paralela
de El Dorado, el jefe indio pintado en oro dos veces al día, les condujo en cambio
hasta Potosí, la mina de plata más grande del mundo. Y la búsqueda de las fabu-
losas siete ciudades de Cíbola llevó a Francisco de Coronado en su dramática
35 peregrinación hasta el descubrimiento de Arizona, Texas y Nuevo México.
    Jamás encontraron las ciudades mágicas. Pero, como lo demostró la segunda
fundación de Buenos Aires, fueron capaces de fundar las verdaderas ciudades, no
las del oro, sino las de los hombres.

¿Entendido?

Identifique los términos siguientes de acuerdo con la lectura.

1. Potosí   **3.** Río de la Plata   **5.** la fiebre del Perú   **7.** Las amazonas

2. El Dorado   **4.** Juan de Garay   **6.** Ponce de León

---

[4] **suelas** *soles*   [5] **fue arrojado** *was thrown*   [6] **anillos** *rings*   [7] **turbio** *muddy*   [8] **dispuesta a escuadra** =
planificada   [9] **ballenas con tetas** *whales with breasts*   [10] **pene** = órgano sexual masculino   [11] **sirenas**
mermaids

En mi opinión

En grupos de tres estudiantes, discutan lo siguiente.

1. Los exploradores/colonizadores no siempre encuentran lo que esperan. Discutan otros ejemplos de ese tipo de experiencia (por ejemplo, la fiebre del oro en EE UU o los viajes al espacio).

2. ¿Cuándo se conoce bien un país o una ciudad? Hagan una lista de tres factores mínimos esenciales. Luego mencionen tres lugares de Estados Unidos que deben ser declarados Patrimonio de la Humanidad, es decir, lugares de gran valor histórico protegidos legalmente.

3. Hay varios términos distintos para referirse al bloque de naciones hispano-hablantes del Nuevo Mundo: Latinoamérica, Hispanoamérica, Iberoamérica, Centro y Sur América. ¿Podrían explicar las diferencias entre ellos?

4. ¿Han viajado por alguno de los países hispánicos? ¿Cuál(es)? ¿Cuándo? Comenten sus impresiones. Y si no lo han hecho, ¿cuál de ellos les gustaría conocer? ¿Por qué? ¿Vale la pena salir de los Estados Unidos cuando es tec-nológicamente el país más avanzado del mundo? ¿Por qué? ¿Qué pueden ofrecernos otros países?

5. ¿Pueden reconocer a qué país/ciudad hispánica pertenecen las cuatro fotos que siguen?

Estrategias comunicativas para pedir instrucciones de cómo llegar a algún sitio

¿Dónde queda... ?	*Where is (it located)?*
¿Por dónde voy hacia... ?	*Which is the way to . . . ?*
¿Me puede decir cómo llegar a... ?	*Can you tell me how to get to . . . ?*

... y para dar instrucciones de cómo llegar a algún sitio

Siga todo derecho hasta...	*Go straight ahead until . . .*
Tienes que doblar a la derecha/izquierda...	*You have to turn right/left . . .*
Dé la vuelta y suba por la primera calle...	*Turn around and go up the first street . . .*

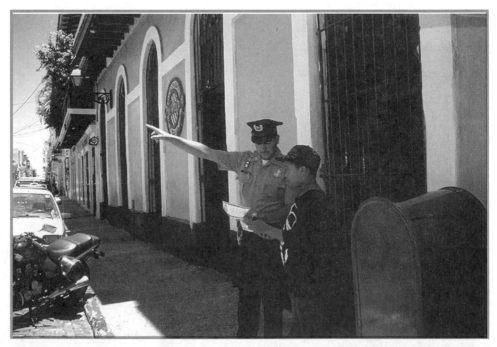

¿Dónde queda la gasolinera?

En (inter)acción

1. Consulten el plano de Sevilla a continuación. Supongan que se encuentran en el Hotel Don Paco y, utilizando las **Estrategias comunicativas,** tengan un diálogo en parejas sobre cuál es el camino más corto para llegar hasta...

   a. la estación del ferrocarril (FF.CC.) Santa Justa
   b. la Giralda
   c. la Plaza de toros (la Maestranza)

El alma de Sevilla, su esencia, reside en su centro histórico. Y en él, rodeado de un rico entorno monumental, está HOTEL DON PACO.
Esta privilegiada situación en pleno corazón de la ciudad, le permitirá vivir Sevilla intensamente, saborearla a fondo.
El Hotel está dotado de 220 confortables Habitaciones, todas con TV vía satélite, música ambiental, teléfono, aire acondicionado y caja fuerte.

Además cuenta con Restaurante Buffet, Salones para Reuniones de Empresa, Piscina, Garaje propio y Parking público de 400 plazas muy próximo.
Usted también puede disponer de servicio de Telex y Fax.
A sólo cinco minutos del Hotel está la Estación de ff.cc., y a diez, el Aeropuerto.
HOTEL DON PACO contribuirá a que su visita a Sevilla -profesional o turística- sea inolvidable.

2. **Sabelotodo.** A continuación se mencionan algunos lugares o productos importantes de Centro y Sur América. Con la clase dividida en dos grupos, digan con qué país se pueden asociar y/o localícenlos en el mapa. (Texto, págs. xxii–xxiv)

a. cataratas de Iguazú _____

b. pirámides de Teotihuacán _____

c. esmeraldas _____

d. cerveza Tecate _____

e. llamas _____

f. vinos Concha y Toro _____

g. animales prehistóricos _____

h. pampas _____

i. flores _____

j. canal _____

3. **Sueños de aventuras.** Lean la propaganda turística siguiente y decidan cuál de estos lugares prefieren visitar y por qué.

MACHU PICCHU

Una excursión inolvidable a Machu Picchu, "La Ciudad Perdida de los Incas". Traslado a la estación para un viaje en autovagón a través del Valle Sagrado de los Incas. Visita guiada de la maravillosa ciudadela incluyendo el Reloj Solar, el Templo de las Tres Ventanas, el Torreón Circular y otros puntos notables. Disfrute del almuerzo en la Hostería de Machu Picchu antes de regresar a Cuzco y al hotel.

VALLE SAGRADO

Excursión al Valle Sagrado de los Incas, a una hora del Cuzco, salpicado de típicas aldeas andinas tal como Pisac, con su colorido mercado indio. Disfrute del almuerzo en una posada campestre y por la tarde explore la magnífica fortaleza de Ollantaytambo.

MERCADO DE CHINCHERO EN LA PLAZA INCA

Visita a la aldea de Chinchero y su mercado indígena, el más colorido en la zona del Cuzco. Admire el muro incaico de excelente factura en la plaza principal que fuera importante marco para sus festividades religiosas.

Aprecie también su iglesia que data de la época virreinal con interesantes frescos en el pórtico. Disfrute del almuerzo en una posada campestre y por la tarde explore la magnífica fortaleza de Ollantaytambo.

CIUDAD Y RESTOS ARQUEOLOGICOS ALEDAÑOS

Por la tarde visita a los monumentos históricos de la ciudad, la Plaza de Armas, la Catedral, convento de Santo Domingo (Templo de Koricancha) y los restos arqueológicos aledaños de los Baños del Inca de Tambomachay, el Anfiteatro de Kenko, Puca Pucara y la fortaleza de Sacsayhuaman que domina la ciudad del Cuzco.

CUZCO DE NOCHE

Un agradable recorrido por el pintoresco barrio de San Blas prosiguiendo hacia la Plaza de Armas para ver la Catedral de la ciudad y otros hermosos monumentos históricos. Disfrute de una fiesta andina con un excelente espectáculo folklórico mientras saborea una cena en un animado restaurante típico.

4. **Supongo, querido Watson, que...** Una amiga ha vuelto de un viaje por tierras hispanas. Observen los billetes (recibos, entradas) que ha traído y digan qué hizo en cada uno de estos lugares.

5. Relacionamos la cultura no solamente con la geografía sino también con la gente, ya que personas destacadas de todo tipo ayudan a definir lo que representa "ser" de algún sitio específico. ¿Pueden mencionar algunos hispanos famosos?

6. Inventen una historia fantástica para explicar la fundación de la ciudad en la que viven ahora. Pueden hacer referencias a la mitología clásica. Luego, preséntensela a la clase.

Práctica gramatical

Repaso
gramatical:
Las expresiones
de comparación:
igualdad y
desigualdad
(segundo repaso)
(*Cuaderno,* pág. 27)
El superlativo ab-
soluto y relativo
(segundo repaso)
(*Cuaderno,* pág. 27)

En pequeños grupos, hagan tres comparaciones de igualdad y tres de desigualdad entre algunos de los países hispanos que aparecen abajo usando las categorías siguientes: grande, pequeño, largo, montañoso, tropical, turístico, lejano, remoto. Enlacen los países que han comentado con un círculo y luego otros grupos pueden tratar de adivinar la comparación que han hecho.

Ejemplo: Perú y Chile
Perú es menos largo que Chile.

Colombia

Honduras   Chile

Ecuador   Panamá

España   Cuba

México   Perú

Bolivia   Venezuela

Argentina

Creación

Prepare el itinerario de un viaje de una semana por América del Sur. Debe visitar por lo menos dos países y tres ciudades. Especifique los sitios que desea visitar en cada una de las zonas y por qué. Puede obtener toda la información en Internet.

Phrases:	*Expressing intentions; Hypothesizing; Planning a vacation*
Grammar:	*Adjectives; Nouns; Interrogatives:* dónde
Vocabulary:	*Names of animals; Direction & distances; Geography*

Dime cómo hablas y te diré de dónde eres

La lengua es una entidad viva y dinámica que cambia y evoluciona constantemente. Por eso se ha llegado a decir, medio en broma medio en serio, que Inglaterra y Estados Unidos son dos naciones separadas por un mismo idioma. Este dinamismo es la causa de diferencias no sólo entre distintos países que hablan el mismo idioma, sino también entre diversas regiones del país, o entre personas de diferentes generaciones, profesiones y niveles de educación.

A continuación se presentan algunas de las diferencias, que ocurren principalmente en el lenguaje cotidiano, entre el español hablado en España y el de algunos países de Latinoamérica.

▶ Palabra por palabra

cotidiano/a	*daily*
la **creencia**	*belief*
el **disparate**	*nonsense*
equivocarse	*to make a mistake*
insultar	*to insult*
el **orgullo**	*pride*
por otro lado	*on the other hand*
sabroso/a	*tasty*
la **tarea**	*task, homework*

▶ Mejor dicho

(ser) confuso/a	*to be unclear, confusing (inanimate subject)*	Estas instrucciones para armar la bici **son** muy **confusas.**
(estar) confundido/a	*to be mixed up, wrong, confused (animate subject)*	Después de leer a Kant **estábamos** completamente **confundidos.**

tratar (a alguien)	*to treat (someone)*	¿Cómo **te está tratando** la vida últimamente?
tratar de + inf.	*to try to*	Siempre **he tratado de** no ser pesado.
tratar de + sust.	*to deal with*	¿De qué **trata** la novela?
tratarse de	*to be a question of*	**Se trataba de** ganar el campeonato.

Práctica

En pequeños grupos, hagan lo indicado a continuación.

1. Digan antónimos o sinónimos para cinco palabras o más del vocabulario.

Ejemplo: alto → bajo (antónimo)
fuerte → musculoso (sinónimo)

2. Digan lo que tratan de hacer en estas circunstancias.

a. Estás en el cuarto de baño y alguien necesita entrar urgentemente.
b. Estás hablando por teléfono en una cabina pública y alguien quiere llamar.
c. Vas por la calle y ves a un niño que se acaba de caer de la bicicleta.
d. Tienes que llegar rápidamente a casa y en la autopista el tráfico es horrible.
e. Llegas tarde al aeropuerto y pierdes el vuelo.

3. Rey/Reina por un día. Digan cómo les gustaría que los/las trataran un día muy especial.

Ejemplo: Quiero que me traten con cariño.

4. Trabajando en parejas, relacionen las expresiones **es confuso / está confundido** con las situaciones que aparecen a continuación.

Ejemplo: Desde el accidente mi vecino tiene amnesia.
Está muy confundido.

a. Santiago contestó que "blanco" se dice *black* en inglés.
b. El timbre del teléfono acaba de despertar a Iván de un profundo sueño.
c. Al trabajo escrito de Carola le faltan páginas.
d. Hay dos exposiciones de pintura y Gabriel no sabe a cuál ir.
e. El uso del subjuntivo depende de múltiples factores.

Alto

1. Fijándote en las primeras oraciones de cada párrafo, presta atención a la estructura del texto, es decir, el orden en que se presentan las ideas principales. Subráyalas.

2. La lengua a veces causa situaciones cómicas o confusión, por ejemplo, cuando una palabra tiene más de un significado. ¿Cuál sería un ejemplo?

3. ¿Tienes dificultad en entender a alguien cuando habla inglés? ¿A quién y por qué? ¿Entenderían tus abuelos todo lo que dicen tus amigas/os?

¿En serio?

Dime cómo hablas
y te diré de dónde eres

Algunas personas consideran a los hispanos un grupo homogéneo por el hecho de hablar la misma lengua. Para darnos cuenta del disparate que representa tal percepción bastaría aplicar la misma regla a Inglaterra y Estados Unidos. Aunque sin duda existen muchas semejanzas, estos países distan de poseer costumbres y
5 creencias idénticas. En el mundo hispano la situación se complica aún más por tratarse de veinte países. Al viajar por ellos o conocer a personas de España o de Latinoamérica las diferencias se hacen inmediatamente evidentes. Una de las más sutiles e interesantes es el uso del español, que da cabida a[1] múltiples acentos y palabras locales dentro de una sola lengua.

10 Para averiguar de dónde es un hispanohablante, observe cómo pronuncia pa- labras como **za**pato, **ce**rdo, **ci**nco, **zo**ológico y **zu**rdo. Si pronuncia el primer sonido como /z/ (esto es, como la "th" de *think),* no hay duda que se trata de un español (excepto de Andalucía y de las islas Canarias). Pero si escuchó /s/ en su lugar, entonces la persona puede ser de cualquier país de Latinoamérica, de
15 Andalucía o de las islas Canarias. Al fenómeno lingüístico de pronunciar za, ce, ci, zo, zu como sa, se, si, so, su, se llama "seseo".[2]

El seseo crea situaciones ambiguas y a veces cómicas. Imagínese el diálogo tan absurdo que pueden tener dos hispanohablantes en el caso de que uno le comu- nique al otro que "se va a casar". Aunque puedan sonar igual, "casar/se" *(to marry)*
20 y "cazar" *(to hunt)* son dos actividades bastante diferentes.

---

[1] **da cabida a** *has room for*   [2] El fenómeno de pronunciar la /s/ como /z/ (señor como "ceñor" /th/) se llama "ceceo" y se limita a unas pocas zonas de Andalucía.

En segundo lugar, preste atención a los pronombres y las formas verbales. Si charlando con sus amigos una persona se dirige a ellos usando el pronombre "vosotros" o las formas verbales correspondientes "sois/tenéis/vivís/estáis", entonces puede asegurar sin miedo a equivocarse que la persona es española. En Latinoamérica, en las mismas circunstancias, se diría "ustedes son/tienen/viven/están". Por otro lado, si utiliza el singular "vos sós/tenés/vivís/estás" para la segunda persona en lugar de "tú eres/tienes/vives/estás", este individuo habrá nacido en un país centroamericano o en la región del Río de la Plata (Argentina, Paraguay y parte de Uruguay). Esta segunda peculiaridad lingüística se denomina "voseo" y se extiende por casi dos terceras partes del mundo hispanohablante.

En cuanto al vocabulario, si oye decir a alguien que no tiene "coche", pero sí "carnet de conducir", no puede ser más que de la Península Ibérica. En cambio, si oye decir que no tiene "carro", pero sí "licencia o permiso de manejar", indudablemente se trata de un latinoamericano.

Otras palabras que sitúan al hablante en el área europea o americana son:

"Vos" se usa en lugar de "tú" con familiares y amigos.

En Chile la distinción es de clase social: "vos" lo usa la gente de un nivel económico bajo.

España		Latinoamérica
sellos	*stamps*	estampillas
chaqueta	*jacket*	saco
fontanero	*plumber*	plomero
echar	*to throw out*	botar
zumo	*juice*	jugo
manzana	*(street) block*	cuadra
días de fiesta	*holidays*	días feriados

Aún podría ser más precisa la identificación geográfica del hispano, si el tema de
50 conversación fuera sobre los medios de transporte. Un mexicano mencionará la
palabra "camión", un paraguayo o un peruano "ómnibus", un cubano o un puertorriqueño "guagua",[3] un guatemalteco "camioneta", un argentino "colectivo", un español "autobús" y un colombiano "bus", para referirse todos al mismo tipo de
vehículo que puede transportar a más de 10 personas a la vez.

55 Sin duda alguna, dentro de los productos alimenticios es donde existe mayor
diversidad léxica en español y, por tanto, resulta ser el área más compleja. Pero,
por otro lado, es más fácil saber, mediante el uso de una palabra, dónde nació una
determinada persona. Si bien hay productos conocidos en todas partes con el
mismo sustantivo (por ejemplo, arroz), en otros casos la variedad léxica es sor-
60 prendente. Sirva como ilustración, el tipo de verduras conocido en inglés como
green beans; según el país o la región del mundo hispano, se llamarán judías verdes,
ejotes, vainitas, chauchas, porotos verdes, habichuelas, etc. A esta riqueza de vocabulario ha contribuido la incorporación al español de términos del quechua,
náhuatl, guaraní, es decir, de las lenguas habladas por los pobladores indígenas de
65 América.[4]

Aunque la multiplicidad de palabras que reciben ciertos productos puede crear
confusión, también resulta desconcertante el que dos hispanohablantes usen la
misma palabra para referirse a diversas entidades. Por ejemplo, si Ud. va a un
restaurante en Acapulco y pide "tortillas", el mesero le traerá unas sabrosas tor-
70 tas hechas de maíz; pero, si va a un bar de Barcelona y pide una "tortilla", el ca-
marero le servirá algo parecido a una pizza pero hecho de patatas y huevos, es
decir, una *omelette.* Más aún, si un mexicano intenta comer la comida típica de su
país, los tacos, en España, se enterará de que allí los tacos no se comen sino que
se dicen. Así se llaman las malas palabras. ¡La simple tarea de comer puede con-
75 vertirse en una aventura con estos obstáculos!

Otra manera de saber de dónde es alguien, es observar su reacción a ciertas
palabras cotidianas, aparentemente inocentes, como "tirar" *(to throw),* "fregar"
(to scrub), "coger" *(to take).* Si al oír alguno de estos términos la persona abre
desmesuradamente los ojos, se sonroja[5] o se ríe, es posiblemente porque para
80 ella estas palabras tienen connotaciones sexuales. Aunque el primer término tiene
más impacto en la zona central de los Andes (Bolivia, Perú, Ecuador), el segundo
en el cono sur (Chile, Argentina, Uruguay) y el tercero en México, estos vocablos
son también conocidos en otras partes de Latinoamérica.

---

[3] Cuidado con la palabra "guagua" pues en muchos lugares, excepto en estas islas del Caribe y en las Canarias,
significa "niño/a". [4] Algunas palabras del quechua son: coca, papa, alpaca; del náhuatl: chicle, tomate, chocolate;
del guaraní: piraña, ananá. [5] **se sonroja** *blushes*

Por último, los términos que se usan para insultar son a menudo peculiares de
85 ciertos lugares y por lo tanto útiles para distinguir entre los hispanohablantes. Por
supuesto, también sirven para otros propósitos. Además de los insultos internacionales, y posiblemente intergalácticos, como estúpido, idiota, imbécil o tonto,
existen otros más característicos de las regiones del mundo hispánico: en la zona
del Caribe "pendejo" (estúpido), en Chile y Perú "huevón" (lento, perezoso), en
90 Argentina "boludo" (tonto, pesado), en España "gilipollas" (estúpido).

Quizás, después de leer estas observaciones sobre el español, se encuentre Ud.
un poco desconcertado sobre el tipo de español que ha aprendido hasta el momento y se pregunte si le entenderán o no en algunos países de habla española.
En realidad, aproximadamente el 90 por ciento del español es común a todas las
95 naciones hispanohablantes. El 10 por ciento que es diferente se asimila fácilmente
viviendo en cualquiera de los países o conversando con personas procedentes de
esas regiones, quienes seguramente le explicarán con orgullo las peculiaridades de
su lengua.

¿Entendido?

Completa el cuadro a continuación de acuerdo con el contenido de la lectura.

peculiaridades lingüísticas	Latinoamérica	España
la pronunciación		
la gramática		

el vocabulario:
  ropa
  transportes
  insultos
  connotaciones sexuales
  otros ejemplos		

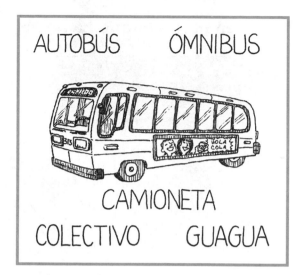

¿Qué indican estos
dos dibujos sobre
el uso del español?

En mi opinión

En grupos, contesten las preguntas siguientes.

1. Presten atención a la pronunciación de su profesor/a de español (y de otros hispanohablantes si fuera posible). Si es de origen hispánico, ¿pueden determinar
de dónde es? Si es de otra procedencia, ¿pueden notar si el español que ha
aprendido es peninsular (llamado también "castellano") o latinoamericano?
¿Cómo lo saben? ¿Es posible tener dos acentos distintos al mismo tiempo?

2. Así como ocurre en español, ¿cuáles son algunas palabras inglesas que significan algo diferente en Inglaterra, Estados Unidos y Australia? ¿Hay otras con
significados divergentes en distintas partes del mismo país?

3. ¿Qué impresión les causa el acento de una persona? ¿Tienen creencias estereotipadas de gente con acento sureño o de Nueva York o Boston, por
ejemplo?

4. ¿Qué opinión tienen del bilingüismo? ¿Creen que debe aprenderse más de una
lengua desde pequeño/a? ¿Debe ser obligatorio? ¿Qué les parece el Spanglish
que se habla cada vez más en lugares de grandes concentraciones de hispanos
como en el oeste de EE UU o en Miami?

Estrategias comunicativas para que alguien repita lo que ha dicho

Perdone, no lo/la entendí.	*Sorry, I did not understand you.*
¿Cómo has dicho?	*What did you say?*
¿Qué dice?	*What are you saying?*
¿Cómo?	*How's that?*

En (inter)acción

En parejas, hagan las actividades siguientes.

1. Lean en voz alta las siguientes oraciones según las pronunciarían una persona que sesea y otra que no lo hace.
   a. Cinco y cinco son diez.
   b. Me fascinan el arroz, los garbanzos y el azúcar.
   c. Hemos visto ciervos en el zoológico.

2. El anuncio de RENFE es muy ingenioso en términos de la ambigüedad del lenguaje. ¿En qué consiste su ingenio? ¿Cuáles son algunas ventajas de viajar en tren según este anuncio?

CONDUZCASE CON PRUDENCIA

ZONA DE SERVICIO

Comida, café, copa y vídeo.
Estos son los ingredientes de un viaje apetecible.
Mézclelos a su gusto. En tren.
En su próximo viaje estamos para servirle.
Sin parar.

OBRAS

Obras públicas para disfrutar en privado. Cómodamente.
No pare hasta llegar al final.
Hasta su destino.

TRANSPORTE ESCOLAR

Si tienes menos de 11 años, juega a los trenes en la guardería.
Si tienes más, disfruta de las ventajas que tiene el tren mientras tus hijos juegan.

RENFE

MEJORA TU TREN DE VIDA

3. Hablar por teléfono es de las cosas más difíciles para alguien que está aprendiendo una nueva lengua. Mantengan una conversación telefónica en español en la que un/a estudiante es un/a vendedor/a y el/la otro/a un/a posible cliente que tiene dificultad entendiendo lo que le dice. Usen algunas de las **Estrategias comunicativas.**

¿Sabes cómo contestar el teléfono en los veinte países en los que se habla español?

Práctica gramatical

Repaso
gramatical:
Los interrogativos
(*Cuaderno*, pág. 27)
Los exclamativos
(*Cuaderno*, pág. 28)
La nominalización
de los adjetivos
(*Cuaderno*, pág. 29)

1. **Un concurso.** La clase se divide en dos grupos. Cada grupo escribe cinco preguntas sobre Latinoamérica para hacérselas al otro grupo y ver cuál de los dos sabe más. Deben usar cinco palabras interrogativas diferentes.

   Ejemplo: —¿Qué idioma se habla en Brasil?
   —En Brasil se habla portugués.

2. **Sesión de chismes.** Hagan exclamaciones con adjetivos, sustantivos y adverbios sobre sus compañeros/as de clase o de residencia. Usen palabras exclamativas diferentes.

   Ejemplos: ¡Cómo me exasperan sus costumbres!
   ¡Qué disciplinada es!

3. Los/Las estudiantes se ponen de pie formando un círculo. Un/a estudiante empieza diciendo un sustantivo y a continuación el/la compañero/a que está a su derecha dice otro. Y así sucesivamente hasta que les haya tocado a todos/as varias veces. Durante el ejercicio, quien tarde en responder, se equivoque o repita un sustantivo, pierde y se debe sentar. Luego pueden hacer lo mismo con adjetivos. •[Se puede hacer el ejercicio usando una letra del alfabeto. Es decir, sustantivos que empiecen con A, adjetivos que empiecen con B, etc.]

4. **Nominalizaciones.** En grupos de tres estudiantes, uno/a empieza diciendo un sustantivo, otro/a añade un adjetivo y el/la tercer/a añade otro adjetivo precedido del artículo definido.

   Ejemplo: ESTUDIANTE 1:   el coche
   ESTUDIANTE 2:   el coche rojo
   ESTUDIANTE 3:   el coche rojo y el blanco

Creación

A continuación hay una lista de expresiones que usa la juventud española. Usando algunas de ellas, y otras palabras aprendidas en esta lectura, invente un diálogo entre un/a chico/a español/a y un/a hispanoamericano/a que no se entienden. Decida dónde ocurre el encuentro (en la calle, en un bar, en un museo) y sobre qué están hablando. Escriba al menos 6–7 frases para cada uno de los/las interlocutores.

alucinante	*wild*	**asfixiado/a**	*penniless*
bocata	*sandwich*	**pasarlas canutas**	*to have a rough time*
ponerse ciego/a	*to get drunk*	**colgado/a**	*stoned*
currar	*to work*	**fardar**	*to brag*
flipar	*to flip over something*	**tío**	*guy*
pelas	*pesetas*	**follón**	*problem*
litrona	*a liter/bottle of beer*	**pasta**	*money*
talego	*jail*	**ligar**	*to pick up with sexual intentions*

Phrases: *Apologizing; Attracting attention; Making an appointment*
Grammar: *Prepositions; Articles: definite & indefinite*
Vocabulary: *Traveling; Senses; Telephone*

¡Qué guay!

El estudio de los refranes (y expresiones idiomáticas) del español y del inglés constituye otra manera de apreciar las diferencias culturales. Los refranes son dichos populares que se transmiten de generación en generación y que contienen enseñanzas, consejos, advertencias útiles para todo el mundo. Pero si los analizamos con detenimiento, descubriremos que los refranes revelan también aspectos característicos de la sociedad en que han surgido, como son sus valores, su actitud hacia la vida, su percepción de la existencia humana y muchas cosas más.

▶ Palabra por palabra

acostarse (ue) (con)	*to go to bed, lie down, sleep with*
destacar	*to highlight, stand out*
estrenar	*to use for the first time, debut a film or play*
la **expresión idiomática**	*idiom*
el **refrán**	*saying*
la **trampa**	*trap*
valer la pena	*to be worthwhile*

▶ Mejor dicho

pensar + inf.	*to intend or plan*	Nunca **había pensado estudiar** arquitectura.
pensar en	*to have something or someone in mind, think about*	Deberíamos **pensar** más **en** las consecuencias de nuestras acciones.
pensar de°	*to have an opinion about*	¿Qué **piensas de** los tatuajes *(tattoos)*?

° **¡Ojo!** Para contestar preguntas con esta estructura se usa **pensar que.**

próximo/a	*next (for future actions)*	Iremos de vacaciones la **próxima** semana.
siguiente	*next (for past actions)*	Fuimos de vacaciones a la semana **siguiente.**

Práctica

1. En parejas, comenten:
   a. Lo que más destaca de su aspecto físico y de su personalidad.
   b. Lo que hizo para estrenar su libertad en la universidad.
   c. Algunas expresiones idiomáticas o palabras que le irritan.
   d. La hora a la que se acuesta generalmente.
   e. Algo en que piensa a menudo y por qué.
   f. Algunas cosas sobre las cuales no sabe qué pensar.
   g. Lo que piensa hacer después de graduarse.
   h. Lo que considera una trampa.

2. Pregúntele a un/a compañero/a qué piensa hacer...

a. el próximo fin de semana
b. el próximo verano
c. las próximas Navidades
d. la próxima vez que llueva
e. los próximos cinco años

y qué hizo al día siguiente de...

f. tener su primer coche
g. tener su primer accidente
h. llegar a la universidad
i. quedarse sin ropa limpia
j. empezar una dieta

Al final, pueden comparar las respuestas con todos/as los/las demás estudiantes de la clase.

Alto

1. ¿Conoce Ud. muchos refranes en inglés (como *Better late than never)?* ¿Los usa a menudo? ¿De quién los aprendió? ¿Cuál es su favorito? ¿Existen refranes contemporáneos? Escriba dos.

_____

_____

2. Escriba tres expresiones contemporáneas que una persona extranjera no entendería. (Ejemplos: *out to lunch, the bottom line*)

_____

_____

_____

3. Un ejemplo del cambio entre una cultura y otra nos lo ofrecen los títulos de películas o programas de TV. ¿Podría adivinar a cuáles se refieren los siguientes?

a. Películas:
Lo que el viento se llevó _____

La guerra de las galaxias _____

b. Programas de TV:
"Expediente X" _____

"Urgencias" _____

"Los vigilantes de la playa" _____

¿De qué se ríen?

¡Qué guay![1]

Estudiar una lengua extranjera es un proceso de descubrimiento a través del cual nos damos cuenta de que hay más de una forma de expresar la misma idea; es decir, más de una forma de entender la vida. Esto resulta evidente cuando, al tratar de traducir, notamos que no es tan simple como echar mano al diccionario ya que

5   muy a menudo no existen equivalencias exactas entre las distintas lenguas. Por eso el uso del diccionario es, a veces, menos una ayuda que una frustración. Un ejemplo clásico de las trampas de la traducción literal es el del hispano que intenta expresar la cortés frase "Entre y tome asiento" y le pide a su amigo angloparlante que *Between and drink a seat.* Otro ejemplo divertido, entre los muchos

10   que hay, es el de la mujer cuyo esposo se pone enfermo de repente y sale a pedir ayuda gritando: *Help, my husband is bad!,* lo cual sorprende, pero no alarma, a quienes la oyen, que simplemente le recomiendan *Get another one!*

Los refranes representan un buen punto de partida para el análisis de una lengua y su cultura. Son frases hechas[2] que no cambian con el uso, ideas que pasan

15   de una a otra generación y guardan la sabiduría popular de los pueblos. A pesar de las diferencias culturales entre el mundo anglosajón y el mundo hispano muchos de estos refranes coinciden en ambas lenguas y muestran una actitud similar ante la vida.

---

[1] **guay** *cool* (en España)   [2] **frases hechas** *ready-made phrases*

1. Más vale tarde que nunca.

20   2. Quien ríe (el) último ríe mejor.

3. No es oro todo lo que reluce.

Hay algunos proverbios que comienzan a dar señas de divergencias culturales; refranes que son casi, pero no del todo iguales.

1. Ojos que no ven, corazón que no siente.
25   *Out of sight, out of mind.*

2. Más vale pájaro en mano que cien volando.
    A bird in hand is worth two in the bush.

3. Les das un dedo y se toman el brazo.
    Give them an inch and they take a mile.

30 ¿A qué se pueden atribuir estas pequeñas variaciones? En estas diferencias comenzamos a ver el hecho de que la lengua es una manera especial de vivir, de pensar y de relacionarse con los otros. Los ejemplos abundan y valdría la pena comentar cada caso por separado.

En el próximo grupo de refranes se expresa la misma idea de modo radical-
35 mente distinto en los dos idiomas. Aquí se destacan las diferencias culturales.

1. En boca cerrada no entran moscas.
    Silence is golden.

2. A quien madruga, Dios le
40   ayuda.
    The early bird catches the worm.

3. Que me quiten lo bailado.
    Eat, drink, and be merry.

45 Hay también expresiones idio-máticas coloquiales en esta categoría:

1. chiste verde – *dirty joke*

2. de carne y hueso – *flesh*
50   *and blood*

3. acostarse con alguien – *to sleep with someone*

¿Con qué refrán se relaciona el dibujo?

4. cuento chino – *tall tale*

5. no tener pelos en la lengua – *not to mince words*

6. martes 13 – *Friday the 13th*

55   Finalmente, hay expresiones que están tan íntimamente ligadas a la cultura que no tienen equivalente alguno en la otra lengua. Algunas son:

español

estrenar (ropa, etc.)

ser una mosquita muerta – *to give the impression of being a shy, naive, candid*
60   *person, and actually be just the opposite*

la casa chica – *the house a married man gets for his lover*

caminar con los codos – *to be a very stingy person*

inglés

couch potato
65   *to have a green thumb*

to keep up with the Joneses

workaholic

    Y no debemos olvidar tanto las palabras internacionales (taxi) como las "prestadas" *(borrowed)* entre una lengua y otra. Hay cosas curiosas como, por
70 ejemplo, el hecho que la palabra *lunch* viene de la comida que hacían los españoles a "las once".

    Escuchemos, pues, con atención las palabras y expresiones que pueden revelarnos muchos secretos de la cultura de la cual provienen.

¿Entendido?

Conteste las preguntas siguientes de acuerdo con el contenido de la lectura.

1. ¿Por qué es con frecuencia inefectivo el uso de un diccionario para traducir a/de otra lengua?

2. ¿Cuál es la relación de la lengua con la cultura? Es decir, ¿por qué las mismas ideas se expresan de modo distinto en las diversas lenguas?

3. Elija uno de los refranes que aparecen en el texto. ¿Puede explicar/comentar las diferencias entre la versión española y la inglesa?

4. ¿Cuál es la idea principal de la lectura?

En mi opinión

En grupos, comenten lo siguiente.

1. A continuación hay varios refranes y expresiones en español. Piensen en cuál sería su equivalente en inglés y decidan a cuál de las siguientes categorías pertenecen.

	igual	casi igual	distinto
a. Amor con amor se paga.			
b. Con paciencia se gana el cielo.			
c. Levantarse con el pie izquierdo.			
d. De sabios es rectificar.			
e. El tiempo es oro.			
f. Lo que no mata, engorda.			
g. Caminando se llega a Roma.			
h. Piensa mal y acertarás.			

2. Los grupos de palabras siguientes forman refranes. Con la ayuda del significado en inglés, intenten ordenarlos de manera que digan algo parecido.
   a. astilla, tal, de, palo, tal   *Like father, like son.*
   b. se, ellos, Dios, juntan, cría, los, y   *Birds of a feather flock together.*
   c. ruido, pocas, mucho, nueces   *Much ado about nothing.*

3. Mencionen una palabra o expresión (en inglés y en español) que les gusta mucho y una que les hace reír.

   Ejemplo: papalote *(kite)* o *wet behind the ears*

4. Mencionen algunas palabras que vienen del español o del inglés y que se usan en el otro idioma.

5. Den consejos a sus compañeros/as de cómo debe usarse el diccionario correctamente para averiguar el significado de una palabra que nunca antes ha oído o visto.

6. En Francia, recientemente, trataron de eliminar de la lengua, sin éxito, todas las palabras extranjeras. Imagínense las que habría que eliminar del inglés en un caso así. Mencionen al menos tres pensando en productos alimenticios, nombres de restaurantes, expresiones, etc.

   Ejemplo: Los Angeles, burritos, *No way,* José.

Estrategias comunicativas: el lenguaje del cuerpo

saludar dándose la mano o besándose	*handshakes and kisses as greetings*
saludar o despedirse con la mano	*waving hello/good-bye*
otros gestos:	*other gestures:*
tacaño: tocar la mesa o la mano con el codo	*stingy: tap the table or the hand with the elbow*
amenaza: mover la mano horizontalmente con la palma hacia arriba	*threat: move the hand horizontally with the palm facing up*
perfecto: hacer un círculo con los dedos	*perfect: make a circle with two fingers*
no sé, no me importa: encogerse de hombros	*don't know, don't care: shrug of the shoulders*

En (inter)acción

En grupos de tres estudiantes, hagan las siguientes actividades.

1. **Adivinanzas** *(Riddles).* Hagan un concurso para ver cuál de los grupos adivina más.

   Ejemplo: Mato a quien me está matando. (el hambre)

   a. ¿Qué cosa es que cuanto más grande es menos se ve?
   b. Vence al tigre y al león, vence al toro embravecido, vence a señores y reyes que caen a sus pies vencidos.
   c. A pesar de tener patas, yo no me puedo mover; llevo a cuestas la comida y no la puedo comer.

2. **¿Cómo dices?** Los niños pequeños muchas veces no entienden las expresiones idiomáticas porque las interpretan literalmente. Por ejemplo, imaginen lo que pensarán cuando oyen decir que "¡Alguien ha nacido con el pan debajo del brazo!" (lo que significa que ha nacido en el seno de una familia adinerada). Hagan una lista de algunas expresiones así en inglés o en español para presentar a la clase.

3. **El lenguaje del cuerpo.** Cada estudiante hace a sus compañeros/as preguntas que éstos/as puedan contestar con los gestos típicos mencionados en las **Estrategias comunicativas.**

Práctica gramatical

Repaso
gramatical:
Formas del
presente de
subjuntivo
(*Cuaderno*, pág. 29)
El subjuntivo
con expresiones de
duda y negación
(*Cuaderno*, pág. 31)
El subjuntivo
con expresiones
impersonales
(*Cuaderno*, pág. 31)

1. **En la universidad.** En grupos, digan lo que es preciso que haga o no una persona para conseguir lo siguiente.

   Ejemplo: entrar en una organización estudiantil
   Es preciso que solicite la entrada.

   a. ser elegida presidenta del consejo de estudiantes
   b. ser aceptada en la Facultad de Empresariales (*Business School*)
   c. formar parte del equipo de fútbol
   d. vivir en una residencia de estudiantes
   e. no tener mononucleosis
   f. no retrasarse (*fall behind*) en los cursos

2. En parejas, comenten una noticia reciente y expresen duda o certeza sobre los detalles que aparecen en los periódicos. Cada uno/a debe inventar tres oraciones usando expresiones impersonales o verbos que expresan duda o negación.

   Ejemplo: (Noticia) Un estudio concluye que los jóvenes piensan constantemente en divertirse.
   No creo que sus conclusiones sean válidas, pues yo tengo otras prioridades.

Creación

Escoja uno de los refranes de la lectura (u otro que Ud. conozca) y escriba un cuento que le sirva de ilustración.

Phrases:	*Expressing a need; Warning; Weighing evidence*
Grammar:	*Negations; Adverbs; Prepositions*
Vocabulary:	*Personality; Professions; Sickness*

CAPÍTULO 5

Así nos vemos / Así nos ven

Así nos vemos / Así nos ven

http://aquesi.heinle.com

Hamburguesas y tequila

Un conocimiento superficial de otros países y culturas se produce casi siempre a través de estereotipos. A continuación se presentan y cuestionan algunos estereotipos para concienciarnos de su frecuente presencia en la vida actual y de cómo afectan nuestras acciones. Se trata de imaginar y comprender el punto de vista del "otro/a", de ponernos en su situación y, sí, ¡de reírnos un poco de nosotros/as mismos/as!

▶ Palabra por palabra

al contrario	*on the contrary*
a menudo	*often*
estar bien/mal visto/a	*to be socially approved/disapproved*
el **malentendido**	*misunderstanding*
odioso/a	*hateful, unpleasant*
la **pereza**	*laziness*
el **prejuicio**	*prejudice*

▶ Mejor dicho

el **tópico**	*cliché*	El autor de esa novela no va más allá de los **tópicos.**
el **tema**	*topic*	Tengo que buscar un **tema** de investigación.
el **sujeto**	*subject (person)*	Mi jardinero era un **sujeto** muy sospechoso.
la **materia** o la **asignatura**	*subject (course of study)*	La química siempre ha sido una **materia/asignatura** impenetrable para mí.

125

Práctica

1. En grupos de tres estudiantes, discutan lo siguiente.

   a. Tres cosas que les parecen odiosas.

   b. Tres cosas que están bien vistas y tres que están mal vistas por los jóvenes, por los padres o por la sociedad en general.

   c. Los lugares dónde se ven o escuchan tópicos a menudo.

   d. Un tema cultural que les apasiona y les gustaría discutir.

   e. Una materia/asignatura que les interesa mucho en la universidad.

   f. Tres prejuicios comunes en su universidad.

2. Con la clase dividida en dos grupos, se reparten entre los/las estudiantes todas las fichas de un juego de *Scrabble* y tratan de formar palabras con el vocabulario de esta lección y de las anteriores en un tiempo limitado. Se pueden formar otras palabras pero recibirán solamente la mitad de los puntos.

Alto

1. Durante la primera lectura del texto, subraya las palabras que no entiendes y después, al releer, trata de descifrar su significado según el contexto.

2. Busca en la lectura las palabras "estereotipos" y "estereotipados". ¿Puedes explicar cuándo se usa una u otra palabra?

3. ¿Hay estereotipos en tu universidad? ¿Cuáles?

Hamburguesas y tequila

Hace ya algunos años Fernando Díaz Plaja, un conocido ensayista español, escribió lo siguiente en su libro *Los siete pecados capitales en los Estados Unidos:*

     "Perder el tiempo" es la frase más odiosa para un norteamericano que se respete.[1] El pecado[2] capital de la Pereza no existe en los Estados
5   Unidos. El trabajo es el dios unificador.[3] No estar ocioso es la gran virtud del norteamericano y, como todas las grandes virtudes, se paga con la desaparición de un placer.[4] En este caso el del goce de la vida pasiva, desde la puesta de sol paladeada[5] sensualmente hasta esa flor de la civilización y la pereza que se llama conversar. El chicle representa, a menudo, la solu-
10   ción al problema de la inactividad. Da la sensación de comer cuando no se come, de beber cuando no se bebe y, lo más importante, la sensación de hacer algo continuamente."

---

[1] **se respete** *with good self-esteem*   [2] **pecado** *sin*   [3] **dios unificador** *unifying god (principle)*

[4] **placer** *pleasure*   [5] **puesta... paladeada** *a sunset savored*

Es decir, según Díaz Plaja, en los Estados Unidos está mal visto no hacer nada.
Es ésta una observación aguda,[6] así como una interpretación ingeniosa de un
15 fenómeno cultural, que además corresponde con la imagen universalmente aceptada del norteamericano. Pero, ¿hasta qué punto es cierta? Para las personas de la
calle, ayudadas por la televisión y el cine, los norteamericanos son trabajadores y
materialistas, viven en mansiones suntuosas con alarmas y profusión de candados,[7]
y son muy dados[8] a la violencia. Los hispanos, al contrario, siempre están de fiesta
20 o haciendo revoluciones, son hedonistas,[9] perezosos y, claro, muy pocos son blancos. Estos estereotipos olvidan la gran diversidad que caracteriza tanto a los
Estados Unidos como al mundo hispánico y nunca tienen en cuenta a los individuos que se desvían[10] de la norma.

A pesar del considerable aumento en las posibilidades de viajar que personas de
25 todas las clases sociales tienen hoy en día, o acaso por la brevedad de las visitas a
países extranjeros, aún predomina la tendencia a pensar en otros en términos estereotipados. Los estereotipos, que se basan en un conocimiento superficial, son
imágenes simplistas de una raza, cultura o religión que no es la nuestra. Todos tenemos una serie de ideas preconcebidas respecto a muchos temas y lo malo es
30 que, muchas veces, no nos damos ni cuenta.[11] Gran parte de los malentendidos
entre las personas y las naciones son el resultado de estas nociones superficiales.

No importa cómo cada uno/a se autodefina, la mayor parte del mundo siempre
estará compuesta de "otros" distintos de ellos/as, con los que entrarán en contacto, especialmente en la llamada villa global que es el mundo hoy. De ahí la im-
35 portancia de reconocer las formas de pensar estereotipadas. Estas imágenes,
aunque casi siempre contienen un grado de verdad, a menudo impiden la apreciación en profundidad de algo o alguien que nos es extraño, ya que se tiende a
reducir la compleja realidad humana a un esquema simplista. Por esta actitud se
pierde gran parte de la riqueza de otras formas de vida, de su valor como res-
40 puestas a la experiencia humana. Aunque no cabe duda de que los estereotipos
son un buen punto de partida para conversaciones o estudios, si no se examinan
o cuestionan pueden convertirse fácilmente en prejuicios. Mientras que los estereotipos representan casi siempre simples impresiones, los prejuicios tienen
implicaciones mucho más profundas en términos sociales, políticos y morales.

45 A cada nacionalidad, grupo étnico o religioso, sexo o edad, le corresponde su
propio estereotipo. Por ejemplo, mucha gente cree que todos los nórdicos son
rubios y se asombran al conocer a alguno de pelo y ojos negros que se aparta de
la imagen preconcebida. Este es un caso muy inocente y lo cierto es que no todos
los estereotipos son necesariamente "negativos". Por ejemplo, decir que la vida en

---

[6] **aguda** *acute*   [7] **candados** *locks*   [8] **muy dados** *prone to*   [9] **hedonistas** *pleasure seekers*
[10] **se desvían** *deviate*   [11] **no... cuenta** *we don't even realize it*

el campo es muy tranquila y armoniosa es una simplificación aunque no sea algo específicamente condenatorio.

Gran parte del problema es que estas nociones afectan el modo en que nos acercamos a otros, ya que hacen que busquemos confirmación de ellas en lugar de relacionarnos abiertamente y sin previas expectaciones.

¿Entendido?

Decide si las oraciones siguientes son verdaderas o falsas según la lectura. Si son falsas cámbialas para que sean verdaderas.

1. _____ Los norteamericanos no saben gozar de los placeres de la inactividad.

2. _____ La televisión contribuye a formar y solidificar los estereotipos.

3. _____ Los estereotipos son siempre ofensivos y se deben evitar.

4. _____ Las personas, al autodefinirse, se identifican con un grupo específico. Los demás se convierten en "los otros".

5. _____ Los estereotipos dificultan las relaciones entre extraños (people unfamiliar with each other, strangers).

6. _____ El chicle sirve para hacer la digestión.

7. _____ A menudo no nos damos cuenta de que pensamos en términos muy estereotipados.

8. _____ Hoy día aunque se viaja más, se sigue cayendo en generalizaciones superficiales sobre los demás.

9. _____ Las hamburguesas y el tequila son cosas estereotípicas de dos culturas.

En mi opinión

En grupos, contesten y/o discutan los siguientes puntos.

1. ¿Están de acuerdo con la imagen que otras personas tienen de su país? ¿Les sorprende, les halaga (flatter) o les molesta? ¿Qué podemos hacer para defendernos de estas nociones?

2. Rellenen el cuadro siguiente y después comenten en grupo las diferencias entre el estereotipo del norteamericano y del hispano.

	norteamericanos	hispanos
familia		
trabajo		
comida/bebida		
limpieza		
dinero		
gestos		
puntualidad		
ropa		

3. ¿Cuáles son otros grupos que sufren a causa de los estereotipos? Mencionen al menos tres.

4. Piensen en algún anuncio o un programa de TV que explote un estereotipo. Comenten su impacto y efectividad.

5. Discutan la diferencia entre estereotipos y prejuicios. ¿Es posible estar libres de ellos? ¿Por qué resultan especialmente peligrosos en una sociedad multicultural?

6. Hagan una encuesta en su grupo para determinar cuáles de estas categorías corresponden a estereotipos o a prejuicios. Luego compartan los resultados con toda la clase.

idea	estereotipo	prejuicio
En Minnesota el clima es horrible.		
Los viejos no saben conducir.		
Las personas guapas son también honestas.		
Los colombianos ricos todos venden drogas.		
Los atletas son poco inteligentes.		
Es imposible ser demasiado rico/a y demasiado flaco/a.		
Las mujeres son muy sensibles y lloran con facilidad.		

Estrategias comunicativas para terminar una conversación

Tengo mucha prisa. Hablamos más mañana.	*I am in a big hurry. We'll talk more tomorrow.*
Es muy tarde, tengo que irme.	*It's very late, I need to go now.*
Te vuelvo a llamar pronto, ¿vale?	*I'll call you back soon, OK?*
Bueno, te dejo. Hasta ahora.	*Listen, I'll let you go now. So long.*

En (inter)acción

En grupos, hagan las siguientes actividades. Para dar por terminados estos ejercicios empleen algunas de las expresiones de **Estrategias comunicativas.**

1. Mencionen dos estereotipos que no les molestan personalmente explicando por qué los consideran inocentes. ¿Hay algunos prejuicios que no están mal vistos por la sociedad en general actualmente?

2. **Espejo de la cultura.** Con dos compañeros/as, rellenen el cuadro siguiente con reacciones rápidas y automáticas. Después, comenten los resultados y compárenlos con los de otros grupos.

palabra	imagen	juicios/sentimientos	fuentes *(sources)*
casa/hogar	chalet de dos pisos, piscina y jardín, gatos	alegría, tranquilidad, bienestar	propia experiencia
artistas			
pena de muerte *(death penalty)*			
universidad			
homosexuales			
matrimonio			
extranjeros/as			
dinero			
mecánicos/as			
inmigrantes			
abogados/as			
gordos/as			
aborto *(abortion)*			
viejos/as			
hombres blancos			

3. Los estereotipos también pueden resultar dañinos de otros modos, ya que las normas a veces causan ansiedad a quienes no las pueden seguir, por ejemplo, la imagen de la belleza femenina. Esto ha contribuido a crear problemas como la anorexia, la bulimia y hasta la automutilación. ¿Por qué afectan más estas enfermedades a las mujeres que a los hombres? ¿Qué otras aflicciones tienen su origen en estas nociones estereotipadas?

Maastrich es un tratado reciente por el cual los países de la Unión Europea se comprometen a mantener cierta uniformidad laboral, política, económica.

Práctica gramatical

Repaso gramatical: Las expresiones temporales con **hace** (*Cuaderno*, pág. 32)

Preguntas indiscretas. En parejas, háganse al menos cinco preguntas con **hace.**

Ejemplo: —¿Cuánto tiempo hace que no te lavas la cabeza?
—¡Uyyyyy, hace muchos días que no me la lavo!

Creación

Escribe un párrafo políticamente incorrecto explicando por qué las personas de ojos verdes no deben poder conducir o cualquier otra situación igualmente ridícula. Haz referencias a precedentes históricos (inventados o reales) usando las expresiones temporales con **hace.**

Phrases:	*Describing (people, the past, objects); Expressing (irritation, conditions)*
Grammar:	*Relative clauses; Progressive tenses; Verbs:* conocer & saber
Vocabulary:	*Media (TV & radio); Clothing; Gestures*

El eclipse

Augusto Monterroso

Augusto Monterroso (Guatemala, 1921) es un escritor contemporáneo conocido por sus cuentos y satíricos. Ha publicado, entre otros libros, *La palabra mágica* (1983), *Las ilusiones perdidas* (1985) y *Los buscadores de oro* (1993). En *El eclipse* (1952), Monterroso se remonta a los tiempos de la conquista de América para mostrarnos el contraste entre los españoles y los indígenas. Monterroso muestra hábil e ingeniosamente las ideas preconcebidas que tenían los españoles de los indígenas.

▶ Palabra por palabra

confiar	*to trust*
engañar	*to deceive, fool*
la **prisa**	*haste*
renunciar	*to give up*
sentarse	*to sit*
sentir(se) (ie, i)	*to feel*
todavía (no)	*still (not yet)*

▶ Mejor dicho

el tiempo°	*weather*	Hizo muy buen **tiempo** ayer.
	measurable time	¿Cuánto **tiempo** tengo para hacer este examen?
la hora	*clock time*	¿Qué **hora** es?
	moment for	Por fin llegó la **hora** de comer.
la vez°	*time as instance, repeatable*	Nos hemos visto sólo dos **veces** este mes.

° **¡Ojo!** Hay muchas expresiones con **tiempo** y **vez.**

con tiempo	*with time to spare*	**de vez en cuando**	*from time to time*
a tiempo	*on time*	**a la vez**	*at the same time*
		a veces	*sometimes*

el cuento	*short story or tale*	Nos hizo todo el **cuento** de su accidente.
la cuenta	*the bill = $$$*	Ese tipo siempre desaparece a la hora de pagar la **cuenta.**
la historia	*history or story*	Lola cuenta unas **historias** divertidísimas.
contar (ue)°	*to tell a story*	**Cuéntame** algo, anda.

° **¡Ojo! Contar** también significa *to count.*

Práctica

1. En parejas, miren las siguientes ilustraciones y describan lo que ocurre usando palabras del vocabulario.

2. Competición. En grupos de tres estudiantes, formen una oración que contenga el mayor número de palabras del vocabulario. Tienen sólo tres minutos.

Ejemplo: Si me engaña otra vez, no volveré a confiar en él.

Alto

1. ¿Sabe Ud. algo de las civilizaciones indígenas precolombinas *(before Columbus)?*
2. ¿Se ha equivocado alguna vez al juzgar a alguien basándose en la primera impresión?
3. En la primera lectura del texto, subraye todos los verbos que encuentre. Luego note su lugar en la frase. ¿Van delante o detrás del sujeto?

El eclipse

Augusto Monterroso

Cuando fray[1] Bartolomé Arrazola se sintió perdido aceptó que ya nada podría salvarlo. La selva poderosa de Guatemala lo había apresado, implacable y definitiva. Ante su ignorancia topográfica se sentó con tranquilidad a esperar la muerte. Quiso morir allí, sin ninguna esperanza, aislado, con el pensamiento fijo en la
5   España distante, particularmente en el convento de Los Abrojos, donde Carlos Quinto[2] condescendiera una vez a bajar de su eminencia[3] para decirle que confiaba en el celo religioso de su labor redentora.[4]

Al despertar se encontró rodeado por un grupo de indígenas de rostro[5] impasible que se disponían[6] a sacrificarlo ante un altar, un altar que a Bartolomé le
10   pareció como el lecho[7] en que descansaría, al fin, de sus temores, de su destino, de sí mismo.

Tres años en el país le habían conferido[8] un mediano[9] dominio de las lenguas nativas. Intentó algo. Dijo algunas palabras que fueron comprendidas.

Entonces floreció en él una idea que tuvo por digna de su talento y de su cul-
15   tura universal y de su arduo conocimiento de Aristóteles. Recordó que para ese día se esperaba un eclipse total de sol. Y dispuso,[10] en lo más íntimo, valerse[11] de aquel conocimiento para engañar a sus opresores y salvar la vida.

—Si me matáis —les dijo— puedo hacer que el sol se oscurezca en su altura.[12]

Los indígenas lo miraron fijamente y Bartolomé sorprendió la incredulidad en
20   sus ojos. Vio que se produjo un pequeño consejo,[13] y esperó confiado, no sin cierto desdén.

---

[1] **fray** *friar*   [2] **Carlos Quinto** = rey de España en el siglo XVI   [3] **condescendiera... eminencia** *magnanimously stepped down from his pedestal*   [4] **celo... redentora** *religious zeal of his attempt to convert (the natives)*
[5] **rostro** = cara   [6] **se disponían** *were getting ready*   [7] **lecho** = cama   [8] **conferido** = dado   [9] **mediano** = de nivel intermedio   [10] **dispuso** = decidió   [11] **valerse** = hacer uso   [12] **se... altura** *the sun grow dark in the sky*   [13] **consejo** *council gathering*

Dos horas después el corazón de fray Bartolomé Arrazola chorreaba[14] su sangre vehemente sobre la piedra de los sacrificios (brillante bajo la opaca luz de un sol eclipsado), mientras uno de los indígenas recitaba sin ninguna inflexión de voz,
25 sin prisa, una por una, las infinitas fechas en que se producirían eclipses solares y lunares, que los astrónomos de la comunidad maya habían previsto y anotado en sus códices sin la valiosa ayuda de Aristóteles.

¿Entendido?

Indique si las siguientes afirmaciones son verdaderas o falsas. Si son falsas, cámbielas para que sean verdaderas.

1. _____ Hacía tres años que fray Bartolomé estaba en el Nuevo Mundo.
2. _____ Los indígenas persiguieron y capturaron al fraile.
3. _____ Fray Bartolomé se sentía intelectualmente superior a los indígenas.
4. _____ Los indígenas sabían las fechas de los eclipses porque conocían la obra de Aristóteles.
5. _____ El fraile aceptó su destino y no luchó para salvarse.
6. _____ Los sacrificios se hacían para conmemorar el fenómeno natural del eclipse.
7. _____ El fraile sabía hablar la lengua de los indígenas.
8. _____ Los indígenas no mataron al fraile porque sentían miedo de él.

En mi opinión

En grupos de tres estudiantes, hablen de los temas siguientes.

1. Al entrar en contacto con algo nuevo la gente tiene distintas reacciones. ¿Cuál creen Uds. que debe ser nuestra actitud? Anoten varias (al menos tres) reacciones posibles.
2. ¿Cómo habría sido diferente el cuento si el protagonista, en lugar de ser un fraile, hubiera sido un conquistador, un explorador, una monja *(nun)?*
3. ¿Podemos aprender algo de otras culturas tecnológicamente menos avanzadas? ¿Hasta qué punto depende nuestro bienestar y satisfacción de los adelantos técnicos?
4. Personalmente, ¿han sido víctimas o culpables de una noción estereotipada? Expliquen y comenten el episodio.
5. En EE UU los jóvenes suelen ir a la universidad lejos de su casa. ¿Ha representado ese cambio una transformación para Uds.? ¿Han tenido momentos de descubrimiento, de miedo, de nostalgia?

---

[14] **chorreaba** *was dripping*

Estrategias comunicativas para quejarse

Siento tener que decirle que...	*I'm sorry to have to tell you that . . .*
¡Esto es el colmo!	*This is the last straw!*
Estoy perdiendo la paciencia.	*I am losing my patience.*
La verdad es que...	*The truth is that . . .*
¡No puedo aguantar más!	*I can't take it anymore!*

En (inter)acción

En grupos de tres estudiantes, hagan las siguientes actividades.

1. **¡De impacto!** Organicen un programa de TV (*talk show*) con un moderador y algunos panelistas para discutir el tema de las primeras impresiones. ¿Se puede confiar en ellas? ¿Cuándo sí/no? Expliquen sus ideas y den ejemplos.

2. **¿Cuánto tiempo estarán de visita?** Hagan un diálogo (entre diez y doce oraciones) del primer encuentro entre los indígenas del Nuevo Mundo y Cristóbal Colón y sus compañeros de viaje. Usen las **Estrategias comunicativas** anteriores (por ejemplo, para contar la indignación de los indígenas ante la posibilidad de que los extranjeros se queden a vivir entre ellos).

3. **¡Socorro!** (*Help!*) Supongan que se encuentran en una situación incómoda. Busquen una excusa para salir airosamente (*wiggle out of*) de ella.

   Ejemplo: —Un policía le está escribiendo una multa (*fine*) por aparcar el coche en una zona prohibida.
   —Ay, ya me iba, sólo vine a dejar un documento en el banco.

   a. Su mejor amiga/o lo/la encuentra coqueteando (*flirting*) con su novio/a.
   b. Le dice a su profesor/a que está enfermo/a y luego lo/la ve en una cafetería.
   c. Ha comido en un restaurante y luego no tiene suficiente dinero para pagar.

Práctica gramatical

Repaso
gramatical:
La **a** personal
(*Cuaderno*, pág. 33)
Los pronombres
de objeto directo e
indirecto
(*Cuaderno*, pág. 34)
El pronombre *it*
(*Cuaderno*, pág. 35)
Lo: uso del pronombre neutro
(*Cuaderno*, pág. 36)

1. En grupos, digan las cosas y las personas que se ven (o no) en los siguientes lugares. Para cada ejemplo el/la estudiante debe nombrar una cosa o una persona, y el ejercicio debe hacerse rápidamente usando la *a* **personal** cuando sea necesario.

   Ejemplo: en el concierto
   Veo a los rockeros. No veo nada por el humo.

   a. en el ascensor
   b. en la clase
   c. en su dormitorio
   d. en la cafetería
   e. en el gimnasio
   f. en la papelera (*waste basket*)
   g. en el centro comercial
   h. en la iglesia
   i. en el refrigerador
   j. en el armario (*closet*)

2. **La mudanza.** En parejas, decidan lo que van a hacer con los siguientes objetos que Uds. ya no necesitan. Al final añadan uno más a la lista.

   Ejemplo: la bicicleta
   —¿Se la regalamos a tu primito?
   —Está bien. Se la podemos dar a él.

   a. el paraguas doble
   b. la computadora grande
   c. la cámara fotográfica vieja
   d. los animales de peluche *(stuffed animals)*
   e. los discos de Frank Sinatra
   f. las barajas *(playing cards)*
   g. el sofá-cama
   h. los disfraces de Halloween
   i. la correa *(leash)* del perro
   j. ¿?

3. En parejas, digan tres oraciones en inglés con el pronombre *it* como sujeto y otras tres como objeto. Otra pareja de estudiantes debe traducirlas al español.

   Ejemplo: ESTUDIANTE 1: *It's easy to recycle paper.* (sujeto)
   ESTUDIANTE 2: (ø) Es fácil reciclar el papel.
   ESTUDIANTE 1: *The newspaper? I read it every week.* (objeto)
   ESTUDIANTE 2: ¿El periódico? Lo leo todas las semanas.

4. Hágale las siguientes preguntas a un/a compañero/a de clase que debe contestar negativamente y ofrecer otra alternativa.

   Ejemplo: —¿Crees que me parezco a Claudia Schiffer?
   —No, no lo creo. Te pareces más a Roseanne.

   a. ¿Son tus amigos responsables?
   b. ¿Estás harta de *(fed up with)* tantos consejos de salud?
   c. ¿Parecen necesarias tantas precauciones?
   d. ¿Son todos los coches iguales?
   e. ¿Te parecen interesantes los libros de antropología?
   f. ¿Crees que vale la pena arreglar los aparatos eléctricos?

Creación

El beneficio de la duda. Escriba una carta a su hermano/a menor diciéndole en quién Ud. cree que él/ella puede o no confiar y por qué.

Phrases:	*Describing objects & people; Asking for information*
Grammar:	*Ser & estar; Passive; Reflexive*
Vocabulary:	*Dreams & aspirations; Media: newsprint; Personality*

La historia de mi cuerpo

Judith Ortiz Cofer

El color de la piel es uno de los aspectos fundamentales por los que todavía se juzga a las personas en muchas sociedades. En esta selección se relata cómo éste y otros factores afectaron la autoestima de la autora.

Judith Ortiz Cofer, nacida en Puerto Rico y una de las escritoras latinas mejor conocidas en Estados Unidos, es autora de una novela, *In the Line of the Sun,* así como de poemas, ensayos y cuentos. Ha recibido numerosos premios literarios y actualmente es profesora de inglés en la Universidad de Georgia. Esta narración apareció en una antología titulada *The Latin Deli: Telling the Lives of Barrio Women* (1993).

▶ Palabra por palabra

	embarazoso/a	*embarrassing*
	escoger	*to choose*
	flaco/a	*thin*
	lo de siempre	*the usual*
la	mezcla	*mixture*
	moreno/a	*tanned, dark-skinned*
la	pareja	*mate, couple*
el/la	pariente/a	*relative*
la	piel	*skin*
el	tamaño	*size*

▶ Mejor dicho

hacer falta	*to need*	No veo bien. Creo que me **hacen falta** gafas.
faltar	*to lack, be short on something*	Le **faltaban** dos pulgadas para medir seis pies.
	to have distance/ time still to go	Les **faltan** aún dos años para poder votar.

¡Ojo! Estos verbos se usan de la misma forma que "gustar".

hacer(se) daño	*to harm someone or hurt oneself*	Se ha caído esquiando y **se ha hecho** muchísimo **daño** en una pierna.
lastimar(se)		**Me lastimé** la mano derecha ayer y ahora no puedo escribir.
doler (ue)°	*to ache or hurt*	Se acostó temprano porque le **dolía** la cabeza.

° ¡Ojo! El sujeto gramatical es una parte del cuerpo y la persona es el objeto indirecto.

¿Qué les duele?

Práctica

En parejas, hagan las siguientes actividades.

1. **Hipocondríacos anónimos.** Imaginen que están en la sala de espera del médico. Describan sus síntomas más enigmáticos y preocupantes. Los otros deben sugerir remedios usando las palabras del vocabulario.

   Ejemplo: — A mí me duele mucho la espalda y a veces escupo *(spit out)* pelos.
   — Está clarísimo. Lo que te hace falta es nadar todos los días y tomar tranquilizantes.

2. **Charadas.** Cada uno/a de los/as estudiantes debe expresar con mímica el significado de una de las palabras de éste y anteriores vocabularios y los/las demás deben adivinarla.

3. Expliquen qué falta o hace falta en las siguientes ilustraciones.

Alto

1. Mientras lees, subraya los objetos directos e indirectos en el texto. Escribe cuatro e indica a qué se refieren.

_____   _____

_____   _____

2. ¿Qué te sugieren el título y las divisiones del texto?

3. ¿Había algo que te habría gustado cambiar de ti mismo/a o de tu vida cuando eras niño/a?

"La migración es la historia de mi cuerpo."

Víctor Hernández Cruz

La historia de mi cuerpo

Judith Ortiz Cofer

Nací blanca en Puerto Rico pero me volví trigueña[1] cuando vine a vivir a Estados Unidos. Mis parientes puertorriqueños decían que yo era alta; en el colegio norteamericano algunos de los compañeros más malos me llamaban la Huesos o la Enana[2] porque, durante toda la escuela primaria, yo fui la más pequeña de todas
5 mis clases. En el sexto grado alcancé mi altura adulta de cinco pies.

---

[1] **trigueña** = morena   [2] **Enana** *dwarf, here, shrimp*

Color

En el mundo animal indica peligro: los animales de colores muy vivos con frecuencia son los más venenosos.[3] El color es además un modo de atraer y seducir a una pareja de su especie. En nuestro mundo, el de los seres humanos, el color desencadena[4] reacciones más variadas y complejas, a menudo mortales. Como puertorriqueña de padres "blancos", pasé los primeros años de mi vida oyendo a la gente llamarme blanca. Mi madre insistía en que me protegiera del intenso sol isleño porque yo tenía tendencia a quemarme, mucho más que mis amigos más trigueños. Todo el mundo comentaba el bonito contraste entre mi pelo tan negro y mi piel tan pálida. Yo nunca pensaba conscientemente en el color de mi piel, a menos que oyera a los adultos hablando del cutis.[5] Este tema parece ser mucho más frecuente en las conversaciones de gente de raza mixta que en la sociedad dominante norteamericana, donde hablar de esto es difícil y embarazoso, excepto en un contexto político. En Puerto Rico se oyen muchas conversaciones sobre el color de la piel. Yo soy una mezcla de dos tonos, ya que soy aceitunada,[6] más clara que mi madre pero más oscura que mi padre. En América me consideran una persona de color, evidentemente latina. En la isla me llamaban la gringa.

Tamaño

Mi madre mide[7] apenas cuatro pies y once pulgadas, lo normal en las mujeres de su familia. Cuando, a los doce años, yo llegué a los cinco pies, ella se quedó asombrada y empezó a usar la palabra "alta" para referirse a mí. Igual que con el color de mi piel, yo no pensaba conscientemente en mi tamaño hasta que otros lo mencionaban. En América los divertidos juegos infantiles se vuelven ferozmente competitivos un poco antes de la adolescencia. Hay que probar que uno es mejor que los demás. Fue en relación con los deportes que empezaron mis problemas de tamaño. Es lo de siempre, el tormento del niño o la niña a quien escogen el/la último/a para un equipo. En las escuelas públicas de Patterson, New Jersey, a las que asistí, los juegos de voleibol o sófbol eran para los niños el campo de batalla que es la vida. Los negros contra los puertorriqueños, los blancos contra los negros contra los puertorriqueños. Yo era flaquita, pequeña, llevaba gafas y era indiferente a la avidez[8] de muchos de mis compañeros de clase a jugar como si en eso les fuera la vida. Yo prefería leer un libro a sudar,[9] gruñir[10] y correr el riesgo de hacerme daño. Mi ejercicio favorito en esa época era ir caminando a la biblioteca que quedaba[11] a muchas cuadras del barrio.

---

[3] **venenosos** *poisonous* [4] **desencadena** = causa [5] **cutis** = piel de la cara [6] **aceitunada** *olive skinned*
[7] **mide** *is . . . tall* [8] **avidez** *eagerness* [9] **sudar** *to sweat* [10] **gruñir** *to grunt* [11] **quedaba** = estaba situada

40 *Belleza*

Mis primeras fotos muestran una niña sana y hermosa. Yo era toda ojos, ya que siempre fui flaca y de huesos pequeños. En las fotos veo, y también recuerdo, que siempre estaba bien vestida. Mi madre me encontraba bonita, lo cual la enorgullecía,[12] y me vestía como a una muñeca[13] para que todos me vieran en misa o en

45 casa de los parientes. ¿Cómo iba yo a saber que ella, y todos los que me encontraban tan linda, representaban una estética que no tendría vigencia[14] cuando yo fuera a la escuela en los Estados Unidos?

En la universidad me volví una mujer "exótica". Durante algunos años salí muchísimo con mis compañeros, pero después me cansé y me casé. Necesitaba

50 estabilidad más que vida social. Era lista, desde luego, y tenía talento para escribir. Estos sí son los hechos constantes de mi vida. En cambio el color de mi piel, mi tamaño y mi apariencia han sido variables, cosas que se juzgaban de acuerdo con mi imagen del momento, los valores estéticos de la época, el lugar donde estaba, la gente a quien conocía.

¿Entendido?

1. Haga asociaciones con los siguientes términos de acuerdo con la información obtenida en la lectura.

   Ejemplo: belleza
   chica flaca, joven, exotismo, elogios

   a. Patterson, New Jersey
   b. fotos
   c. colegio
   d. exótica
   e. gringa
   f. imagen
   g. la isla
   h. tamaño
   i. constantes
   j. color

2. Haga una lista de las partes del cuerpo que se mencionan en la lectura.

---

[12] **la enorgullecía** *made her proud*   [13] **muñeca** *doll*   [14] **no tendría vigencia** *would not be fashionable*

En mi opinión

En parejas, contesten y comenten las preguntas que siguen.

1. ¿Saben Uds. cómo se define a alguien "de color" en los Estados Unidos? ¿De dónde viene este método de definir/clasificar a la gente? ¿Es así en todos los países?

2. ¿Notan Uds. las diferencias en el tratamiento de gentes de distintos colores en su ciudad, su escuela, la universidad, los empleos? ¿Ha cambiado en los últimos años?

3. ¿Cuáles son tres cosas que han cambiado en su vida? ¿Cuál es una que no lo ha hecho?

4. ¿Cómo podemos saber quiénes somos si siempre estamos cambiando (la edad, el peso, el color del pelo y su forma, etc.)? ¿De qué factores depende nuestro verdadero "ser"? En términos psicológicos, ¿es saludable intentar ser lo que no se es? Por ejemplo, con la ayuda de la cirugía estética.

5. **¿Quién soy yo?** Explíquele a su compañero/a qué aspectos son los más importantes de su identidad (origen étnico o geográfico, sexo, religión, creencias, familia, profesión, físico, etc.).

Estrategias comunicativas para expresar sorpresa o desconcierto

¡No lo puedo creer!	*I can't believe it!*
¡Mentira!	*You are kidding me!*
¿De verdad?	*Is that true?*
¡Qué raro!	*That's odd!*
¡No me digas! ¿En serio?	*You don't say! Seriously?*

En (inter)acción

1. **Traumas escolares.** En grupos de cuatro estudiantes, hagan una lista de situaciones que los horrorizaban en la escuela. Luego compárenla con la de otra pareja y reaccionen con sorpresa o desconcierto usando las expresiones de las **Estrategias comunicativas.**

   Ejemplo: tener un nombre raro o gracioso

2. **A primera vista.** El propósito de esta encuesta es averiguar qué es lo que más/menos les impresiona a los/las estudiantes cuando conocen a alguien por primera vez. Para realizar la encuesta, se le asigna a cada estudiante uno de los factores siguientes. A continuación el/la estudiante debe ir por la clase preguntando a sus compañeros/as y tomando nota de sus respuestas. Al final, se escriben los resultados en la pizarra y se comentan entre todos utilizando algunas de las expresiones de **Estrategias comunicativas.**

factor	crucial	importante	no me importa	no sé
pelo				
ropa				
dientes				
ojos				
casa				
joyas				
cuerpo				
cara				
coche				
voz				
tamaño				
conducta				
higiene				

3. Con dos compañeros/as, comenten las siguientes afirmaciones y den ejemplos para ilustrar su postura.

	Sí	No
Lo hermoso es hermoso siempre y en todo lugar.		
Es posible definir lo que es una "raza".		
La idea del hombre perfecto y la mujer perfecta ha cambiado mucho a través de los años.		
Es difícil apreciar la belleza en alguien que es muy distinto a nosotros/as.		

4. En grupos de tres estudiantes, miren las fotos y decidan cuál de las dos mujeres es más bonita y cuál de los hombres es más guapo. Comenten su criterio.

5. De eso no se habla... Cada sociedad tiene sus reglas, aunque no estén escritas en ningún lado, de lo que se puede decir o no delante de ciertas personas. A continuación, y escogiendo un término de la columna de la izquierda y varios de la derecha, discutan de qué temas se puede hablar con los siguientes grupos y de cuáles no.

Ejemplo: Con la policía no se debe hablar de lo rápido que manejamos.

Grupos	**Temas**
padres/madres/parientes	pecados *(sins)*
profesores/as	dinero
amigos/as	enfermedades, higiene
terapistas	viajes
taxistas	obsesiones, aberraciones
médicos/as	notas
camareros/as	prácticas religiosas
sacerdotes/rabinos/reverendos	preferencias/prácticas sexuales

Práctica gramatical

Repaso
gramatical:
**Hay que / tener
que / deber (de)**
(*Cuaderno*, pág. 36)
Formas y usos del
presente perfecto
de subjuntivo
(*Cuaderno*, pág. 36)

En grupos, contesten las siguientes preguntas. Luego comparen sus respuestas con las de sus compañeros/as de clase.

1. ¿Qué hay que hacer para...
   a. pasar el detector de metales en un aeropuerto?
   b. ponernos morenos/as?
   c. sacar buenas fotos?
   d. ser muy popular?

2. ¿Qué no debemos hacer nunca...
   a. en público?
   b. después de comer?
   c. cuando estamos solos/as?
   d. por teléfono?

3. Mencionen tres cosas que tiene que hacer...
   a. hoy.
   b. todos los meses.
   c. antes de salir de viaje.

4. Utilizando el presente perfecto, un/a estudiante menciona algo que ha aprendido a hacer desde que llegó a la universidad y los/las otros/as reaccionan positiva o negativamente usando el presente perfecto de subjuntivo.

   Ejemplo: compartir el cuarto con otra persona
   —He aprendido a compartir el cuarto con otra persona.
   —¡Qué bueno que hayas aprendido a compartir el cuarto con otra persona!
   —¡Cuánto siento que hayas tenido que compartir tu cuarto con un/a extraño/a!

   (Algunas sugerencias: comer comida de cafetería, organizar el tiempo, ser más independiente, manejar el dinero sensatamente...)

Creación

Tomando el punto de vista de alguien que sufre de problemas de autoestima (por feo, bajo, gordo, flaco, pobre, etc.), prepara un autorretrato para un/a psicólogo/a o cirujano/a plástico/a. Procura usar las palabras aprendidas y los puntos gramaticales repasados.

Phrases:	*Expressing compulsion/conditions; Describing health; Asking for help*
Grammar:	*Personal & possessive pronouns; Verbs – gerund*
Vocabulary:	*Clothing; Sickness; Personality*

CAPITULO
6

http://aquesi.heinle.com

Aquí estamos: los hispanos en EE UU

¡Ay, papi, no seas coca-colero!

Luis Fernández Caubí

Cubano de nacimiento y corresponsal del periódico de Miami *El Diario de las Américas,* Luis Fernández Caubí relata una anécdota personal que le sucedió durante los primeros meses como exiliado político en Estados Unidos. El proceso de integración de cada inmigrante a una nueva cultura es siempre muy personal. En esta selección se presentan las reacciones de dos personas de distintas edades.

▶ Palabra por palabra

en cuanto	*as soon as*
en fin	*in short*
el **esfuerzo**	*the effort*
el **llanto**	*crying*
llorar	*to cry*
el **puesto (de trabajo)**	*the position (job)*
tardar (en + inf.)	*to delay (take . . . time)*

▶ Mejor dicho

lograr	*to succeed in, manage*	**Logré** terminar mi composición a tiempo.
tener éxito **en** + cosas **con** + personas	*to be successful°*	Mi vecino siempre **ha tenido** mucho **éxito en** los deportes y **con** las chicas.

° **¡Ojo! Suceder** *(to happen or follow)* no significa <u>nunca</u> *to be successful.*

trabajar	*to work* *(subject = human being)*	Yo tenía que **trabajar** todos los sábados.
funcionar	*to work* *(subject = machine)*	Tengo que llevar el camión al taller de reparaciones pues no **funciona**.

149

Práctica

1. En parejas, describan las siguientes ilustraciones usando palabras del vocabulario.

2. Con todos/as los/las estudiantes de pie, deben completar rápidamente la frase siguiente sin repetir lo mismo. Cuando lo hagan correctamente, pueden sentarse. El ejercicio debe continuarse hasta que todos/as hayan logrado decir una frase.

Me irrito mucho cuando no funciona mi...

3. **¿Trabaja o funciona?** Con la participación de toda la clase, los/las estudiantes se turnan diciendo el nombre de una profesión, de una máquina o de un instrumento. Los/Las demás responden "trabaja" o "funciona". No pueden repetir la misma palabra.

Ejemplos: ESTUDIANTE 1: El teléfono.
             TODOS/AS: Funciona.
             ESTUDIANTE 2: La secretaria.
             TODOS/AS: Trabaja.

Alto

1. Es fundamental conocer el contexto histórico en que se sitúan los hechos de un cuento para poder entenderlo. Ud. comprenderá mejor este texto si sabe por qué viven tantos cubanos en Estados Unidos. Si no lo sabe, busque esta información en Internet.

2. Según sugiere el título, ¿quiénes van a ser los protagonistas de este cuento?

3. Busque tres palabras en el texto y luego escriba algunos de sus derivados a continuación.

    Ejemplo: esfuerzo – fuerza – esforzarse; exilio – exiliado – exiliarse

    _____

    _____

    _____

4. La terminación **-ero/a** se añade a ciertos sustantivos para indicar el trabajo que realiza una persona.

    leche → lechero/a = el/la que trae la leche

    carta → cartero/a = el/la que trae las cartas

    carne → carnicero/a = el/la que corta y vende la carne

    De acuerdo con esta regla, decida qué quiere decir "coca-colero" en la lectura.

5. Traduzca al inglés las palabras siguientes.

    a. barbero _____   f. mesera _____
    b. peluquera _____   g. obrero _____
    c. cocinero _____   h. jardinera _____
    d. bombero _____   i. mensajero _____
    e. carpintera _____

¡Ay, papi, no seas coca-colero!

Luis Fernández Caubí

En aquellos primeros días de exilio, un buen amigo de la infancia, Abelardo Fernández Angelino, me abrió las puertas de la producción en este mercado afluyente y capitalista de los Estados Unidos. Me llevó a una oficina donde no tardaron dos minutos en darme mi *Social Security* y de allí fuimos a una embote-
5 lladora[1] de Coca-Cola situada en el Noroeste, donde me esperaba un trabajo de auxiliar[2] en un camión. "*Come on, Al*", le dijo el capataz,[3] "*This is an office man, he*

---

[1] **embotelladora** *bottling plant*   [2] **auxiliar** *assistant-loader*   [3] **capataz** *foreman*

will never make it in the field." Pero Abelardo, ahora convertido en Al, insistió: "*Don't worry, I'll help him out.*" Y me dieron el puesto.

10 Y con el puesto me dieron un uniforme color tierra⁴ con un anuncio de Coca-Cola a la altura del corazón y me montaron⁵ en un camión lleno de unos cilindros metálicos, duros y fríos.

Para centenares⁶ de personas (los cilindros) significarían una pausa refrescante; a mí se me convirtieron en callos⁷ en las manos, dolores en la espalda, martirio en los pies y trece benditos dólares en el bolsillo⁸ vacío. Era 1961. Todo el mundo
15 hablaba de los ingenios⁹ y las riquezas que tuvieron en Cuba. Yo, por mi parte, tenía el puesto de auxiliar del camión conseguido por Abelardito, a regalo y honor dispensado por la vida.

Sucede que yo no había tenido otro ingenio¹⁰ en Cuba que el muy poco que quiso Dios ponerme en la cabeza. Pero, sí tenía una práctica profesional de abo-
20 gado que me permitía y me obligaba a andar siempre vestido de cuello y corbata¹¹ y con trajes finos.¹²

En fin, volviendo al tema, que cuando llegué a mi casa, entrada la tarde,¹³ con mi traje color tierra, mis manos adoloridas, el lumbago a millón,¹⁴ la satisfacción de haberle demostrado al capataz que "*I could do it*" y los trece dólares bailándome
25 en el bolsillo, me recibió mi hija de cuatro años. En cuanto me vio, empezó a llorar como una desesperada al tiempo que me decía,

"Ay, papi, yo no quiero que tú seas coca-colero."

Me estremeció.¹⁵ Pensé que le había impresionado¹⁶ el contraste entre el traje fino y el uniforme color tierra y comencé a consolarla. Yo tenía que trabajar, es-
30 taba feliz con mi camión, los cilindros no eran tan pesados... trataba de conven-cerla mientras, desde el fondo del alma, le deseaba las siete plagas¹⁷ a Kruschev, a Castro y a todos los jefes políticos que en el mundo han sido.¹⁸ Mis esfuerzos no tuvieron éxito. Mi tesorito¹⁹ seguía llorando al tiempo que repetía:

"Papi, papi, yo no quiero que tú seas coca-colero."

35 Pero, en la vida todo pasa, hasta el llanto. Y cuando se recuperó de las lágrimas, con los ojitos brillosos²⁰ y las mejillas mojadas²¹ me dijo:

"Papi, papi, yo no quiero que tú seas coca-colero; yo quiero que tú seas pepsi-colero."

Y, no obstante²² el lumbago, los callos y la fatiga, por primera vez desde mi lle-
40 gada a Miami pude disfrutar de una refrescante carcajada.²³

⁴ **color tierra** *khaki* ⁵ **montaron** = pusieron ⁶ **centenares** = cientos ⁷ **callos** *calluses* ⁸ **bolsillo** *pocket*
⁹ **ingenios** *sugar refineries and plantations* ¹⁰ **ingenio** *wit* ¹¹ **cuello y corbata** *shirt and tie* ¹² **finos** =
elegantes ¹³ **entrada la tarde** *in the late afternoon* ¹⁴ **el... millón** *my back aching* ¹⁵ **Me estremeció**
I shuddered ¹⁶ **impresionado** = afectado ¹⁷ **plagas** = cosas malas ¹⁸ **han sido** = han existido
¹⁹ **tesorito** *little treasure (here, sweetheart)* ²⁰ **brillosos** = brillantes ²¹ **mejillas mojadas** *wet cheeks*
²² **no obstante** *in spite of* ²³ **carcajada** *burst of laughter*

Capítulo 6 Aquí estamos: los hispanos en EE UU ¡Ay, papi, no seas coca-colero!

153

¿Puede ser esta niña la del cuento?

¿Entendido?

Decida si las siguientes afirmaciones son verdaderas o falsas según la lectura. Si son falsas corríjalas para que sean verdaderas.

1. _____ Fernández Caubí aceptó un puesto para el que hacía falta tener estudios superiores.
2. _____ Para trabajar en EE UU hay que ser ciudadano de ese país.
3. _____ El capataz no estaba seguro de si debía contratar al narrador.
4. _____ Los cilindros metálicos son las latas de Coca-Cola.
5. _____ Los cilindros metálicos tienen el mismo significado para los/las consumidores/as que para el narrador.
6. _____ En 1961 hubo elecciones en Cuba.
7. _____ Cuando la niña llegó a la casa su padre se alegró de verla.
8. _____ A la niña no le gustó el color del uniforme de su papá.
9. _____ El malentendido fue causado por la diferencia de edades.
10. _____ El padre se enfadó por el malentendido.

En mi opinión

En grupos, discutan las siguientes preguntas.

1. ¿Qué quería ser Ud. cuando era pequeño/a? ¿Cómo han cambiado sus aspiraciones a través de los años? ¿Cuál fue su primer puesto? ¿Cómo lo consiguió?

2. ¿Quién tarda más, generalmente, en adaptarse a las nuevas circunstancias, un adulto, un joven o un niño? ¿Qué factores aceleran o retrasan el proceso de adaptación? ¿Hasta qué punto deben los inmigrantes mantener su cultura y lengua?

3. Como le ocurre a la niña, ¿se han avergonzado Uds. *(have you been embarrassed)* alguna vez de su familia? ¿Por qué? ¿Hay problemas de comunicación entre las generaciones de su familia? Comenten y expliquen.

4. Hagan una lista de tres factores imprescindibles para tener éxito (a) en la vida, (b) en su puesto de trabajo y (c) en el amor.

5. ¿Es el concepto norteamericano del éxito diferente del de otras naciones? Den algunos ejemplos. ¿Es su noción del éxito diferente de la de sus amigos? ¿Y de la de sus padres? Expliquen.

▶ Estrategias comunicativas para atraer la atención de alguien

Oiga, por favor...	Listen, please . . .
Perdone, ¿me podría ayudar?	Excuse me, could you help me?
Hola, buenos días/tardes/noches, necesito...	Good morning/afternoon/evening, I need . . .
Por favor, ¿podría decirme... ?	Please, could you tell me . . .?

En (inter)acción

En pequeños grupos, hagan las actividades siguientes.

1. Imaginen que son inmigrantes a EE UU (por ejemplo, el coca-colero mismo) y que van a la oficina del gobierno a preguntar cómo solicitar el permiso de residencia. Preparen un diálogo utilizando las expresiones de **Estrategias comunicativas** y luego representen la escena delante de la clase.

2. En la sección de anuncios del periódico (página 155) busquen un empleo para el protagonista del cuento y expliquen por qué sería bueno para él.

3. Supongan que van a ir de niñera/o *(au pair)* a un país hispano y hoy tienen una entrevista con la familia que los/las va a contratar. Un/a estudiante debe hacer el papel del padre o de la madre de familia y otro/a del/de la interesado/a en el puesto. Discutan el sueldo, las condiciones, los niños, sus talentos, los días libres, etc.

$$$$	**Compañía Nacional**	**Empresa hispana** solicita persona para promover pro-grama educativo. Forma-ción universitaria. Inglés NO necesario, carro SI. 649-4600
Distribuidores. Línea exclu-siva. Productos de ZABILA. 884-3410	Busca personas capacitadas en Relaciones Públicas. Oportunidad para vende-dores y ejecutivos. Llame al 888-4255; 3-9 pm.	
Instituto técnico. Solicita encuestadoras. Salario más comisión. 553-2748	Chapistero y pintor experto para hacerse cargo de taller en funcionamiento. Refe-rencias. 856-6930	Mecánicos de autos. Hasta $30 la hora más beneficios. Inmediato. 976-9675
Hombre con experiencia en mantenimiento de edificios. Debe hablar y escribir in-glés. 756-0769	Guardias de seguridad. Edificio de aptos. No requiere armas. Llamar 823-0000, 10am a 2pm. Lun. a vier.	Aprendices para reparadores de TV/radio. $21,000 año. 641-2928
¿NECESITA TRABAJO? Llámenos al 538-6606. No es agencia.	Chofer para grúa. Se entre-nará. 532-3672	Profesionales universitarios para posiciones ejecutivas. Llamar 598-9099.

4. Debatan los méritos de la Coca-Cola y la Pepsi-Cola con la clase dividida en dos grupos de partidarios de las dos bebidas.

5. En la lectura, Abelardo tiene un nombre más breve, "Al", que usan sus familiares, amigos y compañeros de trabajo. En inglés también es frecuente este tipo de abreviación y/o terminación (Robert = Bob, Bobby; William = Bill). Miren las dos columnas e intenten relacionar los nombres de una lista con los de la otra.

a. José, Josefa   _____ Lupe, Lupita
b. Francisco, Francisca   _____ Manolo, Manolito
c. Mercedes   _____ Pepe, Pepa, Chepe
d. Manuel   _____ Paco, Paca, Paquito, Paquita, Curro, Pancho
e. Guadalupe   _____ Lola, Lolita
f. Dolores   _____ Carmiña, Carmencita
g. Enrique   _____ Perico
h. María Teresa   _____ Chuchi, Susi
i. Jesús   _____ Quique
j. Pedro   _____ Merche, Mecha, Meche
k. Carmen   _____ Maite

Práctica gramatical

Repaso
gramatical:
El imperativo
(*Cuaderno*, pág. 38)
El subjuntivo con
verbos de deseo y
emoción
(*Cuaderno*, pág. 40)

1. En parejas, cada estudiante debe preparar tres preguntas referentes a la organización de una fiesta. Otro/a debe contestarlas con un mandato afirmativo y otro negativo.

   Ejemplo: —¿A quién debo invitar?
   —Invita a Mauricio pero no invites a Tomás.

2. **Discrepancias.** En parejas, hagan oraciones combinando palabras de las tres columnas para expresar desacuerdo entre Ud. y otros (explique quién es ese otro).

   Ejemplo: Yo quiero llegar a tiempo pero mis amigos españoles quieren que lleguemos un poco tarde a la recepción.

yo	otros	cuestión
a. estudiar literatura	consejeros	estudiar informática
b. ir a Stanford	padres	ir a MIT
c. pasar las vacaciones en casa	amigas	ir a esquiar
d. viajar a Chile	familia	visitar Alemania
e. ver una película	vecinas	jugar a las cartas
f. pasear en coche	primos	montar en bicicleta
g. comprar una moto	banquero	invertir el dinero

Creación

Escriba un cuento muy breve usando el título de la lectura. O reescriba el mismo cuento desde el punto de vista de la niña.

Phrases:	*Talking about the recent past; Thanking; Weighing alternatives*
Grammar:	*Subjunctive; Conditional; Object pronouns*
Vocabulary:	*Animals (domestic); Colors; Computers*

In Between

Mirta Toledo

Mirta Toledo nació en Argentina y reside en Estados Unidos donde ha adquirido fama por sus pinturas, esculturas y escritos. En esta selección la autora nos relata una anécdota que presenta la extrañeza, la nostalgia y la tristeza comunes a muchos emigrantes aun cuando estén contentos de haber abandonado su tierra natal.

◢ Palabra por palabra

el **banco**	*bench, bank*
la **certeza**	*certainty*
comprobar (ue)	*to check out, verify*
coqueto/a	*flirtatious*
el/la **desconocido/a**	*stranger*
deshacerse de	*to get rid of*
pertenecer (a)	*to belong (to)*
el **recuerdo**	*memory*
soltar (ue)	*to let go*

◢ Mejor dicho

echar de menos, extrañar	*to miss something or someone*	Mari Trini **echaba de menos** la comida de su país. **Extraño** mucho a mi perro.
perder(se) (ie)	*to miss an event or get lost*	**Me perdí** la boda de mi hermana porque estaba enferma.
faltar a	*to miss an event, not attend*	No **faltes a** la última reunión del departamento.

mover(se) (ue)	*to move around (self or objects)*	Margarita siempre **está moviendo** los muebles de su casa de un lado para otro.
mudar(se)	*to change houses, cities, or countries*	Cuando nació el niño tuvimos que **mudarnos** a una casa más grande.
trasladar(se)	*to transfer for reasons of work*	La compañía lo **ha trasladado** a la sucursal de Colombia por dos años.

Práctica

1. En parejas, completen las frases siguientes de modo original.

   a. Para distraerme yo muchas veces...
   b. Siempre debemos comprobar...
   c. Ella es muy coqueta...
   d. ¿Tienes la certeza de que...?
   e. ¡... es el colmo!
   f. ... un desconocido.
   g. Mis mejores recuerdos son...
   h. Durante las vacaciones voy a deshacerme de...

2. Dígale a su compañero/a lo siguiente.

   a. Dos cosas o personas que extraña o no.
   b. Dos cosas que ha perdido.
   c. Dos actividades a las que ha faltado.
   d. Dos organizaciones a las que desea pertenecer.
   e. Las veces que se ha mudado en su vida.
   f. El tipo de puesto por el que estaría dispuesto/a a *(willing)* trasladarse a menudo.

Alto

1. Reflexione sobre el título del cuento. ¿Por qué estará en inglés?

2. Lea con mucho cuidado los dos primeros párrafos y determine de quién se está hablando. Explique cómo lo sabe. Recuerde que en inglés siempre se expresa el sujeto pronominal de la oración *(he, she, it,* etc.) y en español no es necesario. Por ejemplo: Llamó ayer. → *He/She called yesterday.* A continuación hay una lista de verbos. Escriba el sujeto que corresponde a cada uno, según la lectura.

   a. _____ sé
   b. _____ duerme
   c. _____ salgo
   d. _____ hiciera
   e. _____ está
   f. _____ sería
   g. _____ veo
   h. _____ llevo
   i. _____ es
   j. _____ recuerda
   k. _____ tiene
   l. _____ distraigo

3. Mientras lee, preste atención a alguna expresión típica del Cono Sur.

4. ¿Se ha sentido marginado/a alguna vez, como que no pertenece a ningún sitio?

A mitad de camino

In Between

Mirta Toledo

No sé si duerme allí, debajo del banco, porque después de las seis de la tarde no salgo ni loca.[1] Además, aunque lo hiciera, esa calle no está iluminada, así que me sería muy difícil comprobarlo.

    La veo todas las mañanas, cuando llevo a los nenes al colegio. Es menuda[2] y algo
5 coqueta, siempre aferrada[3] a esa cartera negra. Me recuerda a mi tía Angela, porque tiene como un halo de dignidad que la rodea y es precisamente por mirar ese halo que me distraigo y me gano un bocinazo,[4] cosa rara en estos pagos.[5]

    ¿Qué la llevó a esa vida? No lo sé... ¿Qué sentirá tan aislada de la presencia humana? Porque aquí sólo hay coches. Autos de todo tipo que van y vienen, que
10 pasan sin parar a su lado. ¡Qué extraña esta sociedad llamada "móvil"! De automóvil, claro está... Un auto por individuo y los garajes atiborrados[6] de coches que van y vienen, que pasan sin siquiera rozarse.[7]

---

[1] **ni loca** = de ningún modo   [2] **menuda** = pequeña   [3] **aferrada** *hanging on to*   [4] **bocinazo** = protesta de otros conductores   [5] **pagos** = lugares   [6] **atiborrados** = llenos   [7] **rozarse** = tocarse

Cuando llegué a esta ciudad, no entendía nada. Parecía desierta, con sus calles solitarias y sin veredas.[8] ¡Claro, para qué, si acá nadie camina! Como no salía de
15 mi asombro[9] y encima lo pregonaba,[10] alguien me explicó lo de la sociedad móvil y, entonces claro, ya no dije más.

—¿Está loca, mami? —me preguntó Angel al verla, más de una vez.

—Abandonada solamente —le contesté siempre, sin quitarle los ojos de encima a ella, que estaba sacudiendo[11] el banco, o pateando[12] las piedritas que lo
20 rodean, o arrancando[13] el pastito[14] que crece alrededor de las patas en primavera.

—¿Entonces por qué vive así, en la calle? —reflexionó Santiago con angustia.

—Porque no tiene coche —le dije muy segura de mí misma.

Salgo todos los días porque tengo que hacerlo, pero aquí salir también es diferente. Del patio de atrás directamente al auto y, una vez adentro, a la calle. Nada
25 de respirar tormentas, mucho menos mojarse de improviso, y ¡ni que hablar de las caricias de las hojas en otoño! No, nada de eso.

Tengo siempre la certeza de que no me voy a encontrar con nadie, esa ficción de doblar una esquina y tropezarse[15] con una cara conocida, se transformó en una mentira para mí. Me ajusto el cinturón porque ahora me gusta la velocidad y des-
30 pués pongo algo de música, ya no sólo por placer, sino para sentirme acompañada.

Latinos en Estados Unidos / ya casi somos una nación...

Cada día la misma rutina: antes de las ocho llevo a los chicos a la escuela y después a mi marido a su trabajo. Les digo chau[16] a los tres sin salir del coche, no sé si será porque allí los besos son más íntimos.

35 *...Venimos de la América india / del negro y del español...*

Algunas veces bajo, como cuando voy al supermercado o a una librería para saber qué hay de nuevo, o si dicen algo de "allá", de mi Argentina.

...En nuestra mente emigrante / a veces hay confusión...

Otras veces voy a la biblioteca. Y, por supuesto, al correo que sigue siendo un
40 lugar de citas sagrado, a pesar de las respuestas que no llegan.

...No dejes que te convenzan / que no se pierda el idioma español...

Cuando salgo de cada lugar nuestro autito azul siempre me está esperando. Ya no sé qué haría sin él, porque ni bien[17] pongo la llave me abraza con la voz de Celia Cruz que no para de cantarme:

45 *América Latina vives en mí / quiero que este mensaje / llegue hacia ti...*

Invariablemente a eso de las diez de la mañana llego a casa. Pero aunque tenga varios caminos para elegir, siempre que puedo paso por Trail Lake para ver a la mujer del banco. Siento que hay algo que nos une además de la curiosidad que me provoca, con su cartera negra y el hecho de que no la suelte nunca.

---

[8] **veredas** *sidewalks*   [9] **no... asombro** *I was thoroughly bewildered*   [10] **pregonaba** = decía   [11] **sacudiendo** = limpiando   [12] **pateando** = moviendo con el pie   [13] **arrancando** *tearing out*   [14] **pastito** = hierba
[15] **tropezarse** = encontrarse   [16] **chau** = chao   [17] **ni bien** = tan pronto como

50 —¿Qué llevará adentro, mami? —preguntaron mis hijos, porque están en esa edad en la que aún creen que yo lo sé todo.

—A mí también me intriga —les dije—. ¡La abraza[18] con tanta fuerza!

Cuando salgo del coche lo cierro con llave y ya estoy "a salvo"[19] en el patio de atrás, en casa. Me preparo un café y me meto en el cuartito del fondo, mi lugar de
55 trabajo...

—¡Este lugar podría estar en la China, en Italia, en Australia o en Japón! —me comentó una vez mi esposo—. Total, es lo mismo, porque este lugar sos vos. Este cuartito no está aquí sino en Buenos Aires...

—Es verdad, lo admito. Y para colmo ¡cada vez se me nota más![20] Pero, en-
60 tonces, ¿dónde estoy, si no es ni aquí ni allá?

—*¡In between,* mami! ¡En inglés se dice *"in between"*!

Sí, *"in between"*, ¡tan lejos de Fort Worth como de Buenos Aires, tan anclada[21] *in between* que no sé cómo pegar el salto[22] para ninguno de los dos lados! ¿Será éste mi lugar definitivo? *In between...*

65 ¡Y las cartas que no llegan! Es porque no escriben, porque para mis familiares y amigos yo soy sólo una ausencia, un recuerdo que ya no pertenece a Buenos Aires, una desconocida que habla inglés y vive en un país del "Primer Mundo". Pero para mí ellos son una presencia continua, los fantasmas[23] de los afectos verdaderos, los que hablan mi idioma, los únicos que pueden llegar a conocerme: los
70 que sueñan mis sueños.

Con los recuerdos de mis seres queridos llené las valijas[24] cuando me fui, las mismas que cargué en aduanas y aeropuertos cada vez que nos mudábamos de ciudad...

—¡Tirá algo, mami! —me decían inocentes los nenes. Pero yo no, yo me
75 aferraba aún más a esas valijas tan pesadas.

—¡Pero ché![25] ¿Me vas a decir que no podés deshacerte de algo? —porque a mi esposo le gustaba viajar liviano.[26]

—¡Cálmate! ¡Reflexiona! —además mi marido se quejaba.

—¿Para qué te puede servir lo que hay adentro? ¡Ya pasaron tantos años!
80 Y yo le contestaba con mis manos convertidas en garras,[27] y ellos viajando siempre conmigo, aún sin saberlo, adentro de mis valijas.

—¿Llevará un tesoro en la cartera, mami? —me preguntaron ayer al verla.

—Sí, queridos. Y en castellano se dice "recuerdos".

---

[18] **abraza** *holds, hugs*   [19] **a salvo** = fuera de peligro   [20] **se me nota** *it shows*   [21] **anclada** *anchored*
[22] **pegar el salto** *make the leap*   [23] **fantasmas** *ghosts*   [24] **valijas** *suitcases*   [25] **ché** *look, hey, come on*
(expresión argentina)   [26] **liviano** = sin mucho equipaje *(luggage)*   [27] **garras** *claws*

¿Entendido?

Asocie o identifique los términos siguientes de acuerdo con la información de la lectura.

Ejemplo: auto → automóvil → sociedad móvil

1. tesoros
2. valijas
3. desconocida
4. Santiago y Angel
5. Argentina
6. abandonada
7. correo
8. a salvo
9. fantasmas
10. Celia Cruz

Y ahora, ¿a dónde?

En mi opinión

En parejas, contesten las preguntas siguientes.

1. ¿Qué creen Uds. que contienen las valijas? Si fueran suyas, ¿qué tendrían dentro?
2. ¿Qué forma parte de su concepto de "hogar"? Expliquen.
3. ¿Qué objetos especiales se llevaron de su casa al venir a la universidad? Si Uds. fueran a vivir a otro país, ¿qué se llevarían?
4. ¿Tienen Uds. la costumbre de guardar o coleccionar muchas cosas? ¿De qué tipo? ¿Por qué?
5. ¿Se identifica la narradora con la mujer del banco? Mencionen algunas cosas que tienen en común.
6. ¿Hay alguna música o canción que personalmente les trae recuerdos felices de su casa, de su niñez? ¿Cuál es?

► Estrategias comunicativas para expresar nostalgia

¿Te acuerdas qué bonito... ?	*Do you remember how beautiful . . .?*
No puedo dejar de pensar en...	*I can't stop thinking about . . .*
Cuánto quisiera volver a ver/estar/ser...	*How I wish I could again see/be . . .*
Ojalá pudiera...	*I wish I could . . .*

En (inter)acción

Hagan las actividades siguientes como se indica a continuación.

1. **El túnel de los recuerdos.** En grupos de tres estudiantes, comenten algunas cosas que han cambiado en su casa, su escuela o su ciudad natal desde que Ud. se fue de casa. Reaccionen a estos cambios utilizando las expresiones de las **Estrategias comunicativas.**

   Ejemplo: Me acuerdo cuando iba a jugar al parque de la esquina todos los días...

2. **Tengo en la mochila...** Con toda la clase, el/la profesor/a y cada uno/a de los/las estudiantes describen algún objeto y los/las demás deben adivinar lo que es. (El/La profesor/a puede llevar varios objetos curiosos a la clase.)

   Ejemplo: —una cosa suave y de colores que se usa de adorno
   —un pañuelo

3. En grupos de cuatro estudiantes, hagan un pequeño sondeo para averiguar lo siguiente de cada uno/a:

   a. ¿De qué país son sus antepasados?
   b. ¿Se habla alguna otra lengua en su casa? ¿Cuál?
   c. ¿Hay alguien de la familia que no hable inglés?
   d. ¿Han salido del país alguna vez? ¿Cuándo y a dónde fueron?

	1	2	3	4
a				
b				
c				
d				

4. Los Estados Unidos es un país de inmigrantes. Con sus compañeros/as decida cuándo se llega a ser *realmente* norteamericano/a. ¿Después de cierto tiempo de vivir aquí? ¿Tras hacer los trámites de ciudadanía y jurar fidelidad a la bandera? ¿Al adquirir el pasaporte? ¿Al adoptar la lengua y las costumbres norteamericanas? ¿Tras tener hijos aquí o casarse con alguien del país?

5. Se ha dicho que hay cuatro etapas principales en el proceso de aclimatación a una nueva cultura: la luna de miel *(honeymoon),* la hostilidad, el humor y la aceptación. Discutan en qué etapa creen que están los personajes de esta lectura y de la anterior.

6. Lean y escuchen la canción de Celia Cruz, "Latinos en Estados Unidos", y luego discutan la postura de la cantante con respecto a la identidad de los emigrantes hispanos.

Latinos en Estados Unidos

Latinos en Estados Unidos
ya casi somos una nación
venimos de la América india del negro y del español.
En nuestra mente emigrante
a veces hay confusión
pero no hay quien nos engañe*   *deceive*
el alma y el corazón
porque vivimos soñando
volver al sitio de honor.

Latinos en Estados Unidos,
vamos a unirnos, vamos a unirnos
claro que sí
vamos a unirnos, vamos a unirnos.

Que en la unión está la fuerza
y al pueblo respetan y le dan valor
no dejes que te convenzan
que no se pierda el idioma español.

Simón Bolívar, Sarmiento
Benito Juárez, Martí*   *héroes de América Latina*
dejaron un gran comienzo
para el camino a seguir.
Debemos dar el ejemplo
con la solidaridad.
Soy latinoamericano
no tengas miedo decir
pues todos somos hermanos
en un distinto país.

Latinos en Estados Unidos…
Que en la unión está la fuerza…

Seamos agradecidos*   *grateful*
con esta tierra de paz
que nos da un nuevo futuro
y una oportunidad.
Pero ya que estamos lejos
de nuestro suelo natal
luchemos por el encuentro
con nuestra propia verdad,
debajo de cualquier cielo
se busca la identidad.

Latinos en Estados Unidos…
Que en la unión está la fuerza…
Latinos en Estados Unidos…

Somos hermanos, buenos es decirlo
Latinos en Estados Unidos…
No discrimines a tus hermanos
siempre que puedas dales la mano
Latinos en Estados Unidos…

América Latina vives en mí
quiero que este mensaje llegue hacia ti
Latinos en Estados Unidos…
Debemos unirnos para que tú veas
que si estamos unidos ganamos la pelea.
Latinos en Estados Unidos…
Nunca debemos de dividirnos
Latinos en Estados Unidos…
Ay vamos dejando ese tiqui tiqui*   discusión por cosas sin importancia
vamos a unirnos, lo dijo Titi
América Latina dame la mano
únete hermano, únete.
Latinos en Estados Unidos…
No niegues tu identidad
tu tierra te premiará.
Vamos a unirnos, vamos a unirnos.
Dame la mano
tú eres mi hermano latino.
Vamos a unirnos, vamos a unirnos.
Soy latinoamericano
no tengas miedo decirlo.
Vamos a unirnos, vamos a unirnos.
Dame la mano
dale la mano a tu hermano.
Vamos a unirnos, vamos a unirnos.
Si niegas tu identidad
no estás diciendo verdad.
Vamos a unirnos, vamos a unirnos.
Dale la mano a tu hermano
y el camino se hace llano.
Vamos a unirnos, vamos a unirnos.
Solo palo no se monta
se queda solo.
Vamos a unirnos, vamos a unirnos.
Y te respetan y te dan valor
que no se pierda el idioma español.

Práctica gramatical

Repaso
gramatical:
El subjuntivo con
verbos de petición
y mandato
(*Cuaderno*, pág. 41)
Formas y usos del
imperfecto de sub-
juntivo
(*Cuaderno*, pág. 41)

1. En parejas, usando verbos de petición y mandato, y el tiempo pasado, comparen las demandas de su familia, sus clases, sus amigos/as.

Ejemplo: —¿Qué te exigía tu familia?
—Me exigía que estudiara y sacara buenas notas.

2. En parejas y usando el imperfecto de subjuntivo, sugiéranles a la narradora y/o a la mujer del banco lo que deben hacer.

Ejemplo: A la narradora nosotros le sugeriríamos que tirara algunas de sus cosas.

Creación

Escriba la historia de la mujer del banco. ¿Quién es y cómo llegó hasta allí? Describa su apariencia y sentimientos (¿qué edad tiene, cómo es su familia, cuál es su historia, por qué no tiene casa?).

Phrases:	*Describing health; People; The past*
Grammar:	*Preterite & imperfect; Subject pronouns*
Vocabulary:	*Face; Body; Gestures*

Nocturno chicano

Margarita Cota-Cárdenas

Canción de la exiliada

Alicia Partnoy

Margarita Cota-Cárdenas (1941) nació en un pueblecito de California cercano a la frontera de México, de donde es su familia. Es co-fundadora de Scorpion Press, profesora de literatura en una universidad de Arizona y autora de poesía bilingüe de/sobre mujeres. En este poema, "Nocturno chicano" que forma parte de *Noches despertando inconciencias* (1977), Cota-Cárdenas expresa su preocupación con la imagen de los chicanos *(Mexican Americans)* y algunas de sus consecuencias.

Alicia Partnoy (Argentina) fue expulsada de su país en los años 80, durante la dictadura de la junta militar, después de haber sido secuestrada y torturada por sus ideas políticas. Ha escrito un libro muy famoso sobre esos años de represión titulado *The Little School.* (Ver Unidad III, pág. 222.) El poema "Canción de la exiliada", que forma parte de *La venganza de la manzana,* tiene un tono vengativo *(vengeful)* al expresar sus sentimientos por haber sido expulsada del lugar en que nació.

Estos dos textos presentan distintos sentidos de alienación. En el primero se trata de gente que vive en su propio país pero no se siente parte de él, por lo que sufre una especie de exilio interior. El segundo, en cambio, da voz a quienes han sido exiliados a la fuerza.

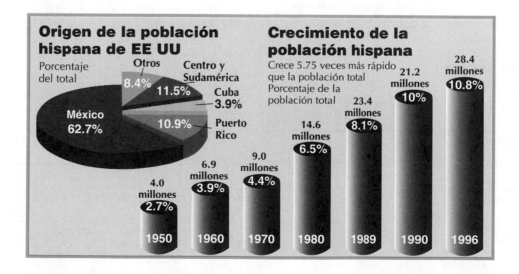

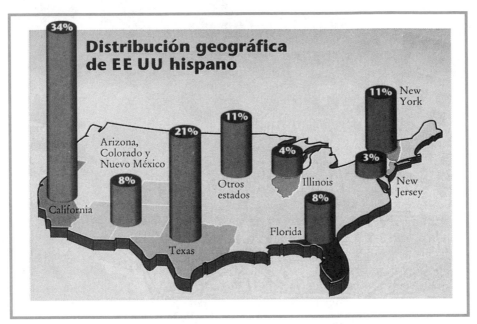

Distribución geográfica de EE UU hispano

34% California
8% Texas
21% Arizona, Colorado y Nuevo México
11% Otros estados
4% Illinois
11% New York
3% New Jersey
8% Florida

¿Cuándo se realizó el último censo de población en Estados Unidos?

Palabra por palabra

aislar	*to isolate*
aterrorizar	*to terrorize*
atreverse	*to dare*
bastar	*to be enough*
cortar	*to cut*
el **espejo**	*mirror*
obscuro/a	*dark*
quejarse	*to complain*

Mejor dicho

querer decir	*to mean (animate and inanimate subjects)*	Yo no **quise decir** eso.
significar	*to mean (only inanimate subjects)*	La palabra "libertad" **significa/quiere decir** *freedom*.

actualmente	*at the present time*	**Actualmente** la situación política de mi país es muy difícil.
realmente	*truly, really, actually*	Todos han estado **realmente** preocupados.

¿Qué expresa este rostro?

Práctica

1. En parejas, den antónimos y sinónimos para las palabras del vocabulario

   Ejemplo:

   aterrorizar $\begin{cases} = \text{calmar (antónimo)} \\ = \text{horrorizar (sinónimo)} \end{cases}$

2. En grupos de tres estudiantes, comenten y expliquen lo siguiente.

   a. Tres cosas de las que se quejan.
   b. Tres cosas que no se atreven a hacer.
   c. Algo que siempre les ha aterrorizado.
   d. Cuándo y por qué se miran en el espejo.

Alto

Hay que recordar que muchas partes de América del Norte fueron colonizadas por los españoles antes de la llegada de los emigrantes ingleses. La parte suroeste de los Estados Unidos perteneció a México hasta mediados del siglo XIX. Es allí, en los estados de Texas, Arizona, California, Colorado y Nuevo México, donde vive casi el 70% de los norteamericanos de origen hispano. Son los llamados chicanos. Uno de sus problemas es que, a pesar de llevar muchas generaciones en Estados Unidos, a menudo se los confunde, por ignorancia o prejuicios, con los inmigrantes ilegales.

1. ¿Qué sabe de los chicanos? Si no sabe nada, busque información en Internet sobre ellos.

2. ¿Entiende la diferencia entre un/a exiliado/a y un/a inmigrante?

3. Preste atención a las técnicas poéticas empleadas en los dos poemas (por ejemplo, la repetición de palabras) y trate de explicar la razón de su uso.

Nocturno chicano

Margarita Cota-Cárdenas

cuando éramos niños
    el plonquito° y yo   mi hermano
       no había
          sirenas
5   por la noche
            por el día
            de bomberos°   *firefighters*
            de ambulancias
            de la policía
10   aterrorizando asustando
        a los grandes
          a los jóvenes
            y a los hermanitos
       sólo había   bastaba
15   "LA MIGRA"[1]

¿Entendido?

1. Analice el poema a la luz de los contrastes culturales. Es decir, ¿por qué los niños sienten terror no de los bomberos sino de "la Migra"?
2. Describa detalladamente, usando los datos obtenidos y la imaginación, el lugar, los personajes y cómo se sienten, y la situación presentada en el poema.

---

[1] **Migra** = Departamento de Inmigración de Estados Unidos

Canción de la exiliada

Alicia Partnoy

Me cortaron la voz:	
dos voces tengo.	
En dos lenguas distintas	
mi canto vierto.°	expreso
5 Me arrancaron° el sol:	quitaron
dos soles nuevos	
como dos relucientes°	*sparkling*
tambores sueno.°	*my voice resounds like drums*
Me aislaron de mi gente	
10 y hoy a mi pueblo	
vuelve mi canto doble	
como en un eco.	
Y a pesar de lo obscuro	
de este destierro,	
15 se enciende° hoy mi poesía	brilla
contra un espejo.	
Me cortaron la voz,	
dos voces tengo.	

¿Entendido?

1. Exprese en sus propias palabras lo que dice el poema y las emociones que presenta.

2. Explique por qué la autora dice que tiene dos voces.

3. Relacione el poema con otras lecturas de esta unidad.

La Feria de abril es una fiesta muy popular que se celebra en Sevilla, España, todas las primaveras. Entonces, ¿por qué anuncia este poster que la Feria tendrá lugar en Nueva York? ¿Y por qué está vestida la Estatua de la Libertad de esa manera?

En mi opinión

1. En grupos de tres estudiantes, discutan la emigración a otro país teniendo en cuenta los distintos sentimientos y condiciones que entran en juego.

   a. como exiliado/a político/a
   b. por razones económicas
   c. por causa de los negocios
   d. para estudiar
   e. ilegalmente

2. **Sorpresa.** En grupos, lean el siguiente párrafo y luego comenten la situación y la experiencia que ha tenido el emigrante.

   > La idea era lavar platos o algo así. Cualquier cosa que le pagara las clases de inglés. Pero este chico español de 25 años no esperaba que su trabajo en Londres fuera a llamarse Charlotte. Charlotte es una niña de cinco años y Eduardo, licenciado en ciencias de la información y *masters* en relaciones internacionales, es su niñero. A las 15.30 recoge a la pequeña en el colegio. Juegos, baño, cena y un cuento al acostarla. Eduardo está encantado con el empleo. Y Charlotte también.
   >
   > *El País* (124, XVIII, p. 16)

Mirta Toledo, *Pura diversidad*

Estrategias comunicativas para expresar solidaridad o compasión

¡Qué pena!	*What a pity! Too bad!*
Cuánto lo siento.	*I am so sorry.*
Es terrible.	*That's terrible/awful.*
La/El pobre.	*Poor thing.*

En (inter)acción

1. En grupos de cuatro estudiantes, preparen una lista con al menos tres preguntas que les gustaría hacerles a un/a inmigrante, a un/a exiliado/a, a un/a trabajador/a ilegal. Luego tengan una entrevista en que cada uno/a de los/las estudiantes hace un papel distinto, incluyendo un/a entrevistador/a.

2. Lean la canción de Daniel Santos, "En mi viejo San Juan", (o si pueden conseguir el disco, escúchenla) y comenten lo que dice y los sentimientos que expresa usando las **Estrategias comunicativas.**

En mi viejo San Juan

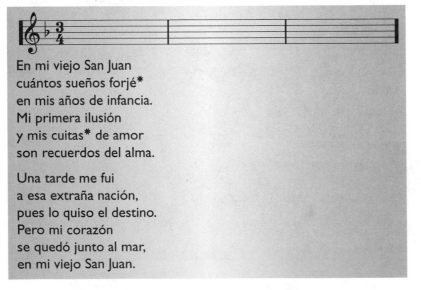

En mi viejo San Juan
cuántos sueños forjé*   soñé
en mis años de infancia.
Mi primera ilusión
y mis cuitas* de amor   problemas
son recuerdos del alma.

Una tarde me fui
a esa extraña nación,
pues lo quiso el destino.
Pero mi corazón
se quedó junto al mar,
en mi viejo San Juan.

Adiós, adiós, adiós,
Borinquen querida,
tierra de mi amor.
Adiós, adiós, adiós,
mi diosa del mar
reina del palmar.

Me voy, ya me voy,
pero un día volveré
a buscar mi querer,*   amor
a soñar otra vez
en mi viejo San Juan.

Pero el tiempo pasó
y el destino nubló
mi terrible nostalgia.
Y no pude volver
al San Juan que yo amé,
pedacito de patria.

Mi cabello blanqueó,*   se volvió blanco
hoy mi vida se va,
ya la muerte me llama
y no quiero morir
alejado de ti,
Puerto Rico del alma.

Adiós, adiós, adiós,
Borinquen querida,
tierra de mi amor.
Adiós, adiós, adiós,
mi diosa del mar
reina del palmar.

Me voy, ya me voy,
pero un día volveré
a buscar mi querer,
a soñar otra vez
en mi viejo San Juan.

3. Al entrar en los Estados Unidos hay una serie de regulaciones de aduaneras *(customs)* con respecto a los siguientes objetos. ¿Saben Uds. cuáles son? En grupos, intenten rellenar el cuadro siguiente.

objeto	prohibido	limitado	ilimitado
dinero			
ropa			
frutas y vegetales			
tabaco			
medicinas			
bebidas alcohólicas			
libros			

Práctica gramatical

Repaso
gramatical:
Los prefijos
(*Cuaderno*, pág. 43)
Los sufijos
(*Cuaderno*, pág. 44)

1. En grupos, formen palabras añadiendo alguno de los prefijos estudiados (**re-, a-, em-, in-**) a las palabras siguientes. Luego expliquen su significado o úsenlas en oraciones.

   Ejemplo: elegir
   reelegir (volver a elegir)
   A George Bush no lo reeligieron presidente.

   esperar   cubrir   tocar   isla   formar   probar   terror

2. En grupos, formen palabras añadiendo alguno de los sufijos estudiados (**-dad, -ción, -ista, -mente**) a las palabras siguientes. Luego expliquen su significado o úsenlas en oraciones.

   Ejemplo: confiar
   confiable (que se puede confiar en él o ella)
   Alfredo no era muy confiable.

   obscuro   estudiar   constante   optimismo   curioso   transformar

Creación

Tomando el punto de vista de un/a chicano/a o un/a exiliado/a, escriba una carta a alguien de quién se acaba de enamorar contándole algunas de sus experiencias (de su niñez, de la emigración, etc.) que han determinado su carácter o lo/la han traumatizado.

Phrases:	*Self-reproach; Talking about the present; Thanking*
Grammar:	*Imperative & future tenses; If clauses*
Vocabulary:	*Senses; Countries; Upbringing*

UNIDAD III
LOS DERECHOS HUMANOS

Será magnífico el día

en que

nuestras escuelas

reciban todo el dinero

que necesitan

y la fuerza aérea

tenga que organizar

una rifa

para comprar

un avión

de bombardeo

En esta unidad presentamos textos sobre personas cuyos derechos humanos han sido violados, ya sea porque se los ha marginado o porque en su momento fueron "enemigos" políticos del gobierno.

Empezamos con "Los marginados". El primer texto "Declaración de principios de la organización de los indígenas oaxaqueños" es una denuncia colectiva al tratamiento que han recibido los indígenas de Oaxaca, y por extensión de toda América, a manos de los sucesivos gobiernos. La canción "México insurgente" alude a un hecho histórico reciente y bien conocido: la rebelión de los indígenas en Chiapas. El artículo que sigue, "Gitanos", es sobre la reacción a un incidente que ilustra la situación de los gitanos en España. Este grupo procedente de la India ha sufrido, y sigue sufriendo, discriminación racial y étnica. Este primer capítulo termina con un poema de la escritora cubana Nancy Morejón titulado, "Mujer negra", que habla de las mujeres afroantillanas y de su condición de esclavas al llegar al Nuevo Mundo.

El segundo capítulo, titulado "Los sobrevivientes", gira en torno a individuos que han sido víctimas de gobiernos totalitarios. "Testimonios de Guatemala" y la canción que sigue, "La vida no vale nada", expresan la responsabilidad que tiene cada individuo de transformar y mejorar la sociedad en que vive. En *Preso sin nombre, celda sin número* y "Pan" sus protagonistas nos relatan, y testimonian, el tratamiento que recibieron en cárceles clandestinas y los recursos que utilizaron para sobrevivir en esas condiciones. Tan arbitrarias y absurdas son las normas en estas cárceles como la reacción del militar que aparece en la tira cómica "Los pájaros y la libertad de expresión".

En el tercer capítulo titulado "Concienciación y aperturas", tanto "1976, en una cárcel de Uruguay: pájaros prohibidos" como "La literatura del calabozo" nos muestran formas ingeniosas de superar momentos difíciles. En este capítulo hay un apartado dedicado a los derechos de los niños. "Epigrama" describe la manipulación ideológica y hasta el abuso físico de que han sido objeto bajo gobiernos totalitarios, y "Los derechos humanos" nos obliga a tomar conciencia de que el maltrato puede empezar en la familia misma. Los textos "Sabotaje" y *Un día en la vida* nos muestran posibles y frecuentes formas de resistencia a los abusos del poder: el humor y la religión, especialmente el nuevo enfoque de la teología de la liberación.

Que yo sepa

En grupos de cuatro estudiantes, contesten y comenten los temas siguientes.

1. ¿Qué exactamente entienden Uds. por derechos humanos? Mencionen algunos específicos.

2. ¿Deben preocuparnos las violaciones de los derechos humanos en otros países? ¿Por qué sí/no? ¿Se violan los derechos humanos en Estados Unidos?

3. Mencionen algunos casos de violaciones de los derechos humanos en la historia.

4. Comenten el cartel que encabeza esta unidad. ¿Qué debe tener prioridad en el presupuesto *(budget)* nacional, la defensa militar o la educación?

Los marginados

http://aquesi.heinle.com

Declaración de principios de la organización de los indígenas oaxaqueños

Desde la llegada de los españoles al Nuevo Mundo, los indígenas latinoamericanos fueron sometidos a la autoridad de los colonizadores.

La lectura siguiente presenta las demandas de los indios zapotecas de Oaxaca, México, quienes se han organizado para reclamar sus derechos. Entre otras cosas exigen un buen sistema de enseñanza para sus hijos, servicios médicos y auto-determinación, esto último para poder así conservar su cultura y recuperar su independencia.

▶ Palabra por palabra

alcanzar	*to attain, reach*
el **antepasado**	*ancestor*
el **asombro**	*amazement, astonishment*
conducir	*to lead, drive*
cuidar (de)	*to take care of*
estar dispuesto/a (a)	*to be willing to*
no obstante	*nevertheless*
el **principio**	*principle, beginning*
el **reparto**	*division, distribution*

▶ Mejor dicho

la lucha **luchar (por)**	*struggle* *to struggle*	En las diferentes **luchas** de liberación, los indígenas han participado activamente. **Luchemos por** la paz.
el combate **combatir**	*fight (combat)* *to fight*	El **combate** de los gladiadores fue feroz. Les enseñaremos a **combatir** el fuego en un bosque.
la pelea **pelear**	*fight (quarrel)* *to fight*	Muchas veces una **pelea** entre niños termina pronto. Dos no **pelean,** si uno no quiere.

179

el respeto	*consideration for another person*	Hoy día se va perdiendo el **respeto** a la familia y a los mayores.
respecto de, con respecto a	*with regard to*	No han dicho nada **respecto de/con respecto a** nuestras demandas.

Práctica

1. Toda la clase improvisa una historia a la que tiene que ir incorporando poco a poco las palabras del vocabulario. Un/a estudiante empieza el cuento usando una palabra y luego otro/a estudiante continúa el cuento y emplea otra palabra.

   Ejemplo: Voy a contarles una historia fascinante de mis antepasados.

2. En parejas, describan las ilustraciones siguientes usando palabras del vocabulario.

Alto

1. Busque Oaxaca en el mapa de México, página xii. ¿Dónde está? ¿Sabe algo de los zapotecas?

2. Piense en algunas causas actuales que le interesan a Ud. y lo que hace por ellas. ¿Participa en manifestaciones *(demonstrations)*, recoge firmas, dinero, etc.?

3. ¿Qué valor(es) tienen la lengua y las tradiciones de una cultura marginada?

4. El propósito de este texto es motivar a los oaxaqueños para que se organicen y protesten contra el trato desigual que han recibido por parte del gobierno. Al leer, preste atención a las expresiones empleadas para animarlos.

Declaración de principios de la organización de los indígenas oaxaqueños

Han transcurrido[1] 460 años desde que los conquistadores occidentales llegaron a nuestras tierras para despojarnos[2] de nuestros patrimonios y ahora, a pesar de los diferentes movimientos revolucionarios que se han suscitado,[3] seguimos siendo víctimas de vejaciones[4] por parte de los descendientes del colonizador. En las

5 diferentes luchas de liberación nacional [a las] que se ha enfrentado[5] nuestro país, los indígenas oaxaqueños hemos participado activamente y hemos dado, en los momentos más difíciles, ejemplo de unidad y valentía para no perder la soberanía nacional.

    Nuestro estado, Oaxaca, dio a México y al mundo un hombre invencible ante las

10 injusticias. Su ejemplo de lealtad, de honradez y de disciplina ante una causa injusta, debe ser el ejemplo de todos y orgullo de los indígenas, no sólo de los oaxaqueños, sino de México y de Latinoamérica; ese hombre no ha muerto, ese hermano aún vive, porque Benito Juárez García,[6] zapoteca, indio al igual que nosotros, es y debe ser el símbolo de nuestra inspiración en la lucha, debe ser el aliento[7] para

15 luchar en contra de quienes, tras la máscara de amigos, son nuestros más crueles enemigos. El indio zapoteca jamás dio un paso atrás cuando los traidores de nuestra patria quisieron dividirnos trayendo a México un emperador extranjero.[8]

---

[1] **Han transcurrido** = Han pasado   [2] **despojarnos** *to deprive us*   [3] **se han suscitado** *have been emerging*
[4] **vejaciones** = humillaciones   [5] **se ha enfrentado** *has confronted*   [6] Benito Juárez García fue elegido presidente de México en 1867 y 1871.   [7] **aliento** *encouragement*   [8] **emperador extranjero** = Maximiliano de Habsburgo. Fue emperador de México desde 1864 a 1867.

De la conquista a la fecha, nuestros antepasados, nuestros abuelos, nuestros
padres, nuestros hermanos se han entregado a la lucha y han soportado en silen-
20   cio las injusticias, las vejaciones, las represiones, las manipulaciones de que han
sido víctimas; no obstante, al igual que en otros movimientos, en la revolución
mexicana también ofrendaron[9] sus vidas, pero, ¿cuáles han sido los beneficios que
los indios hemos recibido a cambio de la sangre que derramaron[10] nuestros
padres? Ahora tenemos escuelas, mas la educación que nos imparten no es la que
25   deseamos; ahora tenemos algunos servicios, pero seguimos recibiendo injusticias
y esas injusticias no pueden acabarse si seguimos callados; nunca seremos libres si
lo seguimos permitiendo con los brazos cruzados. El sistema económico social en
que nos encontramos inmersos, día a día sentimos que nos ahorca,[11] cada día se
abandona el *tequio* (la ayuda mutua, el intercambio y el reparto de productos), el
30   respeto a la familia, a los mayores, a los ancianos; cada día se pierde más el amor
al trabajo, a la lealtad, a la humildad, al respeto a los demás, virtudes que aún
cuidamos. Además estamos seguros que así como en Oaxaca, en otras partes del
país no existe un solo indio que no sea explotado económicamente, que no sea
conminado culturalmente,[12] que no sea discriminado racialmente, que no sea ma-
35   nipulado e invisible políticamente. Por esta situación colonial en que nos encontramos, tenemos que buscar urgentemente un camino que nos conduzca hacia
nuestra emancipación política, económica, cultural y social.

Por eso nos vamos a organizar, para luchar juntos en la búsqueda de la solución
a nuestros problemas y por nuestra unidad como hermanos históricamente sub-
40   yugados pero aún dispuestos a seguir luchando por nuestra liberación. La historia
nos ha mostrado que solamente unidos podemos alcanzar los objetivos que deseamos para nuestra sobrevivencia como grupos culturalmente diferenciados y
poseedores de un pasado histórico lleno de gloria y de civilizaciones, que aún es
motivo de asombro para propios y extraños.[13]

45   Estamos seguros de que éste es el camino ansiosamente esperado y no permi-
tiremos que nada nos doblegue,[14] no admitamos en nuestros corazones ni en
nuestros pensamientos ninguna duda, avancemos unidos con firmeza y con fe
en el mañana construido conscientemente por nosotros mismos.

Oaxaca, Oax., 9 de octubre de 1982

---

[9] **ofrendaron** = ofrecieron   [10] **derramaron** *spilled*   [11] **ahorca** *suffocates*   [12] **conminado culturalmente**
= obligado a asimilarse a la cultura dominante   [13] **para... extraños** = para nosotros mismos y para los demás
[14] **nos doblegue** *make us give in*

¿Entendido?

Complete las oraciones siguientes según el contenido del texto.

1. Hace cinco siglos que...
2. Los indígenas oaxaqueños han participado en...
3. Algunas de las tradiciones oaxaqueñas son...
4. Los indígenas han sido víctimas de...
5. La organización de los indígenas propone que los oaxaqueños busquen...
6. Sus objetivos son...
7. La historia les ha enseñado que...

En mi opinión

En grupos de tres estudiantes, contesten y/o discutan lo siguiente.

1. ¿Cuál ha sido su reacción a la lectura? Por ejemplo: interés, frustración, indignación, etc.
2. ¿Qué podemos aprender de hechos históricos como el holocausto? ¿Y de las guerras civiles? ¿Y de la lucha por el sufragio universal?
3. ¿Cuáles son algunos de los movimientos revolucionarios o grupos terroristas de los que han oído hablar?
4. ¿En qué circunstancias la gente puede (o no) exigir los mismos derechos?
5. ¿Cuál es la mejor manera de luchar contra la opresión: el terrorismo, la resistencia pasiva, huelgas de hambre, manifestaciones... ?

▶ Estrategias comunicativas para animar a alguien a hacer algo

Es crucial. Debemos participar.	*It's crucial. We must participate.*
¿No ves que... ?/¿No te das cuenta de que... ?	*Don't you see/realize that . . . ?*
Si no lo hacemos nosotros, ¿quién lo hará?	*If we don't do it, who will?*
No es justo que...	*It's not fair that . . .*

En (inter)acción

1. Desde hace algún tiempo los indígenas de Chiapas se están enfrentando a las autoridades mexicanas. Para saber el porqué de estos enfrentamientos, lean y escuchen la letra de la canción siguiente. Mientras leen y escuchan, subrayen las frases que presentan ideas similares a las de la lectura.

México insurgente

Cantante: Ismael Serrano

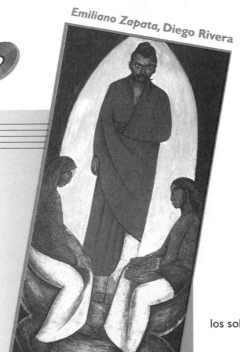

Emiliano Zapata, Diego Rivera

En el estado de Chiapas
muy cerca de Guatemala,
las masas de campesinos
se han levantado en armas.

El subcomandante Marcos
se llama aquel que les manda
y lucha junto a los indios
para liberar la patria.

Los milicos* le persiguen
y quisieran que acabara
como aquel héroe del pueblo
comandante Che Guevara.*

El primer día de enero
bajaron de las montañas
guerrilleros zapatistas*
para lanzar sus proclamas.*

Piden tierra y libertad
como Emiliano Zapata
y a lomos* de su caballo
toda América cabalga.*

Los hijos de mil derrotas*
y su sangre derramada
van a reescribir la historia
y han empezado con Chiapas.

los soldados

líder revolucionario que luchó con Castro en la Revolución Cubana y murió en Bolivia

Emiliano Zapata, indio zapoteca y líder de la Revolución Mexicana 1910–1917 / demandas

back
rides

defeats

Piden tierra y libertad
como Emiliano Zapata
y declaran este estado
zona revolucionaria.

Mejor que morirse de hambre
es pelear con dignidad
y que sirva cada bala*
para defender la paz.

bullet

¡Vivan los héroes de Chiapas
y el subcomandante Marcos!
¡Que vivan Villa* y Zapata y
que caigan los tiranos! (Bis)

Pancho Villa, otro héroe de la
Revolución Mexicana

2. En grupos de tres estudiantes, contesten las preguntas siguientes.

    a. ¿Qué ha hecho el subcomandante Marcos?

    b. ¿Qué saben del Che Guevara?

    c. ¿Por qué hay tantas referencias a otros revolucionarios?

    d. ¿Qué tiene más impacto: la canción o la lectura?

3. En grupos, organicen una protesta contra la calidad de la comida en la cafetería o la falta de estacionamiento en la universidad. Primero tienen que convencer a los otros estudiantes de que se unan a la causa, luego elegir un/a líder y después presentar sus demandas a la administración. Hagan carteles. Usen algunas de las expresiones de **Estrategias comunicativas.**

Práctica gramatical

Repaso
gramatical:
Los verbos de
comunicación
con el indicativo
y el subjuntivo
(*Cuaderno*, pág. 45)
El subjuntivo y
el indicativo en
cláusulas adver-
biales de tiempo
(*Cuaderno*, pág. 46)

1. **Los experimentos con animales.** En parejas, un/a estudiante menciona la información que sabe sobre este tema, usando los verbos de comunicación (**decir, repetir, escribir, indicar**) + un verbo en indicativo. A continuación, su compañero/a, utilizando esos mismos verbos + un verbo en subjuntivo, presenta un plan de acción.

   Ejemplo: ESTUDIANTE 1: Dicen que los que buscan una vacuna contra el SIDA experimentan con monos. (indicativo)

   ESTUDIANTE 2: Pues hay que decirles que no los maltraten. (subjuntivo)

2. **Cuando yo tenía tu edad.** Utilizando **cuando, después de que, hasta que** y otros adverbios temporales, en parejas improvisen una conversación entre un/a abuelo/a y su nieto/a. Deben incluir preguntas sobre acciones futuras, habituales y del pasado.

   Ejemplo: —Abuelo, cuando eras un niño, ¿cuánto costaba el metro? (pasado)
   —Abuelo, ¿por qué lloras siempre que ves estas fotos? (habitual)
   —Abuelo, en cuanto terminemos de charlar, ¿adónde quieres que te lleve? (futuro)

Creación

Busque información en Internet, o en una enciclopedia, sobre algunas de las figuras siguientes: Ernesto "Che" Guevara, Dolores Ibarruri, Pancho Villa, Vilma Espín, Emiliano Zapata, Tupac Amaru, etc. Escriba un párrafo destacando su importancia histórica.

Phrases:	*Describing people; Expressing an opinion; Weighing evidence*	
Grammar:	*Next:* siguiente, que viene, próximo; *Relatives:* que; *Verbs: preterite & imperfect*	
Vocabulary:	*City; Dreams & aspirations; People*	

Gitanos

Rosa Montero

Rosa Montero (España, 1951) es una conocida novelista y periodista merecedora de diversos premios por su labor literaria. Entre sus novelas se encuentran *Te trataré como una reina, Amado amo, Temblor, La hija del caníbal.* Sus artículos periodísticos intentan concienciarnos sobre los sucesos absurdos, injustos, sexistas de la sociedad española y del mundo actual.

"Gitanos" (1989) es representativo del estilo periodístico de Montero. En el artículo nos presenta un ejemplo del extremado racismo del que son víctimas los gitanos.

▶ Palabra por palabra

el **asunto**	*matter*
chocante	*shocking*
cobrar	*to charge*
desde luego	*of course, certainly*
la **entrada**	*ticket, entrance*
más bien	*rather*
la **medida**	*measure, step*
molestar	*to bother*
la **piscina**	*swimming pool*

▶ Mejor dicho

el derecho (sustantivo)	*right*	No todos tenemos **los** mismos **derechos.**
	law	Mi novio estudia en la facultad de **derecho.**
derecho/a (adjetivo)	*right*	Nacho, ¿qué ocultas en la mano **derecha?**
	straight	Chus, no te sientes así y ponte **derecha.**
derecho (adverbio)	*straight*	Siguió **derecho** hasta la calle ocho.
correcto/a	*correct, right (answer)*	La respuesta es **correcta.**
tener razón (sujeto = persona)	*to be right*	Según Ernesto, él siempre **tiene razón.**

¡Ojo! **La derecha** significa *the right hand, right wing.*

Práctica

1. En parejas, completen las siguientes oraciones de manera original.

   a. Una entrada de cine cuesta... y una para un concierto...

   b. Los músicos y cantantes tienen el derecho de cobrar...

   c. Lo más chocante que me ha pasado en una piscina es...

   d. Tres cosas que me molestan son...

   e. Una medida que todo el mundo debe tomar es...

2. Reaccione a las oraciones a continuación con una palabra de **Mejor dicho.**

   a. Puedo criticar al presidente. _____

   b. Contestamos bien todas las preguntas del examen. _____

   c. Mi mamá me dijo que iba a llover pero no lo creí. _____

   d. Samuel es abogado. _____

   e. No soy zurda. _____

   f. Si continúas por esta calle, vas a llegar al museo. _____

   g. Ganamos el pleito. _____

   h. Quiero que cambien estas leyes. No son justas. _____

   i. —¿Te fue bien en el examen? —Creo que sí. _____

Alto

1. En este texto Rosa Montero, escandalizada al enterarse del tratamiento recibido por unos gitanos, expresa su indignación con ironía. Al leer el artículo, busca frases irónicas y subráyalas.

2. El tiempo verbal del futuro a veces expresa probabilidad. Busca y subraya ejemplos de esto en el texto.

3. Si no te permiten entrar en un bar o club privado, ¿es esto discriminación? ¿Qué se puede hacer en estos casos?

4. La tendencia de los medios de comunicación es destacar las noticias chocantes. ¿Es esto profesional o morboso?

¿Qué le darías?

Gitanos

Rosa Montero

Afortunadamente, y como de todos es sabido, en este país no somos nada racistas, certidumbre ésta[1] la mar de[2] tranquilizadora, desde luego. Porque así, cuando
escuchas por la radio que en Atarfe, un pueblo de Granada, hay una piscina que
cobra 350 pesetas[3] de entrada al personal[4] pero 600 pesetas[5] a los gitanos, no
5 puedes caer en la zafia[6] y simplista explicación de que se trata de una arbitra-
riedad racial. Eso, ya está dicho, es imposible: los españoles somos seres[7] virgi-
nales en cuanto a discriminaciones de este tipo.

Claro que entonces me queda la inquietud[8] de preguntarme el porqué de una
medida tan chocante. Dentro de la lógica de una sociedad capitalista, si han de pa-
10 gar más, será que consumen más servicios. ¿Qué tendrán los gitanos que no tengamos los payos[9] para desgastar[10] la piscina doblemente? ¿Serán quizá de una
avidez natatoria inusitada[11] y acapararán[12] las aguas todo el día? ¿O tal vez, y por
el aquel de[13] poseer una piel más bien cetrina,[14] aguantarán doble ración de sol
que los demás?

---

[1] **certidumbre ésta** *this certainty* [2] **la mar de** = muy [3] **350 pesetas** *US $2.50* [4] **personal** = público
[5] **600 pesetas** *US $5.00* [6] **zafia** *coarse, rude* [7] **seres** = personas [8] **inquietud** *uneasiness* [9] **payos** = los
que no son gitanos [10] **desgastar** *wear out* [11] **avidez... inusitada** *unusual eagerness for swimming* [12] **acapararán** *probably monopolize* [13] **por... de** *due to the fact of* [14] **cetrina** *dark*

15   Estaba sumida en el desasosiego[15] de estas dudas cuando el dueño de la piscina explicó el asunto. No es verdad que se cobre más sólo a los gitanos, dijo, sino que también el aumento se aplica a todos los que puedan molestar a los bañistas. Profundas palabras de las que se pueden extraer esclarecedoras[16] conclusiones. Primera, que por lo que se ve[17] los gitanos no son bañistas. Segunda, que, por

20 tanto, la entrada que se les cobra no es para bañarse, sino para molestar a los demás. Y tercera que, puesto que pagan por semejante[18] derecho un precio exorbitante, espero que puedan ejercerlo libremente y que se dediquen a escupir[19] a los vecinos, meterles el dedo en el ojo a los infantes, pellizcar las nalgas temblorosas[20] de los obesos y arrearle un buen rodillazo en los bajos[21] a ese dueño

25 tan poco racista. Porque las 600 pesetas dan para[22] cometer un buen número de impertinencias y maldades.[23]

¡Todos al agua!

¿Entendido?

Da un resumen del texto utilizando estas palabras.

piscina	molestar	payos	escupir
dueño	entrada	bañistas	discriminación

---

[15] **Estaba... desasosiego** *I was stressing out*   [16] **esclarecedoras** *illuminating*   [17] **por... ve** *apparently*
[18] **semejante** *such*   [19] **escupir** *to spit*   [20] **pellizcar... temblorosas** *to pinch the flabby buttocks*
[21] **arrearle... bajos** *to kick him where it hurts*   [22] **dan para** = *permiten*   [23] **maldades** *naughty acts*

En mi opinión

En parejas, contesten las preguntas a continuación.

1. ¿Se discrimina a los jóvenes de alguna manera? ¿Qué sentido tiene que en los EE UU a los dieciocho años puedan ir a la guerra, casarse y votar, pero no puedan beber?

2. ¿Por qué ciertas personas tienen más privilegios que otras? ¿Por qué algunos seres humanos se creen superiores a otros? ¿Qué piensan de sus razones?

3. ¿Cuál es el tono del artículo? ¿Lo consideran apropiado para tratar el tema del racismo? ¿Por qué?

4. Decidan si estas prácticas son discriminatorias o no.

    a. Una agencia inmobiliaria no alquila apartamentos a menores de veinte años.
    b. Si fuma, puede asistir al concierto pero la entrada le costará el doble.
    c. Si un/a turista lleva pantalones cortos no puede entrar en la iglesia.
    d. Esa empresa contrata solamente a graduados de Harvard.
    e. Las mujeres pueden entrar gratis en el bar Vaqueros los lunes.

Estrategias comunicativas para expresar indignación o rabia

Pero, ¿qué dices?	*What are you saying?*
¡Qué barbaridad!	*Good grief!*
¡Qué sinvergüenza eres!	*You've got no shame!*
¡Qué caradura!	*Of all the nerve!*

En (inter)acción

1. **Reservado el derecho de admisión.** Con un/a compañero/a, improvisen un diálogo entre el dueño de un lugar público y una persona a quien no dejan entrar porque no lleva zapatos, camiseta, corbata, invitación... Ya que están enojados, usarán algunas de las expresiones de **Estrategias comunicativas.** Luego presenten el diálogo delante de la clase.

2. **Pleito.** En un caso reciente ocurrido en Los Angeles, dos mujeres fueron contratadas y luego despedidas por hablar español entre sí en una oficina. La clase se divide en tres grupos. Un grupo de estudiantes preparará la posición del/de la fiscal, otro grupo la del/de la juez y otro la de las acusadas. Después delante de toda la clase, un miembro de cada grupo representará a su grupo en el pleito. Al final, entre todos, se decide una sentencia.

Práctica gramatical

Repaso
gramatical:
Se: usos y
valores
(*Cuaderno*, pág. 47)

En grupos de tres estudiantes, usando la estructura impersonal, digan lo que se hace o debe hacer en estas circunstancias/situaciones.

Ejemplo: para ponerse moreno/a sin quemarse
Se debe usar una loción para proteger la piel.

1. para ser socio/a de un club de caza (*hunting*)
2. para ayudar a los discapacitados (*handicapped*)
3. para luchar contra el mal gusto
4. para preparar un mitin político
5. para conseguir entradas para un acto muy popular

Creación

Carta al director. Escríbele una carta al/a la director/a de un periódico explicando algún suceso reciente relacionado con la discriminación racial o étnica y exponiendo tu punto de vista.

Phrases:	*Agreeing & disagreeing; Asserting & insisting; Warning*
Grammar:	*Comparisons: inequality; Interrogatives:* ¿qué? ¿quién? *Verbs: subjunctive with* ojalá
Vocabulary:	*Nationality; People; Upbringing*

Mujer negra

Nancy Morejón

Nancy Morejón (Cuba, 1944) es una conocida poeta, autora de varios libros. Entre ellos destacan *Mutismos* (1962), *Poemas* (1980) y *Octubre imprescindible* (1982). También ha publicado traducciones de varios poetas franceses y norteamericanos, y ha colaborado en diferentes revistas literarias. Actualmente trabaja de editora en la Unión de Escritores Cubanos.

Algunos de sus poemas expresan tanto su frustración en cuanto a la explotación de las mujeres como la esperanza de un futuro mejor.

▶ Palabra por palabra

atravesar	*to cross*
la **espuma**	*foam*
oler (ue) (yo huelo)	*to smell*
olvidar	*to forget*
padecer	*to suffer*
rebelarse	*to rebel*
el/la **testigo**	*witness*

▶ Mejor dicho

otra vez, de nuevo	*again*	**Otra vez (De nuevo)** huelo la espuma del mar que atravesé.
volver a + infinitivo	*to (infinitive) again*	Aquí **volví a sufrir** el mismo tratamiento.

recordar	*to remember*	Nunca he podido **recordar** la fecha de su cumpleaños.
acordarse (de)	*to remember*	Me alegro de que **te hayas acordado de** traer los discos.

Práctica

1. En parejas, contesten o comenten los temas a continuación.

   a. Digan lo que recuerdan más de su niñez y por qué se acuerdan de estas cosas. (vacaciones, Navidades, cumpleaños)

   b. Completen estas oraciones de manera original:
   "Nunca más volveré a... "
   "Es increíble, pero otra vez... "

   c. Piensen en la última vez que nadaron en el mar. Hablen de sus impresiones del agua, las olas, la espuma, el cielo, las nubes, el olor del mar.

2. Describan los dibujos siguientes utilizando palabras del vocabulario.

Alto

1. Deténgase en el título del poema unos segundos y trate de anticipar el tema y el tono del mismo.

2. Subraye las oraciones negativas del poema.

3. Al final de cada estrofa del poema, Nancy Morejón escribe una o dos palabras que, en algún sentido, constituye(n) una reacción a lo que acaba de decir. Léalas primero y trate de imaginar lo que contiene la estrofa.

4. Nancy Morejón describe la experiencia de una mujer africana traída al Nuevo Mundo. ¿Qué sabe Ud. del tratamiento de los africanos traídos a los EE UU?

Mujer negra

Nancy Morejón

Todavía huelo la espuma del mar que me hicieron atravesar.

La noche no puedo recordarla.

Ni el mismo océano podría recordarla.

Pero no olvido al primer alcatraz que divisé.[1]

5 Altas las nubes, como inocentes testigos presenciales.[2]

Acaso no he olvidado ni mi costa perdida, ni mi lengua ancestral.

Me dejaron aquí y aquí he vivido.

Y porque trabajé como una bestia,

aquí volví a nacer.

10 A cuánta epopeya mandinga intenté recurrir.[3]

                    Me rebelé.

Su Merced[4] me compró en una plaza.

Bordé la casaca[5] de Su Merced y un hijo macho le parí.

Mi hijo no tuvo nombre.

15 Y Su Merced murió a manos de un impecable lord inglés.[6]

                    Anduve.

Esta es la tierra donde padecí bocabajos y azotes.[7]

Bogué[8] a lo largo de todos sus ríos.

Bajo su sol sembré, recolecté[9] y las cosechas no comí.

20 Por casa tuve un barracón.[10]

Yo misma traje piedras para edificarlo,

pero canté al natural compás[11] de los pájaros nacionales.

                    Me sublevé.[12]

---

[1] **alcatraz... divisé** *pelican that I saw* [2] **testigos presenciales** *eyewitnesses* [3] **A cuánta... recurrir** *how many Mandigan epics did I cling to* [4] **Su Merced** *Your Grace (here her owner)* [5] **Bordé la casaca** *I embroidered the overcoat* [6] **lord inglés** = se trata probablemente de piratas [7] **bocabajos y azotes** = castigos infligidos a los esclavos [8] **Bogué** *I rowed* [9] **recolecté** *I harvested* [10] **barracón** *ramshackle hut* [11] **compás** = ritmo [12] **Me sublevé** = Me rebelé

¿Entendido?

Resuma el poema en sus propias palabras y luego explique la importancia de estos términos.

1. atravesar el océano
2. Aquí volví a nacer.
3. Las cosechas no comí.
4. Su Merced
5. Mi hijo no tuvo nombre.
6. Me sublevé.

En mi opinión

En grupos de cuatro estudiantes, discutan los temas a continuación.

1. ¿Cómo es diferente el trato de los africanos durante el período colonial en los EE UU y en América Latina? ¿Recuerdan algunos hechos históricos específicos de la esclavitud?
2. Busquen algunas imágenes positivas en el poema y contrástenlas con las negativas. ¿Por qué las incluye Morejón? ¿De dónde saca estas imágenes? Expliquen la mezcla.
3. Describan un día en la vida de la protagonista del poema.
4. ¿Cuál es la actitud de la protagonista hacia Su Merced? Indiquen por qué lo creen así usando ejemplos del poema.
5. ¿Qué emociones y sentimientos quiere provocar Morejón en los/las lectores/as?

Estrategias comunicativas para contrastar hechos

No es lo mismo...	It's not the same . . .
Relativamente...	Relatively . . .
Si comparamos...	If we compare . . .
Hay mucha diferencia...	There is a lot of difference . . .

En (inter)acción

1. En grupos de tres estudiantes, relacionen las citas siguientes con el tema de esta lectura y unidad. Usen algunas de las expresiones de **Estrategias comunicativas.**
   a. "La vida es un viaje experimental hecho involuntariamente." Fernando Pessoa
   b. "Nada nos destruye más certeramente que el silencio de otro ser humano." George Steiner
   c. "Los recuerdos nos acuden (vienen) como la luz de las estrellas apagadas, cuyo resplandor nos sigue llegando mucho después de haberse extinguido." David Horowitz

2. Relaten alguna experiencia desagradable que Uds. hayan tenido y comenten algunas consecuencias buenas o malas de ella.

3. **La vida es agridulce.** En el poema, Nancy Morejón presenta cosas negativas y positivas de las experiencias de la protagonista. Al madurar nos damos cuenta de que "No hay mal que por bien no venga" *("Every cloud has a silver lining")*. Piensen en esto y den ejemplos. Después, una persona de cada grupo informará a la clase de las aportaciones *(contributions)* de su grupo.

Ejemplo: Muchos exiliados han venido a los Estados Unidos en busca de una vida mejor. Al llegar aquí se dan cuenta de que es difícil encontrar trabajo, aprender una lengua nueva, pero también reconocen que hay más posibilidades aquí que en su país de origen. Esto pasó con muchos de los cubanos que salieron de Cuba en 1959. Al principio fue bien difícil pero ahora han prosperado y han hecho resurgir Miami. Echan de menos a sus parientes y a la isla, pero siguen adelante.

Práctica gramatical

Repaso gramatical:
Los posesivos (*Cuaderno*, pág. 48)
El pluscuamperfecto de subjuntivo (*Cuaderno*, pág. 49)

1. **El tesoro de Alí Babá.** Usando los posesivos, decidan quién se queda con los objetos encontrados y por qué.

Ejemplo: El escudo azteca es tuyo porque te interesa tanto la historia mexicana.

2. **Desastres.** Conjeturen la razón de las siguientes noticias usando el pluscuam-perfecto de subjuntivo y diferentes oraciones impersonales en el pasado.

   Ejemplo: —La casa de mi vecino se quemó.

   —Era posible que hubieran dejado algunas velas *(candles)* encendidas.

   a. Se nos escapó el perro.
   b. Les robaron la bicicleta.
   c. El banquete se canceló.
   d. La ropa de toda la familia salió verde de la lavadora.
   e. Mis tíos se divorciaron.
   f. El coche se quedó sin gasolina.

Creación

Probablemente ha estado Ud. alguna vez en una situación incómoda, angustiosa, inquietante... Escriba un monólogo interior *(stream of consciousness)* describiendo sus pensamientos y emociones durante esos momentos.

Phrases:	*Sequencing events; Talking about the recent past; Weighing alternatives*
Grammar:	*Adverbs; Personal pron. direct; Verbs:* dar
Vocabulary:	*Gestures; Personality; Working conditions*

Los sobrevivientes

Los sobrevivientes

http://aquesi.heinle.com

Testimonios de Guatemala

María Pol Juy

El período entre 1978 y 1988 se conoce en la historia de Guatemala como "La violencia". En esta época el gobierno llevó a cabo represalias contra los campesinos, entre ellos los quiché, grupo indígena contemporáneo de los mayas que aún conserva su propia lengua y costumbres precolombinas.

María Pol Juy pertenece a esta etnia y nos cuenta, en el siguiente texto, la persecución de la que fue objeto su pueblo. La autora explica también las razones por las que decidió colaborar con el CUC, un grupo cuyo objetivo es defender a la gente de esta región de los ataques y abusos del ejército.

▶ Palabra por palabra

al + infinitivo	*when/on + gerund*
el **comportamiento**	*behavior*
crecer	*to grow (up)*
cumplir (con)	*to do or carry out one's duty*
los/las **demás**	*the others, the rest, everybody else*
el **golpe**	*blow, hit*
la **población**	*population, people*
superar	*to overcome*
vigilar	*to watch, guard, patrol*

▶ Mejor dicho

avisar	*to inform, warn, notify*	**Avisamos** al pueblo de la llegada de los soldados.
aconsejar	*to advise, counsel*	¿Qué me **aconsejas** que haga?

igual/es	*same = alike, similar, equal (after the noun)*	Nosotras comprábamos cosas **iguales.**
mismo(s)/misma(s)	*same = coinciding (before the noun)*	Benjamín y yo habíamos crecido en la **misma** aldea.
nombre o pronombre + **mismo(s)/a(s)**	*myself, himself, herself . . .*	**Elena misma/Ella misma** llevaba los mensajes de una población a otra.

Práctica

1. En parejas, inventen una historia basándose en las tres imágenes siguientes. Utilicen las palabras del vocabulario.

2. Maruja, Charito y Paquita son trillizas. Hablen de ellas utilizando los adjetivos **igual** y **mismo/a.**

   Ejemplo: Cumplen años el mismo día.
   Todo el mundo piensa que son iguales.

¿Cómo describirías el traje tradicional de Guatemala?

Alto

1. En el siguiente relato la narradora unas veces habla de sí misma y otras veces habla de lo que les ha sucedido a otras personas. Según vas leyendo, presta atención a este hecho, es decir, de quién se habla.

2. En un mapa de Centroamérica, busca los lugares siguientes que se mencionan en la lectura.

Lacamá   Chichicastenango   El Quiché   Cancito

¿Por qué no aparecen algunos de ellos en el mapa?

3. ¿Vale la pena arriesgar o dar la vida por una causa? Explica.

4. Menciona un problema social que se ha resuelto o mejorado en tu barrio, ciudad o país. ¿Cómo ocurrió el cambio?

Testimonios de Guatemala

María Pol Juy

Soy María Pol Juy, pertenezco a la etnia quiché y hablo el idioma quiché. Nací en el cantón Lacamá Tercero de Chichicastenango, El Quiché, el 25 de mayo de 1966.

Yo me he criado en una familia que siempre ha tenido recursos para vivir un poco más cómoda que las demás personas que viven en la aldea, ya que mi papá
5 recibió una herencia que le dejó mi abuelito y de esa forma él logró poner una tienda en la costa y con eso él pagaba para que le trabajaran la tierra allá en nuestro pueblo (Lacamá). Por eso es que podíamos vivir un poco bien y yo no pasaba tantas penas[1] como las que pasaban otras niñas de mi misma edad; por ejemplo, las demás niñas tenían que cortar leña y tejer,[2] lo mismo que recoger hongos[3] para
10 después venderlos y de esa forma ayudarles a sus padres que también trabajaban. En cambio yo sólo me dedicaba a cuidar a mis demás hermanitos cuando mi mamá salía a hacer sus mandados.[4] Pero yo tenía cierta inquietud del por qué sucedían esas diferencias entre nosotros y le preguntaba a mi madre; ella trataba de explicarme el porqué de eso, pero a mí me costaba mucho comprenderlo.

15 En algunas ocasiones regalábamos algo de lo nuestro a las demás personas, pero fui comprendiendo que de esa forma sólo se les ayudaba a las personas por un momento, pero después seguían igual. También estaba consciente que algunas personas no se superaban porque no ponían interés, pero la mayoría de las personas aunque trabajaran de sol a sol nunca les alcanzaba[5] el dinero y por eso creí
20 siempre que ésa no era la forma de ayudar a la gente y me ponía a tratar de encontrarle respuesta a ese dilema, pero nunca la encontré. Para esa época yo tenía siete años aproximadamente, pero siempre me sentía molesta por esa situación y yo siempre traté de no sentirme diferente a mis demás amiguitas y eso se notaba hasta en los zapatos, porque mientras a mí me compraban de cuero, las demás
25 tenían de plástico; entonces, para romper esa barrera[6] yo les pedía a mis padres que me compraran cosas iguales que a las demás y también las acompañaba a donde quiera que ellas iban, supongamos si iban a cortar leña yo también, o si era de juntar flores, hongos o moras,[7] yo estaba con ellas.

Claro, que en todo ese comportamiento mío también influyó mucho mi madre
30 porque ella era muy condescendiente[8] con la mayoría de la gente del pueblo y todos nos queríamos mucho, tanto los que teníamos algo como los que no teníamos nada porque sabíamos que nos necesitábamos unos a los otros.

---

[1] **penas** = dificultades   [2] **cortar... tejer** *cut firewood and weave*   [3] **recoger hongos** *gather mushrooms*
[4] **mandados** *errands*   [5] **nunca les alcanzaba** *was never enough*   [6] **barrera** *barrier, here difference*
[7] **moras** *blackberries*   [8] **condescendiente** = aquí, amable

Al entrar a la escuela fue el mismo problema también, pero allí ya fue más serio porque al querer aprender a leer y a escribir me topé con[9] que no sabía la castilla

35 (castellano) y eso fue un obstáculo para mí porque toda mi vida lo único que había hablado era mi idioma y por eso recibí muchos golpes y regaños[10] del maestro, por eso únicamente fui dos años porque después ya no quise ir por esa situación, mejor me dediqué a aprender a tejer güipiles[11] y hacer los oficios[12] de la casa, así pasé parte de mi vida hasta que cumplí los catorce años, cuando me em-

40 pecé a organizar en el CUC.

Fue en el mes de enero de ese año cuando, después de tanto rogarme mis padres para que siguiera estudiando, acepté seguir sus consejos. En la escuela me encontré con Benjamín, él era un amigo con el cual habíamos crecido juntos en la misma aldea y por lo tanto nos teníamos mucha confianza y él me contó que si yo

45 ya sabía que habían matado al hermano de otro mi amigo que se llamaba Tomás Tiniguar Saquio, que era en ese tiempo el alcalde de Chichicastenango y yo le contesté que no, a lo cual él me narró los hechos de la forma siguiente: el hermano de Tomás en ese tiempo era dirigente[13] de una liga campesina de la región, entonces el ejército al nomás[14] tener conocimiento de eso capturó a ese señor

50 (no recuerdo su nombre), pero los vecinos le informaron a Tomás que a su hermano se lo había llevado el ejército a la fuerza para el cuartel[15] de El Quiché.

Tomás, al tener conocimiento de eso, reunió a algunos miembros de la Liga Campesina que eran 17 y se dirigieron al cuartel de El Quiché; también se llevó a su pequeño hijo de cuatro años. Estando el mismo intranquilo por el paradero[16]

55 de su hermano, le respondieron que si quería entrar a verlo que entrara sin pena,[17] pero resulta que lo buscó allí adentro pero no lo encontró, por lo que mejor decidió irse para Chichi, no sin antes reclamar y exigir a su hermano.

Al salir a esperar la camioneta, ésta no pasaba, puesto que ya era demasiado (de) noche; al ver esto un oficial del ejército le sugirió que si lo deseaba podría

60 pasar la noche en el cuartel, pero no le pareció buena la idea del militar, ante esto el oficial se mostró más solícito y le dijo que si no querían eso pues que entonces les prestaban un carro y como Tomás sabía manejar, aceptó. Cuando les dieron el carro se subieron todos allí y se alejaron del cuartel, ya en el camino se dieron cuenta de que los venían siguiendo dos jeeps del ejército a la altura de un lugar

65 que se llama Cancito, rodeado de barrancos[18] y muy solitario. Tomás se bajó para preguntarles a los soldados que por qué los seguían. Al detenerse[19] el carro de Tomás un jeep del ejército se quedó atrás y otro se puso adelante del carro de Tomás dejándolo en medio. Como respuesta a sus preguntas, Tomás y sus acompañantes recibieron descargas de ametralladoras[20] y de esa forma los mataron a

---

[9] **me topé con** *I was confronted with the fact*   [10] **regaños** *scoldings*   [11] **güipiles (o huipiles)** = las blusas indígenas de muchos colores   [12] **oficios** = tareas, trabajos   [13] **dirigente** = jefe   [14] **nomás** *just*   [15] **cuartel** *barracks*   [16] **paradero** *whereabouts*   [17] **sin pena** = sin vergüenza   [18] **barrancos** *ravines*   [19] **detenerse** = pararse   [20] **descargas de ametralladoras** *machine-gun fire*

70 todos incluido el pequeño de cuatro años, sólo uno logró salvarse, porque en el momento logró salir del carro y tirarse a un barranco, fue el único testigo de la masacre. Al otro día, los periódicos que salen en la capital dieron la noticia de eso, pero dijeron que habían sido los guerrilleros, pero nosotros sabíamos quiénes eran en realidad.

75 Después de esa plática[21] le hice la sugerencia a Benjamín de que en ese momento me quería organizar en el CUC, porque sólo organizados podíamos en el futuro enfrentar los ataques del ejército en nuestra contra. El me explicó que estando organizado se corre más peligro porque si el ejército se entera de eso inmediatamente lo secuestran y lo matan a uno, pero yo estaba dispuesta a todo y 80 hasta a entregar mi vida si fuera necesario por lo que le dije que no tenía miedo. Al ver mi decisión el compañero aceptó que yo participara en el CUC por lo que me sentí muy contenta, porque al fin podría participar en las luchas del pueblo.

En la primera reunión que tuve con los compañeros pude darme cuenta que mucha gente estaba organizada en el CUC; fue allí cuando comprendí que sólo de 85 esa forma unidos y organizados podíamos vencer la explotación y la miseria, y que el ejército es el defensor de los grandes ricos del país que mandan en el gobierno.

En el mes de julio de ese mismo año (1980) les conté a mis padres de mi participación en el CUC. Mis tareas en el CUC consistían principalmente en labores de vigilancia, eso se hace porque cuando llega el ejército a nuestras aldeas y si no 90 lo miramos al entrar mata a toda la población, entonces para evitar eso es que se vigilan todas las entradas. También cumplí con la función de alfabetización[22] de adultos, de correo estuve trabajando mucho tiempo, que era de llevar mensajes de una población a otra y me encargaba[23] de encontrar quién cuidara a los niños que van quedando huérfanos, porque ante tantas masacres que hace el ejército 95 quedan muchos huérfanos, niños sin padres...

¿Entendido?

Verdadero/Falso. Indica si las oraciones siguientes son verdaderas o falsas según el contenido de la lectura. Corrige las que sean falsas.

1. _____ María Pol Juy tiene hoy 66 años.

2. _____ Su padre tenía una tienda en Lacamá y ganaba bastante para mantener a la familia.

3. _____ Lo normal era que las niñas de la etnia quiché cuidaran de sus hermanos mientras que sus madres hacían otras tareas domésticas.

4. _____ A María le daba envidia que sus amigas tuvieran mejores zapatos que ella.

---

[21] **plática** = conversación   [22] **alfabetización** *teaching of basic literacy*   [23] **me encargaba** = tenía la responsabilidad

5. ____ María no aprendió a hablar ni a leer en español hasta que fue a la escuela, pues en su aldea sólo se hablaba quiché.

6. ____ Tomás era el dirigente de una agrupación campesina y su hermano el alcalde de Chichicastenango.

7. ____ Benjamín le contó a la protagonista cómo el ejército asesinó a Tomás Tiniguar Sequio, a su hijo de 4 años y a 16 compañeros más.

8. ____ Este ataque violento del ejército contra los miembros de la Liga Campesina fue un episodio excepcional y aislado. Nunca más se ha vuelto a repetir.

9. ____ La narradora decidió ser miembro del CUC después de escuchar el relato de Benjamín.

10. ____ María se hizo guerrillera para defender a su pueblo de los abusos del ejército.

En mi opinión

En grupos de cuatro estudiantes, contesten las preguntas siguientes.

1. ¿Qué hacen o han hecho para ser aceptados/as por sus amigos/as? Den tres ejemplos.

2. La Liga Campesina de que nos habla María Pol Juy, ¿será como un sindicato *(union)?* ¿Qué función tienen los sindicatos en su país? ¿Hay organizaciones estudiantiles en su universidad? ¿Qué función tienen? ¿Pertenecen Uds. a alguna? ¿Por qué sí/no?

3. La ciudad de Washington parece ser el lugar elegido por muchas organizaciones de Estados Unidos para hacer públicas sus protestas. ¿Qué reclaman, critican o plantean algunas de estas organizaciones? ¿Cuál es su opinión de las manifestaciones *(demonstrations)* masivas? Comenten alguna (por ejemplo, las de *PromiseKeepers*, La Marcha del Millón de Hombres).

4. ¿Es regalarles cosas la mejor manera de ayudar a los pobres? ¿Qué otro tipo de ayuda se les puede ofrecer? ¿Conocen un proverbio que dice más o menos: "si le das un pescado a una persona que no tiene nada, comerá ese día, pero al día siguiente no tendrá nada. Si le enseñas a pescar, podrá comer todos los días"? ¿Podría aplicarse a otras situaciones y contextos?

5. ¿Reciben muchas llamadas telefónicas solicitando su ayuda? ¿Suelen ser estas llamadas inoportunas? ¿Les molestan estas llamadas o les dan igual? ¿Responden mejor a las peticiones que llegan por carta? ¿Prefieren que vengan a su casa?

6. ¿Han oído hablar de la guatemalteca Rigoberta Menchú, ganadora en 1992 del premio Nobel de la Paz, u de otras personas que han tenido un papel destacado en la lucha por los derechos humanos?

7. El texto no dice qué significa la sigla CUC. Adivínenlo. ¿Saben qué significan OTAN, ONU, OEA, PRI?

Estrategias comunicativas para animar a alguien a hacer algo y aceptar

Animar	Aceptar
¡Anda!, sólo tienes que... *Come on! You only have to . . .*	**Me parece una idea estupenda.** *I think it´s a great idea.*
Es por una buena causa. *It is for a good cause.*	**Si me necesitas, no tienes más que avisarme.** *If you need me, just let me know.*
Pero, ¿qué te cuesta... ? *But, is it really so hard for you to . . .?*	**Puedes contar conmigo.** *You can count on me.*
¡Venga! No te va a pasar nada. *Come on! Nothing is going to happen to you.*	**¡Claro! Para eso están los/as amigos/as.** *Of course! That´s what friends are for.*

En (inter)acción

1. En grupos de tres estudiantes, supongan que pertenecen a un grupo o sociedad humanitaria y han venido a clase a pedir algún tipo de ayuda. (Por ejemplo, *Girls Scouts* que han venido a vender sus galletas, o necesitan voluntarios para dar clases de alfabetización a adultos, o unas madres de *MADD*...). Preparen un breve discurso y luego preséntenlo delante de la clase. Utilicen algunas de las expresiones que se encuentran en **Estrategias comunicativas.**

2. **Debate.** Dividan la clase en dos grupos y discutan los siguientes temas.
   a. Solucionar el problema de la pobreza es responsabilidad exclusiva del gobierno.
   b. Los pobres son pobres porque quieren, no por falta de oportunidades.
   c. El trabajo voluntario y los donativos generosos ayudan a tranquilizar la conciencia de los ricos.
   d. A pesar de sus buenas intenciones, los programas de *Welfare*, *Affirmative Action*, etc. han fracasado en los Estados Unidos.
   e. "Todos los gobiernos se mantienen en el poder por medio de la violencia." (León Tolstoi)

3. **La vida no vale nada.** Pablo Milanés y Silvio Rodríguez son los cantautores más representativos de un movimiento musical denominado la Nueva Trova cubana, surgido en Cuba después de 1959. Con sus canciones, este grupo de cantantes tiene como propósito concienciar políticamente al público. Mientras leen, piensen sobre qué quiere concienciarnos Pablo Milanés con la siguiente canción.

La vida no vale nada

La vida no vale nada
si no es para merecer
que otros puedan tener
lo que uno disfruta y ama.
La vida no vale nada
si yo me quedo sentado
después que he visto y soñado
que en otras partes me llaman.
La vida no vale nada
cuando otros están matando y
yo sigo aquí cantando
cual si no pasara nada.
La vida no vale nada
si escucho un grito* mortal   *scream*
y no es capaz de tocar
mi corazón que se apaga.*   *is deadened*
La vida no vale nada
si ignoro que el asesino
cogió por otro camino
y preparó otra celada.*   *ambush*

La vida no vale nada
si se sorprendió a tu hermano
cuando supe de antemano*   *beforehand*
lo que se le preparaba.
La vida no vale nada
si cuatro caen por minuto
y al final por el abuso
se decide la jornada.*   *asunto (fig.)*
La vida no vale nada
si tengo que posponer
otro minuto de ser
y morirme en una cama.
La vida no vale nada
si en fin lo que me rodea*   *surrounds*
no puedo cambiar cual fuera
lo que tengo y que me ampara.*   *protects*
Y por eso para mí,
la vida no vale nada.

4. Contesten las preguntas en grupos de tres estudiantes.

   a. ¿En qué sentido dice el cantante que "la vida no vale nada"? ¿Es porque quiere morirse?

   b. ¿Qué debería hacer el cantante para que su vida cobrara valor?

   c. ¿Cuál es el mensaje de la canción? Explíquenlo en sus propias palabras.

   d. ¿Conocen alguna canción en inglés que tenga un mensaje social/político? ¿Cómo interpretan la conocida canción *Imagine* de John Lennon?

   e. En la canción, el cantante menciona numerosas situaciones en las que uno/a debería actuar para ayudar a otra persona. ¿Cuáles son algunas de esas situaciones? ¿Están de acuerdo con el cantante?

5. En parejas, discutan lo que harían Uds. en las siguientes situaciones.

   a. Es el/la gerente de un supermercado y ve a una mujer muy pobre, con un niño, robando comida.

   b. Un/a amigo/a suyo/a, buscado/a por el *FBI* por narcotráfico, le pide que lo/la oculte en su casa.

   c. Está de guardia en Urgencias *(ER)* cuando traen a un criminal peligrosísimo herido gravemente.

   d. Es abogado/a y una asesina quiere que Ud. la defienda en un juicio.

   e. Es periodista y acaba de encontrar documentos que incriminan al candidato político de su partido.

Práctica gramatical

Repaso
gramatical
El gerundio
(*Cuaderno*, pág. 50)
Los tiempos
progresivos
(*Cuaderno*, pág. 51)

Usando la forma progresiva, digan lo que están/estarán/habrán estado/estuvieron haciendo (o no) algunas de las organizaciones políticas/sociales más conocidas del mundo (la Cruz Roja, Amnistía Internacional, Manos Unidas, *United Way,* la CIA...).

Ejemplo: La UNICEF estará preparando sus tarjetas de Navidad para enviárnoslas pronto.

Fíjate en la ropa de estas mujeres.
¿Dirías que son de Guatemala?

Creación

Escribe sobre alguna experiencia tuya de voluntario/a y evalúala. Explica por qué
aceptaste ese trabajo —¿era realmente voluntario?— y si volverías a hacerlo o no.
Si no has hecho nunca trabajo voluntario, explica por qué no y tu actitud hacia este
tipo de labor humanitaria.

Phrases:	*Expressing a need; Expressing irritation; Hypothesizing*
Grammar:	*Personal pronouns; Prepositions:* a, de, por, *and* para; *Subjunctive with* ojalá
Vocabulary:	*Calendar; Dreams & aspirations; Working conditions*

Preso sin nombre, celda sin número (selección)

Jacobo Timerman

Jacobo Timerman, un conocido escritor y periodista argentino de familia judía, nació en Ucrania en 1923. En 1928 la familia se trasladó a Buenos Aires. En 1977 fue secuestrado por comandos del ejército argentino y estuvo preso dos años en condiciones infrahumanas. En la cárcel sufrió repetidamente tortura e interrogatorios antes de que lo pusieran en libertad. Después de pasar varios años exiliado en Israel, volvió a Argentina tras la restauración de la democracia.

En *Preso sin nombre, celda sin número* (1980), Timerman nos relata algunos hechos que le ocurrieron en una cárcel clandestina.

▶ Palabra por palabra

asustar	*to frighten*
clandestino/a	*underground, clandestine*
débil	*weak*
derrotar	*to defeat*
desnudo/a	*nude, naked*
el **ejército**	*army*
jurar	*to swear*
el **odio**	*hatred*
la **oración**	*prayer*
el **secuestro**	*kidnapping*
la **soledad**	*loneliness*

▶ Mejor dicho

el sentimiento	*emotional feeling*	El odio es un **sentimiento** destructivo.
la sensación	*physical feeling*	¡Qué **sensación** de libertad!
el sentido°	*meaning*	No entiendo el **sentido** de esta oración.
	sense	Tenemos cinco **sentidos.**
	consciousness	El paciente perdió el **sentido** y se cayó.

° **¡Ojo!** Recuerde que **tener sentido** significa *to make sense*. Otras expresiones con **sentido** son: **sentido común, sentido del humor** y **sexto sentido.**

Práctica

1. En parejas, asocien ideas, situaciones o emociones a las siguientes palabras del vocabulario.

soledad   ejército   odio   débil   clandestino   secuestro   asustar

2. En parejas, decidan si las palabras a continuación constituyen una sensación o un sentimiento.

Ejemplo: el rencor
          El rencor es un sentimiento.

el dolor   el frío
el calor   la furia
el placer   el hambre
el odio   la alegría
la náusea   la sed
el miedo   la nostalgia

3. En parejas, relacionen las palabras a continuación con uno o varios de los cinco sentidos corporales.

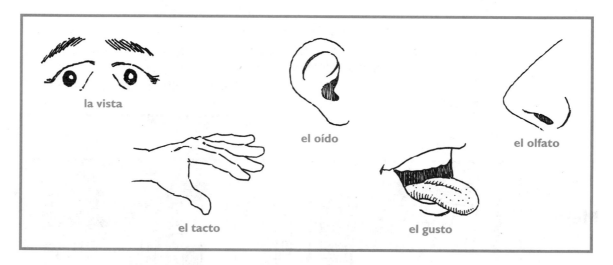

la vista

el oído

el olfato

el tacto

el gusto

Ejemplo: La fruta se relaciona con el gusto.

un perfume   una sonata
el limón   la lana
el sol   las cadenas
los gritos   una paella
la rosa   una obra de arte
la nieve   la hierba recién cortada
la tortura   la piel de un bebé
un caramelo   los chiles verdes

4. En grupos de cuatro estudiantes, digan qué sensación/sentimiento tendrían Uds. en las siguientes circunstancias. Comparen sus respuestas con las de otros grupos de la clase.

   a. con los ojos vendados *(blindfolded)*
   b. después de comer bien
   c. al recuperar sus objetos perdidos
   d. durmiendo en el suelo

5. En grupos de cuatro estudiantes, hagan una lista de cinco cosas que para Uds. no tienen sentido en esta vida. Comparen la suya con las de otros grupos.

   Ejemplo: la guerra, la tortura...

6. Toda la clase debe inventar una historia sobre la persona que aparece en el cuadro de la página 213. Mencione cómo se siente y qué le ha ocurrido. ¿Es una mujer o un hombre?

Alto

1. En este texto hay muchos adjetivos. Subraye los adjetivos o cláusulas adjetivales al leer.

2. ¿Qué es un preso político? ¿Por qué los hay?

3. Al preso de esta selección le faltan muchas cosas. Busque tres y fíjese en el uso del vocabulario para expresar ausencia o falta.

4. La narración está dividida en varias partes. A medida que lee, decida dónde empieza y termina cada una.

David Alfaro Siqueiros, *El sollozo (The Sob),* 1939

Preso sin nombre, celda sin número

Jacobo Timerman

La celda es angosta.[1] Cuando me paro[2] en el centro, mirando hacia la puerta de acero,[3] no puedo extender los brazos. Pero la celda es larga. Cuando me acuesto, puedo extender todo el cuerpo. Es una suerte, porque vengo de una celda en la cual estuve un tiempo —¿cuánto?— encogido,[4] sentado, acostado con las rodillas
5 dobladas.[5]

La celda es muy alta. Saltando,[6] no llego al techo. Las paredes blancas, recién encaladas.[7] Seguramente había nombres, mensajes, palabras de aliento,[8] fechas. Ahora no hay testimonios, ni vestigios.[9]

El piso de la celda está permanentemente mojado.[10] Hay una filtración[11] por al-
10 gún lado. El colchón[12] también está mojado. Yo tengo una manta.[13] Me dieron una manta y para que no se humedezca la llevo siempre sobre los hombros.[14] Pero si me acuesto con la manta encima, quedo empapado[15] de agua en la parte que toca el colchón. Descubro que es mejor enrollar el colchón, para que una parte no toque el suelo. Con el tiempo la parte superior se seca. Pero ya no puedo acos-
15 tarme y duermo sentado. Vivo, durante todo este tiempo, —¿cuánto?— parado o sentado.

La celda tiene una puerta de acero con una abertura[16] que deja ver una por-ción de la cara, o quizás un poco menos. Pero la guardia tiene orden de mantener la abertura cerrada. La luz llega desde afuera, por una pequeña rendija[17] que sirve
20 también de respiradero.[18] Es el único respiradero y la única luz. Una lamparilla prendida[19] día y noche, lo que elimina el tiempo, produce una semipenumbra[20] en un ambiente de aire viciado,[21] de semi-aire.

Extraño la celda desde la cual me trajeron a ésta —¿desde dónde?—, porque tenía un agujero en el suelo para orinar y defecar.[22] En ésta que estoy ahora tengo
25 que llamar a la guardia para que me lleve a los baños. Es una operación compli-cada y no siempre están de humor: tienen que abrir una puerta que seguramente es la entrada del pabellón[23] donde está mi celda, cerrarla por dentro,[24] anun-ciarme que van a abrir la puerta de mi celda para que yo me coloque[25] de espaldas

---

[1] **La... angosta.** *The cell is narrow.*   [2] **me paro** *I stand*   [3] **acero** *steel*   [4] **encogido** *hunched up*   [5] **rodillas dobladas** *bent knees*   [6] **Saltando** *Jumping*   [7] **encaladas** *whitewashed*   [8] **aliento** *encouragement*   [9] **vesti-gios** *traces*   [10] **mojado** *wet*   [11] **filtración** *leak*   [12] **colchón** *mattress*   [13] **manta** *blanket*   [14] **hombros** *shoulders*   [15] **quedo empapado** *I get soaked*   [16] **abertura** *opening*   [17] **rendija** *crack*   [18] **respiradero** *air vent*   [19] **prendida** *lit*   [20] **semipenumbra** *semi-darkness*   [21] **viciado** *foul*   [22] **agujero... defecar** *hole in the floor to urinate and defecate*   [23] **pabellón** *cell block*   [24] **por dentro** *from inside*   [25] **me coloque** = me ponga

a ésta,[26] vendarme los ojos,[27] irme guiando hasta los baños, y traerme de vuelta
30 repitiendo toda la operación. Les causa gracia[28] a veces decirme que ya estoy sobre el pozo[29] cuando aún no estoy. O guiarme —me llevan de una mano o me
empujan[30] por la espalda— de modo tal que hundo[31] una pierna en el pozo. Pero
se cansan del juego y entonces no responden al llamado. Me hago encima.[32] Y por
eso extraño la celda en la cual había un pozo en el suelo.
35 Me hago encima. Y entonces necesito permiso especial para lavar la ropa y esperar desnudo en mi celda hasta que me la traigan ya seca. A veces pasan días
porque —me dicen— está lloviendo. Estoy tan solo que prefiero creerles. Pero
extraño mi celda con el pozo dentro.
La disciplina de la guardia no es muy buena. Muchas veces algún guardia me da
40 la comida sin vendarme los ojos. Entonces le veo la cara. Sonríe. Les fatiga hacer el
trabajo de guardianes, porque también tienen que actuar de torturadores, interro-
gadores, realizar las operaciones de secuestro. En estas cárceles clandestinas sólo
pueden actuar ellos y deben hacer todas las tareas. Pero, a cambio, tienen derecho
a una parte del botín[33] en cada arresto. Uno de los guardianes lleva mi reloj. En
45 uno de los interrogatorios, otro de los guardianes me convida con[34] un cigarrillo y
lo prende con el encendedor[35] de mi esposa. Supe después que tenían orden del
Ejército de no robar en mi casa durante mi secuestro, pero sucumbieron a las
tentaciones. Los Rolex de oro y los Dupont[36] de oro constituían casi una obsesión de las fuerzas de seguridad argentinas en ese año de 1977.
50 En la noche de hoy, un guardia que no cumple con el Reglamento[37] dejó abierta
la mirilla[38] que hay en mi puerta. Espero un tiempo a ver qué pasa, pero sigue
abierta. Me abalanzo,[39] miro hacia afuera. Hay un estrecho pasillo,[40] alcanzo a divisar[41] frente a mi celda, por lo menos dos puertas más. Sí, abarco[42] completas
dos puertas. ¡Qué sensación de libertad! Todo un universo se agregó[43] a mi
55 Tiempo, ese largo tiempo que permanece[44] junto a mí en la celda, conmigo, pesando[45] sobre mí. Ese peligroso enemigo del hombre que es el Tiempo cuando se
puede casi tocar su existencia, su perdurabilidad, su eternidad.
Hay mucha luz en el pasillo. Retrocedo un poco enceguecido,[46] pero vuelvo
con voracidad. Trato de llenarme del espacio que veo. Hace mucho que no tengo

---

[26] **de... ésta** *with my back to it (door)* [27] **vendarme los ojos** *blindfold me* [28] **Les causa gracia** = Les divierte
[29] **pozo** *hole* [30] **empujan** *push* [31] **hundo** *I sink* [32] **Me hago encima.** *I soil myself.* [33] **botín** *booty* [34] **me
convida con** *offers me* [35] **encendedor** *lighter* [36] **Dupont** = marca de encendedor [37] **no... Reglamento**
does not follow the rules [38] **mirilla** *peephole* [39] **Me abalanzo** *I rush* [40] **estrecho pasillo** *narrow hallway*
[41] **alcanzo a divisar** = logro ver [42] **abarco** = veo [43] **se agregó** *was added* [44] **permanece** *remains*
[45] **pesando** *weighing* [46] **Retrocedo... enceguecido** *I step back somewhat blinded*

60 sentido de las distancias y de las proporciones. Siento como si me fuera desatando.[47] Para mirar debo apoyar la cara contra la puerta de acero, que está
helada.[48] Y a medida que[49] pasan los minutos, se me hace insoportable el frío.
Tengo toda la frente[50] apoyada contra el acero y el frío me hace doler la cabeza.
Pero hace ya mucho tiempo —¿cuánto?— que no tengo una fiesta de espacio[51]
65 como ésta. Ahora apoyo la oreja, pero no se escucha ningún ruido. Vuelvo entonces a mirar.

El está haciendo lo mismo. Descubro que en la puerta frente a la mía también
está la mirilla abierta y hay un ojo. Me sobresalto:[52] me han tendido una trampa.
Está prohibido acercarse a la mirilla, y me han visto hacerlo. Retrocedo y espero.
70 Espero un Tiempo, y otro Tiempo, y más Tiempo. Y vuelvo a la mirilla. El está haciendo lo mismo.

Y entonces tengo que hablar de ti, de esa larga noche que pasamos juntos, en
que fuiste mi hermano, mi padre, mi hijo, mi amigo. ¿O eras una mujer? Y entonces
pasamos esa noche como enamorados.[53] Eras un ojo, pero recuerdas esa noche,
75 ¿no es cierto? Porque me dijeron que habías muerto, que eras débil del corazón y
no aguantaste la "máquina",[54] pero no me dijeron si eras hombre o mujer. Y, sin
embargo, ¿cómo puedes haber muerto, si esa noche fue cuando derrotamos a la
muerte?

Tienes que recordar, es necesario que recuerdes, porque si no, me obliga a
80 recordar por los dos y fue tan hermoso que necesito también tu testimonio.
Parpadeabas.[55] Recuerdo perfectamente que parpadeabas y ese aluvión[56] de
movimientos demostraba sin duda que yo no era el último ser humano sobre la
Tierra en un Universo de guardianes torturadores. A veces, en la celda, movía un
brazo o una pierna para ver algún movimiento sin violencia, diferente a cuando los
85 guardias me arrastraban[57] o me empujaban. Y tú parpadeabas. Fue hermoso.

Eras —¿eres?— una persona de altas cualidades humanas y seguramente con
un profundo conocimiento de la vida, porque esa noche inventaste todos los juegos; en nuestro mundo clausurado[58] habías creado el Movimiento. De pronto te
apartabas[59] y volvías. Al principio me asustaste. Pero en seguida comprendí que
90 recreabas la gran aventura humana del encuentro y el desencuentro.[60] Y entonces
jugué contigo. A veces volvíamos a la mirilla al mismo tiempo y era tan sólido el
sentimiento de triunfo que parecíamos inmortales. Eramos inmortales.

Volviste a asustarme una segunda vez cuando desapareciste por un momento
prolongado. Me apreté[61] contra la mirilla, desesperado. Tenía la frente helada y en

---

[47] **como... desatando** *as if I were breaking free* [48] **helada** = muy fría [49] **a medida que** = mientras
[50] **frente** *forehead* [51] **fiesta de espacio** *feast of space* [52] **Me sobresalto** *I am startled* [53] **enamorados**
lovers [54] **máquina** = aparato de tortura [55] **Parpadeabas** *You blinked* [56] **aluvión** = avalancha
[57] **arrastraban** *dragged* [58] **clausurado** = cerrado [59] **te apartabas** *you moved away* [60] **encuentro y
desencuentro** *meeting and parting* [61] **Me apreté** *I pressed myself*

95 la noche fría —¿era de noche, no es cierto?— me saqué la camisa para apoyar la frente. Cuando volviste, yo estaba furioso y seguramente viste la furia en mi ojo porque no volviste a desaparecer. Debió ser un gran esfuerzo para ti, porque unos días después, cuando me llevaban a una sesión de "máquina", escuché que un guardia le comentaba a otro que había utilizado tus muletas[62] como leña.[63] Pero
100 sabes muy bien que muchas veces empleaban estas tretas[64] para ablandarnos[65] antes de una pasada[66] por la "máquina", una charla con la Susana,[67] como decían ellos. Y yo no les creí. Te juro que no les creí. Nadie podía destruir en mí la inmortalidad que creamos juntos esa noche de amor y camaradería.

Eras —¿eres?— muy inteligente. A mí no se me hubiera ocurrido más que mi-
105 rar y mirar. Pero tú de pronto colocabas tu barbilla frente a la mirilla. O la boca. O parte de la frente. Pero yo estaba muy desesperado. Y muy asustado. Me aferraba[68] a la mirilla solamente para mirar. Intenté, te aseguro, poner por un momento la mejilla, pero entonces volvía a ver el interior de la celda y me asustaba. Era tan nítida[69] la separación entre la vida y la soledad, que sabiendo que tú estabas ahí,
110 no podía mirar hacia la celda. Pero tú me perdonaste, porque seguías vital y móvil. Yo entendí que me estabas consolando y comencé a llorar. En silencio, claro. No te preocupes, sabía que no podía arriesgar ningún ruido. Pero tú viste que lloraba, ¿verdad?, lo viste, sí. Me hizo bien llorar ante ti, porque sabes bien cuán triste es cuando en la celda uno se dice a sí mismo que es hora de llorar un poco, y uno
115 llora sin armonía, con congoja,[70] con sobresalto. Pero contigo pude llorar serena y pacíficamente. Más bien era como si uno se dejara[71] llorar. Como si todo se llorara en uno y entonces podría ser una oración más que un llanto. No te imaginas cómo odiaba ese llanto entrecortado[72] de la celda. Tú me enseñaste, esa noche, que podíamos ser Compañeros del Llanto.

---

[62] **muletas** *crutches* [63] **leña** *firewood* [64] **tretas** *tricks* [65] **ablandarnos** *to weaken us* [66] **una pasada** *a session* [67] **Susana** = nombre sarcástico para un aparato de tortura [68] **Me aferraba** *I clung to* [69] **nítida** *sharp* [70] **congoja** = angustia [71] **se dejara** = se permitiera [72] **llanto entrecortado** *sobbing*

¿Entendido?

Conteste las preguntas siguientes.

1. Describa la celda donde está el prisionero ahora. ¿Cómo es diferente de la de antes? ¿Por qué extraña la otra celda?

2. ¿Por qué se pregunta el protagonista/prisionero "¿cuánto?" y "¿desde dónde?"?

3. ¿Cuáles son las torturas y las condiciones infrahumanas que sufre el prisionero?

4. ¿Qué beneficios reciben los guardianes a cambio de su trabajo en las cárceles clandestinas?

5. Según Timerman, ¿cómo es el otro preso? ¿Cuál es la reacción de Timerman al ver a otro ser humano en las mismas circunstancias?

6. ¿Qué hacen juntos los presos? ¿Es extraño eso?

7. ¿Por qué no quería Timerman ver el interior de la celda esa noche?

8. ¿Llora Timerman? ¿Es diferente esa noche? ¿Por qué?

En mi opinión

En parejas, comenten los temas siguientes.

1. Comenten el título del libro.

2. ¿Qué nos dice el autor del Tiempo? ¿Por qué utiliza letras mayúsculas *(capital)*? ¿Es ése el uso normal de las mayúsculas? ¿Cuándo pasa despacio el tiempo y cuándo rápido? ¿Es a veces el tiempo algo palpable? ¿En qué circunstancias?

3. El juego es un concepto muy importante en esta selección. ¿Por qué? ¿En qué es diferente el juego de los guardias y el de los presos? ¿A qué juegan?

4. Mencionen tres situaciones en que es mejor ser un número que un nombre.

5. Discutan la importancia del nombre propio. ¿Le gusta su nombre? ¿Tiene algún apodo *(nickname)?* ¿Hay otros modos de identificación? ¿En qué consiste la identidad?

6. Busquen en el texto el párrafo que describe las sensaciones del prisionero cuando el guardián dejó abierta la mirilla. Explíquenlo en sus propias palabras.

▶ Estrategias comunicativas para indicar posibilidad

Puede ser que...	*It might be that . . .*
quizás, tal vez, acaso	*perhaps*
a lo mejor	*maybe*
seguramente	*probably*

En inter(acción)

En grupos de cuatro estudiantes, hagan las actividades siguientes.

1. ¿Todavía les gusta jugar? ¿A qué? Expliquen un juego a sus compañeros/as.

2. A continuación hay una lista de nombres. Comenten qué imágenes o sensaciones les vienen a la mente.

Carolina	Lolita
Federico	Esteban
Gloria	Adela
Raimundo	Pancho
Carmen	Beatriz
Jorge	Heidi

Ejemplo: Alejandro—alguien importante, un líder

3. En la lista que sigue, pongan las experiencias en orden descendiente empezando por la más traumática en la opinión del grupo. Comenten si alguna le ha sucedido a alguien y añadan otras dos.

   a. quedarse encerrado/a en un ascensor
   b. no tener a con quién salir o adónde ir el 31 de diciembre
   c. montarse en el avión equivocado
   d. caminar solo/a por el campus a las 4 de la madrugada
   e. recibir un regalo precioso el 14 de febrero de alguien que no le gusta
   f. quedarse sin gasolina de noche en la autopista
   g. perder la mochila *(backpack)* con todo dentro el primer día de sus vacaciones
   h. recibir llamadas obscenas
   i. encontrar un ladrón armado al entrar en su casa
   j. ir solo/a a una fiesta donde no conoce a nadie

Usen algunas de las expresiones de **Estrategias comunicativas** para reaccionar a estas situaciones.

Ejemplo: Yo seguramente me desmayaría si me quedara encerrada en un ascensor.

4. **¿Quién soy yo?** La clase se divide en dos grupos. Cada grupo elige a cinco personas conocidas y selecciona tres pistas *(clues)* para poder identificarlas. Un grupo le dice al otro las pistas una por una y el otro tiene que adivinar quién es.

   Ejemplo:　Pistas:　1.　Una rubia noble.

   　　　　　　　　　　 2.　Murió trágicamente.

   　　　　　　　　　　 3.　Tenía el apodo de "tímida".

   　　　　　Respuesta: La princesa Diana

5. Timerman se da cuenta durante su detención que el ser humano puede producir con su cuerpo, al menos, dos tipos de movimientos: violentos y no violentos. Los empujones *(pushing)* de los guardias corresponden al primer tipo y el parpadeo *(blinking)* del otro preso sería un ejemplo del segundo. Ahora, siguiendo esta distinción que establece Timerman, den más ejemplos del cuerpo o partes del cuerpo en movimiento. ¿Son violentos o no esos movimientos? ¿Se podría establecer otra distinción entre los movimientos humanos?

6. Timerman también habla de dos tipos de llanto: llorar y sollozar *(to sob)*. Contrasten Uds. las diferentes maneras de llorar en las siguientes situaciones.

   a.　viendo una película romántica y en un funeral

   b.　cuando tenemos un dolor muy fuerte y como víctimas de una catástrofe natural

   c.　durante una confesión muy personal y cuando se tiene un ataque de risa

Práctica gramatical

Repaso
gramatical:
El subjuntivo
en cláusulas
adjetivales
(*Cuaderno*, pág. 52)
El imperfecto de
subjuntivo en **-se**
(*Cuaderno*, pág. 53)

1. **El/La compañero/a de cuarto ideal.** En parejas, completen la oración siguiente de manera original, primero en el presente y después en el pasado.

   Yo quiero un/a compañero/a que...

   Ejemplo:　—Yo quiero un/a compañero/a que no ronque *(snore)*.
   　　　　　—Yo quería un/a compañero/a que no roncara/roncase.

2. Todos los/las estudiantes escriben en su cuaderno tres infinitivos. Luego, se forman grupos de tres estudiantes y empieza uno/a diciendo el verbo que ha elegido. Los/Las otros/as dos tienen que dar las formas del imperfecto de subjuntivo en **-ra** y en **-se.** Se van alternando hasta que todos los miembros hayan participado.

   Ejemplo:　ESTUDIANTE 1:　asustarse – tú
   　　　　　ESTUDIANTE 2:　que te asustaras
   　　　　　ESTUDIANTE 3:　que te asustases

Creación

Escriba una composición explicando el valor del nombre propio. Piense en el título de esta lectura y en el impacto que tiene en los visitantes el monumento a los muertos de Vietnam *(Washington, D.C.)* en contraste con los monumentos dedicados al soldado desconocido que se encuentran en muchas ciudades del mundo.

Phrases:	*Asserting & insisting; Expressing an opinion; Stating a preference*
Grammar:	*Comparison: equality; Possessive adjectives:* mi(s), tu(s); *Verbs:* ser & estar
Vocabulary:	*Cultural periods & movements; Face; Numbers*

Pan

Alicia Partnoy

Alicia Partnoy (Argentina, 1955) fue una de las "desaparecidas" durante la dictadura militar de 1975–1983. La llevaron a una antigua escuela, entonces convertida en centro de detención y tortura, donde se encontraban otras personas igualmente "desaparecidas". Los detenidos, que compartían el mismo cuarto, fueron obligados a permanecer echados en la cama todo el día, con los ojos vendados *(blindfolded),* las manos atadas y en silencio forzado. Partnoy ha relatado sus experiencias en su libro *The Little School: Tales of Disappearance & Survival in Argentina* (1986). Esta obra, que apareció en inglés, nunca se ha publicado en español. La propia Partnoy ha traducido el capítulo que presentamos aquí. Es decir que leemos por primera vez en español las palabras de la autora. Partnoy vive en Estados Unidos desde que el gobierno militar la expulsó de Argentina en 1979.

◤ Palabra por palabra

el **abrazo**	*hug*
la **almohada**	*pillow*
atar	*to tie*
equivocarse	*to be mistaken*
espiar	*to spy*
flaco/a	*thin*
la **frazada**	*blanket*
la **locura**	*insanity, madness*
predecir (i, i)	*to predict*
susurrar	*to whisper*

◤ Mejor dicho

realizar	*to carry out, accomplish, fulfill*	Decidí **realizar** la operación por mi propia cuenta.
darse cuenta de (que)	*to notice, realize*	**Me di cuenta de que** el guardia estaba borrachísimo.

Práctica

En parejas, hagan las siguientes actividades.

1. Describan estos dibujos utilizando palabras del vocabulario.

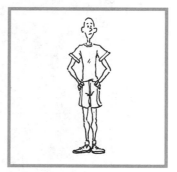

2. Para cada palabra del vocabulario, busquen otras que tengan la misma raíz *(stem)* o que se deriven de ella. También indiquen lo que significan.

Ejemplo: el abrazo *(hug)* — el brazo *(arm),* abrazar *(to hug)*

Amnesty International U.S.A.
La Campaña Para Abolir la Tortura

"Cuando llegaron las cien primeras cartas, los guardias me devolvieron mis ropas. Luego, doscientas cartas más llegaron, y el director de la prisión vino a verme. Cuando llegó el siguiente montón de cartas, el director se puso al habla con su superior. Y las cartas siguieron llegando: tres mil en total. El Presidente fue informado del hecho: mientras tanto las cartas seguían llegando. Entonces el Presidente llamó a la prisión y les dijo que me dejaran ir."

Un prisionero de conciencia de la República Dominicana que fue liberado

AMNISTIA INTERNACIONAL USA

Alto

1. ¿Has pasado alguna vez un día entero sin comer? ¿Por qué razón lo hiciste? ¿Recuerdas cómo te sentiste por la noche?

2. Fíjate en cómo empieza y termina esta lectura. ¿Por qué crees que comienza y acaba así?

3. En esta selección, Alicia Partnoy usa el voseo así como muchos diminutivos. Busca ejemplos y subráyalos al leer el texto.

El pan nuestro de cada día
ayer nos lo quitaste,
dánosle hoy...
"Padrenuestro latinoamericano"
Mario Benedetti

Pan

Alicia Partnoy

Entre tanta incertidumbre el pan es lo único seguro. Quiero decir, además de saber que estamos en la justa,[1] que el habernos jugado toda la sangre contra estos carniceros[2] es cada día con más fuerza la única opción clara. No sabemos cuándo la tortura, cuándo los gritos, cuándo la muerte, pero sí cuándo el pan. A la hora de
5   las comidas predecimos el ruido de la bolsa que se arrastra, el olor purificándolo todo, la crocante corteza,[3] la caricia de la miga.[4] Lo esperamos para devorarlo con avidez o para atesorarlo[5] con ternura.

Un día recibí dos pancitos de más y una manzana. Guardé aquella fortuna bajo mi almohada. A cada rato la levantaba para respirar una mezcla de olores vivifi-
10 cantes. Pero eso fue como a los tres meses de estar en La Escuelita, porque al principio, recién llegada, casi no comía. Recibía el pan para dárselo a algún otro cumpa[6] hasta que un día el flaco de la cucheta[7] de arriba me dijo que la terminara, que comiera porque me iba a debilitar. Pero una vez, cuando todavía no estaba tan desesperada de hambre, me fue útil el pan para aquietar la impaciencia de estar
15 tirada[8] en este colchón. Separé veinticinco pedacitos de miga y con ellos hice veinticinco diminutas bolitas. Jugaba, haciéndolas resbalar y cosquillearme[9] las palmas de las manos cuando el Vaca[10] pasó por allí y, observando la inusitada[11] actividad, preguntó:

—Y eso ¿qué es?
20 —Bolitas de miga de pan.

—¿Para qué?

—Para jugar.

Sopesó[12] en silencio, dos minutos, el nivel de peligrosidad de aquel juego y luego proclamó solemnemente: "Está bien." Se fue el guardia, convencido tal vez
25 de que yo estaba un paso más cerca de la locura. Se equivocaba.

El pan es también una forma de comunicación, una manera de decirle al otro: "Aquí estoy. Pienso en vos. Quiero compartir lo único que tengo." A veces resulta

---

[1] **estamos... justa** = tenemos razón   [2] **el... carniceros** *risking our lives (in the fight) against these killers*
[3] **crocante corteza** *crunchy crust*   [4] **miga** *soft white inside part of bread*   [5] **atesorarlo** *to treasure it*
[6] **cumpa** = compañero   [7] **la cucheta** *bunk bed*   [8] **estar tirada** = estar acostada   [9] **resbalar y cosquillearme** *slide along and tickle*   [10] **Vaca** = uno de los guardias   [11] **inusitada** = extraña   [12] **Sopesó** *He
weighed (mentally)*

fácil pasar el mensaje. Cuando terminan de repartir es la hora de preguntar:
"¿Señor, le sobró[13] pan?" A la respuesta negativa del guardia, alguien dice: "Señor,
30 yo tengo más. ¿Puedo pasárselo?" Con un poco de suerte se consigue completar
el trámite[14] con éxito. A veces es más difícil, pero cuando el hambre aprieta, el ingenio nos tira una soga.[15] Con la frazada de la cucheta de arriba se hace una especie de telón de fondo[16] contra la pared y por allí se suben y bajan panes al
antojo de estómagos y corazones...

35   Cuando el tedio se mezcla con el hambre y la ansiedad nos clava cuatro garras
en la boca del estómago,[17] comer un pan lentamente, fibra a fibra, es nuestro gran
consuelo. Cuando sentís que te va ganando la idea de que estás solo, de que el
mundo que buscabas se esfuma,[18] pasarle un pan a un compañero es recordarte a
vos mismo que lo valedero sigue allí, firme. Recibir un pan es como recibir un
40 abrazo.

       Un día espié por debajo de la venda a María Elenita. Le hice un poema tonto a
mi amiga de dieciséis años que buscaba en silencio el pan:

            María Elenita
            dulce y chiquita,
45   sentada en su cama
            comiendo un pedazo de pan.
            Dos lagrimitas
            mojan su rostro
            y ellos nunca sabrán
50   de María Elenita
            dulce y chiquita
            sentada en su cama
            comiendo un pedazo de pan.

       Las historias de los panes se multiplican, los panes no. Un día en que el Pato[19]
55 estaba más borracho que una cuba,[20] se me ocurrió pasarle un pan a Hugo, que
estaba en la cucheta de enfrente. El Pato se negaba a responder a mi llamado.
Decidí realizar la operación por mi cuenta. Llamé a la Vasca.[21]

            —¿Qué? —susurró.

            —¡Mirame!

60   Me levanté y caminé en puntas de pie[22] los cuatro pasos que me separaban de
la cabecera de la cucheta del flaco, le dejé el pan junto a la cara y volví. Era la
primera (y fue la última) vez que me levantaba así, de contrabando. De vuelta de la
aventura el corazón me latía a lo loco.[23]

---

[13] **¿le sobró pan?** = ¿hay pan extra? [14] **trámite** *deal* [15] **cuando... soga** *when hunger hits, the brain becomes*
sharper [16] **telón de fondo** *backdrop* [17] **la ansiedad... estómago** *four claws of anxiety pierce the pits of our*
stomachs [18] **se esfuma** = desaparece [19] **Pato** = otro guardia [20] **más... cuba** = borrachísimo [21] **Vasca** =
una prisionera [22] **puntas de pie** *on tiptoe* [23] **me... loco** *was beating like crazy*

—¿Qué hacés? —dijo la Vasquita, entre divertida y escandalizada.

65 —Si me vio pensará que es parte de su "delirium tremens".

Y nos reímos, cómplices.

Las migas de pan también tienen su historia. Buscadas a tientas[24] sobre el colchón para ser devoradas, las miguitas más pequeñas suelen escabullirse[25] y al cabo de unos cuantos días nos proveen de una de las notas diferentes, un evento

70 que, si no viene acompañado de los consabidos[26] golpes con la macana de goma,[27] puede considerarse una diversión: la sacudida[28] de las camas. Casi siempre se realiza después de comer, porque tenemos las manos desatadas. Primero sacamos las migas del colchón, después sacudimos la frazada y, mientras el polvillo y las migas vuelan por el aire junto a una serie de olores a mugre,[29] movemos frenéticamente

75 los brazos como si pudiéramos, con frazada y todo, levantar vuelo.[30] Estiramos la manta sobre la cama y, siempre a tientas, alisamos sus pliegues[31] y acomodamos la almohada... Bajo la almohada, el pan del almuerzo. Es entonces esperar a que nos aten las manos nuevamente y acostarnos a comer despaciosamente el pan, el mismo que nos recuerda que nuestro presente es consecuencia de haber peleado

80 para que ese pan, el pan nuestro de cada día, el que le han estado quitando a nuestro pueblo, le sea provisto[32] por derecho propio[33] y sin ruegos a Dios de por medio, por los siglos de los siglos. Amén.

¿Entendido?

Decida si las frases siguientes son verdaderas (V) o falsas (F) según la lectura. Luego cambie las falsas para que sean verdaderas.

1. _____ El pan sirve de alimento físico y espiritual.

2. _____ Los presos tienen tanta hambre que se pelean por el pan.

3. _____ El guardia le permite a la narradora jugar con las bolitas porque lo considera un pasatiempo inofensivo.

4. _____ Los prisioneros sufren aburrimiento y angustia.

5. _____ Al tener los ojos vendados los demás sentidos de los presos se agudizan.

6. _____ Vaca, Vasca y Pato son guardias.

7. _____ En "La Escuelita" sólo hay lugar para la depresión y el miedo.

8. _____ Los presos son muy obedientes porque temen la tortura física y mental.

9. _____ En la cárcel las cosas más pequeñas adquieren un tremendo significado.

10. _____ Esta selección tiene la forma de un discurso político.

---

[24] **a tientas** = sin ver   [25] **escabullirse** = esconderse   [26] **consabidos** = rutinarios   [27] **macana de goma** *rubber stick*   [28] **sacudida** *shaking out*   [29] **mugre** *filth, grime*   [30] **levantar vuelo** = volar   [31] **pliegues** *wrinkles*   [32] **le sea provisto** *will be given back*   [33] **por derecho propio** *because it is our right*

En mi opinión

1. En grupos de cuatro estudiantes, comparen y contrasten las siguientes categorías en relación con esta lectura y *Preso sin nombre, celda sin número*.

	"Pan"	*Preso sin nombre, celda sin número*
¿Quién habla?		
Relación con los otros presos		
Relación con los guardias		
Lugar donde están detenidos		
Sentimientos		
Violencia		
Aspectos positivos		
Condiciones físicas		
Juegos		

2. En parejas, contesten las preguntas siguientes.

a. ¿Qué alimento o bebida necesitan comer o beber por lo menos una vez al día? ¿Qué pasa si no lo pueden hacer?

b. Vemos en esta selección que el pan es más que un alimento nutritivo. Para Uds., ¿tiene algo tan común como el pan una importancia mayor que la normal? ¿Qué es? ¿Por qué ha llegado a adquirir tanto valor para Uds.?

c. ¿Sería para Uds. una tortura pasar todo el día en la cama? ¿Para quiénes sí lo es?

d. Mientras leían "Pan", ¿se les ocurrió alguna conexión con otro texto literario, película, anécdota o experiencia personal? ¿Cuál? Expliquen.

Estrategias comunicativas para dar una noticia

¿A que no sabes... ? *I bet you don't know . . . ?*	**No te lo vas a creer...** *You are not going to believe . . .*
¿Sabes una cosa... ? *Guess what . . . ?*	**Te va a parecer mentira...** *It will seem incredible . . .*
¿A que no te imaginas... ? *I bet you cannot guess . . . ?*	**Te vas a quedar de piedra...** *You will be stunned . . .*
¿No te has enterado todavía de... ? *Haven't you heard . . . ?*	**Es increíble, pero...** *Unbelievable, but . . .*

En (inter)acción

En grupos de tres estudiantes, hagan las siguientes actividades.

1. Un/a estudiante utiliza una de las **Estrategias comunicativas** anteriores para dar una noticia inesperada o sorprendente. Los/Las otros/as responden usando algunas **Estrategias comunicativas** que ya han aprendido en capítulos previos. Practiquen la conversación en grupos y luego preséntensela a la clase.

   Ejemplo: ESTUDIANTE 1: ¿A que no saben que me han tocado doscientos millones de dólares la lotería?

   ESTUDIANTE 2: Vaya, ¡qué suerte!

   ESTUDIANTE 3: Lo siento mucho, pero yo no me lo creo.

2. **Debate.** Con la clase dividida en dos grupos, hablen sobre la violencia en nuestra época y en nuestra sociedad. La televisión, el radio, los periódicos presentan abundantes ejemplos reales o ficticios. ¿Deben censurarse? ¿Cuál es su reacción a estos actos de violencia? ¿Cree que la violencia engendra más violencia? Explique su punto de vista.

3. En el texto que hemos leído, las víctimas del abuso son inocentes. ¿Qué pasa si las víctimas son culpables? ¿Qué derechos humanos deben tener los criminales?

Práctica gramatical

Repaso gramatical:
El subjuntivo: conjunciones de propósito, excepción y condición (*Cuaderno*, pág. 53)
Los diminutivos (*Cuaderno*, pág. 54)

1. En parejas, combinen las dos columnas siguientes de acuerdo con el significado de las oraciones. Después tradúzcanlas.

   a. _____ Yo nunca como pan
   b. _____ Hay bastante pan para la cena
   c. _____ Voy a llamar a la panadera
   d. _____ Ha aprendido a hacer pan
   e. _____ Vete a comprar pan al supermercado
   f. _____ Vamos a repartir el pan

   1. de manera que haya para todos.
   2. en caso de que esté cerrada la panadería.
   3. a no ser que tú te lo comas todo antes.
   4. salvo que sea integral.
   5. para que nos guarde una barra de pan.
   6. sin que nadie se lo haya enseñado.

2. En parejas, tienen un minuto para encontrar el mayor número de diminutivos en el texto de "Pan". Escríbanlos y luego comparen su lista con la de otras parejas.

3. A continuación hay algunos diminutivos. En grupos, indiquen si son adjetivos, sustantivos o adverbios y tradúzcanlos al inglés.

bromitas	arañitas	pedacitos	chiquita
allacito	despuesito	rapidito	lagrimitas

Creación

En el relato de Alicia Partnoy, el pan tiene varias funciones: es un juego, un regalo y un medio de comunicación. Escribe un poema de 15 versos a algún objeto especial o, si lo prefieres, un diálogo con ese objeto. No creas que esto es tan raro pues el poeta Pablo Neruda le dedicó un poema al tomate, Miguel Hernández a la cebolla y Gabriela Mistral al pan. Intenta usar al menos una oración en subjuntivo con una conjunción de propósito, condición o excepción.

Phrases:	*Describing the past; Expressing a need; Repeating*
Grammar:	*Interrogatives; Verbs: future; Verbs: subjunctive with* como si
Vocabulary:	*Food; People; Time expressions*

CAPÍTULO 9

Concienciación y aperturas

1976, en una cárcel de Uruguay: pájaros prohibidos

Eduardo Galeano

La literatura del calabozo

Mauricio Rosencof

Uruguay fue gobernado por una dictadura militar desde 1972 hasta 1985. Aparte del tratamiento inhumano, la tortura y las desapariciones de los detenidos, de la impunidad con que actuó la policía y otras violaciones de los derechos humanos, hay que mencionar que durante la década de los 70 Uruguay fue el país con el mayor porcentaje de presos políticos del mundo. (Servicio, Paz y Justicia. *Uruguay. Nunca más. Violación de los derechos humanos*, 1989)

Este es el contexto histórico de los breves relatos siguientes. En ellos, los escritores uruguayos Eduardo Galeano y Mauricio Rosencof nos muestran el poder de la mente *(mind)* para superar las limitaciones físicas impuestas por otros. La imaginación, la fantasía y los sueños constituyen maneras de evadirse *(escape)* de la realidad opresiva en que se encuentran los personajes.

► Palabra por palabra

el **alivio**	*relief*
dibujar	*to draw*
elogiar	*to praise*
esconder	*to hide*
el **fantasma**	*ghost*
imaginar(se)	*to imagine, suppose*
saludar	*to greet, say hello*

Mejor dicho

solo/a (adj.)	*alone*	Nos extrañó que viviera **sola**.
sólo, solamente (adv.)	*only*	**Sólo/Solamente** Juan de Dios ha estudiado una carrera.
único/a°	*the only (+ noun)*	El **único** problema es la falta de viviendas.

° ¡Ojo! *An only child* se dice **hijo/a único/a**.

Práctica

1. **Pictomanía.** Se forman dos grupos y el/la profesor/a le muestra una de las palabras de este vocabulario y de los anteriores a uno de los miembros de un grupo, quien tiene que dibujar algo en la pizarra para que su equipo adivine la palabra que trata de representar. Si aciertan, reciben un punto. Luego, le toca al otro grupo.

2. En parejas, terminen estas oraciones.
   a. Yo soy el/la único/a...
   b. A veces me gusta ir al cine solo/a porque...
   c. Sólo tengo...
   d. La única clase a la que falto es...
   e. Muchos/as hijos/as únicos/as...

Alto

1. ¿Para qué sirven los dibujos de los/las niños/as? ¿Para qué usan esos dibujos los/las psicólogos/as?

2. Según un informe de las Naciones Unidas durante la dictadura: "Cientos de profesores y maestros fueron despedidos, encarcelados u obligados a emigrar y reemplazados por personas que al gobierno militar le parecían de confianza. Los programas de estudios fueron modificados y las carreras de ciencias políticas y sociología vaciadas de contenido. Desde el nivel de primaria, se enseñaban cuestiones de moralidad y democracia basadas en el nuevo modelo político, social e institucional que el ejército intentaba establecer." *(Uruguay. Nunca más. Violación de los derechos humanos*, pág. 42) Tenga esto en cuenta al leer las selecciones que siguen.

1976, en una cárcel de Uruguay: pájaros prohibidos

Eduardo Galeano

Los presos políticos uruguayos no pueden hablar sin permiso, silbar,[1] sonreír, cantar, caminar rápido ni saludar a otro preso. Tampoco pueden dibujar ni recibir dibujos de mujeres embarazadas, parejas, mariposas,[2] estrellas ni pájaros.

    Didaskó Pérez, maestro de escuela, torturado y preso por tener "ideas ideoló-
5 gicas", recibe un domingo la visita de su hija Milay, de cinco años. La hija le trae un dibujo de pájaros. Los censores se lo rompen a la entrada de la cárcel.

    Al domingo siguiente, Milay le trae un dibujo de árboles. Los árboles no están prohibidos y el dibujo pasa. Didaskó le elogia la obra y le pregunta por los cir-
culitos de colores que aparecen en las copas[3] de los árboles, muchos pequeños
10 círculos entre las ramas:

    —¿Son naranjas? ¿Qué frutas son?

    La niña lo hace callar:

    —Ssshhh.

    Y en secreto le explica:
15   —Bobo. ¿No ves que son ojos? Los ojos de los pájaros que te traje a escondidas.

¿Entendido?

Complete las oraciones siguientes de acuerdo con su comprensión del texto.

1. Supongo que "silbar, sonreír, cantar, caminar rápido y saludar a otro preso" estaría prohibido porque...

2. Posiblemente para los censores los dibujos de "mujeres embarazadas, parejas, mariposas, estrellas y pájaros" tenían en común...

3. El nombre del padre, Didaskó, significa en griego "yo enseño" y tiene relación con...

4. Didaskó Pérez era un preso político seguramente por...

5. La expresión "tener ideas ideológicas" es absurda, porque...

6. Los círculos que hay en el dibujo al padre le parecían... , pero según su hija son...

7. Yo diría que Milay es una niña... porque...

8. La anécdota nos enseña que...

---

[1] **silbar** *whistle* [2] **mariposas** *butterflies* [3] **copas** *tops*

1. Preste atención a las formas verbales siguientes para saber si lo que va a leer está en primera o en tercera persona. ¿Qué pronombre predomina: me, te o lo?

2. Mientras lee, subraye en el texto siguiente (a) oraciones que se refieren a hechos reales (dentro de la narración) y (b) oraciones que se refieren a hechos imaginarios.

3. ¿Cómo puede ayudar la mente a mejorar el estado del cuerpo? ¿Y el cuerpo a la mente?

La literatura del calabozo[4]

Mauricio Rosencof

Haber vivido, sobrevivido más de once años sin ver un rostro humano, sepultado[5] en un nicho[6] de dos por dos, sin ver el sol ni los verdes, sin más distracción que contemplar la meticulosa labor de las arañitas[7] en los rincones, no habría sido posible si a diario ese pozo[8] no se hubiera llenado de sueños... ¿Cuántas veces me he

5 tendido,[9] en un descuido de la guardia, sobre el piso de hormigón,[10] para tomar el sol en la playa? Y no se imaginan Uds. lo molesto que me resultaba la cantidad de bañistas que al pasar por mi lado me salpicaban[11] de arena. Mi alivio era entonces ir a nadar, para tomarme luego algún refresco. El problema que se me creaba entonces era esconder el envase[12] porque había requisas[13] diarias, a pesar de que en

10 la celda no había nada de nada, salvo fantasmas. Si un oficial veía por ahí una botella podía interrogar, ¿de dónde sacó Ud. el dinero para comprar Coca-Cola? El esconder los objetos que me quedaban de las fantasías era toda una odisea.[14]

¡Entendido?

Las oraciones siguientes son falsas de acuerdo con el contenido de la lectura anterior. Explique por qué son falsas.

1. El protagonista se volvió loco por vivir once años en total aislamiento.

2. La cárcel estaba cerca de la playa porque era allí adonde llevaban a los presos a tomar el sol.

3. El preso odiaba ir a la playa porque los bañistas le tiraban arena.

---

[4] **calabozo** = cárcel, prisión   [5] **sepultado** = encerrado   [6] **nicho** *niche (here, prison cell)*   [7] **arañitas** *little spiders*   [8] **pozo** *well, hole*   [9] **tendido** = acostado   [10] **hormigón** = cemento   [11] **salpicaban** *splashed*   [12] **envase** = botella   [13] **requisas** *checks*   [14] **odisea** *odyssey (here, ordeal)*

4. Los guardias entraban en la celda a buscar botellas de Coca-Cola.

5. El preso sabía distinguir en todo momento la realidad de la fantasía.

En mi opinión

En grupos de tres estudiantes, comenten los temas siguientes.

1. Piensen en algunas reglas o leyes que a su parecer no tienen sentido. Discútanlas y después decidan cuáles son las más absurdas o ridículas. Por ejemplo, en el siglo XVII en México a los mestizos les estaba prohibido usar parasoles.

2. Cuando se dice de alguien que "tiene mucha imaginación", ¿suele ser esto un elogio o una crítica? Explique. ¿A qué suelen dedicarse más las personas que tienen mucha imaginación: a las artes o a las ciencias? ¿Qué cualidad se atribuye a los/las escritores/as?

3. ¿Cómo presentan las películas actuales la vida en la cárcel? ¿Les parece realista o no? ¿Recuerda alguna película en especial que tenga lugar en una cárcel, como *El beso de la mujer araña, Alcatraz, Cadena perpetua (The Shawshank Redemption)*?

4. El control de la mente y la censura, ¿se dan sólo en las sociedades totalitarias? ¿Hay modos de control o influencia cn las sociedades actuales? ¿Qué es un lavado de cerebro *(brainwashing)*? ¿Y un mensaje subliminal?

5. Los estudiantes franceses en 1968 pedían en sus manifestaciones "la imaginación al poder". ¿Sabe o comprende por qué pedían eso?

6. Dé ejemplos que muestren el contraste entre el razonamiento (o la lógica) de un niño y el de un adulto. ¿Recuerda el cuento "Ay, papi, no seas coca-colero" (pág. 151)?

▶ Estrategias comunicativas para pedir opiniones o sugerencias

¿Alguna idea?	*Any ideas?*
¿Tú qué dices?	*What do you say?*
¿A ti qué te parece?	*What do you think?*
¿Se te ocurre algo?	*Can you think of anything?*
¿Tiene alguna sugerencia al respecto?	*Do you have any suggestions?*

En (inter)acción

1. Cada estudiante dibuja en la pizarra o en su cuaderno cómo se imagina el dibujo de Milay. Después, entre todos/as, comenten los resultados obtenidos.

2. En parejas, hagan un dibujo que sea difícil de identificar o que tenga un significado oculto. Preséntenlos a la clase para interpretarlos. Primero, miren los ejemplos siguientes y traten de identificarlos. Empleen algunas de las expresiones de **Estrategias comunicativas.**

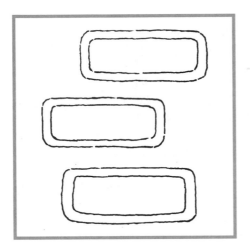
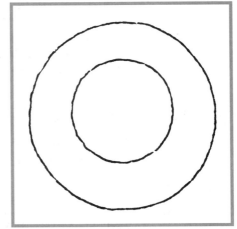
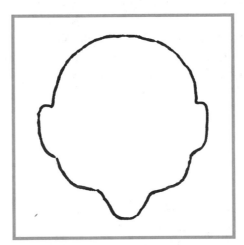

3. Con toda la clase, expresen lo que ocurre en cada cuadro de la tira cómica "Los pájaros y la libertad de expresión".

SOLUCIONES: 1. unas bañeras; 2. un lámpara vista desde abajo; 3. una cabeza vista desde arriba

Los pájaros y la libertad de expresión

4. **Debate.** Mencionen algunas maneras de evadirse de la realidad y luego discutan hasta qué punto resulta bueno o malo este tipo de evasión.

5. **Ejercitando la imaginación.** Toda la clase cierra los ojos y un/a estudiante empieza a describir un lugar ideal en el cual podrían relajarse y después otro/a continúa la descripción hasta que todos/as hayan participado.

> Ejemplo: ESTUDIANTE 1: Estás en una habitación muy acogedora *(cozy)*.
> ESTUDIANTE 2: La luz entra por unos ventanales enormes.
> ESTUDIANTE 3: Se oye a lo lejos un concierto de Vivaldi.

Práctica gramatical

Repaso
gramatical:
Para y por
(Cuaderno, pág. 55)
Palabras afirmati-
vas y negativas
(segundo repaso)
(Cuaderno, pág. 56)

1. En parejas, formen oraciones con **por** y **para** que tengan que ver con las lecturas. Comparen sus oraciones con las de otra pareja.

> Ejemplo: Milay dibujó pájaros para su padre.

2. Imagínense que la mitad de la clase asiste a un colegio (o a una academia militar) muy estricto con la disciplina y, en cambio, la otra mitad asiste a otro muy tolerante. El/La estudiante de un grupo menciona algo de ese colegio y el otro grupo debe decir lo contrario. Utilicen expresiones afirmativas y negativas.

> Ejemplo: GRUPO 1: A ninguno/as de nosotros/as nos permiten comer en clase ni traer amiguitos/as.
> GRUPO 2: Pues a todos/as nosotros/as nos permiten comer en clase y traer amiguitos/as.

Creación

Cuando alguien no puede dormir, se le dice que cuente ovejas *(sheep)*. Critique o elogie este remedio casero al problema del insomnio. Hable de sus ventajas y desventajas. Puede ofrecer alternativas también. ¿Tiene Ud. alguna técnica especial para dormir?

Phrases:	*Persuading; Weighing the evidence; Describing health*	
Grammar:	*Next:* siguiente, que viene, próximo; *Prepositions; Verbs:* saber & conocer	
Vocabulary:	*Numbers; Animals; Punctuation marks*	

Epigrama

Reinaldo Arenas

Los derechos humanos

Eduardo Galeano

Reinaldo Arenas (1943–1990) era un escritor cubano que al principio apoyó la revolución castrista. Desilusionado después, logró escaparse de la isla y fue a vivir a Nueva York. Se suicidó en 1990 porque tenía SIDA y sus últimas palabras fueron "Cuba será libre, yo ya lo soy". En "Epigrama" Arenas denuncia lo que les pasa a los niños en Cuba.

Eduardo Galeano (Uruguay, 1940) ha escrito mucho sobre la injusticia, la pobreza y la opresión en América Latina. Su *Días y noches de amor y de guerra* es una crónica de los momentos atroces que ocurrieron en los años 70 en Argentina, Chile y Uruguay. Su obra más famosa es *Memorias del fuego*. En "Los derechos humanos" habla de las injusticias que pueden padecer los niños dentro de una familia.

▶ Palabra por palabra

la **amenaza**	*threat*
el **ayuno**	*fasting*
la **bofetada**	*slap*
contagiar	*to infect, contaminate*
desfilar	*to walk in file, march*
en balde	*in vain*
hambriento/a	*hungry, starving*
la **inquietud**	*worry, concern, anxiety*
el **martillo**	*hammer*
la **pantalla**	*screen*

▶ Mejor dicho

porque + verbo conjugado	*because*	Sus padres lo castigaban **porque** era muy desobediente.
a causa de + sustantivo	*because*	El avión se demoró **a causa de** la tormenta.

revisar	*to inspect, check, or edit*	Amnistía Internacional **revisa** muchos casos documentados de tortura.
reseñar	*to review a creative work*	El crítico reseñó *La historia oficial.*
repasar	*to go over or review, such as notes for a test*	Tenemos que **repasar** tres capítulos para el examen.

Práctica

1. En parejas, terminen las oraciones de forma original.

    a. No volví a casa porque...

    b. Jorge tenía miedo a causa de...

    c. Hay padres abusivos porque...

    d. Mi hermana no comió a causa de...

    e. Graciela se enfermó porque...

2. Expliquen las palabras del vocabulario a su compañero/a y su pareja luego hace una oración con la palabra.

    Ejemplo: bofetada = golpe dado en la cara con la mano abierta para castigar a alguien

                      Hace años los/las maestros/as podían darles bofetadas a los/las alumnos/as.

Alto

1. Un epigrama es un poema corto que trata de un solo tema y normalmente termina con un pensamiento ingenioso o satírico. Acuérdese de esta definición al leer el texto a continuación y decida si, de verdad, es un epigrama.

2. ¿Qué sabe Ud. de la Revolución Cubana de 1959? ¿Y de Cuba ahora?

3. En esta lectura, como en otras de esta unidad, el autor habla irónicamente. Busque las frases irónicas y subráyelas al leer.

Epigrama

Reinaldo Arenas

Un millón de niños condenados bajo la excusa de "La Escuela al campo" a ser no niños, sino esclavos agrarios.[1] Un millón de niños condenados a repetir diariamente consignas[2] humillantes. Un millón de niños rapados[3] y marcados con una insignia.

---

[1] **agrarios** *agricultural*   [2] **consignas** *slogans*   [3] **rapados** *with shaved heads*

5   Un millón de niños reducidos a levantar el pie a noventa grados y bajarlo marcialmente mientras repiten *¡hurra!*

Un millón de niños para los cuales la primavera traerá la aterradora señal[4] de que hay que partir hacia la recogida[5] de frutos menores.

Un millón de niños enjaulados,[6] hambrientos y amordazados,[7] apresurada-
10 mente[8] convirtiéndose en bestias para no perecer de un golpe.

Un millón de niños para los cuales ni las hadas[9] ni los sueños, ni la rebeldía, ni "la libertad de expresión" serán inquietudes trascendentales pues no sabrán que pudieron existir tales cosas. Un millón de niños para los cuales jamás habrá niñez, mas sí el odio, las vastas plantaciones que hay que abatir.[10]

15 Un millón de niños manejando un martillo descomunal,[11] para quienes toda posibilidad de belleza o expansión o ilusión será un concepto irrisorio, mariconil,[12] o más bien reaccionario. Un millón de niños perennemente desfilando ante una pantalla y una polvareda y un estrépito[13] ininteligible.

No en balde, oh, Fifo,[14] has abarrotado[15] la isla con inmensas pancartas[16] que
20 dicen LOS NIÑOS NACEN PARA SER FELICES.

—Sin esa explicación, ¿quién podría imaginarlo?

(La Habana, febrero de 1972)

¿Entendido?

1. Conteste las preguntas siguientes.

  a. ¿Contra qué protesta Reinaldo Arenas?

  b. ¿Por qué dice que los niños se convertirán en bestias?

  c. ¿Qué no existe para estos niños? ¿Por qué?

  d. ¿Cuál es el propósito oficial de las pancartas que dicen "Los niños nacen para ser felices"? ¿Y según Arenas?

2. Subraye tres frases claves y luego resuma la lectura en sus propias palabras.

---

[4] **aterradora señal** *terrifying signal*   [5] **recogida** *harvest*   [6] **enjaulados** *caged*   [7] **amordazados** *silenced*
[8] **apresuradamente** = rápidamente   [9] **hadas** *fairies*   [10] **abatir** = cortar   [11] **descomunal** = enorme
[12] **irrisorio, mariconil** *laughable, effeminate*   [13] **una polvareda... estrépito** *a dust cloud and a roar*
[14] **Fifo** = Fidel Castro   [15] **abarrotado** *crammed full*   [16] **pancartas** *posters*

1. ¿Hasta qué punto han sido sus padres o profesores/as autoritarios/as?

2. ¿Qué piensa del castigo corporal? ¿Es eficaz, o no, como método de disciplina?

3. Estudie la estructura física del texto. ¿Cómo es? ¿Por qué lo habrá escrito Galeano así?

Los derechos humanos

Eduardo Galeano

La extorsión,
el insulto,
la amenaza,
el coscorrón,[17]
5 la paliza,[18]
el azote,
el cuarto oscuro,
la ducha helada,
el ayuno obligatorio,
10 la comida obligatoria,
la prohibición de salir,
la prohibición de decir lo que se piensa,
la prohibición de hacer lo que se siente
y la humillación pública
15 son algunos de los métodos de penitencia y tortura tradicionales en la vida de familia. Para castigo de la desobediencia y escarmiento[19] de la libertad, la tradición familiar perpetúa una cultura del terror que humilla a la mujer, enseña a los hijos a mentir y contagia la peste del miedo.

  —Los derechos humanos tendrían que empezar por casa —me comenta, en
20 Chile, Andrés Domínguez.

---

[17] **coscorrón** = golpe dado en la cabeza con la mano   [18] **paliza** *beating*   [19] **escarmiento** *chastisement, warning*

¿Entendido?

Conteste las preguntas siguientes.

1. ¿Cuántos castigos menciona la lectura? ¿Conllevan todos el mismo grado de crueldad? Explique.
2. ¿Cuáles de los castigos mencionados son castigos físicos y cuáles no lo son?
3. ¿Se pueden clasificar estos castigos tradicionales como torturas? Explique.
4. ¿Cuál es el mensaje de esta selección?

En mi opinión

En grupos de cuatro estudiantes, respondan a las preguntas o discutan los temas a continuación.

1. ¿Por qué enseñan los castigos a mentir a los niños? Expliquen las razones.
2. ¿Qué tipo de castigos se usaban en las escuelas primarias antes o cuando Uds. asistieron?
3. ¿Tienen los padres derecho a castigar físicamente a sus hijos para educarlos? Den ejemplos.
4. ¿Hay alguna conexión entre el castigo corporal y la violencia en nuestra sociedad? Comenten.
5. Decidan algunas cosas que van a escribir en unas pancartas para una marcha que va a haber en protesta de la situación de los niños.
6. Inventen otros títulos para los textos.

Estrategias comunicativas para quejarse o protestar

¡Qué injusticia!	*How unfair!*
No hay derecho.	*They have no right.*
Esto es un abuso.	*This is abuse.*
Los están explotando.	*They are exploiting them.*

En (inter)acción

1. En grupos, decidan si las acciones mencionadas a continuación constituyen abuso (A) de los niños/as o disciplina (D). Usen las expresiones de **Estrategias comunicativas** en la discusión.

   a. _____ Hacerlos/las que compartan sus juguetes nuevos con sus amigos/as.

   b. _____ Mandarlos/las a la cama sin comer por desobedientes.

   c. _____ Escoger la ropa que se van a poner para ir al colegio.

   d. _____ No comprarles un perro virtual.

   e. _____ Censurar sus programas de TV.

   f. _____ Darles de comer hígado *(liver)*.

   g. _____ No permitirles salir con sus amigos/as.

   h. _____ No ponerles un teléfono en su habitación.

   i. _____ Pegarles suavemente.

   j. _____ Obligarlos/las a estudiar tres horas todas las noches.

   k. _____ Encerrarlos/las en su habitación.

   l. _____ No darles dinero propio.

   m. _____ Asignarles tareas domésticas todos los días.

2. En años recientes ha habido algunos pleitos de niños contra sus padres. Estos niños querían tener el derecho de decidir con quién querían vivir. En grupos de tres estudiantes (niño/a, padres), preparen las dos partes del caso y luego preséntenlo a la clase que servirá de jurado.

3. Comparen la violencia política y la violencia social. ¿En qué tipo de sociedad es más difícil vivir?

4. **Debate.** ¿La pena de muerte convence a la gente de no cometer crímenes?

5. Miren el póster siguiente y digan cuáles de los derechos no tienen los niños de los textos que han leído.

LOS DERECHOS DE LA INFANCIA

AUXILIO
Es saber que somos los primeros en recibir ayuda cuando hay un problema.

DENUNCIA
Es no permitir que nos exploten, maltraten o abusen de nosotros.

SOLIDARIDAD
Es trabajar para que todos tengamos estos derechos.

IDENTIDAD
Es ser uno mismo, tener un nombre, una nacionalidad.

PROTECCION
Es tener nuestras necesidades básicas cubiertas.

IGUALDAD
Es niños o niñas, altos o bajos, gordos o flacos, gitanos o payos, todos somos iguales en derechos.

EDUCACION Y JUEGO
Es disfrutar de espacios agradables para jugar y una educación íntegra.

AMOR
Es sentirnos queridos y comprendidos, querer y comprender.

INTEGRACION
Es vivir feliz entre los demás.

Práctica gramatical

Repaso
gramatical:
Las oraciones
con **si**
(*Cuaderno*, pág. 57)

Imaginen que Uds. trabajan en un centro que ayuda a los adolescentes que se escapan de casa y que hoy día están dando una charla a un grupo de padres interesados en el tema. En parejas, denles consejos a estos padres utilizando las oraciones con **si.**

Ejemplo: Si observa que su hijo/a no está contento/a en casa, hable inmediatamente con él/ella.

Creación

Escriba dos o tres párrafos describiendo humorísticamente a los padres perfectos. Utilice el subjuntivo.

Ejemplo: Los padres perfectos permitirían que los/las niños/as comieran dulces cuando quisieran.

	Phrases:	*Comparing & contrasting; Weighing alternatives; Writing an essay*
	Grammar:	*Comparisons: inequality; Relatives: antecedent; Subjunctive agreement*
	Vocabulary:	*Cultural periods & movements; Family members; Upbringing*

Sabotaje

Alicia Yáñez Cossío

Alicia Yáñez Cossío (1929) es probablemente la escritora más conocida del Ecuador. Es además profesora y periodista. Su primera novela *Bruna, soroche y los tíos* ganó el Premio Nacional Ecuatoriano y ha sido traducida al inglés. Recientemente ha publicado *La casa del sano placer* (1996). "Sabotaje" se encuentra en su colección de cuentos *El beso y otras fricciones.*

"Sabotear" significa literalmente "entorpecer intencionalmente los obreros la marcha de una fábrica inutilizando las máquinas o herramientas o los materiales o productos como medio de imponer sus condiciones de mejora". En el siguiente cuento, en lugar de una fábrica, lo que se intenta "inutilizar" es una dictadura y la manera de hacerlo es atentando contra la vida del propio dictador. Pero cuidado, porque hay más de un sabotaje.

Palabra por palabra

acariciar	*to caress*
acercarse (a)	*to approach*
el **atentado**	*assassination attempt*
el **disparo**	*shot*
espeluznante	*horrifying, hair-raising*
ladrar	*to bark*
los **partidarios**	*supporters, partisans*
la **pista**	*trail, track, clue*
venirse (ie, i) abajo	*to fall in, collapse*

Mejor dicho

el chiste	*joke = a funny story*	Los **chistes** de Jaimito son muy populares entre los niños españoles.
la broma	*a practical joke, trick, prank*	Nora, ¡basta ya de **bromas!**
gastar bromas	*to play jokes or tricks*	¿Te apuntas? Vamos a **gastarle una broma** a Pilar.

matar°	*to kill*	**Han matado** a todas las vacas locas.
morir	*to die in accidents, wars, etc., a violent death*	Muchos miembros de la oposición **morían** todos los años.
morirse	*to die by natural causes or in a figurative sense*	Mi vecino **se murió** de repente. Siempre que veo la película *La muerte de un burócrata* **me muero** de risa.

° **¡Ojo!** En español **matar** no se usa en la voz pasiva: **Lo mataron a sangre fría.** *He was killed in cold blood.*

Práctica

1. El/La profesor/a escribe en unas fichas *(index cards)* de un determinado color las palabras del vocabulario y se las entrega a los/las estudiantes de la clase para que las definan en otra ficha de otro color. Cuando han terminado de escribir la definición, el/la profesor/a las recoge todas y entrega las fichas con las definiciones a los/las estudiantes para que escriban la palabra que su compañero/a intentaba definir. Al final el/la profesor/a lee las definiciones y las palabras. Los/Las estudiantes tienen que decidir si la correspondencia es correcta o no.

2. En grupos pequeños, escriban tres listas de gente famosa (a) a la que han matado, (b) que se murió de muerte natural (vejez, infarto) y (c) que murió en un accidente (de coche, avión). Después, cada uno/a de los/las estudiantes lee un nombre a la clase, que tendrá que responder **lo/la mataron, se murió** o **murió.**

   Ejemplo: John Lennon / Lo mataron.

   La Madre Teresa / Se murió.

Alto

1. Las escenas de sabotajes abundan en películas de guerra, de James Bond, de Rambo, etc. ¿Recuerda alguna escena espectacular (por los efectos especiales empleados, por su simbolismo...)?

2. ¿Qué adelantos médicos son previsibles *(foreseeable)* en el futuro inmediato? ¿Qué órganos animales se transplantan al cuerpo humano hoy día? ¿Es ésta una práctica muy común?

3. ¿Sabe cómo se llaman las distintas partes del cuerpo de un perro? En la lectura siguiente, se mencionan algunas. Apunte tres en los espacios en blanco.

   _____   _____   _____

4. Eche una ojeada rápida a la lectura siguiente para determinar cuál de estos tres tipos de perros aparece en el cuento.

El que se convierte en una bestia se ahorra
el trabajo de vivir como un hombre.
—S. Johnson

Sabotaje

Alicia Yáñez Cossío

El presidente era un hombre alto, fuerte, corpulento.[1] Toda su vida y razón de ser
era la política. Tenía numerosos enemigos porque sus actuaciones eran inhumanas
y hasta espeluznantes. Sin embargo, tenía una admiradora que esperaba todos los
días sus entradas y salidas. A fuerza de[2] constancia había logrado que se fijara en
5   ella.[3]

Una mañana, antes de salir al nuevo edificio que debía inaugurar, comprobó por
la mirilla de la puerta que en la acera de enfrente estaba la hermosa joven esperando su salida. Sonrió complacido,[4] pero en seguida hizo una mueca[5] de dis-
gusto, al comprobar que su admiradora estaba acompañada, como siempre, de una
10 perrita Cocker Spaniel.

Cuando salió, la saludó comiéndosela con los ojos. Ella le respondió con la
mejor de sus sonrisas. El único obstáculo para que él se acercara era la perrita,
que cada vez gruñía[6] más amenazadoramente. El odiaba a los perros y no atinaba[7]
la forma de acercarse a la joven ni de entablar amistad.[8] Su torcida[9] política le
15 había hecho perder todo sentido de las relaciones humanas.

Esa mañana, odió particularmente a la perrita. Todos los perros le producían
una especie de alergia. En su cerebro había puesto un huevo; su pensamiento estaba incubando una ley contra los perros. Sabía que sus enemigos se burlarían de
él. Mientras tanto su admiradora esperaba y él, falto de afecto desde hacía mucho
20 tiempo, creía perder un tiempo precioso.

Llegó al edificio que debía inaugurar. Había mucho público y un cordón de seguridad que rodeaba su impopularidad. Mientras leía su horroroso discurso,
sucedió la catástrofe: se oyó un ruido ensordecedor[10] y todo el edificio se vino
abajo, atrapando entre sus escombros[11] al presidente y a todos sus partidarios.

25 Con el ruido, la confusión y las nubes de polvo, nadie se percató de[12] un disparo que fue en dirección a su cabeza. Las numerosas víctimas fueron llevadas
inmediatamente a los centros de salud y otras tantas metidas en los carros
incineradores. Murieron muchos partidarios del gobierno pero él, por esas incógnitas[13] de la suerte se salvó, a pesar de ser la figura central del sabotaje.

---

[1] **corpulento** *of hefty build*   [2] **A fuerza de** = Gracias a   [3] **se fijara en ella** *notice her*   [4] **complacido** =
satisfecho   [5] **hizo una mueca** *he grimaced, frowned*   [6] **gruñía** *growled*   [7] **atinaba** = encontraba
[8] **entablar amistad** *to become friends*   [9] **torcida** *crooked*   [10] **ensordecedor** *deafening*   [11] **escombros**
rubble   [12] **se percató de** = se fijó en   [13] **incógnitas** = misterios

30   Durante mucho tiempo estuvo codo a codo[14] con la muerte. Cuando sucedió el atentado una de las paredes le había caído encima y fue sacado de los escombros prácticamente en pedazos. Sus enemigos se quedaron de una pieza,[15] pero siguieron en sus propósitos de eliminarlo.

Se salvó por la pericia[16] de los cirujanos quienes lo cosieron, zurcieron[17] y re-
35 mendaron todo el cuerpo consumiendo metros enteros de epidermis humana, litros de plasma, huesos de plástico y órganos fabricados exclusivamente para él. Fue una nueva creación de la ciencia, aunque se quedó con su corazón y parte de su cerebro, todo lo demás era ajeno[18]...

Los cirujanos comprobaban diariamente su mejoría. Entre las atenciones que
40 recibió estaban las flores de su admiradora, las cuales antes de ser introducidas en la pieza del enfermo, eran cuidadosamente examinadas en el laboratorio del hospital.

Por fin llegó el día en que le dieron de alta.[19] Pudo salir rejuvenecido. Tenía muchos proyectos políticos. El mismo seguiría buscando la pista de los saboteadores.
45 Tenía, además, un específico proyecto romántico hacia la joven de las flores y de la perrita.

Apenas volvió a su casa, vio a la hermosa joven y, sin pensarlo dos veces, cruzó la calle para agradecerle por las flores. Al acercarse, la perrita le ladró con menos fuerza de la acostumbrada. No sintió la sensación de dientes en los tobillos, tal
50 vez porque no eran las mismas piernas de antes...

Al día siguiente, volvió a ocurrir la misma escena y fue repitiéndose cada día. Pero sus impulsos no eran hacia la joven. Eran impulsos cada vez más imperiosos[20] hacia la perrita. La piel de ella era más sedosa[21] y brillante que la de la joven. El hocico[22] húmedo y oscuro era más tentador[23] que cualquier sonrisa. La
55 cola levantada era más perturbadora[24] que la figura esbelta[25] y elegante... Además el animalito ya no ladraba como antes, sino en una forma que a él le sonaba musical y acariciante. Cuando llegaba a su despacho, cada vez estaba más lejano y ausente de lo que pasaba a su alrededor. Los funcionarios se miraban sorprendidos. Los problemas más vitales de la política habían dejado de interesarle. El
60 huevo que llevaba en su cerebro había roto el cascarón con una ley donde el mayor presupuesto[26] era para los perros y principalmente para las hembras[27] Cocker Spaniel. El ya no era el mismo y nadie sabía la causa de su transformación. Pasaba los minutos pensando obsesivamente en el tamaño, en el color y hasta en el peculiar olor de la perrita.

---

[14] **codo a codo** *here, eye to eye*   [15] **se... pieza** *were dumbfounded*   [16] **pericia** = habilidad   [17] **zurcieron** *stitched*   [18] **ajeno** *foreign matter*   [19] **le... alta** *was discharged from the hospital*   [20] **imperiosos** = fuertes   [21] **sedosa** = como la seda   [22] **hocico** *muzzle*   [23] **tentador** = atractivo   [24] **perturbadora** *disturbing*   [25] **esbelta** *shapely*   [26] **presupuesto** *budget*   [27] **hembras** *female*

65   Cuando abría la puerta de su casa, cruzaba la calle de un salto, ni siquiera salu-
daba a la dueña del animal que le miraba atentamente y se precipitaba al suelo[28]
para acariciar a la perrita. El contacto de sus manos con la piel lustrosa[29] le pro-
ducía un placer inexplicable y, cuando acosado[30] por su escolta tenía que dejarla,
se alejaba apenado,[31] volviendo a cada paso la cabeza para mirarla, dilatando[32] bien
70   las narices para aprehender el olor de su cuerpo...

Los guardaespaldas no salían de su asombro: ¡todo un presidente perdiendo los
minutos de su valioso tiempo con una miserable perra!

Un día, por poco es atropellado.[33] —Tenga cuidado— le aconsejaron sus acompañantes, pero él ya estaba en el suelo acariciando a la perrita, olvidándose del
75   mundo y del espectáculo que estaba dando...

Los médicos le aconsejaron que tomara unas vacaciones. El presidente estaba
totalmente ido[34] y las cosas que hacía y que decía eran celebradas con grandes
carcajadas[35] por parte de sus adversarios y tristemente comentadas por sus partidarios sorprendidos.

80   Los cirujanos estaban muy preocupados. Las operaciones, los injertos[36] y los
tratamientos habían sido perfectos, a no ser que[37]... Pero no, apenas era un
parche[38] de cuatro centímetros cuadrados en el brazo izquierdo.

Una noche, el médico principal fue despertado violentamente. El presidente
había desaparecido de su cama. Los guardianes y enfermeras lo buscaban por
85   todo el hospital. Sonaban las sirenas de alarma. Los policías y detectives al creerlo
secuestrado, empezaron a buscarlo por todas partes de la ciudad. Se cerraron
las carreteras y los aeropuertos, hasta que, casualmente,[39] alguien dio con su paradero:[40] el presidente estaba a la vuelta[41] de su casa, andando en cuatro patas
detrás de la perrita Cocker Spaniel.

90   Tuvieron que sujetarlo entre varios hombres. El increpaba[42] ferozmente y hasta
parecía ladrar. Cuando la enfermera le descubrió el brazo izquierdo para inyec-
tarle un calmante y poder dormirlo, dio un grito de horror... Ella sabía que el presidente tenía en ese brazo un injerto, no de piel humana, sino de una piel que no
logró averiguar, pero el parche había desaparecido: todo el brazo estaba cubierto
95   de lanas como la piel de un San Bernardo y las lanas avanzaban por el pecho y por
el tórax.

—Este caso ya no nos corresponde a nosotros —dijeron los médicos llenos de
asombro—. Llamen a los veterinarios.

—Ya no volverá a ladrar el presidente —dijeron sus enemigos cuando la dueña
100 de la perrita les contó el extraño caso.

---

[28] **se... suelo** *dropped to the ground*   [29] **lustrosa** = brillante   [30] **acosado** *pressed*   [31] **apenado** = con dolor
[32] **dilatando** *dilating*   [33] **atropellado** *run over*   [34] **ido** = loco   [35] **carcajadas** *bursts of laughter*   [36] **injertos**
skin grafts   [37] **a... que** = a menos que   [38] **parche** *patch*   [39] **casualmente** *by chance*   [40] **paradero** *whereabouts*   [41] **a la vuelta** *in the back*   [42] **increpaba** *scolded, rebuked*

¿Entendido?

Complete las oraciones siguientes de acuerdo con el contenido del cuento anterior.

1. La narradora describe al presidente...
2. Al presidente no le gustaban los perros al principio, pero al final...
3. El atentado tuvo lugar en... y fue planeado por...
4. En el hospital los médicos le salvaron la vida al presidente gracias a...
5. El presidente, después de salir del hospital, empezó a...
6. Un día el presidente desapareció, pero...
7. Los médicos querían que los veterinarios...
8. "Sabotaje" no es una fábula *(fable)* porque en las fábulas...
9. El cuento no me parece realista porque...
10. Una escena graciosa del cuento es...

En mi opinión

En grupos de tres estudiantes, hablen de la lectura anterior usando las preguntas siguientes como guía. Al final, añadan una pregunta que se les ocurra en relación con el cuento.

1. ¿Cuántos sabotajes ocurren en "Sabotaje"? ¿Cuáles son?
2. ¿Por qué no tienen nombre los personajes del cuento? ¿Sucede la historia en algún lugar de Latinoamérica? ¿Por qué (no) lo sabemos?
3. ¿Recibió el dictador su merecido? Expliquen.
4. ¿Es posible que un ser humano se convierta en animal? ¿O eso sólo ocurre en la literatura y en el cine? ¿Han leído u oído hablar de *La metamorfosis* de Franz Kafka? ¿Tendría alguna relación con este cuento?
5. ¿Eran los médicos y cirujanos partidarios del presidente? ¿Y su admiradora?
6. ¿Está bien o mal visto burlarse de los políticos y del presidente en su país? ¿Y de la esposa del presidente?
7. ¿Qué expresiones hay en su lengua referidas a perros (por ejemplo, "el perro es el mejor amigo del hombre")? ¿Y a otros animales (por ejemplo, "tener más vidas que un gato")? Hagan una lista con todas las expresiones que recuerden.
8. ¿Qué valores *(values)* humanos se asocian en su cultura con los siguientes animales?

el león	la hormiga	la tortuga	el perro	la oveja
la zorra *(fox)*	el elefante	la lechuza *(owl)*	la abeja *(bee)*	el lobo *(wolf)*

Estrategias comunicativas para dar explicaciones

Debido a...	Due to . . .
A causa de...	Because of . . .
Como...	As, since . . .
Puesto que/Ya que...	Since, Because . . .
Como resultado o consecuencia de...	As a result/consequence of . . .
Por este motivo...	For this reason . . .
Y por lo tanto...	And therefore . . .
Por razones (de seguridad, médicas...)...	For (security, medical . . .) reasons . . .

En (inter)acción

1. **Noticias de última hora.** La clase se divide en tres grupos. Cada uno preparará un boletín informativo (cómico o serio) sobre uno de los hechos siguientes de "Sabotaje" y luego lo presentará a la clase. Decidan cuál ha sido el mejor. Utilicen algunas de las expresiones de **Estrategias comunicativas.**

   a. el atentado contra el presidente
   b. su evolución médica en el hospital
   c. su transformación final

   Empiecen con la frase siguiente:
   Interrumpimos la programación habitual para informarles que...

2. **Informe del gobierno** *(briefing).* Basándose en el texto leído, en grupos de cuatro estudiantes, preparen el discurso (un párrafo breve) que daría el vicepresidente sobre lo que le ha ocurrido al presidente. El único problema es que el vicepresidente no quiere decir que el presidente se ha convertido en perro. Cuando terminen de preparar el discurso, un miembro del grupo lo presenta delante de la clase y los demás estudiantes hacen el papel de periodistas, quienes acosan al vicepresidente con preguntas impertinentes.

3. **El humor político.** Busque un chiste en un periódico y tráigalo a clase. Explique a la clase en qué consiste el humor.

Práctica gramatical

Repaso
gramatical:
Repaso del
pretérito/
imperfecto
(segundo repaso)
(*Cuaderno*, pág. 58)
Ser + el parti-
cipio pasado (+
por + agente)
(*Cuaderno*, pág. 58)
Estar + el parti-
cipio pasado
(*Cuaderno*, pág. 59)

1. En parejas, digan oraciones en el tiempo pasado (pretérito o imperfecto) que se refieran al cuento "Sabotaje".

   Ejemplo: La admiradora paseaba a la perrita por la calle donde vivía el presidente.

2. **Pánico en el zoológico.** En parejas, transformen las siguientes oraciones activas en pasivas. Luego, indiquen con **estar** + el participio pasado el resultado de cada acción.

   Ejemplo: Un bromista abrió todas las jaulas del zoológico. (voz activa)
   Todas las jaulas fueron abiertas por un bromista. (voz pasiva)
   Por eso, todas las jaulas estaban abiertas. (estar + participio)

   a. En seguida, los guardias de seguridad conectaron las alarmas.
   b. Luego protegieron a los animales en peligro de extinción.
   c. Afortunadamente, los elefantes no hirieron a ningún pato.
   d. Al final, los ayudantes encerraron a todos los animales en sus respectivas jaulas.
   e. Me alegro de que las autoridades ya hayan detenido al bromista.

Creación

Cuando yo era un gato (un perro, un tigre...). Escriba una composición sobre cómo era su vida antes de convertirse en ser humano. Como es algo que ocurrió en el pasado, debe emplear el pretérito, imperfecto, presente perfecto o pluscuamperfecto según convenga.

Phrases:	*Talking about daily routines; Making transitions; Comparing & distinguishing*
Grammar:	*Verbs: preterite & imperfect; Demonstrative; But:* pero, sino (que)
Vocabulary:	*Food; House; Senses*

Un día en la vida (selección)

Manlio Argueta

La novela del escritor salvadoreño, Manlio Argueta, *Un día en la vida* (1987), es una de las presentaciones más enternecedoras de la situación política en El Salvador en los años de la guerra civil. Los personajes principales son tres mujeres de una misma familia que reflexionan sobre su existencia diaria y el inevitable y trágico impacto de la política en sus vidas. En la siguiente selección, en cambio, la protagonista, Lupe, nos habla del papel tan decisivo que ha tenido la Iglesia católica para los campesinos salvadoreños.

▶ Palabra por palabra

averiguar	*to find out*
compartir	*to share*
la **confianza**	*trust*
el **cura**	*priest*
importar	*to matter*
mejorar	*to improve*
el **oído**	*ear*
rezar	*to pray*
tener (ie) la culpa	*to be guilty, be one's fault*

▶ Mejor dicho

desde	*since (time)*	Los candidatos llevan hablando **desde** las 5:00.
	from (space)	**Desde** La Coruña hasta Cádiz hay más de mil kilómetros.
puesto que, ya que, como°	*since (cause), because*	**Puesto que (Ya que, Como)** conoces tan bien esta ciudad, ¿por qué no nos sirves de guía?

° ¡Ojo! Las conjunciones **puesto que, ya que** y **como** se utilizan al principio de una oración en lugar de **porque** *(because)*.

Práctica

1. En parejas, formen grupos de cuatro palabras; una de ellas debe ser del vocabulario. Luego, sus compañeros/as deben decidir cuál no corresponde al grupo.

    Ejemplo: averiguar   <u>convencer</u>   enterarse   saber

2. Con un/a compañero/a preparen breves diálogos en los que empleen las palabras de este vocabulario y otros anteriores. Después, preséntenselos a la clase.

    Ejemplo: ESTUDIANTE 1: ¿Has averiguado lo que te pasaba en el oído?
                     ESTUDIANTE 2: No, pero desde ayer ha mejorado mucho.

Alto

1. ¿Cómo puede ayudar una religión a los pobres y a los que sufren injusticias? ¿Es suficiente tener paciencia y resignación?

2. La "teología de la liberación" es un movimiento político-religioso surgido en el seno de la Iglesia católica en la década del 60 en Latinoamérica. Su misión es promover la justicia social y, en especial, ayudar a los pobres a entender su opresión y a luchar contra ella. Aunque la narradora no menciona el nombre de este movimiento, observe, mientras lee, que prácticamente todo lo que dice es una referencia a la "teología de la liberación".

3. El texto siguiente tiene la forma de un diario. ¿Qué cosas escribiría Ud. en un diario?

4. ¿Por qué tienen tanto poder las canciones como forma de protesta?

5. En el texto abundan los diminutivos. Escriba en los espacios en blanco los que encuentre.

    _____   _____   _____

    _____   _____   _____

6. Lupe, la protagonista, usa el voseo al hablar. Busque ejemplos de esta forma verbal y luego escríbalos en los espacios en blanco.

    _____   _____   _____

Un día en la vida

Manlio Argueta

6:00 A.M.

A nosotros nos gustan las rancheras[1] porque tienen letras bonitas que se entienden. Ha sido despuesito que oí otra clase de canciones, cuando llegaron los muchachos a la iglesia, acompañando al cura. Cantan unas canciones llamadas de
5 protesta. Sí, pues en los últimos tiempos todo cambió.

Antes, cuando venían los curas a dar misa, nos daban nada más que esperanzas. Que no nos preocupáramos, que el cielo[2] era de nosotros, que en la tierra debíamos vivir humildemente[3] pero que en el reino de los cielos íbamos a tener felicidad. Y cuando le decíamos al cura que nuestros hijos estaban muriendo por las
10 lombrices[4] nos recomendaban resignación. La cantidad de lombrices es tanta que se los van comiendo por dentro y llegan a arrojarlas[5] por la boca y la nariz. El padre decía tengan paciencia, recen sus oraciones y traigan limosnita.[6]

Hasta que, de pronto, los curas fueron cambiando. Nos fueron metiendo en grupos cooperativistas, para hacer el bien al otro, para compartir las ganancias.[7]
15 Es una gran cosa hacer el bien a otros, vivir en paz todos, conocerse todos, levantarse antes que el sol para ir a trabajar con los cipotes,[8] arriar a los chanchos[9] y vender los huevos a buen precio. Todo fue mejorando por aquí. También cambiaron los sermones y dejaron de decir la misa en una jerigonza[10] que no se entendía. Ahora todo es serio en la misa pues los padres comenzaron a abrirnos los
20 ojos y los oídos. Uno de ellos nos repetía siempre: para ganarnos el cielo primero debemos luchar por hacer el paraíso en la tierra. Fuimos comprendiendo que la cosa estaba mejor así.

Le fuimos perdiendo miedo al cura. Antes nos daban miedo, creíamos que eran una especie de magos,[11] que con un gesto podían aniquilarnos.[12] Además no nos
25 daban confianza. Hablaban con una voz ronca,[13] del otro mundo o de las profundidades de dios. Parecía que caminaban en el aire, de aquí para allí con sus grandes sotanas[14] negras. Nos pedían gallinitas[15] y algunas libras de maíz.

Después de un congreso en no sé dónde, según nos explicaron los padres jóvenes que comenzaron a llegar a Chalate, ya la religión no era lo mismo. Los
30 curas llegaban en pantalones corrientes y vimos que eran como la gente de carne y hueso, sólo que mejor vestidos y ya su voz era normal y no andaban pidiendo gallinitas y por el contrario, ellos nos regalaban algún recuerdo de la ciudad cuando venían.

---

[1] **rancheras** = canciones folklóricas   [2] **cielo** *heaven*   [3] **humildemente** *humbly*   [4] **lombrices** *intestinal worms*   [5] **arrojarlas** *to throw them up*   [6] **limosnita** *alms*   [7] **ganancias** *profits*   [8] **cipotes** = niños   [9] **arriar... chanchos** *herd the pigs*   [10] **jerigonza** *jargon (referring to Latin)*   [11] **magos** *magicians*   [12] **aniquilarnos** = destruirnos   [13] **ronca** *harsh-sounding*   [14] **sotanas** *priest's habit*   [15] **gallinitas** *hens*

Bajaban al Kilómetro y venían a ver cómo vivíamos; los anteriores padres nunca
35 vinieron a nuestros ranchos, todo lo recibían en la capilla,[16] allí se desmontaban
de sus yips[17] y luego, al terminar la misa, de nuevo agarraban[18] su carro y se
perdían en el polvo[19] del camino.

Estos nuevos curas amigos, aunque también llegaban en yip, sí nos visitaban, que
cómo vivís, que cuántos hijos tenés, que cuánto ganás y si queríamos mejorar
40 nuestras condiciones de vida.

En ese entonces ocurrió algo que nunca había pasado: la guardia[20] comenzó a
asomarse[21] por el andurrial.[22] Y comenzaron a decirnos que los curas nos habían
insolentado,[23] nos habían metido ideas extrañas. Y ya no les bastaba pedir los documentos y revisarnos si andábamos con machete sino que lo primero en pregun-
45 tar era si íbamos a misa. Qué cosas nos decían los curas en misa. Y nosotros al
principio no entendíamos nada porque los guardias podían ir a misa y darse
cuenta por sus propios oídos.

Era sólo para atemorizarnos,[24] para que fuéramos retirándonos de la iglesia.
Y que si este domingo iban a haber cantantes comunistas en la iglesia. Y nosotros
50 no sabíamos nada, que íbamos porque éramos católicos activos. El odio que les
tenían a los curas se lo desquitaban con[25] nosotros. No se atrevían a tocar al
padre pues en el fondo le tenían miedo.

6:30 A.M.

Nunca habíamos recibido nada de la iglesia. Sólo darle. Cosas pequeñas, es cierto.
55 Y ellos que tuviéramos conformidad. Pero nunca llegamos a pensar que los curas
tuvieran culpa de nuestra situación. Si un cipote se nos moría nosotros confiá-
bamos que el cura lo iba a salvar en la otra vida. A lo mejor nuestros hijos muertos están en el cielo.

Ellos siempre gorditos y chapuditos.[26]
60 No les preguntábamos si eran felices en la tierra. No nos importaba la vida
ajena, menos la de un sacerdote.

Y cuando ellos cambiaron, nosotros también comenzamos a cambiar. Era más
bonito así. Saber que existe algo llamado derecho. Derecho a medicinas, a comida,
a escuela para los hijos.
65 Si no hubiera sido por los curas no averiguamos la existencia de esas cosas que
le favorecen a uno. Ellos nos abrieron los ojos, nada más. Después nos fuimos solos. Con nuestras propias fuerzas.

---

[16] **capilla** *chapel*   [17] **yips** *jeeps*   [18] **agarraban** *got back into*   [19] **polvo** *dust*   [20] **la guardia** = los soldados
[21] **asomarse** *to come by*   [22] **andurrial** = lugar remoto *(here, village)*   [23] **nos habían insolentado** *had made
us disrespectful*   [24] **atemorizarnos** = darnos miedo   [25] **se lo desquitaban con** *they took it out on*
[26] **chapuditos** *rosy-cheeked*

Mirta Toledo, *Angel de la guarda*, 1995

¿Entendido?

Indique si las oraciones a continuación se refieren a los curas tradicionales o a los nuevos (que eran partidarios de la llamada teología de la liberación).

	Tradicionales	Nuevos
1. Decían la misa en latín.		
2. Decían la misa en español.		
3. Llevaban pantalones corrientes.		
4. Llevaban sotana *(priest's robe)*.		
5. Eran de carne y hueso.		
6. Eran como fantasmas.		
7. Pedían gallinas, huevos y otros productos a los campesinos.		
8. Regalaban cosas a los campesinos.		
9. Iban a ver cómo vivían los campesinos.		
10. No se relacionaban mucho con los campesinos.		
11. Predicaban revolución.		
12. Predicaban paciencia y resignación.		
13. La vida de estos curas no les importaba mucho a los campesinos.		
14. Les enseñaron a los campesinos a mejorar sus condiciones de vida.		
15. Les enseñaron que existen derechos básicos: medicina, comida, educación, etc.		

En mi opinión

En grupos de tres estudiantes, contesten las preguntas a continuación.

1. Posiblemente Uds. habrán oído hablar del arzobispo Oscar Romero que fue asesinado por miembros de la guardia nacional salvadoreña en 1980 mientras celebraba misa. Desde esa fecha, numerosos religiosos (sacerdotes, monjas...) han sido asesinados. ¿Qué relación tienen estos hechos con lo que ha leído aquí? ¿Han visto alguna de las películas que tratan de la situación en El Salvador, como *Romero* o *Salvador?*

2. En su opinión, ¿ha sido positivo para los campesinos este cambio ideológico de la Iglesia católica? ¿Y para la Iglesia?

3. EE UU envió a El Salvador las siguientes cantidades de dinero en ayuda militar, es decir, para entrenar a la guardia nacional y a los llamados escuadrones de la muerte *(death squads)* durante la guerra civil.

1980	$6 millones	1983	$61,3 millones
1982	$26 millones	1989	$600 millones

¿Qué piensan Uds. de la intervención norteamericana en El Salvador? ¿Y en otros países?

ALGUNAS INTERVENCIONES MILITARES DE EE UU EN CENTROAMÉRICA

NICARAGUA	PANAMÁ	HONDURAS	CUBA	R.DOMINICANA
1850, 1852, 1854, 1857, 1894, 1896, 1898, 1899, 1810, 1912, 1925, 1926, 1933, 1982	1856, 1865, 1903, 1904, 1912, 1914, 1918, 1920, 1921, 1925, 1945, 1989	1903, 1907, 1911, 1912, 1919, 1924, 1925	1898, 1906, 1912, 1917, 1922, 1933, 1961	1903, 1904, 1914, 1916, 1924, 1955
		GRANADA 1983	**GUATEMALA** 1920, 1954	**HAITÍ** 1888, 1891 1914, 1915, 1934

¿En qué países de Centroamérica y el Caribe no han intervenido los Estados Unidos?

4. Después de la Guerra Civil Española muchas personas se hicieron fervientes practicantes del catolicismo, mientras otras dejaron la iglesia por completo. ¿Cómo se explicaría esta doble reacción a una misma experiencia histórica?

Estrategias comunicativas para pedir consenso

¿Sí o no? ¿A que tengo razón?	Yes or no? Am I right?
¿No? ¿A que es como yo digo?	No? Isn't it just as I said?
¿A que sí?	I bet so.
¿A que no?	I bet not.
¿No es así?	Isn't it so?

En (inter)acción

1. En grupos, decidan cuál de estos derechos es más básico para la sociedad.

   a. la libertad de expresión o el bienestar físico
   b. el derecho de llevar/comprar armas o el derecho a la vida
   c. el derecho a una educación o el derecho a medicinas

   Usen expresiones de **Estrategias comunicativas** en sus discusiones.

"Soy un ser humano y
nada de lo que es
humano me es ajeno."
Terencio,
siglo I a. de C.

2. Discutan otras posibilidades cooperativistas que pueden ayudar a los/las campesinos/as a mejorar su situación económica. Después compartan sus ideas con los/las otros/as estudiantes de la clase.

3. **Encuesta.** Cada estudiante hará una de las preguntas a los/las demás y, al final, se escribirán los resultados en la pizarra para que la clase los comente.

1. ¿Cuál es tu religión o la de tu familia?

   musulmana ☐   bautista ☐   azteca ☐   ninguna ☐
   católica ☐   mormona ☐   evangelista ☐   otra _____
   judía ☐   budista ☐   rafastariana ☐

2. ¿Practicas tu religión?

   Sí ☐   No ☐   A veces ☐   No contesta ☐

3. ¿Te cambiarías de religión para poder casarte con alguien?

   Sí ☐   No ☐   Depende ☐

4. ¿Crees que la religión debe influir en la política de una nación?

   Sí ☐   No ☐   No sé ☐

5. ¿Te importaría asistir a una universidad religiosa?

   Sí ☐   No ☐   No sé ☐

6. ¿Crees que en la mayoría de las religiones las mujeres tienen un papel secundario?

   Sí ☐   No ☐   No sé ☐

7. ¿Qué comidas/bebidas te prohibe tu religión o la de tus padres?

   _____   Ninguna ☐

8. ¿Cómo se llama el movimiento político/religioso que combina el catolicismo con el marxismo?

   _____   No lo sé ☐

9. En tu opinión, ¿suelen ser más religiosos: los pobres o los ricos?

   Los pobres ☐   Los ricos ☐   No lo sé ☐

10. En tu opinión, ¿quiénes suelen ser más religiosos: los hombres o las mujeres?

    Los hombres ☐   Las mujeres ☐   No lo sé ☐

11. ¿Cuál es uno de tus principios éticos *(ethical)*?

    _____

12. ¿Hay persecuciones religiosas en la actualidad?

    Sí ☐   No ☐   No lo sé ☐

13. ¿Te preocupan las sectas *(cults)*?

    Sí ☐   No ☐   Depende ☐

14. Para ti, ¿es mentir un pecado?

    Sí ☐   No ☐   Depende ☐

15. ¿Recuerdas alguna película que tenga como protagonistas curas, rabinos, etc.?
    (Por ejemplo, *The Priest, Sister Act, A Stranger Among Us, Romero, Camila...*)
    ¿Cuál? _____

16. En una pareja de religión mixta, ¿qué religión deben tener los/las hijos/as?

    La de la madre ☐   La del padre ☐   Otra _____

Práctica gramatical

Repaso
gramatical:
Los artículos:
definidos e
indefinidos
(*Cuaderno*, pág. 59)
Repaso del
subjuntivo y del
indicativo
(*Cuaderno*, pág. 61)

1. En grupos de tres estudiantes, hagan oraciones con las palabras a continuación prestando atención al uso (o no) de los artículos definidos e indefinidos.

   a. derechos humanos
   b. niños
   c. temor
   d. solidaridad
   e. ser católica
   f. tener casa
   g. sin machete
   h. ¡qué día... !

2. Expresen sus opiniones sobre lo que han leído, discutido y/o aprendido en cuanto a los derechos humanos. Usen el subjuntivo.

   Ejemplos: Es una pena que algunos gobiernos no piensen en el bienestar de su gente.
   Ojalá que no olvidemos nunca todo el sufrimiento ajeno.

Creación

En Internet, o en una enciclopedia, investigue qué es la "teología de la liberación". ¿Quién es el sacerdote Gustavo Gutiérrez? ¿Cree Ud. que la Iglesia católica está a favor o en contra de esta teología? Escriba un párrafo sobre lo que ha averiguado.

Phrases:	*Expressing an opinion; Linking ideas; Weighing alternatives*
Grammar:	*Adjective agreement; Relatives:* lo cual; *Verbs: subjunctive agreement*
Vocabulary:	*Cultural periods & movements; Professions; Religions*

UNIDAD IV

HACIA LA IGUALDAD ENTRE LOS SEXOS

265

La consideración de la mujer como inferior al hombre constituye un prejuicio prevaleciente en muchas sociedades. Desde el siglo pasado, numerosos grupos feministas han luchado para destruir esta concepción tradicional y errónea de la mujer. Asimismo han denunciado las distintas agresiones cometidas contra ella, en la vida pública (mundo laboral, comercial y político), tanto como en la vida privada (familia, hogar).

Aunque la igualdad sexual aún está muy lejos de ser una realidad, por lo menos la concienciación de las mujeres y de los hombres respecto al problema va siendo cada vez mayor. Pero la concienciación, así como la liberación femenina, no se da por igual en todas las clases sociales, ni tampoco en todos los países hispanohablantes. Dado que resulta imposible generalizar sobre la situación de las mujeres en el mundo hispano, los textos reunidos en esta unidad giran en torno a problemáticas femeninas que transcienden las fronteras geográficas y que se debaten en muchos países hoy día. No obstante, la mayoría de los textos han sido escritos por autoras y autores hispanos y, por lo tanto, muestran una perspectiva cultural particular de las cuestiones femeninas. Ahora bien, "las cuestiones femeninas" incumben *(concern)* tanto a las mujeres como a los hombres, pues vivimos en sociedades mixtas y lo que opina/hace/decide un sexo afecta indudablemente al otro.

Los textos de esta unidad están agrupados en tres temas: (a) lenguaje y comportamientos sexistas, (b) mujeres memorables y (c) decisiones.

A. Lenguaje y comportamientos sexistas

La primera lectura, "El texto libre de prejuicios sexuales", expone algunos casos de sexismo en la lengua española y propone alternativas para evitarlo. *La princesa vestida con una bolsa de papel* subvierte el papel pasivo que tienen los personajes femeninos en los cuentos de hadas tradicionales. El último texto de esta sección, "Palabreo", muestra la importancia que tienen las palabras, pero en esta ocasión lo que se destaca es su empleo con fines manipuladores. La tira cómica "La zorra y las uvas verdes" comparte el mismo escenario que el cuento anterior y denuncia la hipocresía masculina.

B. Mujeres memorables

"Eva" ilustra la visión que tienen unos niños y niñas de esta figura bíblica y, al mismo tiempo, revela la importancia de la familia en la transmisión de los prejuicios y estereotipos sobre la mujer. "La Malinche" versa sobre *(deals with)* una princesa indígena, objeto de polémica por haber ayudado a los invasores españoles en la conquista del Nuevo Mundo. "El arte de Remedios Varo" nos ofrece las aportaciones artísticas de una pintora española surrealista exiliada en México.

C. Decisiones

En "La vuelta a casa" leemos sobre las guerrilleras salvadoreñas que se reintegran a la vida civil, una vez terminada la guerra, y sobre las pocas opciones laborales que existen para ellas. Los dos últimos textos, "La brecha", "Medidas contra el aborto", y la tira cómica "Amor de madre" giran en torno al tema de la maternidad, el aborto y la planificación familiar.

Que yo sepa

En grupos de tres estudiantes, contesten las preguntas siguientes.

1. ¿Qué es el feminismo? ¿Quiénes son los/las feministas? ¿Qué tipos de personas son? Mencionen tres características. ¿Conocen Uds. a algunos/as? ¿Se consideran Uds. feministas? ¿Por qué sí/no?

2. Probablemente Uds. han oído las palabras misoginia, misógino/a, machismo/machista, homofóbico/a. Pero ¿qué significan para Uds.?

3. ¿Están Uds. de acuerdo con quienes afirman que "el sexismo es una enfermedad social"? ¿Por qué sí/no?

4. ¿Ha cambiado la manera como presenta la publicidad a la mujer en los últimos años? ¿Quiénes suelen anunciar productos para la casa, como detergentes, limpiacristales, etc.? ¿Quiénes están locos/as por ir de compras? Comenten alguna propaganda de la televisión que explota la imagen tradicional o estereotípica de la mujer. ¿Cómo dibujarían a una feminista y a una ama de casa?

5. Los hombres siempre se han preguntado qué quieren las mujeres. Las mujeres sólo ahora empiezan a decírselo. ¿Está claro qué quieren los hombres? Hagan una lista de tres cosas y compárenla con la de otro grupo.

6. Miren la imagen de la página 265. ¿Qué muestra: la igualdad o la desigualdad entre los sexos? ¿Se podría interpretar de otras maneras?

¿Has estado alguna vez en una librería feminista?

CAPITULO 10

http://aquesi.heinle.com

Lenguaje y comportamientos sexistas

Lenguaje y comportamientos sexistas

El texto libre de prejuicios sexuales

Isabel Pico e Idsa Alegría

La siguiente lectura fue escrita por dos profesoras puertorriqueñas con el propósito de evitar expresiones y términos sexistas (y racistas) en los libros de texto. Para ellas, la discriminación contra la mujer (y ciertos grupos étnicos) es patente en muchos niveles de nuestra sociedad y se manifiesta claramente en el lenguaje. Ya que las estructuras sociales no suelen cambiar de la noche a la mañana *(overnight),* las autoras proponen que al menos eliminemos de la lengua que hablamos cualquier rastro *(trace)* de sexismo (y racismo). Acaso al alterar la manera de hablar, cambiemos definitivamente la manera de pensar.

Isabel Pico e Idsa Alegría hicieron la carrera de Ciencias Políticas. Hoy día Isabel Pico se desempeña como abogada, mientras que Idsa Alegría es catedrática *(full professor)* de la Universidad de Puerto Rico, Río Piedras. Ambas han publicado importantes artículos sobre las mujeres puertorriqueñas.

▶ Palabra por palabra

el **apellido**	*last name*
casarse (con)	*to marry*
el **cuidado**	*care, looking after*
el **estado civil**	*marital status*
indiscutiblemente	*undeniably, indisputably*
ocultar	*to hide, conceal*
reflejar	*to reflect, mirror*
reforzar (ue)	*to reinforce*
la **reivindicación**	*demand, claim*
soltero/a	*single (unmarried)*

Mejor dicho

el papel	*paper*	Cada vez hay más productos de **papel** reciclado.
	role	Se han producido grandes cambios en los **papeles** sociales de ambos sexos.
hacer/desempeñar un papel/un rol	*to play a role, part*	Lola **hará un papel** secundario en la comedia.
el trabajo (escrito)	*a written (research) paper*	Tuvimos que escribir un **trabajo** sobre el sexismo.
el periódico o **diario**	*a (news)paper*	Uno de los **periódicos** de México se llama *Excelsior.*

presentar (a)	*to introduce (people)*	Todavía no me **has presentado** a tus vecinos.
introducir	*to put in, insert, introduce*	**Introdujo** la llave en la cerradura.

Práctica

En parejas, contesten las preguntas siguientes.

1. ¿Cuáles son algunas reivindicaciones de los grupos feministas? ¿Han leído algunas de sus propuestas? ¿Creen que estos grupos exigen demasiado? ¿Son sus reivindicaciones injustas o exageradas?

2. ¿Cuáles son los diferentes "estados civiles" que puede tener una persona a lo largo de la vida? ¿Por qué y para quién es importante saber el estado civil de alguien?

3. En su lengua, ¿qué nombre(s) recibe una mujer soltera? ¿Y un hombre soltero? ¿Les parece que hay una base sexista en estos términos? ¿Qué piensan de las despedidas de soltero *(bachelor parties)*? ¿Qué suele hacer el hombre con sus amigos esa noche? ¿Es lo mismo que hacen las mujeres en las despedidas de soltera *(bridal showers)*?

4. ¿Qué impresión les causaría a Uds. si un hombre le presentara a su esposa como "mi mujer"? ¿Les parece bien que se presente a un matrimonio como *Mr. and Mrs. Bruce Willis?* Observe que aquí la mujer recibe no sólo el apellido de su marido, sino también el nombre propio de él. ¿Hay una base sexista en esas denominaciones? ¿Qué les parece esta costumbre? ¿Les causa indignación, aprobación o indiferencia?

5. ¿Llevarán el apellido de su esposo/a cuando se casen? ¿Qué apellido recibirán sus hijos/as? ¿El suyo o el de su esposo/a? ¿Qué les parece la posibilidad de dos apellidos, uno del padre y otro de la madre, como es tradicional en la cultura hispánica? Piensen en otras alternativas.

Alvaro Aguirre de Cárcer y López de Sagredo   *Alvaro de Chávarri Domecg*

Concepción Escolano Martínez   *Elena Baro Abril*

Participan el próximo enlace de sus hijos

Pablo y Elena

y tienen el gusto de invitarle a la ceremonia religiosa que se celebrará (D.m.)

el día 21 de Diciembre a las seis y media de la tarde, en la Iglesia de

San Fermín de los Navarros, (Eduardo Dato, 10) y a la cena que se servirá

a continuación en el Palacio del Negralejo (Crta. de S. Fernando de

Henares a Mejorada del Campo, km. 3)

¿Qué apellidos tendrán los/las hijos/as de Pablo y Elena?

6. En un minuto escriban en español el mayor número de objetos que están hechos de papel. Comparen el número de respuestas con el de la pareja de al lado.

7. ¿Qué papeles desempeñan hoy día las mujeres en la sociedad? ¿Y los hombres?

8. ¿Qué prefieren hacer: un examen escrito o un trabajo? ¿Por qué? ¿Qué requiere más tiempo? ¿Les importa si sus compañeros/as leen sus trabajos? ¿Han escrito o leído alguna vez un trabajo sobre la situación de la mujer en la sociedad?

9. ¿Qué periódico leen generalmente? ¿Lo leen solamente los domingos? ¿Han leído alguna vez un periódico extranjero? ¿Cuál? ¿Se puede saber qué ideas políticas tiene una persona por el periódico que lee? ¿Qué periódicos o revistas están dirigidos sólo al público masculino? ¿Y al femenino?

Alto

1. Explica la diferencia que existe en inglés entre *masculine* y *male,* entre *feminine* y *female* y entre *gender* y *sex.*

2. Echa una ojeada a la lectura siguiente para ver cómo se expresan en español los términos siguientes.

   masculine _____   *male* _____
   feminine _____   *female* _____

3. Lee el primer párrafo de la lectura siguiente prestando atención al tono empleado. ¿Qué tipo de texto esperas que sea? ¿Autobiográfico, humorístico, filosófico, médico... ? ¿Puedes notar alguna relación entre el tono y el título?

4. ¿Eres consciente de algunas expresiones sexistas del inglés? ¿Te parece bien o mal decir *chairperson* en lugar de *chairman?* ¿Te importa mucho? ¿Por qué sí/no?

El texto libre de prejuicios sexuales

Isabel Pico e Idsa Alegría

1. Tratamientos de cortesía y apelativos[1]
En español los tratos de cortesía para la mujer recuerdan constantemente su dependencia del varón. A las mujeres se les llama "Señora" o "Señorita" según su estado civil, es decir, según su relación con el varón: casada o soltera. Lo ideal sería
5 un apelativo femenino sin referencia masculina alguna. En español no lo tenemos.

En los países de habla española lo usual
es que la mujer conserve su nombre civil:
Señora Díaz Hernández, Señorita Rivera
Ríos. Al casarse añade[2] el apellido del
10 marido precedido de la partícula "de":
Señora Rosa Díaz de Pérez. Se oye decir
con frecuencia "Sra. de Pérez", expresión
que no recomendamos por ser forma incorrecta en español y por recalcar[3] la idea
15 de la mujer como "posesión del varón".
Utilicemos el apellido paterno y materno
de la mujer, forma normal y corriente en
el país, que refuerza la personalidad de la
mujer por sí misma y no por la relación
20 con el varón.

2. Nombres propios
En la literatura infantil los protagonistas en su gran mayoría son varones y se identifican con nombre propio. Los familiares femeninos del protagonista se identifican como esposa, madre y hermana. No tienen nombre propio. Lo mismo sucede en
25 los relatos históricos. ¿Será una mera costumbre inocente llamar a los varones por su apellido y a las mujeres por su nombre de pila[4]? Bonaparte y Josefina, Perón y Evita, son sólo algunos ejemplos.
Los nombres tienen una gran importancia en la imagen que nos formamos de las cosas y de las personas. Los nombres propios son parte esencial de la identidad
30 de las personas. Las hacen "ser". Por eso muy pocas veces se cambia de nombre. Pero ¿qué sucede en la mente de un niño o una niña que continuamente lee cuentos en los cuales los personajes femeninos no tienen nombre propio, mientras que los masculinos sí?

---

[1] **Tratamientos... apelativos** *Polite ways of address*   [2] **añade** *adds*   [3] **recalcar** = reforzar   [4] **nombre de pila** *first name*

3. Adjetivos calificativos y estereotipos

35 En las lecturas escolares e infantiles, los adjetivos relacionados con la belleza son casi exclusivamente utilizados para describir a mujeres y a niñas. La mayoría de las mujeres son bellas y hermosas. Son también dulces, tiernas,[5] nobles y bondadosas.[6]

Los adjetivos "hacendosa" y "modesta" son símbolos de las virtudes femeninas 40 en la lengua española. Nunca se usan para describir al varón. "Hacendosa" es un adjetivo exclusivo de la mujer: diligente en las faenas[7] de la casa. "Modesta" se aplica a la que no tiene una elevada opinión de sí misma, a la que no se cree de mucha importancia y valor. Tiene además relación con el pudor.[8]

Indiscutiblemente estos adjetivos respon-
45 den al ideal femenino de otros tiempos y reflejan la posición de la mujer en esa determinada sociedad. Hoy la mujer ha rebasado esos límites.

4. Asociaciones lingüísticas, asociaciones de
50   ideas

En situaciones de peligro como naufragios, fuegos, inundaciones, evacuaciones de emergencia, suele decirse: "Las mujeres y los niños primero." Esta asociación de las mu-
55 jeres y los niños es otro lugar común. En cambio, la asociación de los "hombres y los niños" no lo es. La razón es muy sencilla. Tradicionalmente las mujeres se han ocupado de los niños en la casa; los varones, no.
60 Así se constituyeron dos esferas separadas y unos modos lingüísticos que recogen estos hábitos sociales. El uso constante de la expresión "las mujeres y los niños" indiscutiblemente refuerza la imagen de que la mujer es como un niño, un ser débil, indefenso. Existe parecida asociación en los adjetivos para mujeres y niños. "Esta
65 mujer es preciosa." "Este bebé es precioso." No se dice: "Este hombre es precioso." Los mismos adjetivos usados indistintamente[9] para la mujer y el niño hacen posible que persistan los hábitos sociales sexistas, tales como asignar el cuidado de los niños exclusivamente a las mujeres.

---

[5] **tiernas** *affectionate, loving*   [6] **bondadosas** *kindhearted*   [7] **faenas** = trabajo   [8] **pudor** *prudishness*
[9] **indistintamente** *both, equally*

5. Palabras y frases peyorativas[10] o insultantes

70 Ciertas formas de expresión resultan ofensivas para la mujer. Señalan a la mujer como un objeto o posesión del varón o la excluyen del colectivo "gente" o "persona". Por ejemplo, "En la reunión había un grupo de personas; también había mujeres" o "Los egipcios permitían a sus mujeres tener...".

La palabra "hembra" debe usarse exclusivamente para los animales de sexo femenino. Llamar hembra a la mujer es un reflejo lingüístico de la creencia que el sexo define a la mujer y resulta en menosprecio[11] de su identidad.

75

6. Uso del masculino genérico "el hombre"

Por la estructura gramatical del español las voces[13] masculinas en sentido genérico se usan con mucha frecuencia. Originalmente "hombre" significaba persona. Pero gradualmente se ha identificado con varón, conservándose ambas acepciones.[12]

80

Es verdad que el masculino genérico "el hombre" es bien expresivo y por la extraordinaria frecuencia de su uso entendemos perfectamente que incluye al varón y a la mujer. No obstante, el empleo sucesivo y reiterado ha producido una especie de masculinización en la mente y en la forma de concebir el mundo.

85 Las frases en que la voz "hombre" oculta a la mujer son numerosas. Sucede a menudo en las descripciones de las civilizaciones antiguas, los avances científicos y técnicos y los procesos gubernamentales.

En la pre-historia es imposible determinar con precisión si fueron

90 hombres o mujeres quienes descubrieron el uso del fuego, manufacturaron las primeras herramientas, crearon los objetos de piedra o los grabados que se han encontrado en

95 las cuevas.[14] Con el empleo del masculino genérico "el hombre" corremos el riesgo de que los lectores atribuyan sólo a los varones estas hazañas,[15] que bien podrían ser obra

100 de hombres y mujeres por igual. Todos sabemos que la historia de la cultura no se ha hecho sin la participación de la mujer.

---

[10] **peyorativas** *degrading, belittling*   [11] **menosprecio** *contempt, scorn*   [12] **acepciones** = significados
[13] **voces** = palabras   [14] **cuevas** *caves*   [15] **hazañas** *heroic deeds*

¿Entendido?

Explica, identifica o define los términos siguientes según el contenido de la lectura.

1. señor/señora
2. Perón y Evita
3. bella, dulce, hacendosa, modesta
4. "Las mujeres y los niños primero."
5. hembra
6. el hombre

En mi opinión

En grupos de tres estudiantes, contesten las preguntas siguientes.

1. ¿Qué sugerencias de las mencionadas en la lectura les parecen aceptables y cuáles no? Mencionen al menos tres y expliquen su posición.

2. Propongan alternativas a las palabras siguientes para no ocultar, subordinar o excluir a las mujeres.

   Ejemplo: En lugar de "los jóvenes" se puede decir "la juventud".

los hombres	los ancianos
los hermanos	los alumnos
los vecinos	los médicos
los hispanos	los deportistas
los niños	los adolescentes

3. ¿Creen que la discriminación sexual se puede evitar transformando el lenguaje? Las personas que usan un lenguaje sexista, ¿lo hacen conscientemente o porque es el uso habitual de la lengua? Por ejemplo, en México para elogiar *(praise)* algo se dice "Es padre o padrísimo", mientras que si se quiere criticar algo se dice "Está de toda madre".

4. Mencionen tres expresiones sexistas en inglés y tres en español. ¿En qué lengua hay que tener más cuidado para evitar el sexismo?

5. ¿Cuáles son algunos ejemplos de discriminación sexual? ¿Cómo se podría evitar este tipo de discriminación? Además de las mujeres, ¿conocen otros grupos dentro de la sociedad que luchan contra la discriminación en la lengua? Den ejemplos.

6. Los sustantivos "el sol y la luna", "el cielo y la tierra" tienen géneros opuestos en español y en otras lenguas. ¿Creen que tienen impacto en el subconsciente del/de la hablante estas oposiciones genéricas? ¿Condicionan la percepción del mundo o no?

Estrategias comunicativas para presentar a alguien y presentarse uno/a mismo/a

Presentación informal

Presentación formal

1. Quien presenta dice:	2. A quien es presentado/a dice:	3. Quien es presentado/a dice:
Le(s) presento al/a la señor/a, profesor/a, director/a...	Encantado/a de conocerlo/la. *Delighted/Nice to meet you.*	Igualmente. *Likewise.*
	Mucho gusto. *It's a pleasure.*	El gusto es mío. *The pleasure is mine.*
	Es un placer, ¿cómo está? *It's a pleasure. How do you do?*	Muy bien, gracias. *Fine, thank you.*

... para presentarse uno/a mismo/a

—(Yo) Soy Paquita Morales.	—Hola, ¿cómo estás?	—Muy bien, gracias. ¿Y tú?

En (inter)acción

1. Toda la clase se pone de pie y en parejas van a ir presentándose unas (parejas) a otras. Los miembros de cada pareja se van alternando al hacer las presentaciones formales e informales, reales o falsas. Utilicen algunas de las expresiones de **Estrategias comunicativas**.

2. Cada estudiante debe traer a clase un anuncio de una revista o periódico que considere sexista. En grupos de tres o cuatro estudiantes, coméntenlos mencionando, por ejemplo, dónde se detectan los prejuicios (en la lengua, en la presentación de la figura femenina/masculina, etc.).

3. El español está lleno de refranes y expresiones que caracterizan negativamente tanto a la mujer como al hombre. En grupos de tres estudiantes, comenten los que aparecen a continuación. Digan si hay refranes equivalentes en inglés o no y por qué sí/no existen. Luego, añadan otros que conozcan en español o en inglés y también coméntenlos.

   a. Al corazón de un hombre se llega por el estómago.
   b. El hombre, como el oso, cuanto más feo más hermoso.
   c. La mujer casada, la pierna quebrada y en casa.
   d. La mujer y el oro lo pueden todo.

Práctica gramatical

1. En parejas, usando la voz pasiva con **ser,** mencionen tres tareas que eran antes realizadas por los hombres y ahora las realizan también las mujeres, o viceversa. Presten atención al tiempo verbal que deben emplear.

   Ejemplo: Antes las empresas eran dirigidas por hombres, pero ahora algunas son dirigidas también por mujeres.
   Los niños eran cuidados por sus madres, pero hoy día son cuidados también por sus padres.

2. Empleando la estructura con **se** que tiene significado pasivo, hablen de la nueva actitud en la sociedad hacia la mujer.

   Ejemplo: Se critica mucho la discriminación sexual.
   Se reivindican los mismos derechos para los hombres y las mujeres.
   No se margina tanto a las madres solteras.

Creación

En español, a diferencia del inglés, todos los sustantivos —se refieran a seres humanos o no— son o masculinos o femeninos: **el** papel, **la** fiebre, **la** cucaracha. Es decir, no hay sustantivos neutros (**¡Ojo! Lo** + adjetivo —**lo** bueno, **lo** hermoso, etc.— no es un sustantivo *per se,* sino la nominalización de un adjetivo; tiene un significado abstracto y se traduce al inglés como *the + adj. + thing or part.)* Basándose en su propia experiencia, comente la diversión o dificultad que supone el género gramatical en el aprendizaje del español.

Phrases:	*Stating a preference; Expressing irritation; Hypothesizing*
Grammar:	*Verbs: subjunctive with* que; *Interrogatives:* ¿qué? *Nouns: irregular gender*
Vocabulary:	*Animals; Body; Geography*

La princesa vestida con una bolsa de papel

Robert N. Munsch

Robert N. Munsch ha afirmado que escribió *La princesa vestida con una bolsa de papel* para entretener a los niños y niñas de una guardería *(daycare center)* antes de la siesta. Pero, además de entretener, este cuento subvierte la asociación tradicional de lo masculino con el valor, la acción y el dominio público, y lo femenino con la sumisión, la pasividad y el espacio doméstico. A este autor, como a muchos/as otros/as, le interesa presentar en sus cuentos infantiles una imagen positiva de la mujer (inteligente, independiente, segura de sí misma...) opuesta a la que ha sido característica de este género literario. De esta manera Munsch pretende combatir los estereotipos y prejuicios sexuales que puedan tener los/las niños/as.

▶ Palabra por palabra

el **aliento**	*breath*
claro que sí/no	*of course (not)*
el **cuento de hadas**	*fairy tale*
el **milagro**	*miracle*
la **moraleja**	*moral, lesson*
el **rastro**	*trace*

▶ Mejor dicho

amar	*to love a person*	Nos **amamos** desde que éramos niños.
querer	*to love a person or animal* ("Amar" es más formal que "querer".)	**Quiere** mucho a los animales.
querer + que + subj.	*to want + somebody or something + inf.*	No **queríamos** que se casaran.
desear	*to want, desire a person*	¿Quién te dijo que te **deseaba** con pasión?
encantar°	*to like a lot, love, be delighted by*	Me **encantan** los cuentos de hadas.

° **¡Ojo!** La estructura de **encantar** es como la de **gustar:** objeto indirecto + verbo + sujeto.

la manera, el modo°	*way*	Esa no es **la manera** de comportarse en la mesa. Me irrita su **modo** de hablar.
los modales	*manners*	¿Qué quieres que te diga? Rubén nunca ha tenido buenos **modales.**

° **¡Ojo!** Otras expresiones con **manera/modo** son: **de manera/modo que** *(so, so that)*, **de todas maneras/de todos modos** *(anyway)*.

Práctica

1. Los cuentos de hadas tienen a veces títulos diferentes en inglés y en español. Con un/a compañero/a traten de corresponder los términos de la lista A con los de la B. Expliquen en qué se han basado para establecer esa correspondencia.

A	B
a. Caperucita Roja	1. *Hansel and Gretel*
b. Ricitos de oro	2. *Sleeping Beauty*
c. La casita de chocolate	3. *Snow White and the Seven Dwarfs*
d. El flautista de Hamelín	4. *Goldilocks and the Three Bears*
e. La Cenicienta	5. *Little Red Riding Hood*
f. La Bella Durmiente	6. *The Pied Piper of Hamelin*
g. Pulgarcito	7. *Cinderella*
h. Blancanieves y los siete enanitos	8. *Tom Thumb*

2. Con un/a compañero/a, contesten las preguntas siguientes.

   a. De pequeño/a, ¿alguien le leía o contaba cuentos? ¿Cuál es su cuento de hadas preferido? ¿Por qué?

   b. ¿Cree Ud. en milagros? ¿Qué es algo que Ud. considera milagroso?

   c. Ud. seguramente quiere o ha querido mucho a alguien o a algún animal. Diga por qué quiere o quería tanto a esa persona/animal.

   d. Explique qué le encanta(ba) de la otra persona/animal.

   Ejemplo: Me encanta su manera de vestirse.

3. En grupos de tres estudiantes, hagan una lista con síntomas o señales de estar enamorado/a. Comparen y comenten los resultados. Después hagan otra lista con respecto al sentimiento opuesto: el desamor.

4. En grupos, hagan las siguientes actividades.

   a. Separados en chicos y chicas, hagan una lista de lo que les encanta del sexo opuesto. Luego compárenlas.

   b. Les han encargado escribir un guión *(script)* para una película romántica o una telenovela *(soap opera)*. Preparen un diálogo en el que una pareja se declara su amor.

   c. Traduzcan la estrofa de una canción de amor conocida. ¿Se atreverían a cantarla en voz alta?

   d. Resuman el argumento de alguna película o comedia romántica usando las palabras de estas secciones.

5. Algunos productos vendidos en el mercado supuestamente son milagrosos. Por ejemplo, matan los gérmenes que causan el mal aliento y así garantizan un matrimonio feliz. ¿Qué piensan Uds.? ¿Puede el mal aliento destruir un matrimonio? ¿Y una amistad? ¿Son ofensivos todos los olores corporales? ¿Está nuestra apreciación del olor determinada culturalmente? ¿Cómo le diría a un/a amigo/a que tiene mal aliento?

6. Con un/a compañero/a, digan cuáles de los siguientes modales son buenos y cuáles malos. Luego, añadan dos ejemplos de cada uno.

   a. Comer con la boca abierta.
   b. Poner los codos *(elbows)* en la mesa.
   c. Utilizar cubiertos (cuchara, tenedor, cuchillo) para comer.
   d. Meterse el dedo en la nariz.
   e. Esperar su turno para hablar en un grupo.

Alto

1. Mencione tres características comunes que tienen muchos cuentos infantiles que conoce. Por ejemplo, la astucia *(shrewdness)* es una cualidad más importante que la fuerza.

   a. _____

   b. _____

   c. _____

2. ¿Qué función tienen los diálogos dentro de un cuento o narración? ¿Se puede entender el argumento de un texto leyendo sólo los diálogos? Inténtelo con la lectura siguiente.

3. En las fábulas *(fables)* y cuentos populares se encuentran lecciones morales o de comportamiento para los niños (y los adultos). A veces el mensaje de un cuento aparece explícitamente al final en una o varias frases, es decir, en "la moraleja". Mientras lee, piense en cuál será el mensaje del cuento y escríbalo a continuación.

   Moraleja: _____

¿Por qué lleva corona?

La princesa vestida con una bolsa de papel

Robert N. Munsch

Elizabeth era una princesa muy linda. Vivía en un castillo y tenía lujosos vestidos de princesa. Se iba a casar con un príncipe que se llamaba Ronaldo.

Desgraciadamente, un dragón destruyó el castillo, quemó[1] toda la ropa con su aliento de fuego y secuestró al príncipe Ronaldo.

5 Elizabeth decidió perseguir al dragón y rescatar a Ronaldo. Buscó por todas partes algo que ponerse, pero lo único que encontró que se había salvado del fuego era una bolsa de papel. Se la puso y persiguió al dragón.

Resultaba fácil perseguirlo porque, dondequiera que iba, dejaba un rastro de bosques quemados y huesos de caballo. Finalmente Elizabeth llegó a una cueva

10 con una puerta muy grande que tenía un aldabón[2] enorme.

Llamó a la puerta fuertemente con el aldabón.

El dragón abrió, asomó[3] la nariz y dijo:

—¡Qué milagro! ¡Una princesa! Me encanta comer princesas, pero ya me he comido un castillo entero hoy. Estoy muy ocupado. Vuelve mañana.

15 Dio tal portazo[4] que por poco le aplasta[5] la nariz a Elizabeth.

Elizabeth volvió a golpear la puerta con el aldabón.

El dragón abrió, asomó la nariz y dijo:

—Vete. Me encanta comer princesas, pero ya me he comido un castillo entero hoy. Vuelve mañana.

20 —¡Espere! —gritó Elizabeth—. ¿Es verdad que Ud. es el dragón más inteligente y feroz de todo el mundo?

—¡Pues claro! —dijo el dragón.

—¿Y es verdad que Ud. es capaz de quemar diez bosques con su aliento de fuego? —preguntó Elizabeth.

25 —¡Claro que sí! —dijo el dragón, y aspiró hondo[6] y echó una bocanada[7] de fuego tan grande que quemó cincuenta bosques enteros.

—¡Formidable! —exclamó Elizabeth, y el dragón volvió a aspirar hondo y echó otra bocanada tal de fuego que quemó cien bosques.

—¡Magnífico! —exclamó Elizabeth, y otra vez el dragón aspiró hondo... pero

30 esta vez no le salió nada.

---

[1] **quemó** *burned*   [2] **aldabón** *knocker*   [3] **asomó** *stuck out*   [4] **Dio... portazo** *He slammed the door*
[5] **por... aplasta** *almost smashed*   [6] **hondo** *deeply*   [7] **bocanada** *mouthful*

Al dragón no le quedaba fuego ni para cocinar una albóndiga.[8] Entonces dijo Elizabeth:

—Señor dragón, ¿es verdad que puede volar alrededor del mundo en sólo diez segundos?

35 —¡Claro que sí! —dijo el dragón, y dando un salto, voló alrededor del mundo en sólo diez segundos.

Estaba muy cansado cuando regresó, pero Elizabeth gritó:

—¡Formidable! ¡Hágalo otra vez!

Dando un salto el dragón voló alrededor del mundo en sólo veinte segundos.

40 Cuando regresó ya no podía ni hablar, tan cansado estaba. Se acostó y se durmió inmediatamente.

Muy suavemente Elizabeth le dijo:

—¿Me oye, Señor dragón?

El dragón ni se movió.

45 Elizabeth le levantó una oreja y metió la cabeza adentro. Gritó con todas sus fuerzas:

—¿Me oye, Señor dragón?

Pero el dragón estaba tan cansado que ni se movió.

Elizabeth pasó por encima del dragón y abrió la puerta de la cueva.

50 Allí encontró al príncipe Ronaldo.

El la miró y le dijo:

—¡Ay Elizabeth, estás hecha un desastre! Hueles a cenizas, tienes el pelo todo enredado[9] y estás vestida con una bolsa de papel sucia y vieja. Vuelve cuando estés vestida como una verdadera princesa.

55 —Mira, Ronaldo, —le dijo Elizabeth— tienes una ropa realmente bonita y estás peinado a la perfección. Te ves como un verdadero príncipe pero, ¿sabes una cosa?, eres un inútil.

Y al final del cuento, no se casaron.

¿Entendido?

Las siguientes oraciones son falsas. Corríjalas según el contenido de la lectura.

1. La boda de Elizabeth y Ronaldo se pospuso porque hubo un incendio (*fire*).

2. El fuego lo quemó todo, excepto uno de los vestidos de la princesa.

3. A Elizabeth le resultó facilísimo seguir el rastro del dragón debido al olor nauseabundo que éste dejaba a su paso.

4. Como el dragón era vegetariano, no quería comerse las albóndigas.

---

[8] **albóndiga** *meatball*   [9] **enredado** *tangled*

5. Elizabeth consiguió vencer al dragón milagrosamente.

6. La astuta princesa mató al malvado dragón y se casó con el apuesto *(handsome)* príncipe.

7. Al ser rescatado, Ronaldo se mostró muy agradecido *(grateful)*.

8. La moraleja del cuento es que debemos ser independientes y no esperar a que nos ayuden.

En mi opinión

En grupos de tres estudiantes, discutan los temas siguientes y/o contesten las preguntas.

1. Mencionen algunas de las características de los cuentos de hadas que se encuentran en *La princesa.* ¿Hay elementos innovadores?

2. Comparen y contrasten este cuento infantil con otro que conozcan.

3. ¿Conocen algún otro cuento de hadas feminista? ¿Es el cuento de "La casita de chocolate" feminista? ¿Y el de "Caperucita Roja"? Expliquen.

4. ¿Son tradicionales los personajes de *La princesa?* Comenten. Y el argumento, ¿es estereotípico? ¿Por qué sí/no?

5. Como es frecuente en los cuentos de hadas, en éste hay también elementos fantásticos e inexplicables. Mencionen algunos presentes en el cuento.

Estrategias comunicativas para dar las gracias

Gracias.	*Thanks.*
De nada.	*You are welcome.*
Muchas gracias por...	*Thanks a lot for . . .*
No sabes cuánto te lo agradezco.	*You have no idea how much I appreciate it.*
No deberías haberte molestado.	*You shouldn't have gone to the trouble.*

En (inter)acción

1. Con dos compañeros/as, imaginen y dramaticen dos situaciones en las que utilizarían las expresiones anteriores de **Estrategias comunicativas,** por ejemplo, Ronaldo después de ser rescatado.

2. En grupos de tres estudiantes, compitan para ver cuál es el primero en poner en orden las ilustraciones siguientes de acuerdo con el contenido de *La princesa vestida con una bolsa de papel.* Después, el grupo ganador describe lo que muestra cada viñeta.

3. En parejas, piensen en una estrategia diferente a la de Elizabeth para vencer al dragón. Escriban un diálogo que incluya la estrategia y luego preséntenlo delante de la clase. Al final, decidan cuál ha sido la estrategia más ingeniosa.

4. Un/a estudiante debe empezar a contar un cuento infantil famoso a la clase hasta que alguien lo identifique. Después, la persona que ha adivinado el título del cuento continúa contando otro cuento.

   Ejemplo: —Un carpintero construyó un muñeco de madera que cuando mentía le crecía la nariz...

   —Una princesa no podía dormir porque había un guisante *(pea)* debajo del colchón...

5. **Debate.** Lean el párrafo siguiente y luego tomen una posición a favor o en contra de la reescritura de los cuentos infantiles. Discutan el tema con toda la clase.

   "Desde hace algunas décadas se viene trabajando, sobre todo en el ámbito de la crítica literaria feminista, en la idea de reescribir las narraciones infantiles clásicas. Este hecho ha enfrentado a la opinión pública en dos tendencias contrapuestas: por una parte quienes conciben la reescritura de los cuentos tradicionales como un atentado (ataque) a la genuina creación literaria y, por otra parte, quienes defienden no sólo el carácter legítimo de esta tarea sino la imperiosa necesidad social, cultural e incluso política de llevarla a cabo." (María del Mar Ramírez Alvarado, *Meridiana.* 1996, nº 3, 6.)

Práctica gramatical

Repaso gramatical:
Repaso del pretérito e imperfecto (tercer repaso) (*Cuaderno*, pág. 65)
Los sustantivos femeninos irregulares (*Cuaderno*, pág. 65)

1. Cuéntele a un/a compañero/a o a la clase su cuento favorito cuando Ud. era pequeño/a. Preste atención al uso del pretérito e imperfecto. A continuación tiene algunas expresiones útiles.

Erase una vez...	*Once upon a time*
un duende	*an elf, goblin, gnome*
una hada (madrina)	*a fairy (godmother)*
una rana encantada	*an enchanted frog*

   Se casaron, fueron felices y comieron muchas perdices *(quail).*   *They lived happily ever after.*

   Y colorín colorado, este cuento se ha acabado. (final tradicional de los cuentos infantiles)   *That's all folks.*

2. En grupos de cuatro estudiantes, identifiquen a estas personas por sus títulos o profesiones.

   Ejemplo: Rita Hayworth
   —Actriz de origen hispano, famosa por su actuación en *Gilda*.

Isabel la Católica	Juan Carlos I
Andy García	Enrique VIII
Emilio Estévez	Conchita Alonso
Estefanía de Monaco	Antonio Banderas

   Ahora, añadan otros nombres propios a la lista anterior.

3. Con un/a compañero/a, mencionen las semejanzas y las diferencias entre los siguientes animales.

un toro y una vaca
un unicornio y un dragón
un pavo y una gallina *(turkey/hen)*
un caballo y un burro *(donkey)*
una jirafa y un cerdo
una yegua y un caballo

Creación

Escriba un cuento de hadas con el mismo título que el de esta lectura, pero diferente argumento, o cambie el final de un cuento tradicional para que tenga un final feminista.

Phrases:	*Sequencing events; Talking about past events; Asking & giving advice*
Grammar:	*Verbs: preterite & imperfect; Prepositions; Interrogatives*
Vocabulary:	*Fairy tales & legends; Animals; Time expressions*

Palabreo

Gilda Holst

Gilda Holst (Ecuador, 1952) estudió literatura en la Universidad Católica de Guayaquil y hoy día se dedica a escribir narrativa breve. Sus cuentos se encuentran en dos colecciones, *Más sin nombre que nunca* (1989) y *Turba de signos* (1995), y en múltiples revistas y antologías publicadas en su país y en Estados Unidos. Como bien ha señalado la crítica, el humor y la ironía constituyen dos de los rasgos más destacados de su producción literaria.

   "Palabreo" recrea una conversación durante la cual uno de los interlocutores intenta conseguir algo del otro.

► Palabra por palabra

atento/a	*attentive, cordial*
burgués/esa	*middle class*
hermoso/a	*beautiful*
tener razón	*to be right* (sujeto = persona)
la **ternura**	*tenderness*
tomar conciencia	*to become aware*

► Mejor dicho

la solicitud	*the application form*	La **solicitud** debe mandarla por correo.
solicitar	*to apply for a job, a position, a fellowship*	Aurora no consiguió la ayuda económica que había **solicitado.**
aplicar	*all the other meanings of "to apply": to lay or spread on, be pertinent or suitable, use, employ, etc.*	Los resultados de la encuesta Hite no podían **aplicarse** a Latinoamérica.

la cuestión	*theme, subject, matter*	La nueva profesora es experta en **cuestiones** de física nuclear.
cuestionar	*to question, put in question*	**Cuestionas** todo lo que hago.
la pregunta°	*question = ¿ ?*	Contéstame estas **preguntas.**

° ¡Ojo! Recuerda que *to ask a question* se dice **hacer una pregunta** (pág. 13).

Práctica

En parejas, contesten las preguntas siguientes. Presten atención a las palabras del vocabulario.

1. ¿Están más atentos/as en una conferencia o en un partido de fútbol? ¿Por qué? ¿Y en una película policíaca o en un examen? Expliquen. ¿A qué están atentos/as en un bar? ¿Y cuando caminan solos/as de noche?

2. Mencionen tres características de las familias burguesas.

3. ¿Es la ternura únicamente una cualidad femenina? ¿Cuándo muestran ternura Uds.? ¿A quién o a qué le hablan con ternura?

4. ¿Tienen más ventajas las mujeres hermosas que las feas? ¿En qué situaciones? ¿Son hermosos sólo los jóvenes? ¿Cambia la percepción de lo que es hermoso según la época, el país, la edad? Expliquen.

5. ¿Deben aplicarse las mismas leyes a los delincuentes menores de edad y a los adultos? ¿Y a las mujeres? ¿Debe tenerse en cuenta el síndrome premenstrual o de posparto al dar el veredicto? ¿Por qué? ¿Es justo o no?

6. ¿Qué quiere decir "igualdad de oportunidades"? ¿Tienen más (des)ventajas unos grupos que otros cuando solicitan becas *(scholarships)*, préstamos bancarios *(bank loans)*, trabajos? ¿Por qué es así? ¿Les parece bien o mal? ¿Han solicitado alguna vez un trabajo o una beca? ¿Lo/La consiguieron? ¿Es justo, o no, que todos los que solicitan un trabajo tengan las mismas oportunidades?

7. ¿Por qué razón han rellenado solicitudes? ¿Es legal preguntar cuál es la religión, raza, edad, estado civil, preferencia sexual del/de la solicitante? Expliquen por qué sí/no.

8. Mencionen tres cuestiones sociales o políticas que les interesan.

9. Ahora hagan tres preguntas sobre las cuestiones mencionadas en el número 8.

10. ¿Es cierto que hay "preguntas indiscretas" o sólo "respuestas indiscretas"? ¿Cuál sería una?

Alto

1. Con el sufijo **-eo** se forman sustantivos derivados, generalmente, de los verbos terminados en **-ear.**

| coquetear *(to flirt)* | → | coqueteo *(flirt)* |

chismear o cotillear *(to gossip)* → chismorreo o cotilleo *(gossip)*

bailotear *(to jiggle)* → bailoteo *(dancing around, dancing poorly)*

Como este sufijo suele darle al sustantivo una connotación negativa, ¿qué significado tendrán "lloriqueo" (llorar, lloriquear) y "besuqueo" (besar, besuquear)?

_____   _____

¿"Palabreo" significará "erudición", "elocuencia", "verbosidad" o "verborrea"? Esta palabra aparece sólo en el título del cuento que vas a leer y no dentro de él. ¿Puedes conjeturar por qué?

2. Cuando hablas mentalmente contigo mismo/a, ¿qué pronombre empleas: yo o tú? ¿En qué situaciones o contexto utilizan algunas personas la tercera persona para referirse a sí mismas? Algo semejante ocurre en el texto que vas a leer. En él, la autora emplea la segunda persona gramatical (tú) en lugar de la tercera persona (él). Es decir, "tú le expusiste" debe entenderse como "él le expuso".

3. En español hay varias maneras de decir "hacer el amor". ¿Recuerdas otras expresiones que aparecieron en los textos anteriores o en éste? Cuidado con la traducción de la expresión *to have sex*. En español, la traducción literal de la expresión no tiene sentido. ¿De qué otra manera podría expresarse esta frase en español? Lee el cuento con mucho cuidado y encontrarás la respuesta.

4. ¿Qué le diría un hombre a una mujer para seducirla? ¿Y viceversa? ¿Qué les gusta oír a los hombres? ¿Y a las mujeres?

5. En el cuento siguiente el lenguaje del cuerpo es también revelador. Por eso al leer debes tener en cuenta lo que hacen los personajes mientras hablan.

¿Qué indica este gesto?

Palabreo

Gilda Holst

Le expusiste con seriedad toda la problemática femenina latinoamericana para ayudarla a tomar conciencia.

Entre cigarrillo y café y un perdón por tropezar con su rodilla,[1] le decías que frente a[2] la situación de la mujer campesina, suburbana[3] u obrera, la lucha reivin-
5 dicativa de la mujer —aislada[4] de la lucha de la liberación de los pueblos— es burguesa; ella te decía que estaba de acuerdo y tu índice recogía[5] su pelo y lo llevaba detrás de su oreja.

Le decías que la lucha de la mujer burguesa casi siempre se concentraba en[6] la relación de los sexos.

10 Y como repetías, un tanto angustiado,[7] que los resultados de la encuesta Hite[8] no podían aplicarse a Latinoamérica te respondió que tal vez tuvieras razón, y ba-
jaste tu mano por su brazo, cogiste su mano con ternura y te molestó un poquito que se mordiera las uñas.[9]

Alzaste[10] la voz cuando observaste que las relaciones sexuales no podían ser,
15 ni eran nunca, políticas.[11]

Ella hablaba de su vida y tú la interrumpías graciosamente para decirle que tenía una boca hermosa, una voz con cadencia tropical y unos hombros[12] increíbles.

Ella te miraba atenta y retomaste el tema concretándolo[13] con ejemplos; ella tensó su cuerpo para escucharte mejor y apoyó la barbilla en la mano; le dijiste,
20 quita esa cara[14] mujer, y te decidiste con voz muy ronca[15] y muy baja a pregun-
tarle si quería ir a la cama contigo; cuando contestó que no, tú, te sorprendiste.

---

[1] **por... rodilla** *for bumping into her knee*   [2] **frente a** *in opposition to*   [3] **suburbana** = de barrios periféricos pobres   [4] **aislada** = separada   [5] **tu... recogía** *your forefinger took up*   [6] **se concentraba en** = se limitaba a [7] **angustiado** = muy preocupado   [8] La encuesta realizada por Shere Hite en 1976 dio a conocer las prácticas sexuales de las mujeres norteamericanas.   [9] **se... uñas** *bit her nails*   [10] **Alzaste** *You raised*   [11] Es una alusión al célebre libro de Kate Millett titulado *Política sexual* (1970), en el cual la feminista norteamericana mantiene que lo personal es político. En otras palabras, que la relación entre un hombre y una mujer es una relación de poder.   [12] **hombros** *shoulders*   [13] **concretándolo** = precisándolo   [14] **quita esa cara** *don't look so serious* [15] **ronca** *hoarse*

¿Entendido?

Diga si las oraciones siguientes son verdaderas o falsas de acuerdo con el contenido de la lectura.

1. _____ Los personajes de este cuento están en una cafetería o en un bar.

2. _____ El hombre (tú, en el cuento) y la mujer no están casados. Quizás sean amigos o bien acaben de conocerse.

3. _____ El personaje masculino habla del feminismo y lo critica por ser una ideología burguesa.

4. _____ La mujer sigue muy atenta la conversación y participa de vez en cuando.

5. _____ El hombre, además de mover la lengua (para hablar), mueve las manos.

6. _____ El hombre habla tanto porque cree que así va a convencer más fácilmente a la mujer.

7. _____ Es posible que la mujer no sea tan atractiva como indica el hombre y que él sólo quiera hacérselo creer a ella.

8. _____ El hombre menciona primero "la relación de los sexos", después "las relaciones sexuales" y por último "ir a la cama". Lo que quería él desde el principio era esto último.

9. _____ Finalmente, la mujer rechazó la proposición que le hizo su acompañante.

En mi opinión

En grupos de tres estudiantes, contesten las preguntas siguientes.

1. Piensen en cómo sería la narración desde la perspectiva femenina. ¿Creen que la reacción de un lector es diferente a la de una lectora? ¿Se sentirán los hombres ofendidos con este relato? ¿Por qué sí/no?

2. ¿Tiene el personaje masculino una ideología feminista? ¿Qué parece entender él por feminismo? ¿Y Uds.? ¿Para qué emplea sus conocimientos sobre el feminismo? ¿Es la actitud del hombre típicamente latina? ¿O es también frecuente en otras culturas? ¿Han observado alguna vez una situación similar a la que presenta el cuento? Cuéntesela a su grupo.

3. ¿Tienen reivindicaciones similares las mujeres burguesas y las del proletariado? Por lo general, ¿es el feminismo sólo un movimiento de las mujeres de la clase media y alta?

4. ¿En qué sentido puede estar una mujer "liberada"? ¿Y un hombre? El hecho que una mujer esté "liberada" ¿qué consecuencias prácticas tiene para el hombre del cuento? ¿Hay muchos hombres y mujeres que piensan lo mismo?

5. ¿Qué hacen o dicen para manipular a sus novios/as, sus padres, sus profesores/as? ¿Cuáles son otros métodos de manipulación? ¿Hay situaciones en las que se sienten manipulados/as?

Estrategias comunicativas para aceptar o rechazar enfáticamente algo

Sí	No
Por supuesto (que sí). *Of course.*	**Por supuesto que no.** *Of course not.*
Claro que sí. *Of course.*	**Claro que no.** *Of course not.*
Sin duda alguna. *Without a doubt.*	**Lo dudo mucho.** *I doubt it very much.*
Me encantaría. *I would love to.*	**De ninguna manera.** *No way.*
Cómo no. *Of course.*	**En absoluto** *Absolutely not.*
¿Por qué no? *Why not?*	**Ni lo sueñes.** *Not even in your dreams.*
	Ni loco/a. *No way.*
	No me da la gana. *I don't feel like it. (very rude)*

En (inter)acción

1. Ahora, haz proposiciones a un/a compañero/a para que él/ella conteste con una de las expresiones anteriores.

   Ejemplo: ESTUDIANTE 1: ¿Quieres salir conmigo?
   ESTUDIANTE 2: Ni loco/a.
   ESTUDIANTE 1: ¿Por qué no lavas tú los platos hoy?
   ESTUDIANTE 2: Cómo no. Ya que tú limpiaste el baño...
   ESTUDIANTE 1: ¿Me prestas doscientos dólares?
   ESTUDIANTE 2: ¡Ja! Ni lo sueñes.

2. **La zorra y las uvas verdes.** En grupos de tres estudiantes, observen con mucha atención la tira cómica del dibujante Quino y luego hagan las actividades de la página 294.

a. Describan viñeta a viñeta lo que ocurre.
b. Presten atención al tamaño de los dibujos. ¿Qué quiere indicar con esto el dibujante?
c. ¿Cuál es la relación entre la mujer y el hombre? ¿Son madre e hijo?
d. ¿Qué o a quién(es) critica el dibujante en esta tira cómica? ¿Es frecuente que un hombre critique a otros hombres?
e. Pónganle otro título a esta historieta cómica que refleje su contenido.
f. Relacionen la tira cómica con el cuento "Palabreo".
g. ¿Conocen la fábula de Esopo *(Aesop)* "La zorra *(fox)* y las uvas" que dice así: "Una zorra vio unos hermosos racimos de uvas ya maduros y empezó a saltar para coger uno y comérselo. No pudo alcanzar ninguno y, frustrada, dijo para consolarse: estas uvas no están maduras."? ¿Por qué creen que le hemos puesto este título a la tira cómica? ¿Les parece apropiado?

3. Realicen la siguiente encuesta sobre lo que deben hacer un chico y una chica cuando salen por primera vez juntos. Cada estudiante se encargará de hacer una de las preguntas a todos/as los/las participantes y luego escribirá los resultados en la pizarra. Al final, coméntenlos.

¿Quién debe... ?	él	ella	los dos
tomar la iniciativa de invitar a la otra persona			
decidir adónde van			
recoger *(pick up)* a la otra persona			
abrir la puerta del auto para la otra persona			
pedir la comida			
pagar la cuenta			
elegir la película			
cogerle la mano a la otra persona			
besar a la otra persona primero			
decidir si vuelven a salir juntos			
llamar por teléfono para salir juntos otra vez			

4. **Defensa verbal.** En grupos, inventen réplicas breves e ingeniosas para los siguientes comentarios o actitudes sexistas. No se permiten gestos obscenos en este ejercicio.
   a. Alguien acaba de contar un chiste sexista delante de ti.
   b. El mecánico de un taller de reparaciones te dice que las mujeres no entienden de carros.

Mujer, no llores, habla.

DEFIENDE TU DIGNIDAD

c. Una mujer pide la cuenta en un restaurante y se la entregan a su acompañante masculino.

d. Un conductor acaba de hacer una maniobra peligrosa en la carretera y alguien dice que seguramente es una mujer.

e. Eres una mujer que viaja en avión. Alguien sentado en el asiento de al lado hojea una revista pornográfica.

f. Eres una mujer hermosa y caminando por la calle de una ciudad española alguien te grita un piropo *(compliment)*.

Ahora, continúen esta actividad añadiendo otros ejemplos.

5. Con toda la clase, hablen sobre los concursos de televisión que tratan de emparejar a un chico y una chica para que salgan juntos *(dating games)*. ¿Son humillantes, ridículos, instructivos, necesarios?

6. En parejas, observen el folleto de la izquierda y contesten las preguntas que aparecen a continuación.

a. ¿A quién(es) está dirigido este consejo?

b. ¿A qué situación crees que alude este folleto informativo?

c. ¿Dónde o a quién debe hablar la mujer?

d. ¿Por qué no debe llorar la mujer? ¿Por qué no es bueno que llore? ¿Creen que las mujeres abusan del llanto?

Práctica gramatical

Repaso
gramatical:
Los pronombres
de objeto directo e
indirecto
(segundo repaso)
(*Cuaderno*, pág. 66)
Lo: uso del
pronombre neutro
(segundo repaso)
(*Cuaderno*, pág. 66)

Una cita a ciegas *(A blind date).* Tu compañero/a de clase quiere que salgas con alguien. Debes hacerle preguntas para averiguar cómo es esa persona. Tu compañero/a sólo puede contestar a las preguntas con sí o no, y con los pronombres correspondientes. Puedes hacer cinco preguntas para decidir si aceptas o no.

Ejemplo: ESTUDIANTE 1: ¿Es de Nueva York?
ESTUDIANTE 2: No, no lo es.
ESTUDIANTE 1: ¿Le gusta bailar?
ESTUDIANTE 2: Sí, le gusta bailar.

Creación

Escribe una breve narración que empiece así: "Desde el primer momento me di cuenta de cuáles eran sus verdaderas intenciones... "

Phrases:	*Greeting; Inviting; Accepting & declining*
Grammar:	*Personal pronouns; Article: neuter* lo; *Prepositions:* a personal
Vocabulary:	*Face; Gestures; Postures*

Mujeres memorables

http://aquesi.heinle.com

Eva

Cristina Peri Rossi

La escritora uruguaya Cristina Peri Rossi (1941) vive en España desde 1972, año en que se exilió de su país por razones políticas. Ha publicado más de diez libros, entre los que destacan *Indicios pánicos* (1970), *Descripción de un naufragio* (1975) y *Fantasías eróticas* (1991). Colabora en las revistas y periódicos más importantes de España y del extranjero.

El fragmento siguiente procede de su novela *La nave de los locos* (1984) y en él nos muestra lo pronto que en nuestras vidas nos inculcan ideas sexistas. En la versión original, los/las niños/as cometen errores de ortografía al escribir. Hemos cambiado la ortografía del original para facilitarles la lectura.

► Palabra por palabra

encargarse	*to be in charge of*
fastidiar	*to bother, pester*
hacer caso	*to pay attention*
llevarse bien/mal	*to get along well/badly*
nacer	*to be born*
por culpa de	*because of, due to (blame intended)*
portarse bien/mal	*to behave well/badly*
tener ganas de + inf.	*to look forward to, feel like*

► Mejor dicho

educar	*to raise, rear, bring up*	Enseñar a los niños las normas de cortesía, las buenas costumbres, etc. para vivir en sociedad.	Mi madre no me **ha educado** tan mal.
criar	*to rear, nurse, nourish, breed*	Alimentar, dar de comer, cuidar a niños o animales.	Lo **han criado** sus abuelos paternos.
crear	*to create*	Hacer que empiece a existir una cosa.	¿Quién **creó** el mundo?

297

| crecer | *to grow up physically*° | Aumentar de tamaño o estatura. | ¡Hay que ver cuánto **has crecido** en los últimos meses! |
| cultivar | *to grow* | Plantar y cuidar flores, verduras, plantas. | ¿**Cultivaba** Adán manzanas en el Paraíso? |

° **¡Ojo!** *To grow up mentally* se dice **madurar.**

Práctica

Con toda la clase, hagan asociaciones con las palabras del vocabulario.

Ejemplo: **cultivar** — granja — campo — zanahorias — lluvia — fértil — cosecha

¿Qué asocias con una manzana?

Alto

1. Lea el primer párrafo de la lectura y luego diga a qué corresponden los párrafos siguientes precedidos de una letra: A, B, C, etc.

   _____

2. Fíjese en los nombres propios que aparecen a lo largo de la lectura y escríbalos a continuación.

   _____

   ¿Por qué supone Ud. que se repiten tanto esos nombres?

   _____

3. Mencione tres cosas que Ud. sabe ya sobre Adán y Eva.

   a. _____

   b. _____

   c. _____

4. ¿Dónde aprendemos a ser hombres o mujeres? ¿Qué es más importante: la familia, la escuela, la iglesia, los/las amigos/as?

Adán y Eva

Eva

Cristina Peri Rossi

1. Graciela propuso a cuarenta escolares, comprendidos entre[1] los siete y los doce años, que describieran a Adán y a Eva, en el Paraíso. Luego recogió las respuestas.

    A. Adán vivía feliz entre los árboles y las plantas hasta que llegó la Eva y le hizo comer la manzana porque quería matarlo y reinar[2] ella sola.

5   B. Dios sacó a Eva de una costilla de Adán porque él se aburría un poco y tenía ganas de tener a quien mandar.

    C. Adán estaba muy tranquilo jugando con los peces y las plantas hasta que llegó Eva y empezó a incordiar.[3] Tuvo que darle unos golpes para que se portara bien pero igual se comieron la manzana.

10   D. El estaba solo y no lo pasaba muy bien porque no tenía con quien hablar pero cuando nació ella fue mucho peor.

    E. Dios había creado a Adán y lo había rodeado de plantas, de aves y de peces, pero necesitaba un semejante.[4] Entonces Dios lo acostó, lo hizo dormir y de una costilla de su costado[5] creó a Eva. Los problemas empezaron porque ella era un 15 poco curiosa y le hizo caso a la serpiente. Por culpa de Eva las mujeres tenemos mala fama en este mundo.

---

[1] **comprendidos entre** = entre   [2] **reinar** *to reign*   [3] **incordiar** = molestar   [4] **semejante** *companion*
[5] **costado** *side*

F. A mí me parece que Adán era un buen tipo. Pescaba, cazaba[6] y andaba por los bosques plantando plantas. Pero claro, ¿con quién iba a hablar? Entonces vino Dios y le dio unas pastillas[7] para que se durmiera y le quitó una costilla que des-
20 pués creció y se llamó Eva. Eva era mujer. Adán era hombre. Entonces pasó lo que tenía que pasar. De ahí nacimos nosotros.

G. Mi padre dice que Eva era como todas las mujeres que se pasan el día conversando con las vecinas y viven fastidiando a los hombres para que les compren cosas, ropas y eso.

25 H. La historia esa es un poco confusa, porque nadie entiende por qué a Dios se le ocurrió ponerle a Eva de compañera. Si en vez de ponerle una mujer le hubiera puesto a un hombre, como él, Adán lo habría pasado mucho mejor. Pescarían juntos, se irían de paseo a cazar fieras[8] y los sábados de farra.[9]

I. Dios como era muy machista lo primero que hizo dice mi mamá fue inventar
30 al hombre y después encima dice que Eva le nació de un costado. Dice mi mamá que ojalá todos los partos del mundo fueran así; las mujeres lo pasaríamos más aliviadas.[10]

J. Yo creo que el asunto del Paraíso es una metáfora, porque la información que brinda[11] el Génesis no tiene visos de[12] realidad. En primer lugar, no se com-
35 prende por qué Dios, que había creado al hombre a su imagen y semejanza, hizo a Adán tan imperfecto que se aburría. En segundo lugar, la hipótesis de que le sacó una costilla es bastante increíble. ¿Para qué iba a usar este procedimiento una sola vez, dado que a partir de ahí nacemos siempre del vientre de la madre? Todos son símbolos, me parece. Ahora bien, lo que simbolizan yo no lo sé muy bien.

40 II. Tareas a las que se dedicaban Adán y Eva.

Como segunda proposición, Graciela les sugirió que trataran de imaginar la vida cotidiana en tiempos de Adán y Eva. Algunas de las respuestas fueron:

1. Adán se ocupaba de cazar fieras, leones, tigres y ovejas.[13] Eva limpiaba la casa y hacía las compras.

45 2. Eva cuidaba de la casa que era una gruta[14] salvaje. Adán se iba de pesca y volvía tarde, pero ella siempre lo esperaba para cenar juntos y después lavaba los platos.

3. Cada uno se dedicaba a las labores[15] propias de su sexo. Que eran: el hombre cazaba, pescaba, encendía el fuego, exploraba los contornos[16] y de vez
50 en cuando se fumaba un cigarrillo. Ella se quedaba en el Paraíso, limpiando y cosiendo[17] porque ahora ya no estaban desnudos.

---

[6] **cazaba** *hunted*   [7] **pastillas** *pills*   [8] **fieras** *wild animals*   [9] **de farra** *partying*   [10] **lo... aliviadas** *we would have an easier time of it*   [11] **brinda** = *ofrece*   [12] **visos de** *resemblance to*   [13] **ovejas** *sheep*   [14] **gruta** *cave*   [15] **labores** = *tareas, trabajos*   [16] **contornos** *environment*   [17] **cosiendo** *sewing*

4. Como a ella le quedaba bastante tiempo libre (sólo tenía que esperarlo para limpiar el pescado y ponerlo a hervir[18]) se dedicó a andar entre los árboles y las serpientes y allí le vinieron los malos pensamientos.

55   5. Entonces Adán le dijo: si quieres estudiar las ciencias del bien y del mal,[19] estúdialas, a mí no me importa, pero seguirás limpiando la casa y planchando,[20] que es tu deber.

6. Adán estaba muy ocupado; no sólo debía cuidar del paraíso que Dios le había dado sino que además... se encargaba de las relaciones públicas, porque él

60   dialogaba directamente con Dios pero Eva no.

7. Yo creo que después del asunto de la manzana ya no se llevarían muy bien pero no se podían separar porque en esa época no había separación legal y además cada año tenían un hijo.

Acerca de las virtudes y defectos de Adán y de Eva, Graciela obtuvo los si-

65   guientes resultados: Adán es valiente (35), honrado (23), trabajador (38), inteligente (38), responsable (29), obediente (22). Su principal defecto es escuchar a las mujeres (33).

En cuanto a Eva, se le reconoció sólo una virtud: bella (30). Un alumno dijo que era curiosa, pero que no estaba seguro de que ésa fuera una virtud o un defecto.

70   En cambio, la lista de sus defectos es más numerosa; 39 alumnos la juzgaron excesivamente curiosa, 33, charlatana[21] y 25, consideraron que tenía mal carácter, 22 dijeron que era holgazana[22] y 3, que era una frívola.

Después, los alumnos y las alumnas se fueron a jugar.

De madre a hija.

---

[18] **hervir** *to boil*   [19] **del bien y del mal** *of good and evil* (referencia bíblica)   [20] **planchando** *ironing*
[21] **charlatana** = que habla/charla mucho   [22] **holgazana** = perezosa

¿Entendido?

Complete las oraciones siguientes con sus propias palabras de acuerdo con el contenido de la lectura.

1. Aunque no todos/as los/las estudiantes tienen las mismas ideas sobre Adán y Eva, la mayoría...

2. Las tareas no presentan una visión exacta de la época histórica en que supuestamente vivieron Adán y Eva. Por ejemplo, ...

3. Supongo que el párrafo... corresponde a una niña porque...

4. Supongo que el párrafo... corresponde a un niño porque...

5. Graciela ha aprendido leyendo las tareas de sus estudiantes que...

En mi opinión

En grupos de tres estudiantes, discutan los temas siguientes.

1. ¿Les pareció graciosa la lectura? ¿Por qué sí/no?

2. ¿Creen Uds. que Adán y Eva existieron realmente? Expliquen su respuesta.

3. ¿Quiénes les han influido más a los niños a la hora de hacerse una idea de Adán y Eva? ¿Cómo lo saben Uds.?

4. ¿Existen otras explicaciones del origen de los seres humanos? ¿Cuáles son?

5. ¿Han cambiado de opinión sobre algo que los mayores les dijeron o hicieron creer cuando Uds. eran niños/as? Den un ejemplo.

6. El género *(gender)* se define como una construcción social. ¿Qué quiere decir esto?

7. Elijan una de las tareas que aparecen en la lectura y analícenla. Luego pónganle una nota del 1 al 10 y expliquen por qué le han dado esa nota.

8. Expliquen la oración final. ¿Por qué se van a jugar juntos? ¿Hay que tener en cuenta el sexo de la otra persona con la que uno/a juega? ¿Por qué sí/no? ¿Y los juegos a los que se juega? ¿Y los juguetes que se utilizan?

9. Digan si están de acuerdo o no con la idea que presenta el póster siguiente. Expliquen su respuesta.

Estrategias comunicativas para admitir responsabilidad y disculparse

Es culpa mía. *It's my fault.*	**Ha sido sin querer.** *It was an accident.*
Reconozco que estaba equivocado/a. *I admit that I was wrong.*	**Lo dijeron sin mala intención.** *They didn't mean any harm.*
Sé que mi conducta no tiene perdón. *I know that my behavior is unforgivable.*	**No era mi intención...** *I didn't mean . . .*
Me responsabilizo plenamente de... *I take full responsibility for . . .*	**Pensé que hacía bien...** *I thought I was doing the right thing . . .*
Admito que... *I admit that . . .*	**Tenía entendido que...** *It was my understanding that . . .*

En (inter)acción

1. La directora de la escuela y otros/as profesores/as quieren hablar con los padres de estos estudiantes debido a las tareas que les habían entregado. Cada estudiante elige un papel: directora, profesores/as, padres, madres, hijos/as, y discuten los prejuicios y estereotipos sobre las mujeres que evidencian las tareas. Utilicen algunas de las expresiones de **Estrategias comunicativas.**

2. Adán y Eva han ido a consultar a un/a consejero/a matrimonial, pues discuten constantemente desde la expulsión del Paraíso. En grupos de tres estudiantes, distribúyanse estos papeles y representen una escena breve durante la consulta.

3. La canción siguiente es de un dúo español llamado **Ella baila sola.** La protagonista nos dice lo que quiere ser cuando sea mayor. ¿Pero lo dice en serio? Comenten la canción con sus compañeros/as.

Mujer florero*

flower vase

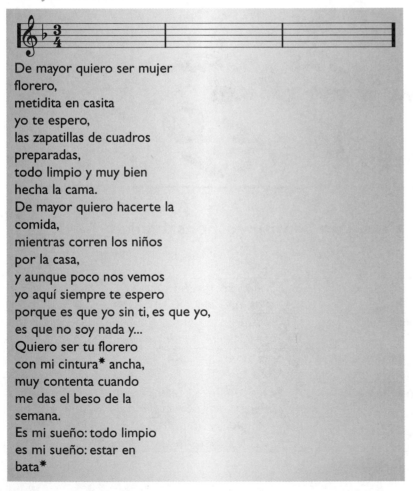

De mayor quiero ser mujer
florero,
metidita en casita
yo te espero,
las zapatillas de cuadros
preparadas,
todo limpio y muy bien
hecha la cama.
De mayor quiero hacerte la
comida,
mientras corren los niños
por la casa,
y aunque poco nos vemos
yo aquí siempre te espero
porque es que yo sin ti, es que yo,
es que no soy nada y...
Quiero ser tu florero
con mi cintura* ancha,

waist

muy contenta cuando
me das el beso de la
semana.
Es mi sueño: todo limpio
es mi sueño: estar en
bata*

robe, house dress

y contar a las vecinas
las desgracias que me pasan.
De mayor quiero ser mujer
florero
serán órdenes siempre tus
deseos
porque tú sabes más de
todo, quiero
regalarle a tu casa todo mi
tiempo.
Y por la noche te haré la cenita,
mientras ves el partido o
alguna revista,
y hablaré sin parar de mi día
casero,
no me escuchas, no me
miras
¡ay! ¡Cuánto te quiero!
Quiero ser tu florero...

Práctica gramatical

Repaso
gramatical:
Las cláusulas de
relativo:
restrictivas y no
restrictivas
(*Cuaderno*, pág. 67)
Los relativos
(*Cuaderno*, pág. 68)

1. En parejas, dibujen en una hoja de papel un círculo y divídanlo por la mitad. Escriban un sustantivo en una de las mitades. Luego, dibujen un segundo círculo y, sin dividirlo, escriban el mismo sustantivo dentro del círculo. Pasen la hoja a la pareja de al lado; ésta tendrá que formar una oración con una cláusula de relativo restrictiva y otra no restrictiva utilizando ese sustantivo como antecedente. Las oraciones deben referirse al tema de la lectura anterior.

   Ejemplo: Los estudiantes que dijeron las cosas más interesantes fueron los últimos. (oración restrictiva, pues no todos los estudiantes dijeron cosas interesantes.)
   Los estudiantes, quienes escribieron sobre Adán y Eva, eran muy ingenuos. (oración no restrictiva, pues todos los estudiantes escribieron sobre Adán y Eva.)

2. En parejas, formen oraciones con los pronombres relativos relacionadas con el tema de esta unidad. Luego escríbanlas en la pizarra con un espacio en blanco donde debe ir el relativo para que sus compañeros/as completen las oraciones.

   Ejemplo: La razón por la que los expulsaron del Paraíso fue por desobedecer a Dios.
   El árbol del que comieron era el árbol del bien y del mal.

Creación

Hable de una figura femenina real o ficticia que, como Eva, tenga o haya tenido injustamente mala fama.

Phrases:	*Expressing irritation; Denying; Persuading*
Grammar:	*Relatives; Verbs: subjunctive with* ojalá; *Verbs: transitives & intransitives*
Vocabulary:	*Nationality; Dreams & aspirations; Traveling*

La Malinche (1500?–1527)

S. Suzan Jane

La Malinche (también conocida como Malintzin y doña Marina) es una de las pocas mujeres indígenas de la época de la conquista que se ha salvado del anonimato. Un soldado y cronista del siglo XVI, Bernal Díaz del Castillo, la menciona y elogia frecuentemente en su libro *Historia verdadera de la conquista de la Nueva España*. De ella nos dice el autor: "Doña Marina en todas las guerras de la Nueva España fue una mujer excelente y buena intérprete, y por eso siempre la llevaba Cortés consigo. Sin doña Marina ninguno de nosotros podría haber entendido la lengua de la Nueva España y México." Sin embargo, como veremos en la siguiente lectura, para los mexicanos la apreciación de esta mujer no ha sido tan positiva como para el cronista español.

Palabra por palabra

apoderarse de	*to seize, get control of, take over*
el **arma** (fem.)	*weapon*
el **auge**	*rise (and fall)*
conseguir (i, i)	*to attain, get, achieve*
ileso/a	*unhurt, unharmed, unscathed*
no tener más remedio que	*to have no choice but*
las **privaciones**	*hardships, deprivation*
la **represalia**	*reprisal, retaliation*
la **riqueza**	*wealth*
traicionar	*to betray*

Mejor dicho

aguantar, soportar, tolerar	*to tolerate, put up with*	No **aguanto** (**soporto, tolero**) a la gente que habla mucho.
soportar, sostener	*to support physically*	Dos pilares **soportan** el puente. Estoy muy débil. Las piernas no me **sostienen**.
mantener	*to support economically*	¿Quién te **mantiene**? —Nadie, me **mantengo** sola.
apoyar	*to support emotionally, ideologically*	El senador Samuel Ortiz ganó porque todos lo **apoyamos**.

el hecho	*fact*	El **hecho** es que no me devolviste el paraguas.
el dato	*piece of information, datum, figure*	Los **datos** contradicen tu teoría.
la fecha	*date*	Ahora mismo no me acuerdo de la **fecha** de esa batalla.

Práctica

En parejas, hagan los ejercicios siguientes.

1. Digan sinónimos o antónimos de las palabras siguientes.

   riqueza
   traicionar
   ileso/a
   represalia
   conseguir
   apoderarse de
   arma
   auge
   privaciones
   no tener más remedio que

2. Dígale a sus compañeros/as tres cosas que no soporta de:

   los/las políticos/as
   los/las profesores/as
   los actores y las actrices
   sus compañeros/as
   los jugadores de béisbol
   los/las dentistas

3. Digan qué propuestas de ley apoyaría y por qué.

   a. el límite de velocidad a 70 millas por hora
   b. la legalización del aborto
   c. la reducción del presupuesto de defensa nacional
   d. el seguro médico nacional
   e. la pena de muerte
   f. un mes de vacaciones para todos/as los/las que trabajan

4. Mencionen algunos de los datos que debemos proporcionar para:

   a. sacar la licencia de manejar
   b. solicitar un trabajo
   c. sacar dinero del banco
   d. matricularse *(register)* en un curso

Alto

1. Eche una ojeada a los números de la lectura. ¿Sobre qué época histórica va a leer?

   _____

2. Observe en qué tiempo están las formas verbales. ¿Puede relacionar esto con la pregunta anterior?

   _____

3. Añada a la lista los nombres de tres parejas famosas de ayer y de hoy.

   Cleopatra y Marco Antonio   Felipe el Hermoso y Juana la Loca

   Luis XVI y María Antonieta   _____

   _____   _____

4. ¿Cuál cree que debe ser el papel de la esposa o del esposo de una figura pública? ¿Y el de su amante *(lover)?*

La Malinche (1500?–1527)

S. Suzan Jane

La princesa indígena llamada Malintzin, pero conocida popularmente como la Malinche, es una figura que presenta contradicciones históricas; por un lado, es considerada una traidora a su raza por haber ayudado a Hernán Cortés en la conquista de México y en el sometimiento[1] de los aztecas y, por otro, es vista como
5 la "Eva mexicana", la madre de la gente mestiza.

La Malinche nació en Viluta, pueblo de México, a principios del siglo XVI. Su riqueza y condición social le permitieron recibir una esmerada educación —privilegio que no estaba al alcance[2] de las hijas de padres menos poderosos. Pero durante un período de guerra, fue vendida o capturada por los mayas y luego
10 vendida como esclava a los aztecas. Así perdió los privilegios de los que había gozado hasta entonces, que fueron reemplazados por dificultades y privaciones.

La Malinche se distinguía de las otras esclavas por su belleza, su inteligencia y el conocimiento de varias lenguas; estas cualidades resultaron ser[3] sus mejores armas cuando Hernán Cortés llegó a México al mando de la expedición española.
15 Cuando Cortés desembarcó en 1519, tenía dos misiones: conquistar el país y

---

[1] **sometimiento** *subjugation, enslavement*   [2] **no... alcance** *was not available*   [3] **resultaron ser** *turned out to be*

apoderarse de sus riquezas, y convertir a los indígenas al cristianismo. La Malinche formaba parte de un tributo mandado a Cortés con la vana esperanza de detener su avance. Cortés reconoció la capacidad intelectual y verbal de la Malinche, y prometió concederle la libertad si se convertía en su aliada[4] y le ayudaba a es-

20 tablecer buenas relaciones con los pueblos indígenas de México.

Siendo una esclava, la Malinche no tuvo más remedio que aceptar. Viajaba con Cortés, acompañándolo a todas las expediciones. Al principio, Cortés dudaba de la lealtad[5] de la Malinche, pero sus dudas se disiparon[6] cuando ella le contó la emboscada[7] que el emperador Montezuma pensaba tenderle a las tropas españolas.

25 Al enterarse, Cortés mandó en represalia atacar a los aztecas que vivían entre los españoles y los aztecas perdieron a sus mejores guerreros.

Durante los años siguientes, la Malinche continuó apoyando a Cortés. Gracias a su poder de persuasión, ayudó a Cortés a reunir un ejército para luchar contra los aztecas. Eventualmente, consiguió convencer a Montezuma mismo de que se

30 dejara apresar[8] por los españoles, lo cual les permitió a éstos dominar por completo la capital azteca, Tenochtitlán. Pero en una caótica escaramuza,[9] Montezuma murió, apedreado[10] por su propia gente y los aztecas lanzaron[11] un ataque feroz contra los conquistadores españoles.

Aunque la mayoría del ejército español pereció[12] durante la huida nocturna de

35 la ciudad, la Malinche y Cortés resultaron ilesos. Cortés volvió a reunir a sus hombres y lanzó un contrataque masivo. El día 13 de agosto de 1521 caía la ciudad de Tenochtitlán y con ella el imperio azteca.

Los españoles empezaron inmediatamente a reconstruir la ciudad que habían ganado la Malinche y Cortés. En 1522 la Malinche dio a luz un hijo, fruto de su

40 relación con Cortés, dando así comienzo a la población denominada mestiza. Mezcla de sangre española e indígena, este grupo racial predomina hoy día en México. Cortés se aseguró de darle a la Malinche bastantes tierras y oro para que viviera desahogadamente,[13] y le pidió que siguiera sirviéndole de intérprete en la expedición a Honduras. En 1527, poco después de volver de Honduras, la

45 Malinche murió.

Sin duda, el éxito que Cortés consiguió en México hay que atribuirlo directamente a la ayuda que le prestó[14] la Malinche. Los aztecas a quienes ella traicionó no eran su pueblo, aunque todos los indígenas de México fueron conquistados eventualmente por los invasores a los que apoyó. La Malinche fue testigo del fin

50 de una civilización y el auge de otra nueva y se convirtió en la madre simbólica del nuevo grupo étnico que ha predominado[15] en México hasta nuestros días.

---

[4] **aliada** *ally*　[5] **lealtad** *loyalty*　[6] **se disiparon** = desaparecieron　[7] **emboscada** *ambush*　[8] **apresar** *to become a prisoner*　[9] **escaramuza** *skirmish*　[10] **apedreado** *stoned*　[11] **lanzaron** *launched*　[12] **pereció** *was lost*　[13] **desahogadamente** *comfortably*　[14] **prestó** = dio　[15] **ha predominado** *has prevailed*

¿Entendido?

Identifique, con sus propias palabras, estos términos con dos o más oraciones según el contenido de la lectura.

1. Doña Marina
2. Viluta
3. Traidora
4. La "Eva mexicana"
5. Aztecas y mayas
6. 1519
7. Montezuma
8. Hernán Cortés
9. Tenochtitlán
10. Mestizo, mestizaje

En mi opinión

Con dos compañeros/as, discutan los temas siguientes.

1. Expliquen la referencia a la Malinche como "Eva". ¿Qué características tendrían en común?
2. Se suele oponer la Virgen de Guadalupe a la figura de la Malinche. ¿En qué se basaría esta oposición?
3. En la formación de una pareja, ¿qué papel juega la suerte y el destino? Den ejemplos.
4. ¿Es posible el amor entre personas que pertenecen a jerarquías diferentes, como en el caso de la Malinche y Hernán Cortés? ¿Creen que hubo amor entre ellos dos o simplemente un abuso de poder por parte del conquistador español?
5. En oposición a Bernal Díaz del Castillo, Cortés no menciona a la Malinche en sus escritos. ¿Cómo explicarían este silencio por parte del segundo? ¿Pueden suponer por qué no se casó Hernán Cortés con la Malinche?
6. Contrasten/Comparen la figura de la Malinche con la de Pocahontas en términos del papel que realizaron ambas en la colonización del continente americano.

Estrategias comunicativas para expresar probabilidad

Es posible/probable que... *It's possible/probable that . . .*	**No me sorprendería que...** *It wouldn't surprise me if . . .*
Seguramente... *Probably . . .*	**Lo más seguro/probable es que...** *It's very likely that . . .*
Posiblemente... *Possibly . . .*	**Debe haber salido (comido...).** *He/She must have gone out (eaten . . .).*
Probablemente... *Probably . . .*	**Parece ser que...** *It seems that/looks like . . .*

En (inter)acción

1. Las imágenes siguientes son reproducciones de un famoso códice azteca que narra la conquista de México. Ahora, como si fueran profesores/as de historia y basándose en lo que han leído, describan lo que representa cada dibujo. Utilicen algunas de las expresiones de **Estrategias comunicativas.**

2. Debatan con toda la clase el papel de la Malinche en la historia. ¿Qué hay que tener en cuenta a la hora de juzgar su actuación?

3. Con un/a compañero/a, improvisen un diálogo entre la Malinche y Pocahontas y preséntenlo delante de la clase.

4. Edward Lucie-Smith dice que el cuadro siguiente de Antonio Ruiz titulado *El sueño de la Malinche* (1939) implica que "el pasado indígena de México todavía duerme bajo los adornos del presente europeo" *(Arte latinoamericano del siglo XX.* Barcelona: Destino, 1993, 102). En grupos de tres estudiantes, observen detenidamente el cuadro y expliquen cómo ha llegado a esa interpretación Lucie-Smith. Por último, digan si están de acuerdo con él o no.

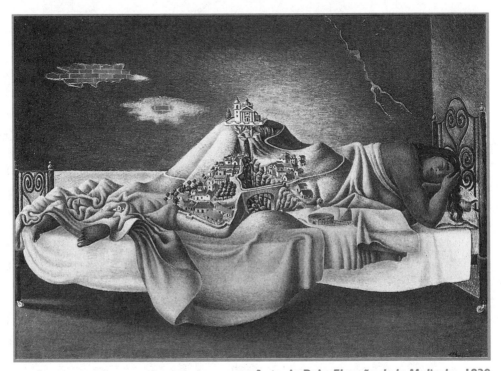

Antonio Ruiz, *El sueño de la Malinche,* 1939

Práctica gramatical

Repaso
gramatical:
Las oraciones
condicionales
con subjuntivo
(segundo repaso)
(*Cuaderno,* pág. 72)
Las acciones
recíprocas
(*Cuaderno,* pág. 73)

1. En parejas, completen las oraciones de manera original. Presten atención al modo y tiempo del verbo que van a usar.

   a. Si quisiéramos saber más de la Malinche, ...
   b. Si Montezuma no hubiera muerto, ...
   c. Si yo hubiera sido una esclava indígena, ...
   d. Los conquistadores trataron a las indígenas como si...
   e. Si tú hubieras nacido en México, ...
   f. Si los españoles no hubieran conquistado América, ahora...
   g. Sabríamos hablar una lengua indígena si...
   h. Iría a ver los manuscritos aztecas si...

2. **Contradicciones.** Con un/a compañero/a formen oraciones recíprocas cuyos sujetos sean dos estudiantes de la clase. Luego lean una de las oraciones en voz alta y uno/a de los/las estudiantes niega la información que ha oído.

Ejemplo: —Beatriz y Marisa no se aguantan.
—Pero, ¡qué dices! Marisa y yo nos adoramos.
—Sergio y David se conocen desde la escuela primaria.
—¡En absoluto! David y yo nos conocimos hace sólo un mes.

Otros verbos que pueden emplear:

ayudar	entender	llamar por teléfono	visitar a menudo	pelear
admirar	odiar	apoyar en todo	traicionar	estimar

Creación

Otras figuras incluidas en el libro *Mujeres que cambiaron la historia* son Isabel la Católica, Sor Juana Inés de la Cruz, Frida Kahlo, La Pola, Gabriela Mistral, Eva Perón, Violeta Chamorro, Rigoberta Menchú. Busca en la biblioteca información sobre una de estas mujeres u otra que te sugiera tu profesor/a. Después escribe un informe que pueda servir también de presentación oral. Antes de empezar a escribir, observa cómo ha organizado y presentado la autora de esta lectura la información. (O si lo prefieres puedes utilizar la forma de una entrevista.) ¿Vas a seguir un orden cronológico? ¿Qué tipo de datos y hechos vas a ofrecer de su vida? ¿Vas a evaluar las consecuencias que tuvieron sus acciones? ¿Vas a dar tu opinión sobre lo que has leído o vas a presentar la de otros/as autores/as?

¿Puedes adivinar quién está enterrada aquí?

Phrases:	*Describing people; Linking ideas; Writing an introduction*
Grammar:	*Negation; Personal pronouns; Relatives*
Vocabulary:	*Dreams & aspirations; Family members; Nationality*

El arte de Remedios Varo

Peter Engel

"Toda su vida se interesó en las matemáticas, la mecánica y la invención de medios de locomoción fantásticos." Así nos presenta la crítica de arte norteamericana Whitney Chadwick en *Las mujeres en el movimiento surrealista* a la pintora española, pero exiliada en México, Remedios Varo. El estudio de Chadwick y el de otros/as críticos/as extranjeros/as han contribuido a difundir el arte de esta pintora más allá de las fronteras de México. Quizás algún día sus cuadros sean internacionalmente conocidos como ya lo son los de otra artista mexicana, Frida Kahlo.

El siguiente ensayo nos ofrece más información sobre la vida y obra de esta singular pintora.

▶ Palabra por palabra

el **autorretrato**	*self-portrait*
el **cuadro**	*painting*
la **exposición**	*exhibit*
la **herencia**	*legacy, heritage*
el **lienzo**	*canvas*
la **obra**	*work (of art)*
patrocinar	*to sponsor*
la **pincelada**	*brushstroke*
representar	*to depict*

▶ Mejor dicho

rechazar + sust.	*to reject something*	**He rechazado** su oferta porque no me convenía.
no querer (en pret.) + inf.	*to refuse + inf.*	Fernando no **quiso** revelar el secreto.
negarse a + inf.	*to refuse + inf.*	No entiendo por qué **te niegas a** comerte la sopa con lo buena que está.

¡Ojo! También existe el verbo **rehusar** + sust. o inf. *(to refuse),* pero es más formal que los anteriores.

Práctica

En grupos de tres estudiantes, hagan las actividades siguientes.

1. Describan una exposición que les haya impresionado positiva o negativamente. Utilicen las palabras del vocabulario. Digan dónde fue, quién era el/la artista, si los cuadros eran autorretratos o paisajes, si recomendarían ver la exposición, etc.

2. Completen las oraciones siguientes de tres maneras diferentes. Sean originales.

    a. Nunca he rechazado...

    b. Los sábados por la mañana me niego a...

    c. Yo no quise... y ahora...

¡El arte imita a la realidad o la realidad imita al arte?

Alto

1. Si sabes que vas a leer algo sobre una pintora, ¿qué tipo de información esperas o te gustaría encontrar? Apunta tres cosas.

_____   _____   _____

2. Busca en un diccionario de arte una definición de *surrealismo* diferente de la que te ofrecemos a continuación. ¿Cuál definición te parece más comprensible?

Surrealismo: Movimiento literario y artístico surgido después de la Primera Guerra Mundial e inspirado en las teorías psicoanalíticas, cuyas obras pretenden ser una interpretación del subconsciente.

_____

_____

3. ¿Qué sabes de la historia de Europa en la primera mitad del siglo XX? ¿Qué tipo de conflictos vivió el continente?

4. ¿Tienen repercusión las experiencias personales de un/a artista en su obra? ¿Cómo lo sabes?

Bordando el manto terrestre

Exploración de las fuentes del Orinoco

El arte de Remedios Varo

Peter Engel

Si bien Remedios Varo (1908 –1963) es prácticamente desconocida en los Estados
Unidos y Europa, en México se convirtió rápidamente en un fenómeno nacional.
Un año después de su muerte el Museo de Arte Moderno de la Ciudad de
México patrocinó una retrospectiva de su obra. La exposición recibió más público
5 que cualquiera otra en la historia del arte mexicano, rebasando[1] incluso las exposiciones de los muralistas[2] internacionalmente reconocidos: David Alfaro
Siqueiros, José Clemente Orozco y Diego Rivera. Varo fue popular en México
desde su primera exposición en 1956. El Museo de Arte Moderno montó[3] dos
nuevas retrospectivas en 1971 y 1983.

---

[1] **rebasando** *surpassing*   [2] **muralistas** *mural painters*   [3] **montó** *put together*

***

10 Remedios Varo vivió y murió suspendida[4] entre dos mundos. Su vida, corta y traumática, la pasó luchando por amalgamar[5] el mito y la ciencia, lo sacro[6] y lo profano. La dicotomía se inició[7] durante su infancia en España. Su madre fue ferviente católica que envió a Varo a una escuela de monjas, mientras que su padre fue ateo e ingeniero hidráulico que hablaba, entre otras cosas, el esperanto.[8] Su

15 madre le enseñó a temer al diablo y su padre a respetar la razón. Varo escapó del convento para asistir a una escuela de arte en Madrid, evento que captaría más tarde en la pintura *Bordando el manto terrestre*.[9] Desde entonces vivirá en dos mundos en colisión. Se dio a la fuga,[10] escapando primero a París —cruzando los Pirineos para evadir la guerra civil (1936–1939) en su patria— y regresando

20 más tarde hacia el sur conforme los nazis invadían Francia. Se rodeó[11] en cada estación[12] de intelectuales, incluyendo los surrealistas en París y absorbiendo la física y la metafísica por igual. Hacia finales de 1941 Varo inició la última etapa de una vida que transcurrió en continua escapatoria.[13] Imposibilitada de entrar a los Estados Unidos, porque su compañero Benjamin Peret era simpatizante comu-

25 nista, esperó durante meses en Marsella hasta que juntos consiguieron zarpar[14] a Casablanca y de ahí a México.

Una vez en México Varo sufrió una extraña transformación. Empezó a mostrar un temor desesperado hacia los viajes y rara vez se aventuraba[15] más allá de su barrio[16] en la Ciudad de México. Su último esposo Walter Gruen recuerda: "Decía

30 que no tenía que molestarse en viajar porque los mayores y más hermosos viajes se hallaban dentro de su imaginación."

Varo nos legó la herencia de sus viajes: más de 140 pinturas, las jornadas[17] fantásticas de artistas y científicos, renegados y refugiados, exploradores todos de la *terra incognita* de la mente. Los aventureros *(Exploración de las fuentes del Orinoco,*

35 *etc.)* de Varo viajan por campos y bosques, por encima de las nubes, siguiendo ríos y por las calles abandonadas, casi siempre solos, portando los ojos almendrados[18] y los rasgos andróginos de los autorretratos de Varo. Se impulsan con los mecanismos más improbables; vehículos que son científicos en apariencia pero mágicos en su funcionamiento.

40 México sólo inspiró a Varo indirectamente. En su trabajo no aparecen los temas artísticos tradicionales del país, pero sí descubrió una cultura embebida[19] en la magia y en lo sobrenatural y un público interesado en el arte fantástico de su herencia indígena.

---

[4] **suspendida** *split, torn apart*   [5] **amalgamar** = combinar, mezclar   [6] **lo sacro** *sacred, divine*   [7] **se inició** = empezó   [8] **esperanto** = lengua inventada en 1887 por el médico ruso Zamenhof, como un intento de lengua universal   [9] **Bordando... terrestre** *Embroidering the Cloak of the Earth*   [10] **Se... fuga** = Huyó   [11] **Se rodeó** *She surrounded herself*   [12] **estación** *stage of a journey*   [13] **escapatoria** = escape   [14] **zarpar** *to set sail* [15] **se aventuraba** *dared to go*   [16] **barrio** *neighborhood*   [17] **jornadas** = aquí, viajes   [18] **almendrados** *almond-shaped*   [19] **embebida** *immersed*

Si bien Varo no se consideró a sí misma surrealista, el surrealismo y su obra
45 comparten muchas cualidades: la iconografía fantástica, la ilusión de los sentidos, el
humor, la yuxtaposición de los objetos ordinarios para lograr efectos sorpren-
dentes. Los surrealistas gozaban liberando la imaginación y dando rienda suelta[20] a
las imágenes de los sueños. Esperaban liberar el inconsciente y lo irracional de las
constricciones impuestas por el pensamiento consciente. Pero al retomar la pin-
50 tura en México, Varo se esforzó[21] en refrenar sus impulsos inconscientes y sujetarlos[22] a su voluntad consciente. Al forjar[23] su estilo personal rechazó cualquier
medio artístico que no le permitiera un poder absoluto.

Su técnica pictórica se volvió meticulosa hasta el punto de la obsesión. Durante
la ejecución de la obra se secuestraba a sí misma en el estudio siete u ocho horas
55 diarias por más de un mes mientras aplicaba diminutas pinceladas de óleo[24] con
gran cuidado. Sus amigos y conocidos la describen como una mujer de gran sensibilidad y encanto,[25] inteligente, culta, refinada y de buen carácter, pero también
por períodos nerviosa, miedosa, morosa. En estos períodos se volvía intensamente introspectiva, se retiraba a su estudio y no veía a nadie.

60 La mayor causa de sufrimiento fue su intensa soledad, una soledad espiritual
debida a que se consideraba a sí misma ocupando un plano diferente al de las personas que la rodeaban. La única persona a quien parece haber considerado como
su igual fue a la pintora británica Leonora Carrington también exiliada en México.

Conforme[26] envejecía sus cambios de humor se hicieron más extremos. Sin
65 embargo, aún cuando se desesperaba más en el mundo apartado y filosófico de su
pintura, se aprecian indicios de una reconciliación entre sus conflictivos impulsos
míticos y materiales. Se fue obsesionando con la enfermedad y la muerte casi al
punto de la parálisis. Rechazó la sugerencia de que consultara a un psicoanalista
sobre su depresión. En el otoño de 1963 le confió a un íntimo amigo que ya no
70 tenía deseos de seguir viviendo. Un mes más tarde un ataque al corazón, consecuencia de una excesiva tensión y la adicción a los cigarrillos, satisfizo su deseo.

Naturaleza muerta resucitando[27] resultó ser su última obra terminada. Curio-
samente, tras una vida de autorretratos, el lienzo final de Varo es su única obra
mayor que no contiene una figura humana. Es como si hubiera visto su propia vida
75 terminando y sólo la pudiese continuar en un plano superior, transmutando la
carne en espíritu, la masa en energía pura. Así, *Naturaleza muerta resucitando* resulta, después de todo, ser un autorretrato. No se puede ver a Varo y sin embargo
sigue presente, como la radiación cósmica de fondo,[28] mucho después de que la
sustancia se ha desvanecido.[29]

---

[20] **dando... suelta** *indulging freely, without restraint*   [21] **se esforzó** *struggled*   [22] **sujetarlos** *subject them*
[23] **Al forjar** *On forging*   [24] **óleo** *oils*   [25] **encanto** *charm*   [26] **Conforme** = Mientras   [27] **Naturaleza...**
Naturaleza muerta, o bodegón, es un cuadro que representa animales muertos o cosas inanimadas. El título
del cuadro significaría literalmente *Still Life Resurrecting.*   [28] **radiación... fondo** *cosmic background radiation*
[29] **desvanecido** *vanished*

Naturaleza muerta resucitando

Vampiros vegetarianos

¿Entendido?

Indica si las oraciones siguientes son verdaderas o falsas. Corrige las que sean falsas.

1. _____ Remedios Varo se fue a México porque no le gustaba el convento donde estudiaba.

2. _____ Su obra pertenece a la escuela pictórica del surrealismo.

3. _____ Sus padres tenían ideas opuestas sobre la religión.

4. _____ Además de la pintura, a Varo le interesaban la horticultura y los lepidópteros *(insectos)*.

5. _____ En México la pintora española se hizo muy amiga de Leonora Carrington. Viajaban juntas a todas partes.

6. _____ En el cuadro *Bordando el manto terrestre* podemos ver cómo era la vida de Varo en la Ciudad de México.

7. _____ Un tema frecuente en su obra pictórica son los viajes intergalácticos.

8. _____ En oposición a los principios surrealistas, Varo pensaba que el arte debía estar sujeto a la voluntad *(will)* de su creador/a.

En mi opinión

Con dos compañeros/as, discutan los temas siguientes.

1. Durante muchos años se dijo que no existían mujeres pintoras y eso, hoy día, sabemos que no es cierto. ¿Por qué no se ha incluido a las mujeres en los libros de arte? ¿Creen Uds. que la calidad de su obra no es comparable a la de los hombres? ¿A cuántas pintoras conocen Uds.? ¿Sabían que existía un libro con obras de más de cien pintoras? ¿Y que en todo el Museo del Prado sólo hay expuesto un cuadro de una pintora?

2. ¿Ofrecen las mujeres pintoras, escritoras, cinematógrafas, etc. una perspectiva diferente a la de los hombres? ¿Qué temas aparecen con frecuencia en la obra de las mujeres? ¿Y en la de los hombres? ¿Se puede deducir el sexo/género de un/a artista observando sus obras?

3. ¿Son relevantes o no en la obra de un/a artista sus experiencias personales? ¿Qué hace falta saber de un/a pintor/a para entender mejor su obra? ¿Sus ideas políticas? ¿Si estaba casado/a o no? ¿Si era de clase alta o baja? ¿A qué edad empezó a pintar?

4. ¿Qué saben Uds. de la pintura en general? ¿Y del surrealismo en particular? ¿Han oído hablar del muralismo mexicano? ¿De Diego Rivera, David Alfaro Siqueiros (pág. 213) y José Clemente Orozco?

5. ¿Les gustan los museos o los detestan? ¿Cuándo estuvieron por última vez en uno? ¿Cuál es su favorito? ¿Dónde se encuentra? ¿Qué diferencia hay entre una galería de arte y un museo?

6. Si tuvieran la oportunidad de tener cualquier cuadro en su casa, ¿cuál sería? ¿Por qué? ¿Les parecen exorbitantes los precios que pagan algunos/as coleccionistas por ciertos cuadros? ¿Qué elementos (temáticos, técnicos...) diferencian a los/las grandes artistas de los/las que son solamente buenos/as?

7. ¿Qué función tiene el arte en su vida? ¿Son Uds. personas artísticas? ¿Son talentosos/as con las manos? ¿Qué posters tienen en las paredes de su cuarto?

8. El humor no es un elemento ausente en la pintura. ¿Conocen algunos ejemplos?

9. Comenten los cuadros de Remedios Varo que aparecen en esta lección.

Estrategias comunicativas para describir un cuadro

El pintor/La pintora ha representado aquí... *The painter has depicted here . . .*	**Uno de los objetivos del/de la pintor/a es...** *One of the painter's goals is . . .*
Las figuras humanas que ha pintado simbolizan/expresan/muestran... *The human forms that he/she has painted symbolize/express/show . . .*	**Los colores que predominan son primarios/ secundarios/fríos/cálidos/claros/oscuros...** *The predominant colors are primary/ secondary/cold/warm/light/dark . . .*
Este retrato/paisaje fue realizado con pinceladas cortas/largas/enérgicas/delicadas... *This portrait/landscape was executed with short/long/energetic/delicate brushstrokes . . .*	**Su obra pertenece al movimiento surrealista/expresionista/cubista...** *His/Her work belongs to the surrealist/ expressionist/cubist . . . movement.*

En (inter)acción

1. **Un día en el museo.** En grupos de cuatro o cinco, los estudiantes se pasean por el salón de clase que hoy se ha convertido en museo. Hay posters, libros de arte, reproducciones en periódicos o en calendarios, fotografías o bien postales. En cada grupo uno/a de los/las estudiantes se encargará de describir/explicar uno de los cuadros pintados que hoy están expuestos en clase por Remedios Varo o por cualquier pintor/a hispano/a. Empleen algunas de las expresiones de **Estrategias comunicativas.**

2. **¡Esto no es arte!** La clase se divide en dos grupos; uno va a defender una visión conservadora del arte y el otro una visión progresista. He aquí algunas de las cuestiones que pueden debatir.

   a. Cualquier persona puede pintar arte abstracto porque no hace falta pintar bien.

   b. Los desnudos masculinos y femeninos (por ejemplo, *Las señoritas de Avignon* de Picasso) deberían estar prohibidos en el arte.

   c. Los niños no deberían ir a los museos. Algunas obras (por ejemplo, *Saturno devorando a sus hijos* de Goya) pueden herir su sensibilidad.

Yo lo titularía...

3. **Una reunión ejecutiva de la Fundación Nacional para las Artes** *(NEA).* Uds. son los directivos de esta fundación y tienen que subvencionar con dinero federal —es decir, de los contribuyentes *(taxpayers)*— uno de los proyectos presentados, por ejemplo, por Mapplethorpe, por Andrés Serrano, por los chicanos en California, por Xristo... En grupos de cuatro estudiantes, decidan a cuál de ellos les darían la ayuda solicitada. Pueden añadir otros nombres a la lista.

Práctica gramatical

Repaso
gramatical:
La posición de los
adjetivos
(segundo repaso)
(*Cuaderno*, pág. 75)
Los tiempos
progresivos
(segundo repaso)
(*Cuaderno*, pág. 76)

1. En grupos, busquen en la lectura anterior quince adjetivos y expliquen su posición. ¿Qué porcentaje de estos adjetivos van antepuestos y pospuestos a los sustantivos?

2. En parejas, den adjetivos que limiten o describan los sustantivos siguientes.

crisis	muebles
técnica	intelectuales
costumbres	cursos
herencia	viajes
revista	comentarios
arte	consecuencias

3. **Excusas bobas.** Con un/a compañero/a, mantengan una conversación telefónica en la cual uno/a le pide un favor al/a la otro/a y éste/a se excusa diciendo que en ese momento está haciendo algo. Empleen la forma progresiva.

Ejemplo: —Ana, ¿te importa pasar por el supermercado y comprarme unos dulces?
—Rosendo, lo siento mucho. Estoy pintándome las uñas de los pies *(toenails)* y no puedo.

Creación

Elige un cuadro de tu pintor/a favorito/a y descríbelo. Comenta no sólo las figuras, colores o paisaje, sino también el estado emocional y mental que produce su contemplación. Incluye información sobre la vida del/de la pintor/a y la escuela pictórica a la que pertenece. Busca esta información en la biblioteca o en Internet.

Phrases:	*Comparing & contrasting; Making transitions*
Grammar:	*Possessives; Comparisons; Adjectives: agreement & position*
Vocabulary:	*Materials; Personality; Colors*

CAPITULO 12

Decisiones

http://aquesi.heinle.com

La vuelta a casa

Caitlin Bird Francke

Desde los años 30 El Salvador ha vivido en constante terror. Los regímenes dictatoriales se han sucedido unos a otros y las violaciones de los derechos humanos han sido frecuentes. En los años 80 miles de mujeres salvadoreñas se unieron a grupos guerrilleros para luchar contra la opresión del gobierno militar presidido por José Napoleón Duarte. Algunas de ellas llegaron a tener un papel destacado dentro de las guerrillas.

En 1993 la periodista norteamericana, Caitlin Bird Francke, fue a entrevistar a varias guerrilleras salvadoreñas. Su intención era averiguar qué planes tenían para el futuro estas mujeres que habían participado en un conflicto bélico.

▶ Palabra por palabra

el **ama de casa** (fem.)	*housewife*
decepcionar	*to disappoint*
enfrentarse a/con	*to face, confront, deal with*
el **fracaso**	*failure*
la **guerra**	*war*
orgulloso/a	*proud*
por mi (tu, su...) cuenta	*on my (your, his/her . . .) own*
seguro/a de mí (ti, sí...) mismo/a	*self-confident*
la **visión**	*view, perspective*

▶ Mejor dicho

parecer	*to seem, look*	**Parecía** que íbamos a ganar.
aparecer	*to appear, show up*	¿Cuándo va a **aparecer** el anestesista?
parecerse a	*to look like, resemble*	No sé **a** quién **me parezco.** Y tú, ¿lo sabes?

retirar	*to withdraw, take away*	Anda, **retira** los libros de la mesa para que podamos limpiarla un poco.
retirarse	*to retreat*	Finalmente los enemigos **se retiraron** del pueblo.
jubilarse	*to retire from work*	Yo no quiero **jubilarme** hasta los 80 años.

Práctica

1. En parejas, digan a qué palabra del vocabulario corresponden los sinónimos o antónimos siguientes.

   el éxito
   humilde
   inseguro/a
   solo/a
   la vanidad
   desilusionar
   con otros/as
   la arrogancia
   evitar
   huir

2. Su compañero/a y Ud. llevan un día terrible. Inventen anécdotas o situaciones en las que se han sentido:

   a. decepcionados/as

   b. fracasados/as

   c. humillados/as

3. **Separados al nacer.** Busquen en la clase parecidos entre sus compañeros/as y gente conocida. Utilicen el verbo **parecerse a.**

4. Algunos/as artistas se retiran a las montañas para trabajar mejor. ¿A dónde se retirarían Uds. si quisieran

   a. componer una canción?

   b. terminar una tesis doctoral?

   c. escribir una novela policíaca?

   d. diseñar una autopista?

Alto

1. Busque en la lectura diez cognados referentes al mundo militar.

   _____   _____

   _____   _____

   _____   _____

   _____   _____

   _____   _____

2. En el mapa de Centroamérica, página xxii, localice los nombres geográficos mencionados en la lectura.

3. ¿El término "guerrillero/a" tiene connotaciones negativas o positivas para Ud.? ¿Qué imágenes o ideas asocia con esta palabra? ¿Por qué?

4. ¿Sabe ya lo que quiere hacer/ser en el futuro? ¿Es lo mismo que cuando era pequeño/a?

5. ¿En qué circunstancias se alistaría en el ejército o tomaría las armas? ¿Qué causas considera justas? ¿Cuáles no?

6. ¿Qué le sugiere la ilustración siguiente?

La vuelta a casa

Caitlin Bird Francke

He venido a ver a una mujer conocida con el nombre de guerra de Alta Gracia. Es una de las pocas mujeres con una posición importante en la guerrilla de El Salvador, el Frente Farabundo Martí para la Liberación Nacional (FMLN). Cuando tenía 18 años, en 1978, el alto mando de una de las facciones del FMLN la eligió
5 para que hiciera un entrenamiento militar en Cuba. De allí, la mandaron a Nicaragua a luchar junto con los sandinistas.[1] Armada con un lanzamisiles, Alta Gracia guió a sus tropas hasta la frontera con Costa Rica y defendió satisfactoriamente la zona de operaciones que le habían asignado en el sur de Nicaragua contra la Guardia Nacional de Somoza. Cuando volvió a El Salvador, la pusieron al
10 frente de uno de los batallones más grandes de la historia del FMLN. Partidaria[2] de una disciplina férrea,[3] les decía ella a menudo a sus tropas, "Cuanto más sudor[4] haya en el entrenamiento, menos sangre habrá en el campo de batalla".

Los 12 amargos años de guerra civil en El Salvador terminaron en 1992, después de dos años de negociaciones para alcanzar un acuerdo de paz.[5] En la actua-
15 lidad, el FMLN es un partido político más. Tanto Alta Gracia como sus 2.500 hermanas de armas se enfrentan ahora con la vuelta a la vida civil. La guerra ha agravado[6] las dificultades económicas de las mujeres de este país centroamericano. Según nos informan grupos feministas salvadoreños, el 55 por ciento de las mujeres son madres solteras, viudas o han sido abandonadas. Más del 50 por
20 ciento son maltratadas[7] regularmente por sus compañeros y muchas viven en extrema pobreza. Todas son víctimas de la actitud machista que persiste en la sociedad salvadoreña.

Yo soy feminista e hija de feminista, y me enseñaron que las mujeres deben luchar por su propia independencia e identidad. Por lo tanto he llegado a la con-
25 clusión de que Alta Gracia y las otras guerrilleras salvadoreñas son heroínas. Con sus uniformes de camuflaje, con sus armas automáticas, van y vienen por el campamento seguras de sí mismas y con un entendimiento del poder que les falta a sus hermanas civiles. Me imagino yo que después de la guerra aspirarán a ser doctoras, abogadas e incluso presidentas.
30 A medida que[8] Alta Gracia se acerca a mí, me doy cuenta de que la transición no va a ser como yo esperaba. Alta Gracia está embarazada de siete meses. De la guerra a la paz y de comandante a madre, Alta Gracia ha sustituido el uniforme de faena[9] por un traje de premamá y sus botas de combate por Wallabees y

---

[1] **sandinistas** = partidarios de Sandino, líder revolucionario nicaragüense   [2] **Partidaria** = A favor de
[3] **férrea** = muy estricta   [4] **Cuanto más sudor** *The more sweat there is*   [5] **acuerdo de paz** *peace accord*
[6] **agravado** *worsened*   [7] **maltratadas** *abused*   [8] **A medida que** = Mientras   [9] **uniforme de faena** *fatigues*

calcetines[10] azul claro. La imagen que yo tenía de la tenaz Alta Gracia presentán-

35 dose de candidata para un cargo político se tambaleó[11] cuando me dijo "lo primero que tengo que hacer es buscar un lugar donde vivir. Supongo que tendré que pasar un tiempo de ama de casa."

Ama de casa. Soltera. Criando a sus hijos por su cuenta. Sembrando frijoles y maíz.[12] Barriendo el suelo de barro[13] de la casa. Haciendo tortillas tres veces al

40 día. "Me gustaría combinarlo con algo más, pero no sé qué todavía", me dice.

Aferrada[14] a mi visión idealista, busqué a otra guerrillera más joven que tuviera una visión distinta del futuro. Encontré a Beatriz, de 17 años, miembro de las fuerzas especiales del FMLN. Ella me cuenta orgullosa que ha logrado escalar una pared más rápido que ninguno de los hombres. Sonríe con entusiasmo cuando le

45 pregunto sobre su futuro. "Siempre he querido ser esteticista",[15] me responde.

Mis heroínas me han decepcionado. Debido a mi frustración, me pongo a culpar a estas mujeres por no ser bastante ambiciosas. Pero de regreso a San Salvador, me doy cuenta de la presencia constante de mujeres y niños al lado de la carretera recogiendo leña[16] y con jarras de agua en la cabeza. Y entonces empiezo

50 a comprender que las mujeres no se unieron a las guerrillas por creer en Marx o Lenin. Tampoco lucharon para poder ser doctoras o abogadas. Algunas lucharon para vengar la muerte de sus seres queridos y otras se armaron para poder protegerse. La mayoría luchó con la esperanza de una vida mejor para su familia.

De hecho, más allá de un lugar tradicional en la casa, hay muy poco a lo que

55 pueden aspirar las mujeres que han recibido un entrenamiento militar. ¿Cuántas telegrafistas o lanzadoras de morteros puede absorber una fuerza de trabajo cuyo índice de desempleo es el 50 por ciento? Como sólo ha estudiado hasta el tercer grado, Alta Gracia no puede ni siquiera incorporarse a la nueva policía, mucho menos llegar a ser doctora o abogada. Había confundido yo el poder de llevar ar-

60 mas con el poder de tomar decisiones. Mi feminismo y mis criterios surgieron en una realidad socioeconómica muy diferente. Lo que les importa ahora a las antiguas combatientes no es la política sexual, sino la oportunidad de recuperar, después de tantos años de guerra, el tiempo perdido con sus familias.

Estas mujeres aún son mis heroínas. Puede que les lleve bastante tiempo ser

65 doctoras o abogadas, pero hay que reconocer que han sembrado en El Salvador las semillas[17] del cambio. "Sin la revolución mi vida habría sido un fracaso" afirma Alta Gracia. "Habría tenido hijos y nada más. Me siento muy orgullosa de haber participado en la guerra, en lugar de vivir una vida pasiva." Para Alta Gracia, y otras mujeres como ella, el primer triunfo es haber sobrevivido la guerra. En la

70 paz, el jardín crecerá a su ritmo, no al mío.

---

[10] **calcetines** *socks* [11] **se tambaleó** *collapsed* [12] **frijoles y maíz** *beans and corn* [13] **barro** *mud*

[14] **Aferrada** *Firm in* [15] **esteticista** *beautician* [16] **leña** *firewood* [17] **semillas** *seeds*

¿Entendido?

Identifique los términos siguientes según el contenido de la lectura.

1. Alta Gracia
2. El Salvador 1980–1992
3. FMLN
4. Abogadas, doctoras, presidentas
5. Traje de premamá
6. Esteticista
7. Más del 50% maltratadas
8. Pobreza

En mi opinión

En grupos de cuatro estudiantes, discutan los temas siguientes.

1. ¿Son estos grupos sobre los que han leído similares a las llamadas milicias que han surgido en Estados Unidos? Comenten. ¿Son grupos patriotas o no? Expliquen.

2. ¿Es una contradicción que una mujer que da la vida se dedique a quitarla también? ¿Por qué se habla de la "madre patria"? ¿Por qué se la ve como una mujer? ¿Conocen a diosas *(goddesses)* guerreras de la mitología clásica, azteca, etc.?

3. ¿Están Uds. de acuerdo con que las mujeres no participen en los combates? ¿O que ciertas academias militares no permitan la entrada a las mujeres? Expliquen su posición.

4. Mencionen algo que Uds. pueden hacer y que creen que no podría hacer una persona del otro sexo.

5. Ha habido mujeres como Rosa Parks que no han tenido que recurrir a las armas para tener impacto social y político. ¿Creen que son necesarias la fuerza y la violencia?

6. ¿Están listos los Estados Unidos para tener una presidenta como hay en otros países? ¿Saben en qué países hay o ha habido presidentas?

7. Hasta ahora, ¿cuál ha sido una decisión importante en su vida? Expliquen la situación, las opciones que tenían y su decisión final. Por último, ¿están contentos/as con el resultado o creen que se equivocaron?

Estructuras comunicativas para ordenar algo de distintas maneras

En español, como en inglés, podemos pedir u ordenar algo con autoridad y firmeza o con cortesía. Para dar una orden de modo directo, utilizamos las formas verbales de los mandatos. Si queremos suavizar nuestra petición, utilizamos otras expresiones.

Abra la puerta. *Open the door.*	**Por favor, ¿puede/podría abrir la puerta?** *Could you open the door, please?*
No me llames más. *Don't call me anymore.*	**Te agradecería que no me llamaras más.** *I would appreciate it if you did not call me anymore.*
Dame una aspirina. *Give me an aspirin.*	**Quisiera una aspirina.** *I would like (to have) an aspirin.*
Vámonos. *Let's go.*	**No me importaría que nos fuéramos ahora mismo.** *I would not mind if we left right now.*

En (inter)acción

1. En grupos de tres estudiantes, decidan primero si utilizarían mandatos o expresiones de cortesía en las situaciones que se mencionan a continuación. Luego, digan dos oraciones para cada situación.

   Ejemplo: comprando en una tienda utilizaría expresiones de cortesía
   —¿Puedo probarme estos pantalones?
   —¿Le importaría traerme una talla más grande?

   en un entrenamiento militar

   en una clase de danza

   en un restaurante

   en un banco

   en un quirófano (*operating room*)

   en un taxi

   en casa con su perro

   en la calle dando direcciones a alguien que está perdido

2. **Máximas.** En grupos, compongan máximas o proverbios como el de Alta Gracia —"Cuanto más sudor haya en el entrenamiento, menos sangre habrá en el campo de batalla"— pero para cualquier aspecto de la vida. Después preséntenlas delante de la clase.

   Ejemplo: —Más vale perder cinco minutos en la vida que la vida en cinco minutos.

   —Es mejor morir de pie que vivir de rodillas.

3. **Reclutamiento.** Tienen que organizar una expedición a la selva amazónica y éstos son los/las candidatos/as que se han presentado. Aunque presentan algún fallo, no tienen más remedio que escoger a tres de ellos/as. Con sus compañeros/as, decidan a quiénes elegirán para que los/las acompañen. Expliquen su decisión.

   a. Esmeralda no aguanta el color verde.
   b. Perico tiene con frecuencia alucinaciones.
   c. Felicidad se marea si ve sangre.
   d. A Adrián le dan miedo las serpientes.
   e. Horacio no tiene sentido de la orientación.
   f. Diego sufre de vértigo.
   g. Eustaquio está sordo.
   h. Dolores se cansa en seguida.
   i. Neli no sabe nadar.
   j. Miguel es alérgico a casi todo.

4. **Test de personalidad.** La clase se divide en cuatro grupos y cada grupo elige una profesión (bombero/a, farmacéutico/a, ventrílocuo/a, exorcista, locutor/a de radio, etc.) diferente. Cada grupo escribe cinco preguntas que harían a una persona para saber si está capacitada o motivada para esa profesión. Una vez que tengan las preguntas, los miembros de un grupo hacen el test a los/las compañeros/as de otro grupo sin decirles de qué profesión se trata hasta que hayan terminado. Al final, comenten los resultados.

   a. ¿Te dan miedo las alturas?
   b. ¿Tienes buen equilibrio?
   c. ¿Te gustan los riesgos?
   d. ¿Puedes concentrarte *(focus)* durante mucho tiempo?
   e. ¿Te importaría que tu público fuera infantil?

   Ejemplo: profesión—equilibrista *(tightrope walker)*

5. Con un/a compañero/a recreen la entrevista de Caitlin Bird Francke con Alta Gracia. Un/a estudiante hace el papel de la periodista y el/la otro/a de la guerrillera.

6. **La rebelión de los electrodomésticos de Alaska y los Pegamoides.** Alaska es una de las cantantes más representativas de un movimiento contracultural surgido a finales de los años 70 en España y conocido como "la movida". Los grupos de su generación han contribuido tremendamente a la renovación del panorama musical español.

   La canción "La rebelión de los electrodomésticos" nos presenta una rebelión muy especial: la de los aparatos de cocina contra una ama de casa.

La rebelión de los electrodomésticos

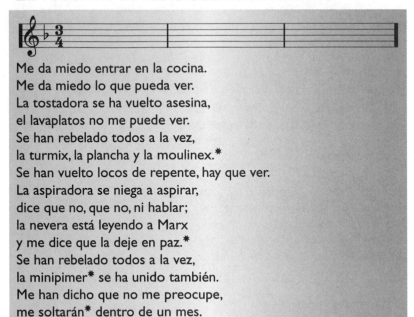

Me da miedo entrar en la cocina.
Me da miedo lo que pueda ver.
La tostadora se ha vuelto asesina,
el lavaplatos no me puede ver.
Se han rebelado todos a la vez,
la turmix, la plancha y la moulinex.*   aparatos de cocina
Se han vuelto locos de repente, hay que ver.
La aspiradora se niega a aspirar,
dice que no, que no, ni hablar;
la nevera está leyendo a Marx
y me dice que la deje en paz.*   *to leave her alone*
Se han rebelado todos a la vez,
la minipimer* se ha unido también.   aparato de cocina
Me han dicho que no me preocupe,
me soltarán* dentro de un mes.   dejarán libre

Práctica gramatical

Repaso
gramatical:
El imperativo
(segundo repaso)
(*Cuaderno*, pág. 77)
Los usos del verbo
hacer
(*Cuaderno*, pág. 77)

1. Con toda la clase, denles órdenes a sus compañeros/as. Los/Las estudiantes tienen que hacer lo que se les ordene. Utilicen los mandatos afirmativos y negativos de **tú.**

Ejemplo: David, levántate y sal de la clase.

2. Un/a paciente acaba de salir de un coma profundo y quiere enterarse de todo lo que ha ocurrido en el mundo mientras tanto *(meanwhile)*. Un/a estudiante hace el papel del/de la enfermo/a y el/la otro/a del médico. Usen las expresiones temporales con **hace** y la imaginación.

Ejemplo: —Doctor, ¿cuánto tiempo hace que estoy aquí?
　　　　　—Pues si no recuerdo mal, hace unos veinte años que te trajeron al hospital.

3. En grupos, asocien estas prendas de vestir, lugares, meses y estaciones con una de las expresiones de **hace** que indican condiciones atmosféricas.

Ejemplo: En un volcán en erupción... hace muchísimo calor.

traje de baño
sandalias
botas de nieve
pantalones cortos

Siberia
Chicago
Miami
Texas

desierto
playa
montañas
bosque

agosto
diciembre
marzo
otoño

4. En parejas, decidan el trabajo doméstico que debería realizar cada uno/a si vivieran juntos. Discutan, entre otras cosas, quién debe hacerlo, con qué frecuencia, cómo, dónde, etc.

Ejemplo: Yo no quiero hacer las camas todos los días, ¿y tú?

hacer las camas	sacar la basura
pagar las cuentas	hacer la compra
hacer la cena	hacer una limpieza general

Creación

En la conocida comedia de Aristófanes titulada *Lisístrata,* las mujeres se negaron a acostarse con sus maridos hasta que hubiera paz. Invente una estrategia semejante para acabar con una guerra, un conflicto, una pelea, una riña. Escriba por lo menos dos párrafos.

Phrases:	*Weighing alternatives; Linking ideas; Apologizing*
Grammar:	*Verbs: if clauses; Verbs: subjunctive with* ojalá/que; *Adverbs ending in* -mente
Vocabulary:	*Traveling; Working conditions; Professions*

La brecha

Mercedes Valdivieso

Mercedes Valdivieso consiguió un éxito rotundo con su novela *La brecha* (1960, traducida como *The Breakthrough)*. En ella, la escritora chilena nos presenta a una mujer, poco convencional para su época, que decide romper con algunos de los papeles tradicionales que le ha asignado la sociedad.

El texto seleccionado corresponde a las primeras páginas de la novela y, en ellas, la protagonista nos habla de su matrimonio y del nacimiento de su primer hijo. Después de dar a luz, la narradora decide no tener más hijos. Esta decisión va en contra de la posición de la Iglesia católica respecto al uso de los métodos anticonceptivos. Ya que en la Biblia Dios dice "creced y multiplicaos", los católicos no pueden recurrir a ninguno de estos métodos; de lo contrario, cometen un pecado mortal y cuando mueran irán directamente al infierno *(hell)*.

► Palabra por palabra

arreglarse	*to manage, fix oneself up*
así	*thus, like this/that*
dar a luz/parir	*to give birth (to)*
la **luna de miel**	*honeymoon*
más vale... que	*it is better . . . than*
la **mayoría (de)**	*most of, majority*
el **pañal**	*diaper*
el **parto**	*childbirth*
por lo tanto	*therefore*
el **refugio**	*shelter*
el **riesgo**	*risk*

► Mejor dicho

embarazada	*pregnant*	Bárbara estaba **embarazada** de siete meses cuando la conocí.
embarazoso/a	*embarrassing (with situations)*	A mí sus preguntas me resultaron **embarazosas.**
avergonzado/a	*ashamed, embarrassed*	Se sienten **avergonzados** de su cobardía.
vergonzoso/a	*shy (with people)*	Diana no habla en público porque es muy **vergonzosa.**
	shameful, indecent (with things or situations)	¿No te parece **vergonzoso** cómo nos tratan?

| entonces | *right then, at that time* | Terminó el examen y **entonces** se acordó de la respuesta. |
| luego, después | *next, then, later* | Vivimos dos años en Montevideo y **luego/ después** tres años en Ayacucho. |

¡Vivan los novios!

Práctica

En parejas, contesten las preguntas siguientes. Presten atención a las palabras del vocabulario.

1. ¿Cuántos años usan los niños pañales? ¿Qué tipos de pañales hay? ¿Por qué los hay azules y rosas? ¿Por qué les preocupan a los ecologistas los pañales?

2. Mencionen dos riesgos que corre un/a niño/a estando en casa, en la escuela, en el parque. ¿Y los jóvenes? ¿Qué es lo más arriesgado que ha hecho Ud. jamás?

3. ¿Es posible en los Estados Unidos dar a luz en casa? ¿Es mejor ir a un hospital? ¿Por qué? ¿Qué tópicos *(clichés)* presentan los programas de televisión cuando una mujer va a dar a luz o bien está embarazada?

4. ¿Cuántas horas suele durar un parto? ¿Son todos los partos iguales? ¿Qué es "una cesárea"? ¿Qué hace el marido o compañero/a mientras la mujer da a luz?

5. A continuación tienen una lista de situaciones embarazosas. Añadan cinco más y luego pónganlas en orden de importancia.

 a. Romper algo muy valioso en casa de alguien.
 b. Confundirse de nombre al hablar con alguien.
 c. Tener comida entre los dientes.
 d. Tropezar y caerse en la calle.

6. Digan dos oraciones con el adverbio **entonces** y otras dos con **luego** o **después** mostrando la diferencia de significado que tienen en español.

1. Lee el primer párrafo de la lectura prestando atención a las formas verbales. ¿En qué persona están y en qué tiempo? ¿Qué puedes concluir sobre esto? ¿Puedes anticipar algo sobre lo que vas a leer?

2. Menciona tres ritos o prácticas ligadas *(linked)* a una determinada religión.

 Ejemplo: el bautismo, la confirmación, la confesión = el catolicismo

 a. _____ b. _____ c. _____ = _____

3. ¿Ha cambiado la imagen de la mujer como madre en los últimos tiempos? ¿Por qué no es ya como antes? ¿Es lamentable o positivo este cambio? ¿Ha cambiado también la imagen del hombre como padre?

4. ¿Es un/a hijo/a siempre motivo de alegría? ¿En qué situaciones no lo sería?

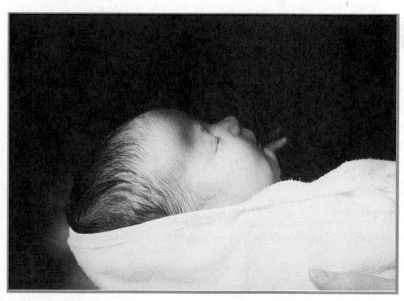

Después de la nana *(lullaby)*...

La brecha

Mercedes Valdivieso

Me casé como todo el mundo se casa. Antes de los veinticinco años debía adquirir un hombre que velara por mí,[1] me vistiera, fuera ambicioso y del que se esperara, al cabo de cierto tiempo, una buena posición: la mejor posible.

Todo el mundo estaba de acuerdo en que un marido era absolutamente indis-
5 pensable. Yo tenía diecinueve años, voluntad firme, pasión, belleza, un físico ex-
huberante, de una gran sensualidad.

Mamá pesaba con autoridad sobre mis arrebatos[2] de libertad, limitándola con firmeza. [Yo] me defendía furiosamente. Los veintiún años me parecían tan lejanos como la luna. Comencé, entonces, a pensar en solucionar el problema.

10 Un día, acompañando a su prima, llegó Gastón, todo un joven y promisorio[3] abogado. Sabía por mi amiga que había obtenido durante todos sus años de universidad las calificaciones más altas. Me miró como deben abrirse los ojos en la luna: atónito.[4] Desde ese momento todo tenía que precipitarse porque la perspectiva de salir de casa me parecía de posibilidades ilimitadas. Bajé la cabeza,
15 me tiré por la ventana, sin pensar que junto a ella estaba la puerta por abrirse.

***

[Varios meses después de haberse casado con Gastón]

Una de aquellas deliciosas mañanas en que me quedaba sola, tuve las primeras náuseas. Revisé mentalmente los motivos y los atribuí, desesperadamente, a las bebidas de la noche anterior. Mi estómago lo rechazaba todo; la empleada se
20 asustó. Una hora después apareció mi madre, me tomó la temperatura, observó mi piel y se quedó luego pensativa[5] largo rato.

—Iremos al doctor.

Dentro de mí comenzaba a crecer una angustia desconocida, aterradora;[6] no quería pensar en nada que fuera más allá de un simple malestar[7] de estómago.
25 Todo pasó rápido. Preguntas van, respuestas se dan. Como en sueños oí que es-
peraba un hijo. No podía ser, si jamás lo había pensado. Esas cosas le sucedían al resto, ¿pero yo qué haría? ¿Y mi libertad? ¿Ese era el resultado de la luna de miel? Sentí un rencor hondo,[8] feroz, contra Gastón. Preferible no verlo hasta más tarde.

---

[1] **velara por mí** *would watch over me* [2] **arrebatos** *outbursts* [3] **promisorio** *promising* [4] **atónito** = muy sorprendido [5] **pensativa** *pensive* [6] **aterradora** *terrifying* [7] **malestar** *discomfort* [8] **hondo** *deep*

***

[Meses después en una clínica]

30   Largo paréntesis. Pero no hay plazo que no se cumpla[9]...

Me dolió, me desgarró,[10] me aplicaron calmantes.[11] Nació sano, hermoso. Lo vi al volver de la anestesia un par de horas después. El cansancio era muy grande para tener manifestaciones de alegría. Y estaba contenta. Libre otra vez; al menos sola con mi propio cuerpo. Respiré hondo. Esa noche pedí a la enfermera que lo

35 acercara. Tan chiquito, tan desamparado,[12] arrancado[13] de su primer refugio: de la carne al pañal, a horarios, a voces incoherentes. Lloraba, parecía aterrado.

     —¡No lo coja,[14] señora; desde que nacen hay que disciplinarlos!

     (¡Dios, qué flaco favor[15] le había hecho; empezaba la lucha contra él!)

     Desoí[16] sus consejos y lo levanté. Su aliento agitado, sus manitas crispadas[17] en

40 el aire pedían socorro.[18] Ahora yo era dos. Puse mi cara junto a la suya, rosada, tibia,[19] y se fue calmando. Sentí piedad, una ternura inmensa y desconocida.

     —Bueno, chiquitito, ya nos arreglaremos, ya nos arreglaremos.

     Afuera la noche de septiembre, limpia, fresca. Oía los coches correr por la Costanera. Quise ir en uno de ellos velozmente hacia la cordillera[20] acompañada

45 de la risa fuerte y alegre de un hombre.

     El departamento[21] que ocupaba, grande y lujoso, más parecía un hotel que una clínica, pero era una clínica. Apreté las manos contra mi vientre[22] sobre las sábanas: "Nunca más. Haré lo necesario para impedir que esto se vuelva a repetir. Nunca más."

50   —Los hijos son la corona[23] de las madres, evitarlos es un pecado. Más vale llegar pronto al cielo[24] que más tarde al infierno.[25]

     Así decía mi suegra, que pesaba mucho[26] en la conciencia de Gastón. Este consideraría, por lo tanto, entre las terribles consecuencias futuras de mi decisión, la posibilidad de la condenación[27] eterna. Porque abstenerse ciertos días, la mayoría,

55 para no correr riesgos ni pecar,[28] era demasiado duro a los veinticinco años.

---

[9] **no hay... cumpla** *everything comes to an end*   [10] **me desgarró** *ripped me*   [11] **calmantes** *painkillers*
[12] **desamparado** = sin ayuda   [13] **arrancado** *yanked out*   [14] **No lo coja** *Do not pick him up*   [15] **flaco favor**
bad deal   [16] **Desoí** = Ignoré   [17] **crispadas** *clenched*   [18] **socorro** = ayuda   [19] **tibia** *warm*   [20] **cordillera** =
montañas   [21] **departamento** = cuarto   [22] **vientre** *belly*   [23] **corona** *crown*   [24] **cielo** *heaven*   [25] **infierno**
hell   [26] **pesaba mucho** = fig. tenía mucha influencia   [27] **condenación** *damnation*   [28] **pecar** *to sin*

¿Entendido?

Explique en sus propias palabras lo que la protagonista quiere expresar cuando dice lo siguiente.

1. "... me tiré por la ventana, sin pensar que junto a ella estaba la puerta por abrirse."
2. "¿Y mi libertad? ¿Ese era el resultado de la luna de miel?"
3. "... no hay plazo que no se cumpla."
4. "Libre otra vez; al menos sola con mi propio cuerpo."
5. "... arrancado de su primer refugio: de la carne al pañal."
6. "Ahora yo era dos."
7. "Nunca más."
8. "Los hijos son la corona de las madres, evitarlos es un pecado."
9. "... [Una de] las terribles consecuencias de mi decisión [sería] la condenación eterna."
10. "... abstenerse ciertos días."

En mi opinión

Con su compañero/a, hablen de los temas siguientes.

1. Comenten la diferencia entre la imagen tradicional de la maternidad y la presentada en el texto. ¿En qué son distintas la imagen ideal y la real?
2. ¿Tienen todas las mujeres instinto maternal? ¿Es la maternidad una construcción social o tiene una base biológica? ¿Todas las mujeres desean tener hijos? ¿Cómo se trata a las que no los quieren tener?
3. Mencionen tres características de una buena madre y tres de un buen padre. ¿Cuál debe ser el papel del padre y de la madre en la familia? ¿Cuál es el papel del padre y de la madre en la suya?
4. Si los miembros de una pareja ya no se quieren, ¿es preferible que se divorcien o que se queden juntos "por los niños"?
5. ¿Quién debe responsabilizarse de la contracepción: el hombre o la mujer? ¿Y si no están de acuerdo?
6. La religión que profesamos determina en gran parte nuestras creencias y prácticas cotidianas. Escriban tres cosas en las que creen o bien hacen que están motivadas por la religión. Si son Uds. ateos/as, mencionen tres principios éticos que siguen.

Estrategias comunicativas para felicitar a alguien

Felicidades.	*Congratulations.*	Con hechos que ocurren anual o periódicamente y que no implican un esfuerzo por parte de la persona; por ejemplo, el cumpleaños, aniversarios, etc.
Enhorabuena.	*Congratulations.*	Con hechos favorables que ocurren una o pocas veces en la vida e implican el esfuerzo o la suerte por parte de la persona: bodas, graduaciones, nacimientos, etc.
Te felicito.	*I congratulate you.*	Cuando se ha conseguido un premio, se ha hecho algo muy bien, etc.
Feliz Navidad.	*Merry Christmas.*	Con celebraciones específicas.
Felices Pascuas.	*Happy Easter.*	

En (inter)acción

1. Con sus compañeros/as, decidan qué expresión utilizarían para felicitar a las personas siguientes.

   a. A las jugadoras de un equipo de baloncesto que acaba de ganar la copa.
   b. A una amiga que acaba de tener un hijo.
   c. A un alumno que ha sacado la mejor nota en el examen de cálculo.
   d. A su padre por ser el Día del padre.
   e. A una montañista que subió a la cumbre del Everest.
   f. A su acompañante el día de Año Nuevo.
   g. A su vecina por haber recibido un ascenso en el trabajo.
   h. A su actor favorito por haber ganado un Oscar.
   i. A una conocida a quien le acaba de tocar la lotería.

2. Con un/a compañero/a, preparen el diálogo entre los esposos de *La brecha* cuando ella le dice que no quiere tener más hijos. Exploren con cuidado la reacción del marido. Preséntenlo delante de la clase. También pueden preparar otro diálogo en el que el esposo es el que no quiere tener más.

   Ejemplo: —Mira, cariño, como Cristobalito nos da tanto trabajo, he pensado que no deberíamos tener más hijos.
   —¿Y con quién va a jugar cuando sea mayor?
   —No te preocupes. Le compraremos un perro.

3. **Amor de madre.** Comenten con el mayor lujo de detalles las viñetas de esta tira cómica.

4. **Madre campesina de Sabiá.** Presten mucha atención a la letra de la canción siguiente. Luego, en grupos de tres estudiantes, preparen dos preguntas (sobre el contenido, el tema...) para hacer a sus compañeros/as.

Madre campesina

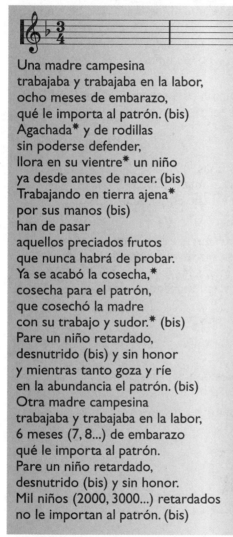

Una madre campesina
trabajaba y trabajaba en la labor,
ocho meses de embarazo,
qué le importa al patrón. (bis)
Agachada* y de rodillas
sin poderse defender,
llora en su vientre* un niño
ya desde antes de nacer. (bis)
Trabajando en tierra ajena*
por sus manos (bis)
han de pasar
aquellos preciados frutos
que nunca habrá de probar.
Ya se acabó la cosecha,*
cosecha para el patrón,
que cosechó la madre
con su trabajo y sudor.* (bis)
Pare un niño retardado,
desnutrido (bis) y sin honor
y mientras tanto goza y ríe
en la abundancia el patrón. (bis)
Otra madre campesina
trabajaba y trabajaba en la labor,
6 meses (7, 8...) de embarazo
qué le importa al patrón.
Pare un niño retardado,
desnutrido (bis) y sin honor.
Mil niños (2000, 3000...) retardados
no le importan al patrón. (bis)

bending over

womb

que pertenece a otra persona

harvest

sweat

5. Relacionen la canción de Sabiá con este mural de Juana Alicia, que se encuentra en San Francisco.

Las lechugueras

5. Discutan las siguientes afirmaciones en grupos o con toda la clase.

   a. Para que una mujer/un hombre se sienta realizado/a, debe tener por lo menos un/a hijo/a.
   b. Hay que educar a los niños y a las niñas de manera diferente.
   c. La figura paterna es fundamental en una familia.
   d. Una pareja homosexual que tiene o adopta un/a niño/a forma también una familia.
   e. El contratar a mujeres para tener el bebé de una pareja debería ser ilegal, porque esta práctica presupone que el cuerpo femenino es una fábrica de hacer niños.

6. Las tradiciones y costumbres que rigen la unión de dos personas van cambiando a lo largo del tiempo. En grupos, examinen los siguientes hechos de ayer y de hoy. Añadan otros que les gustaría comentar.

   En el pasado:

   a. Los padres elegían los maridos para sus hijas.
   b. La mujer debía aportar una dote *(dowry)* al matrimonio.
   c. El marido podía repudiar a su esposa si ésta no era virgen.

   Hoy día:

   a. En algunos países es legal el matrimonio entre parejas homosexuales.
   b. Después de los 18 años uno/a se puede casar sin autorización paterna.
   c. En algunos estados norteamericanos exigen a los contrayentes un análisis de sangre para ver si tienen SIDA u otras enfermedades transmitidas sexualmente.

Práctica gramatical

Repaso
gramatical:
Resumen de
los usos del
infinitivo
(*Cuaderno*, pág. 78)
Resumen de
los usos del
gerundio
(*Cuaderno*, pág. 79)

1. **En un hospital.** En parejas, usando la expresión **para + infinitivo,** indiquen los usos de estos objetos y productos.

   Ejemplo: Se usan las jeringuillas para poner inyecciones.

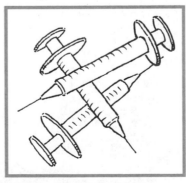

las jeringuillas

la ambulancia

el termómetro

la incubadora

las aspirinas

la silla de ruedas

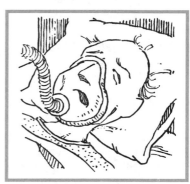

la máscara de oxígeno

2. Adivinanzas *(Riddles).* En grupos, describan a los miembros de la clase completando la expresión "se pasa el día" con un **gerundio.** Después digan las oraciones a la clase, sin mencionar el nombre de su compañero/a, para ver si saben a quién se refieren.

Ejemplo: —Se pasa el día quejándose.
—Ah, claro, es Susana.

Creación

Vuelva a escribir el texto de *La brecha* desde la perspectiva del marido, de la suegra o del bebé.

Phrases:	*Persuading; Self-reproach; Disapproving*
Grammar:	*Verbs: preterite & imperfect; Verbs: subjunctive; Verbs: if clauses* si
Vocabulary:	*Family members; Numbers; Upbringing*

Medidas contra el aborto

Josep-Vicent Marqués

"El aborto es la interrupción del embarazo por cualquier causa antes de 22 ó 24 semanas según los diferentes países. Puede producirse de forma espontánea o a petición de la mujer. El aborto no es un asunto de nuestros tiempos, pues hay referencias a sus técnicas en toda la historia escrita de la humanidad. Las primeras leyes que se promulgaron en torno al aborto surgieron a partir de 1930." (*Interrupción voluntaria del embarazo,* Instituto Andaluz de la Mujer, 1996, 1.)

El novelista y periodista español, Josep-Vicent Marqués, comenta en el artículo siguiente las propuestas de Acción Familiar, un grupo que se opone radicalmente al aborto.

▶ Palabra por palabra

el **aborto**	*abortion, miscarriage*
desgraciado/a	*unfortunate, unhappy*
el **embarazo**	*pregnancy*
oprimido/a	*oppressed*
por otra parte	*on the other hand*
la **propuesta**	*proposal*
suponer	*to suppose, assume*
la **violación**	*rape, violation*

▶ Mejor dicho

molestar°	*to bother*	¡Cómo **molestan** las moscas en verano!
acosar (a)	*to harass*	Despidieron a los ejecutivos que **acosaron** al empleado.
abusar (de)	*to take advantage of, make unfair demands on, abuse sexually*	Fue acusado de **abusar de** su criada.
maltratar	*to abuse physically*	Desgraciadamente muchos padres **maltratan** a sus hijos pequeños.

° **¡Ojo! Molestar** no tiene connotación sexual y en español nunca significa *to molest*.

sacar°	*to take out*	**Sacaré** al niño de paseo, ya que tú no puedes.
quitar	*to take away*	Nos querían **quitar** nuestros beneficios laborales, pero protestamos y no nos los **quitaron**.
quitarse	*to take off*	**Quítese** los zapatos y los calcetines, por favor.

° **¡Ojo! Sacar** tiene otros significados: **sacar buenas o malas notas** *(to get good/bad grades),* **sacarle un diente o muela a alguien** *(to have a tooth pulled). Take out* se dice **comida para llevar.**

Práctica

En parejas, contesten las siguientes preguntas. Presten atención a las palabras del vocabulario.

1. Mencionen tres precauciones recomendadas por la policía para protegerse contra una violación. ¿Puede evitarse la violación en todos los casos?

2. ¿Por qué son desgraciados algunos niños? ¿Y algunas madres? ¿Y algunos padres?

3. Expliquen la diferencia entre "oprimido" y "reprimido", y entre "opresión" y "represión".

4. ¿Qué piensan Uds. de las alternativas actuales al tipo de embarazo tradicional, como la inseminación artificial, los niños probeta *(test tube),* las madres contratadas, la clonación? ¿Recurrirían Uds. a alguno de estos métodos? ¿Cómo responderían si alguien les dijera "quiero tener un/a hijo/a tuyo/a"?

5. ¿Sabían Uds. que en español "aborto" significa también *miscarriage?* ¿Cómo podría expresarse en español la diferencia?

6. ¿Cómo se define el abuso sexual? ¿Hay muchas películas que tratan de este asunto? Mencionen algunas.

7. Dicen que una persona maltratada maltratará a otra. ¿Están Uds. de acuerdo? ¿Es común que estas acciones se repitan? ¿Por qué es así? ¿Cómo se podría romper el círculo vicioso?

8. Digan tres cosas y tres personas que les molestan a Uds. y expliquen por qué.

9. ¿Qué les quita el sueño? ¿Hay algo que les quite el hambre?

10. Describan el cuadro "Sollozando" empleando el vocabulario que han aprendido en esta unidad.

Sollozando

Alto

1. Mire los titulares *(headlines)* siguientes y escribe abajo el/los tema(s) con que se relacionan todos ellos.

   _____   _____   _____

2. Lea atentamente el primer párrafo y luego el principio de los párrafos siguientes. ¿Qué relación hay entre ellos? ¿Cómo está construido este ensayo?

3. En la página 351, línea 17, dice el autor: "Enumeremos algunas". ¿A qué se refiere "algunas"? ¿Y cuántas exactamente enumera el autor: 3, 6, 8 ó 12?

   _____   _____

4. ¿Cuáles son algunos argumentos a favor o en contra del aborto?

5. ¿Quiénes deberían decidir sobre la legalidad o ilegalidad del aborto: los hombres o las mujeres, los/las médicos/as o los/las políticos/as? ¿A quiénes les afecta más?

Supermercado de bebés

La protección de los bebés cuando exploran su mundo

A pesar de la imposibilidad de predecir las travesuras de los bebés, se pueden tomar ciertas precauciones para que no se hagan daño.

LOS MENORES QUE TRABAJAN (2)
Convención de los derechos del niño

La cigüeña traerá niños de encargo.

El Papa considera el aborto como el mayor peligro para la paz mundial.

LA POLÉMICA LEY DEL ABORTO
Insatisfactoria, insuficiente, injusta

Medidas contra el aborto

Josep-Vicent Marqués

El señor Mendiburu, portavoz[1] de Acción Familiar, explicó ante las cámaras de TVE
(Televisión Española), con gran rotundidad,[2] las tres cosas que hay que hacer para
evitar el aborto. A saber:[3] 1. investigación de la paternidad para obligar al padre a
asumir su compromiso, 2. ofrecimiento de un lugar donde la gestante[4] pueda parir
5   lejos de miradas reprobatorias[5] y 3. adopción. Repasemos la eficacia y alcance[6] de
estas medidas.

Evidentemente, hay que estar a favor de la investigación de la paternidad,
porque sigue habiendo mucho desaprensivo[7] y mucho inmaduro. Sin embargo, no
hay razón para suponer que detrás de cada intención de abortar haya un tacaño.[8]
10 Ni para suponer que sea siempre el varón engendrante quien no desee la paternidad. Muchas mujeres desean posponer su maternidad o consideran que ya
tienen suficientes hijos, aunque tengan un compañero encantador dispuesto a fi-
nanciar la crianza[9] del posible niño y en su momento llevarlo al circo. Más aún,
cuando una mujer desea fuertemente tener un hijo, lo tiene, aunque el padre sea
15 capitán general casado o arzobispo célibe.[10] En cambio hay muchas razones por
las que una mujer inteligente y madura puede querer interrumpir su embarazo.
Enumeremos algunas: hallarse en la fase inicial de una tesis de doctorado, tener
una depresión ligera (pero suficiente para no verse con ánimos[11] de gestar, parir y
cuidar una criatura), atravesar[12] una crisis de pareja y no querer atarse ni atar al
20 otro, encontrarse en un momento profesional delicado (por excepcionalmente
bueno, malo o difícil), haber decidido estudiar una carrera tardía, llevarse mal con
su compañero y no querer que un posible crío[13] pague los platos rotos,[14] estar a
punto de batir[15] el récord nacional de 400 metros, querer irse de misionera a la
selva africana, necesitar pagarse un costoso psicoanálisis, etcétera. Puede que us-
25 tedes consideren poco apetecibles o poco razonables algunas de estas razones,
pero a lo que no tienen derecho es a ignorarlas suponiéndole a la mujer un deseo
automático y ciego[16] de ser madre por el simple hecho de estar embarazada. La
sociedad no es nadie para obligarla a parir por muy dispuesto que esté el suministrador del espermatozoide[17] a pagar los gastos. Por otra parte, en caso de vio-
30 lación, la propuesta de Acción Familiar es puro humor negro o exacerbación del
patriarcado: ¡averiguar quién es el violador para regalarle un hijo!

---

[1] **portavoz** *spokesperson*   [2] **con gran rotundidad** = enfáticamente   [3] **A saber** *Namely*   [4] **gestante** = la
embarazada   [5] **reprobatorias** = críticas   [6] **alcance** = implicaciones   [7] **desaprensivo** = sin escrúpulos
[8] **tacaño** *a stingy person*   [9] **crianza** *upbringing*   [10] **célibe** *celibate*   [11] **con ánimos de** = con ganas de
[12] **atravesar** = pasar   [13] **crío** = niño   [14] **pague... rotos** *pay for their mistakes*   [15] **batir** = romper
[16] **ciego** *blind*   [17] **suministrador del espermatozoide** *sperm donor*, aquí "padre"

La segunda oferta de Acción Familiar es hacer que la embarazada dé a luz en un lugar diferente de aquel en que vive y cuya opinión teme. No digo que no sea un detalle ofrecer este servicio, pero no creo que sea decisivo para muchas mujeres.

35 Afortunadamente, gran parte de la sociedad va siendo menos cerril;[18] padres, madres y aun vecinos van siendo más tolerantes. Quizá con la excepción de la gente que simpatiza con Acción Familiar. Acción Familiar no explica, además, qué hace con su trabajo la mujer que debe ocultarse en beneficio del desarrollo del feto y de su supuesta obligación de ser madre cada vez que el azar junta un óvulo

40 y un espermatozoide. Medida, pues, útil para las pocas señoritas de buena familia y escasas aspiraciones intelectuales que van quedando,[19] pero irrelevante para el conjunto de las mujeres actuales.

La tercera oferta es la adopción. Para el señor Mendiburu hay muchas familias ansiosas de adoptar un niño. En ese caso no se explica que aún existan hospicios,

45 orfanatos y reformatorios. Debe ser que los adoptantes suelen ser muy finos[20] y prefieren niños recién nacidos que no hayan sido contaminados por ambientes miserables ni se hayan rozado[21] siquiera con padres pobres. No sé si a los teóricos de Acción Familiar se les ha escapado considerar su propuesta sociológicamente: supone que las mujeres pobres deben producir hijos frescos para las

50 parejas ricas estériles. En cualquier caso, a la sensibilidad de los miembros de Acción Familiar se le escapa el permanente trastorno[22] que para una mujer supone el haber dado un hijo en adopción. Al igual que el señor Mendiburu, yo nunca he sido madre, pero no me es difícil imaginar lo que significa saber que hay por ahí un hijo tuyo que no te conoce y a quien no conoces, preguntarte si será

55 feliz o no. A mí, como a tantas personas, me parece una mala solución cargar a una mujer con esa cruz[23] en lugar de deshacer[24] un embrión inconsciente.

Y eso es todo lo que proponen. Uno no sabría de qué admirarse más: si de la falta de respeto a los sentimientos de la mujer o de la falta de comprensión de sus intereses intelectuales y profesionales. Quizá mis prejuicios favorables hacia el

60 cristianismo como religión del amor me hagan escandalizarme más de lo primero: de su insensibilidad hacia el dolor, de su falta de delicadeza, de su opción feroz[25] a favor de embriones a los que sólo les atribuyen derecho a la vida para convertirlos en posibles devastadores de la vida de la mujer y posibles niños desgraciados. Sin embargo, he aprendido que debería escandalizarme más por lo segundo, por

65 su persistente negativa a aceptar que la mujer es en un doble sentido un sujeto pleno:[26] en tanto que[27] persona capaz de tener otros intereses —científicos, laborales, políticos— que el de la maternidad y en tanto que sujeto capaz de tomar lúcidamente decisiones plenas de sentido ético.

---

[18] **cerril** = salvaje [19] **van quedando** = quedan [20] **finos** = refinados [21] **se hayan rozado** = hayan tenido contacto [22] **trastorno** *distress* [23] **cargar... cruz** *make a woman bear that cross* [24] **deshacer** = destruir [25] **feroz** = radical [26] **pleno** = completo [27] **en tanto que** = como

No es difícil ver bajo las propuestas de Acción Familiar una imagen única de la
70 mujer: la de los folletines[28] del siglo pasado. Un ser débil, pasivo y algo tonto, cuyo
deseo de parir se le supone como imperativo metafísico o biológico y no como
posibilidad consciente. Las mujeres nunca fueron débiles, sino oprimidas, reprimi-
das, debilitadas. Afortunadamente, las mujeres a las que Acción Familiar les ofrece
su protección son ya muy pocas. La mayoría de las mujeres tienen hoy otros
75 problemas —el desempleo, la doble jornada,[29] la discriminación en el trabajo, el
acoso sexual— y aspiran a que la maternidad sea un hecho gozoso decidido en el
momento oportuno, no una imposición de los hombres o de la sociedad dis-
frazada de mandato de dioses crueles.

Tiene tan poco que ofrecer Acción Familiar a las mujeres actuales que no es
80 extraño que opte por[30] el terrorismo psicológico, que saque carteles[31] con el cráneo[32] de un niño ya formado en lugar de un embrión de cuatro semanas, que
acose a los médicos que cumplen la legislación vigente,[33] y que llegue a afirmar
que el uso de anticonceptivos —¿por qué no también las poluciones nocturnas?[34]— ya constituye un aborto. Odian la libertad de las mujeres y las alegrías del
85 sexo y prefieren fetos imperiosos e imperiales a niños deseados y felices. ¿No son
un poco raros?[35]

¿Qué le estará
explicando?

---

[28] **folletines** *newspaper serials*   [29] **doble jornada** = dos trabajos   [30] **opte por** = escoja   [31] **carteles** =
posters   [32] **cráneo** *skull*   [33] **vigente** *in force*   [34] **poluciones nocturnas** *wet dreams*   [35] **raros** = extraños

¿Entendido?

Complete las oraciones siguientes con sus propias palabras de acuerdo con el contenido de la lectura.

1. Acción Familiar propone tres alternativas al fenómeno del aborto, que son...

2. El autor del artículo no está de acuerdo con la primera medida porque...

3. Sobre la segunda medida, Josep-Vicente Marqués opina que...

4. La adopción plantea el problema...

5. Parece que Acción Familiar está en contra del aborto por razones...

En mi opinión

En grupos de cuatro estudiantes, discutan los temas siguientes.

1. ¿Qué medidas presentadas por Acción Familiar les parecen a Uds. aceptables? ¿Y criticables? ¿Es realmente la "adopción una opción"? ¿Cómo se sentiría una mujer más culpable: teniendo un aborto o dando a su hijo/a en adopción? En su opinión, ¿hay otras alternativas a este problema? ¿Tiene el movimiento norteamericano *Pro-Life* la misma actitud hacia el aborto que Acción Familiar? ¿En qué se diferencian?

2. ¿Tiene la cuestión del aborto repercusión sólo en las mujeres? ¿En qué sentido afecta al hombre también? ¿Qué opinan Uds. de las causas por las que abortaría alguna de las mujeres mencionadas en el artículo? ¿Están Uds. a favor o en contra de la posición que presenta el autor?

3. ¿Cuáles son las leyes vigentes en su país o estado en cuanto al aborto? ¿Les gustaría a Uds. que las modificaran? ¿Creen Uds. que cambien en los próximos años? ¿Por qué no son idénticas las leyes sobre el aborto en todos los países?

4. Para demostrar que realmente les importan los niños, los que están en contra del aborto deberían adoptar uno/a de los millones de niños/as abandonados/as. ¿Sería esto lógico o no?

5. ¿Cómo se explica que los que están en contra del aborto estén, con frecuencia, a favor de la pena de muerte *(death penalty)*?

6. ¿Están de acuerdo los hombres y las mujeres en lo que es o significa "violación"? ¿Y "acoso sexual"?

7. Anticipen el contenido de los folletos informativos siguientes.

Salud II
Maternidad / Paternidad
El embarazo

Salud III
La interrupción voluntaria
del embarazo

Salud II
Maternidad / Paternidad
El parto y el posparto

Estrategias comunicativas para mostrar desacuerdo

No comparto tu opinión. *I don't share your view.*	**No estoy de acuerdo contigo.** *I disagree with you.*
Resulta más que discutible que... *It's highly debatable . . .*	**Yo lo veo de manera distinta.** *I see it differently.*
Estoy en contra de... *I am against . . .*	**Siento llevarte la contraria, pero...** *I'm sorry to contradict you, but . . .*

En (inter)acción

1. En grupos de tres estudiantes, discutan cada una de las afirmaciones siguientes y luego díganle a la clase si han llegado a un acuerdo o no y por qué sí/no. Utilicen algunas de las expresiones de **Estrategias comunicativas.**

¿El aborto...?	Sí	No	Depende
a. Debe ser legal en casos de incesto o violación.			
b. No debe realizarse sin el consentimiento paterno o materno cuando la embarazada tenga menos de 18 años.			
c. Debe ser decisión exclusiva de la mujer.			
d. Debe pagarlo el estado (gobierno) cuando la mujer no disponga de dinero.			
e. Es necesario porque evita el sufrimiento de niños no deseados.			
f. Debe aceptarse cuando el feto no es del sexo que desean los padres.			
g. Debe ser una opción, incluso en el noveno mes, cuando el feto sufre de una enfermedad incurable o presenta malformaciones físicas.			
h. Siempre se debe notificar al padre.			
i. Sería legal si los hombres fueran los que dieran a luz.			

2. ¿Consideran Uds. que la vida empieza en el momento de la concepción o en el nacimiento? ¿Quién debe decidir esta cuestión? ¿Los/Las científicos/as, los/las políticos/as, los sacerdotes? Discútanlo con toda la clase. Utilicen algunas de las expresiones de **Estrategias comunicativas.**

3. Comenten las siguientes afirmaciones en grupos o con toda la clase. Utilicen algunas de las expresiones de **Estrategias comunicativas.**

   a. La pornografía contribuye al aumento de las violaciones.
   b. Las violaciones aumentarían si la prostitución se eliminara.
   c. La pornografía y la prostitución degradan a las mujeres y deberían prohibirse en las sociedades actuales.
   d. Los violadores deberían ser castrados.
   e. Para luchar contra la pornografía y la prostitución, primero habría que re-educar a los hombres.

Práctica gramatical

Repaso
gramatical:
Para y **por**
(segundo repaso)
(*Cuaderno*, pág. 80)
La concordancia
de los tiempos
verbales
(*Cuaderno*, pág. 80)

1. Busquen en la lectura tres frases con **para** y tres con **por** y expliquen por qué el autor ha usado esa preposición y no otra.

   Ejemplo: La sociedad no es nadie para obligarla a parir. (para = *in order to*)
   Debería escandalizarme por su negativa a aceptar que la mujer es un sujeto pleno. (por = causa, motivo, *because of*)

2. En parejas, construyan dos oraciones con las palabras siguientes usando **para** y **por.**

   Ejemplo: circo
   —Compró entradas para el circo.
   —Vamos a pasar por el circo, ¿quieres?

   familia
   protección
   psicoanálisis
   cristianismo
   decisiones
   mujeres
   intereses
   abortar

3. Un/a estudiante empieza a decir una oración y otro/a la completa prestando atención a la concordancia temporal. Las oraciones deben referirse al tema de la lectura y constar de dos cláusulas.

   Ejemplo: —No hay duda que sobre este asunto...
   —... no nos vamos a poner de acuerdo.

Creación

Escríbale una carta al/a la senador/a de su estado a favor o en contra del aborto o de la educación sexual en las escuelas.

Phrases:	*Agreeing & disagreeing; Writing a letter (formal); Persuading*
Grammar:	*Verbs: subjunctive; Relatives; But:* pero, sino (que)
Vocabulary:	*Sickness; Upbringing; Senses*

¿A que es un
chico muy popular?

Glosario

The definitions in this glossary pertain to the texts; therefore, not every known definition is given for each entry. Masculine nouns not ending in **-o** are indicated as (m) and feminine nouns not ending in **-a** or **-ión** are indicated as (f).

a

a cambio de *in exchange for*
a causa de *because of*
a diario *daily*
a la vez *at the same time*
a lo largo de *along*
a medida que *while*
a menudo *often*
a millares *by thousands*
a pesar de *in spite of*
a tiempo *on time*
a través de *throughout*
a veces *sometimes*
abarrotado/a *crammed full*
abogado/a *lawyer*
aborto *abortion, miscarriage*
abrazo *hug*
abusar *to take advantage of, make unfair demands on, abuse sexually*
acabar *to end (up), finish*
acariciar *to caress*
acera *sidewalk*
acercarse a *to approach*
acomodarse *to make oneself comfortable, settle in*
acompañante (m/f) *date*
aconsejar *to advise, counsel*
acontecimiento *special event*
acordarse (de) *to remember*
acosar *to harass*
acostarse (con) *to go to bed, lie down, sleep with*
actual *present, current*
actualmente *at the present time, currently*
acudir *to come*
acuerdo *agreement*
además *besides*

aficionado/a *fan, devotee*
afortunadamente *fortunately*
agregar *to add*
aguantar *to tolerate*
agudo/a *sharp*
agujero *hole*
ahorrar *to save up, set aside, conserve*
aislado/a *isolated*
aislar *to isolate*
al + inf. *when/on + gerund*
al cabo de *after*
al contrario *on the contrary*
al fin *finally*
al igual que *the same as*
alcalde *mayor*
alcanzar *to attain, reach*
aldea *village, town*
alegría *happiness, joy*
alejarse de *to go away from*
alfombra *rug, carpet*
aliento *breath, encouragement*
alisar *to smooth out*
alivio *relief*
alma *soul, person*
almohada *pillow*
alrededor de *around*
alto mando *high command*
altura *height*
ama de casa *housewife*
amar *to love a person*
amargo/a *bitter*
ambos/as *both*
amenaza *threat*
ancla *anchor*
andar *to go, walk*

angosto/a *narrow*
angustia *anguish*
ansioso/a *eager, looking forward to, dying to*
antepasado/a *ancestor*
antojo *whim*
añadir *to add*
aparecer *to appear, show up*
apellido *last name*
apenas *scarcely, hardly*
apetecible *tempting, appetizing, mouth-watering*
aplicar *to apply*
apoderarse de *to seize, get control of, take over*
apoyar *to support emotionally, ideologically, lean against*
apoyo *(moral) support, backing*
apresado/a *imprisoned*
apresuradamente *rapidly*
argumento *plot, reason for support*
arma *weapon*
arrancar *to rip out, tear out*
arrastrar *to drag*
arreglarse *to manage, fix oneself up*
arriesgarse *to risk*
arrojar *to throw*
asegurarse *to make sure, secure, ascertain*
así *like this, like that, thus*
asignatura *subject (course of study)*
asistencia *attendance*
asistir *to attend*
asombro *amazement, astonishment*
asunto *matter, theme*
asustar *to frighten*
atar *to tie*
atender (ie) *to pay attention, care for*
atentado *assassination attempt*
atento/a *attentive*
ateo/a *atheist*
aterrorizar *to terrorize*
atrás *back, backward*
atravesar *to cross*
atreverse (a) *to dare to*
atribuir *to ascribe, confer*
auge (m) *rise*
aumento *increase*
aun *even*
aunque *although*

autorretrato *self-portrait*
avergonzado/a *ashamed*
averiguar *to find out*
avidez (f) *eagerness*
avisar *to inform, warn, notify*
ayuda *help*
ayuno *fasting*
azar (m) *chance, fate*
azote (m) *whip*

b

bajar *to lower, come down*
banco *bench, bank*
barrer *to sweep*
barrio *neighborhood*
bastar *to be enough*
basura *garbage*
belleza *beauty*
beneficio *benefit*
bien *good (noun); well (adv.)*
bobo/a *dumb*
bofetada *slap*
bolsa *bag, sack*
bosque (m) *forest, woods*
brazo *arm*
broma *practical joke, trick, prank*
burgués/esa *middle class*
burlarse (de) *to make fun of*
búsqueda *search*

c

cabeza *head*
cacerola de barro *terra cotta casserole dish*
cajetilla *pack (of cigarettes)*
callo *callus, corn*
camioneta *bus*
campesino/a *agricultural worker, peasant, country person*
campo de batalla *battleground, battlefield*
canción *song*
candado *lock*
cansancio *tiredness, weariness*
cansarse *to become or get tired*
cantante (m/f) *singer*
caótico/a *chaotic*
cara *face*

carcajada *burst of laughter*
cárcel (f) *jail, prison*
cargar *to pick up (a child), lug*
caricia *caress*
carne (f) *flesh, meat*
carnicero/a *butcher*
carta *letter*
cartón (m) *cardboard container*
casarse (con) *to marry*
cascarón (m) *shell*
castigo *punishment*
castillo *castle*
cazar *to hunt*
celda *cell*
celo *zeal*
ceniza *ash*
censurado/a *censured*
centenares (m) *hundreds*
cerebro brain
certeza *certainty*
chiste (m) *joke, a funny story*
chocante *shocking*
cielo *sky, heaven*
cine (m) *movie theater*
cirujano/a *surgeon*
cita *appointment*
ciudadanía *citizenry*
clandestino/a *underground, clandestine*
claro que sí/no *of course (not)*
claro/a *light color, clear*
cobrar *to charge*
cocinar *to cook*
coger *to take (a bus) (Spain), pick up, have sex (Mexico)*
colchón (m) *mattress*
colilla *cigarette butt*
colmo *end, limit*
colocar *to place*
comandante (m) *major, commander*
combate (m) *fight, combat*
combatir *to fight*
comercio *trade*
como *since (cause), because, as*
cómodo/a *comfortable*
compartir *to share*
compás (m) *rhythm*

compensar *to compensate*
complacido/a *pleased, satisfied*
comportamiento *behavior*
comprobar *to check out, verify*
con respecto a *with regard to*
con tal que *provided that*
con tiempo *with time to spare*
conceder *to give, award, grant*
conciencia *consciousness, conscience, awareness*
conducir *to lead, drive*
confianza *trust*
confiar *to trust*
conforme (adv.) *as*
confundido/a *mixed up, wrong, confused*
confuso/a *unclear, confusing*
conocer *to be familiar with (someone or something), know, meet*
conocido/a *known, familiar, famous*
conquista *conquest*
conseguir (i, i) *to attain, get, achieve*
consejo *advice*
contagiar *to infect, contaminate*
contaminar *to pollute*
contar *to count, tell a story*
contenido *contents*
convertirse (ie, i) en (+ sust.) *to become, change into*
copa *glass, treetop*
coqueto/a *flirtatious*
corazón (m) *heart*
corporal *of the body*
correcto/a *correct, right (answer)*
corrida de toros *bullfight*
corriente *common, usual, normal*
cortar *to cut*
cortés *polite, courteous*
corteza *crust*
cosecha *harvest, crop*
coser *to sew*
costa *coast*
costoso/a *expensive*
costumbre (f) *habit, custom*
cotidiano/a *daily*
crear *to create*
crecer *to grow up physically*
creencia *belief*

creyente (m/f) *believer*
criar *to rear, nurse, nourish, breed*
crimen (m) *crime, felony*
cruzar *to cross, go across*
cuadro *painting*
cualquier/a *any*
cuenta *bill*
cuento *short story*
cuento de hadas *fairy tale*
cuero *leather*
cuestión *theme, subject, matter*
cuestionar *to question, put in question*
cueva *cave*
cuidado *care, looking after*
cuidar de *to look after, take care of*
culpa *fault, blame*
cultivar *to grow*
culto *worship*
cumplir (con) *to do or carry out one's duty, fulfill*
cura (m) *priest*
cutis (m) *skin of the face*

∂

dar a luz *to give birth (to)*
darse cuenta de (que) *to notice, realize*
dato *piece of information*
de antemano *beforehand*
de nuevo *again*
de pie *standing*
de pronto *suddenly*
de vez en cuando *from time to time*
debido a *due to*
débil *weak*
decepcionar *to disappoint*
dedo *finger*
definir *to define*
defraudado/a *disappointed*
dejar *to leave behind*
dejar de + inf. *to stop (doing something)*
delicia *delight*
delito *illegal act, misdemeanor*
demás (los, las) *the others, the rest, everybody else*
derecho *right, law*
derecho/a *right, straight*

derramar *to spill*
derrotar *to defeat*
desaparecer *to disappear*
desasosiego *uneasiness, anxiety*
desconocido/a *stranger*
desde *since (time); from (space)*
desde luego *of course, certainly*
desdén (m) *disdain*
desear *to want, desire a person*
desechable *disposable*
desempeñar un papel/un rol *to play a role, part*
desempleo *unemployment*
desencadenar *to unleash*
desfilar *to walk in file, march*
desgraciado/a *unfortunate, unhappy*
deshacerse de *to get rid of*
desnudo/a *nude*
despacho *office*
desperdiciar *to waste*
desperdicio *waste*
despertar(se) (ie) *to awaken, wake up*
desplomar *to crumble, fall down*
despojar *to deprive*
después *then, later*
destacar *to highlight, stand out*
destierro *exile*
detenerse (ie) *to stop*
detrás *behind*
diario *(news)paper*
dibujar *to draw*
dicotomía *dichotomy, opposition*
Dinamarca *Denmark*
disculpa *apology*
discusión *discussion, argument*
disfrazarse (de) *to disguise oneself, dress up as*
disfrutar de *to enjoy*
disminuir *to diminish*
disolver (ue) *to dissolve*
disparate (m) *nonsense*
disparo *shot*
divertirse (ie, i) *to have a good time, amuse oneself*
doler (ue) *to ache, hurt*
ducha *shower*
duda *doubt*
dueño/a *owner*

e

echar *to throw, expel, release (gas, air . . .)*
echar de menos *to miss (something or someone)*
edificar *to build*
educar *to raise, rear, bring up*
eficaz *efficient*
ejemplo *example*
ejército *army*
elegir (i, i) *to choose*
elogiar *to praise*
embarazada *pregnant*
embarazo *pregnancy*
embarazoso/a *embarrassing (with situations)*
emborracharse *to get drunk*
empujar *to push*
en balde *in vain*
en cambio *on the other hand, however*
en cuanto *as soon as*
en cuanto a *as regards, with respect to*
en fin *in short*
en resumidas cuentas *in short*
enamorado/a *lover, suitor*
encantar *to like a lot, love, be delighted by*
encargarse *to be in charge of*
encendedor *cigarette lighter*
encender (ie) *to turn on (lights), light (smoking materials)*
encima de *on top of*
encontrarse (ue) con *to come across, run into*
encuentro *encounter, meeting*
encuesta *poll, survey*
enemigo *enemy*
enfrentarse con *to face, confront, deal with*
engañar *to deceive, fool*
enjaulado/a *caged*
ensayista (m/f) *essay writer*
enterarse (de) *to find out*
entonces *then, right away, at that moment*
entrada *ticket, entrance*
entregarse a *to devote oneself to*
entrenamiento *training*
envejecer *to age, grow old*
equivocarse *to be mistaken*
escarmiento *chastisement, warning*
escaso/a *few, scarce*

esclavo/a *slave*
escoger *to choose*
esconder *to hide*
escupir *to spit*
esfuerzo *effort*
espalda *back (of the body)*
espejo *mirror*
espeluznante *horrifying, hair-raising*
esperanza *hope*
espiar *to spy*
espuma *foam*
esquina *corner*
estado civil *marital status*
estar a favor/en contra *to be for/against*
estar a punto de *to be about to*
estar confundido/a *to be mixed up, wrong, confused (animate subject)*
estar de humor *to be in the mood*
estar dispuesto/a a (+ inf.) *to be willing to*
estar libre *to be unoccupied, out of prison*
estar mal/bien visto *to be socially approved/disapproved*
estirar *to stretch*
estrecho/a *narrow*
estrella *star*
estremecerse *to shudder*
estrenar *to debut, use for the first time*
etapa *stage, phase, period*
evitar *to avoid*
excusa *pretext, excuse*
exigente *demanding*
exigir *to demand*
exponer *to set out, state*
exposición *exhibit*
expresión idiomática *idiom*
extraer *to extract, draw out*
extrañar *to miss (something or someone)*
extrañeza *surprise, wonderment, estrangement*
extraño/a *odd, weird*

f

fabricante (m) *manufacturer*
falta *lack, absence*
faltar *to lack or miss (something)*
faltar a *to miss an event, not to attend*

fantasma (m) *ghost*
fastidiar *to bother, pester*
fecha *date*
felicidad (f) *happiness*
feria *fair, popular festival*
feroz *ferocious, fierce*
festejar *to celebrate*
fiero/a *fierce*
fiesta *holiday, celebration, party*
fijarse en *to notice*
final (m) *end*
firmeza *firmness, stability, steadiness*
flaco/a *thin*
florecer *to flower, flourish*
fluir *to flow*
fondo *bottom*
fracaso *failure*
frazada *blanket*
frente (f) *forehead*
frente a *in opposition to, across from, facing*
frontera *national border*
fuego *fire*
fuente (f) *fountain*
fuerza *strength, force*
fuerza de voluntad *will power*
fumar *to smoke*
funcionar *to work (machines)*

ganar *to win, earn*
gastar *to spend (money)*
gastar bromas *to play jokes or tricks*
gasto *expense*
generar *to generate*
gente (f. sing.) *people, crowd*
gesto *gesture*
golpe (m) *blow*
gozar de *to enjoy*
gozoso/a *joyful*
grabado *engraving*
graciosamente *gracefully, lovingly*
gracioso/a *funny, amusing*
grande *large, big*
gratis *free (no cost)*
gritar *to scream, shout*

guardaespaldas (m) *bodyguard*
guardar *to keep, put aside*
guerra *war*
guerrero/a *warrior*
guía (m/f) *guide*
guiar *to lead, guide*

haber de *to have to, must*
hablar en voz baja *to speak softly, quietly*
hacer caso *to pay attention*
hacer falta *to need*
hacer la compra *to go grocery shopping*
hacer un papel/un rol *to play a role, a part*
hacerse (+ adj., + sust.) *to become*
hacer(se) daño *to harm someone or oneself*
hambre (f) *hunger*
hambriento/a *hungry, starving*
hasta *even, until*
hay que *it is necessary, one must*
hecho *fact*
helado/a *frozen*
herencia *legacy, heritage, inheritance*
hermoso/a *beautiful*
herramienta *tool*
historia *history, story*
hogar (m) *home*
hombro *shoulder*
honrar *to honor*
hora *hour*
horario *schedule*
hueso *bone*
huida *flight, escape*
huir *to flee, escape*
humo *smoke*
hundirse *to sink*

iconografía *iconography*
idioma (m) *language*
igual *same, alike, similar, equal (after the noun)*
ileso/a *unhurt, unharmed, unscathed*
iluminado/a *lit up*
imaginar(se) *to imagine, suppose*
importar *to matter*

indiscutiblemente *undeniably, indisputably*
infancia *childhood*
injuria *insult*
inmotivado/a *motiveless*
inquietud (f) *concern, restlessness, anxiety*
insultar *to insult*
introducir *to introduce, put into, bring in*
inundación *flood, flooding*
inútil *useless, helpless*
invencible *unconquerable, invincible*
investigación *research*
irrumpir *to burst in*

j

jabón (m) *soap*
jubilarse *to retire from work*
juerga *merriment, partying*
jugar *to play a game*
juntar *to gather, collect*
junto a *next to*
jurar *to swear*
justo/a *fair*
juzgar *to judge*

l

labio *lip*
ladrar *to bark*
lanzar *to launch, pitch*
largo/a *long*
latir *to beat*
legumbre (f) *vegetable*
lejano/a *far-off*
lejos *far away*
lengua *tongue, language*
lentamente *slowly*
letra *lyrics*
levantar *to pick up, lift, raise*
libertad (f) *liberty, freedom*
lienzo *canvas*
ligero/a *light, slight*
llanto *sobbing, crying*
llegar a ser (+ adj., + sust.) *to become*
lleno de *full of*
llevar *to carry, take (something or someone, somewhere)*

llevarse bien/mal *to get along well/badly*
llorar *to cry*
lo de siempre *the usual*
locura *insanity, madness*
lograr *to succeed in, manage*
lucha *struggle*
luchar (por) *to struggle*
luego *then, later*
lugar (m) *place*
lujo *luxury*
luna de miel *honeymoon*

m

macho *male*
madrugar *to get up at dawn*
madurar *to grow up mentally*
magia *magic*
maíz (m) *corn*
mal (m) *evil*
malentendido *misunderstanding*
maltratar *to abuse physically*
mandado *errand*
manejar *to wield, use, drive*
manera *way, mode*
mantener (ie) *to support economically*
manzana *apple, block*
mar (m or f) *ocean, sea*
martillo *hammer*
mas *but*
más bien *rather*
más vale... que *it is better . . . than*
masa *mass*
matar *to kill*
materia *subject (course of study)*
mayoría de *most of, majority*
medida *measure, step*
medio ambiente *environment*
medios de comunicación *media*
medir (i, i) *to measure*
mejilla *cheek*
mejorar *to improve*
menor *less, younger*
mentira *lie*
mercado *market*
mesero/a *waiter, waitress*

meter *to put into*
mezcla *mixture*
miel (f) *honey*
mientras tanto *meanwhile*
milagro *miracle*
mirilla *peephole*
mismo(s)/misma(s) *same, coinciding (before the noun)*
moda *style, fashion*
modales (m pl) *manners*
modo *way, mode*
mojado/a *wet*
molestar *to bother*
monja *nun*
moraleja *moral, lesson*
moreno/a *tanned, dark-skinned*
morir (ue, u) *to die (in accidents, wars, etc., a violent death)*
morirse *to die (by natural causes or in a figurative sense)*
mortal *mortal, deadly*
mosca *fly*
mostrar (ue) *to show, display*
mover(se) (ue) *to move around*
mudar(se) *to change (houses, cities, countries)*
muerte (f) *death*

n

nacer *to be born*
naturaleza *nature*
naufragio *shipwreck*
negarse a *to refuse*
negocio *business*
nene *kid*
no obstante *nevertheless*
no querer (en pret.) + inf. *to refuse*
no tener más remedio que *to have no choice but*
nocturno/a *night, nocturnal*
Noruega *Norway*
nuevamente *again*

o

obra *work (of art, literature, etc.)*
obrero/a *manual worker*
obscuro/a *dark*

occidental *western, from the west*
ocio *leisure time*
ocioso/a *idle*
ocultar *to hide, conceal*
ocurrir *to happen, occur*
ocurrírsele (algo a alguien) *to come to mind*
odio *hatred*
odioso/a *hateful, unpleasant*
ofrenda *offering*
oído *hearing, inner ear*
oler (ue) *to smell*
olvidar *to forget*
oprimido/a *oppressed*
oración *prayer, sentence*
oreja *ear*
orgullo *pride*
orgulloso/a *proud*
orinar *urinate*
oscurecer *to grow dark*
otra vez *again*

p

padecer *to suffer*
pájaro *bird*
pálido/a *pale*
paliza *beating*
pantalla *screen*
pañal (m) *diaper*
papel (m) *paper, role*
paradero *whereabouts*
parado/a *standing*
parar *to end up, stop*
parecer *to seem, look*
parecerse a *to look like*
parecido/a *similar*
pareja *mate, couple*
pariente *relative*
parir *to give birth (to)*
partida *departure*
partidario *supporter, partisan*
partir *to depart, leave*
parto *childbirth*
pasar *to happen, pass, pass through or go by*
pasarlo bien *to have a good time*
pasear *to take or go for a walk*

paso *step*
pata *leg (of animals or furniture)*
patrocinar *to sponsor*
paz (f) *peace*
pecado *sin*
pedir (i, i) *to ask for, request, order*
pelea *fight, quarrel*
pelear *to fight*
peligro *danger, risk*
peligroso/a *dangerous*
pellizcar *to pinch*
peluquería *beauty shop*
penosamente *laboriously, with difficulty*
pensar *to think, intend*
pensar de *to have an opinion about*
pensar en *to think about*
perder(se) (ie) *to miss (an event), get lost*
perdido/a *lost*
perdón *I beg your pardon/forgiveness*
perecer *to perish*
pereza *laziness*
perezoso/a *lazy*
periódico *(news)paper*
periodista *journalist*
perjudicial *harmful*
permanecer *to remain, stay*
perseguir (i, i) *to follow, chase, persecute*
persona *individual, person*
pertenecer *to belong*
pesadilla *nightmare*
pesado/a *heavy, boring (fig.)*
pesar *to weigh*
pescado *fish (dead, to eat)*
pescar *to fish, catch*
peste (f) *foul odor, stench*
petardo *firecracker*
pez (m) *fish (live)*
picar *to snack, nibble, take small bites of*
piedad (f) *mercy, compassion*
piel (f) *skin*
pila *battery*
pincelada *brushstroke*
pincharse *to shoot up*
piscina *swimming pool*
piso *floor*

pista *trail, track, clue*
placer (m) *pleasure*
playa *beach*
plaza de toros *bullring*
población *population, people*
poblano/a *from Puebla, Mexico*
pobreza *poverty*
poder (m) *power*
poderoso/a *powerful*
poner *to put, turn on (appliances), play (records, music)*
poner en cuestión *to question*
ponerse (+ adj.) *to become*
ponerse de moda *to become fashionable*
por culpa de *because of, due to*
por eso *for that reason, therefore*
por lo tanto *therefore*
por mi (tu, su...) cuenta *on my (your, her . . .) own*
por otra parte *on the other hand*
por otro lado *on the other hand*
por todas partes *everywhere*
porque *because*
portarse bien/mal *to behave well/badly*
pozo *well, hole*
práctica *practice*
precio *price*
precioso/a *beautiful*
precipitarse *to rush, happen quickly*
predecir (i, i) *to predict*
predominar *to prevail*
preferido/a *favorite*
pregunta *question*
preguntar *to ask (information)*
preguntarse *to wonder, ask oneself*
prejuicio *prejudice*
prender *to light*
preocuparse por/de *to worry about*
presentar *to introduce (people)*
prestar *to lend*
primero/a *first*
principio *beginning, principle*
prisa *haste*
privaciones *hardships, deprivation*
probar (ue) *to taste, try*

problemática *a set of problems, questions*
procedente *coming from*
procedimiento *procedure*
profundidad (f) *depth*
progresista (m/f) *liberal*
propio/a *one's own, proper*
propuesta *proposal*
proteger *to protect, keep from harm*
próximo/a *next*
prueba *test*
público *audience*
pueblo *village, town, people from a nation, place or race*
puesta de sol *sunset*
puesto *job, position*
puesto que *since (cause), because*

q

quedar *to have left*
quedarse *to stay, remain*
quejarse (de) *to complain*
quemar *to burn*
querer (ie) *to love a person or animal*
querer decir *to mean*
quitar *to take away*
quitarse *to take off*

r

ración *portion, amount*
raíz (f) *root*
rama *branch*
raro/a *odd, weird*
rasgo *characteristic, trait*
rastro *trace*
real *real, royal*
realizar *to carry out, accomplish, fulfill*
realmente *truly, really, actually*
rebasar *to surpass*
rebelarse *to rebel*
rechazar *to reject (something)*
reciclar *to recycle*
recién *newly*
reclamar *to demand*
recoger *to collect, gather, pick up*
reconocer *to recognize*

recordar (ue) *to remember*
recuerdo *memory*
recurso *resource*
reflejar *to reflect, mirror*
reforzar (ue) *to reinforce*
refrán (m) *saying*
refresco *soft drink*
refugio *shelter*
regalo *gift*
regaño *scolding*
regla *rule, ruler*
reinar *to rule*
reino *kingdom*
reivindicación *demands*
reivindicativo/a *of protest, demanding*
remendar (ie) *to mend, patch*
renunciar *to give up*
reparto *division, distribution*
repasar *to go over, review (like notes for a test)*
represalia *reprisal, retaliation*
representar *to depict*
requerir (ie, i) *to require*
rescatar *to rescue*
reseñar *to review (a creative work)*
respecto de *with regard to*
respeto *consideration for another person*
respirar *to breathe*
respuesta *answer*
resultado *result*
resultar (+ adj.) *to find, look like, be*
retirar *to withdraw, take away, retreat*
reunión *meeting*
reunirse *to have a meeting, get together*
revisar *to inspect, check, edit*
revuelta *revolt, rebellion*
rezar *to pray*
riesgo *risk*
rincón (m) *corner*
riña *quarrel*
riqueza *abundance, wealth*
ritmo *rhythm*
rodeado/a *surrounded*
rodear *to surround*
romperse *to break*
rostro *face*
ruido *noise*

s

sábana *sheet*
saber *to know*
sabroso/a *tasty*
sacar *to take out*
sacerdote (m) *priest*
sacudir *to shake*
salir (con) *to go out with, have a date*
salir (de) *to leave*
salto *jump, leap*
saludar *to greet, say hello*
salvar *to rescue, save from extinction*
sangre (f) *blood*
sano/a *healthy*
secar *to dry*
secta *cult*
secuestro *kidnapping*
seguir (i, i) *to follow, continue*
según *according to*
seguro/a de mí (ti, sí...) mismo/a *self-confident*
sembrar (ie) *to plant, sow*
semejanza *similarity*
semilla *seed*
sencillo/a *simple, plain*
sensación *physical feeling*
sensato/a *sensible, reasonable*
sensibilidad (f) *sensitivity*
sensible *sensitive*
sentarse (ie) *to sit*
sentido *meaning, sense, consciousness*
sentimiento *emotional feeling*
sentir (ie, i) *to be sorry, regret, feel*
sentirse (+ adj., adv.) *to feel*
señas *signs, signals, address*
sepultado/a *buried*
ser (m) *(human) being*
ser capaz de *to be capable of*
ser confuso/a *to be unclear, confusing (inanimate subject)*
ser libre *to be free*
serio/a *serious*
servilleta *napkin*
significar *to mean (only with inanimate subjects)*
siguiente *next*

sin embargo *nevertheless*
sirena *siren, mermaid*
sitio *place, site*
sobrar *to be in excess*
sobrevivencia *survival*
sobrio/a *sober*
solamente *only*
soledad (f) *loneliness*
soler (ue) *to be accustomed to, be in the habit of*
solicitar *to apply for a job, a position, a fellowship*
solicitud (f) *application form*
solo/a *alone*
sólo *only*
soltar *to let go*
soltero/a *single (unmarried)*
sonar (ue) *to sound*
sonreír *to smile*
soportar *to tolerate, support physically*
sostener (ie) *to support physically*
subirse a *to get into, on*
suceder *to happen, follow in succession*
suelo *floor*
sueño *dream*
suerte (f) *luck, bullfighter's manoeuvre*
sugerir (i, i) *to suggest*
sujeto *subject (person)*
superar *to overcome*
suponer *to suppose, assume*
supuesto/a *alleged, supposed, false*
sureño/a *southern, from the south*
surgido/a *appeared*
surgir *to arise, appear*
sustituir *to substitute, replace*
susurrar *to whisper*

t

tamaño *size*
tapear *to eat tapas*
tapeo *the custom of eating tapas*
tardar en *to take time to*
tarde *late*
tarea *task, homework*
tasca *bar, tavern, cheap bar*
techo *ceiling*

telón de fondo (m) *backdrop*
tema (m) *topic*
temor (m) *fear*
temprano *early*
tenaz *tenacious*
tendencia *trend*
tender (ie) una trampa *to set a trap*
tener (ie) en cuenta *to bear in mind*
tener éxito *to be successful*
tener ganas de + inf. *to look forward to, feel like*
tener la culpa *to be guilty, blameworthy*
tener razón *to be right*
tener sentido *to make sense*
tentación *temptation*
ternura *tenderness*
testigo *witness*
tiburón (m) *shark*
tiempo *weather, measurable time*
tinto *red wine*
tipo *type, guy*
tirar *to throw away, drop*
tobillo *ankle*
tocar *to play (a musical instrument), touch*
todavía (no) *still, (not yet)*
todo el mundo *everybody*
tolerar *to tolerate*
tomar *to drink, intake; take (train, bus, plane)*
tomar conciencia *to become aware*
tomar el sol *to sunbathe*
tonto/a *silly*
tópico *cliché*
trabajador/a *hard-working*
trabajar *to work (people)*
trabajo (escrito) *a written (research) paper*
traer *to bring*
traicionar *to betray*
traidor/a *traitor*
traje (m) *outfit, suit, costume*
trampa *trap*
tranquilidad (f) *calm, tranquillity*
tras *behind, after*
trasladar(se) *to transfer (for reasons of work)*
tratar *to treat (someone)*
tratar de (+ inf.) *to try to*

tratar de (+ sust.) *to deal with*
tratarse de *to be a question of*
trato *deal, treatment*
trigueño/a *dark-skinned*
tropa *troop*

u

único/a *the only (+ noun)*
unificador/a *unifying*
unirse *to join*

v

valentía *bravery, valor*
valer la pena *to be worthwhile*
valerse *to make use*
varón (m) *man, male*
vecino/a *neighbor*
vendar *to blindfold, bandage*
veneno *poison*
vengar *to avenge*
venirse (ie, i) abajo *to fall in, collapse*
ventaja *advantage*
verduras *vegetables*
vergonzoso/a *shy (with people), shameful, indecent (with things or situations)*
vestido *dress, costume*
vestido/a de *dressed as*
vez (f) *time (as instance)*
vientre (m) *belly, womb*
vigilar *to watch over, guard, patrol*
violación *rape, violation*
violador (m) *rapist*
visión *view, perspective*
vivo/a *alive, lively*
volar (ue) *to fly*
voluntad (f) *will*
volver (ue) a + inf. *to (infinitive) again*
volverse (+ adj.) *to become*
voz (f) *voice, word*
vuelta *return*

y

ya no *no longer*
ya que *since (cause), because*

Credits

Photo Credits

Unless specified below, all photos in this text were selected from the Heinle & Heinle Image Resource Bank. The Image Resource Bank is Heinle & Heinle's proprietary collection of tens of thousands of photographs related to the study of foreign language and culture.

p. 1   (top left) Museo del Prado, Madrid, Spain/photograph © Erich Lessing/Art Resource, NY; (middle) © Copyright ARS, NY. Museo Picasso, Barcelona, Spain; (bottom) Courtesy of Ramiro Arango

p. 8   María Victoria García-Serrano

p. 20   (top right and bottom right) María Victoria García-Serrano

p. 21   María Victoria García-Serrano

p. 23   Rafa Martos

p. 27   (top) Chris Cuffaro/Visages; (middle) © M. Gerber/CORBIS; (bottom) Agence France Presse/Corbis-Bettmann

p. 38   María Victoria García-Serrano

p. 58   María Victoria García-Serrano

p. 59   Haitian Private Collection/Superstock

p. 99   © Superstock

p. 101 (top left) Nick Saunders/Barbara Heller Photo Library, London/Art Resource, NY; (top right) © Gian Berto Vanni/Art Resource, NY

p. 184 Schalkwijk/Art Resource, NY

p. 189 María Victoria García-Serrano

p. 201 Gianni Vecciato

p. 213 Siquieros, David Alfaro. *The Sob.* 1939. The Museum of Modern Art, New York. Photograph © 1998, The Museum of Modern Art.

p. 248 (right) © Superstock

p. 259 © Mirta Toledo

p. 265 María Victoria García-Serrano

p. 299 Scala/Art Resource, NY

p. 315 María Victoria García-Serrano

Text/Realia Credits

p. 6   "Bares a mogollón" de Antonio Gómez Rufo, © *Guía del Ocio de Madrid.* Reprinted by permission.

p. 15   "Picar a la española" from "The Spanish Way to Snack" by Coleman Andrews, from *Harper's Bazaar.* Reprinted by permission from the author. Courtesy of *Los Angeles Times.*

p. 30   "Pedro Navaja", © 1978 Rubén Blades Productions Inc. Used by permission.

p. 33   "Los pasos básicos para bailar el mambo" by Gustavo Perez Firmat, © *Más,* November–December 1991, page 80. Reprinted by permission.

p. 38   "El mexicano y las fiestas" by Octavio Paz, reprinted from *El laberinto de la soledad,* pages 42–48, © 1984. With permission from Fondo de Cultura Económica, México.

p. 43   "Cómo ganar amigos", © Oficina Española de Turismo. Reprinted by permission.

p. 48   "Una fiesta de impacto y de infarto" by Joaquín Vidal, *Ronda 89,* Magazin of Iberia, pages 42–44.

p. 51   No a la tortura, © Asociación Nacional para la Defensa de los Animales (ANDA). Reprinted by permission.

p. 52   Cartoon by Santiago Almarza Caballero, © *Diez Minutos.* Reprinted courtesy of the artist.

p. 56   "La santería: una religión sincrética" from *La tierra mágica. Una exploración cultural de la America Latina* by Darién J. Davis, © 1991. Reprinted by permission from the Latin American Curriculum Resource Center.

p. 60   "Mister, Don't Touch the Banana" by Marisela Verena/Willy Chirino, © 1990, Kiri Kiri Music (ASCAP).

p. 63   "Yemayá" by Yolanda Fundora.

p. 64   "Campaña contra el alcohol y el tabaco", © Ministerio de la Sanidad y Consumo (Madrid). Reprinted by permission.

p. 67   "Una bola de humo" by Mercedes Carrillo, © Agencia Literaria Latinoamericana.

p. 69   "Campaña contra el alcohol y el tabaco", © Ministerio de la Sanidad y Consumo (Madrid). Reprinted by permission.

p. 74   "¿Liberalizar la droga?" by Juan Tomás de Salas, © *Cambio 16,* Febrero 1990 (Madrid). Reprinted by permission.

p. 77   "No te la jueges a copas", © Ministerio de la Sanidad y Consumo (Madrid). Reprinted by permission.

p. 78   "Matador" by Victor Manuel, © EMI. Reprinted courtesy of EMI Music Publishing, Spain.

p. 80   "Las drogas. Un problema que podemos prevenir entre todos. Necesitas estar informado", © Consejo General de Colegios Oficiales de Farmacéuticos de España y Delegación de Gobierno para el Plan Nacional sobre Drogas. Reprinted by permission.

p. 83   "Pezqueñines ¡No, gracias!", © Ministerio de Agricultura, Pesca y Alimentación.

p. 84   "La pasión por lo verde" by Inmaculada Moya and Julia Pérez, © *Cambio 16,* de 4 de septiembre, 1989 (Madrid). Reprinted by permission.

p. 89   Páginas Amarillas: Reprinted courtesy of Telefónica Publicidad e Información, 1998.

p. 92   Cartoon by Forges (Madrid). Reprinted by permission.

p. 99   "Buenos Aires" by Carlos Fuentes, from *El espejo enterrado,* © Carmen Barcells.

p. 103 Mapa de Sevilla: Imagen © Turismo Andaluz S.A.

p. 110 Map from Castillo & Bond, SPANISH DICTIONARY, 3/E, p. 26, © The University of Chicago Press.

p. 114 Reprinted by permission from RENFE.

p. 131 Cartoon by Forges (Madrid). Reprinted by permission.

p. 245   Los Derechos de la Infancia, by Víctor Moreno López [artist]. Reprinted courtesy of Subdirección General de Información Administrativa, Ministerio de Trabajo y Asuntos Sociales, 1998.

p. 249   "Sabotaje" by Alicia Yáñez Cossío, from *El beso y otras fricciones.* Reprinted by permission from the author.

p. 257   Selection of "Un día en la vida" by Manlio Argueta. Reprinted by permission from UCA Editores, 1981.

p. 259   "Guardian Angel" by Mirta Toledo. Courtesy of Mirta Toledo.

p. 261   Map reprinted courtesy of *Más.*

p. 271   "El texto libre de prejuicios sexuales y raciales" by Isabel Pico e Idsa Alegría, © Universidad de Puerto Rico Press. [text and illustrations]

p. 281   "La princesa vestida con una bolsa de papel" by Robert N. Munsch, illustrated by Michael Martchenko, © 1992 Annick Press, LTD, Canada.

p. 284   "La princesa vestida con una bolsa de papel" by Robert N. Munsch, illustrated by Michael Martchenko, © 1992 Annick Press, LTD, Canada.

p. 290   "Palabreo" by Gilda Holst. Casa de la Cultura Educatoriana. Núcleo del Guavas, Banco Central del Ecuador, 1989. Reprinted by permission.

p. 293   "La zorra y las uvas verdes", cartoon by Quino. Reprinted by permission from the artist.

p. 295   "Mujer, no llores. Habla. Defiende tu dignidad". Reprinted courtesy of Instituto de la Mujer, Ministerio de Asuntos Sociales, Madrid.

p. 299   "Eva" by Cristina Peri Rossi, from *La nave de los locos,* © Editorial Seix Barral, S.A.

p. 303   "Los juguetes enseñan a vivir": Reprinted courtesy of Instituto Andaluz de la Mujer.

p. 304   "Mujer florero" by Marilia Andres Casares, © 1996 Sony/ATV Discos Music, Publishing LLC for El Retiro Ediciones Musicales S.L.

p. 309   "La Malinche" by S. Suzan Jane, from *Herstory: Women Who Changed the World,* A Byron Preiss Book, published by Viking.

p. 314   "El sueño de la Malinche" by Antonio Ruiz, 1939. Collection Mariana Perez Amor. Photo Gallería de Arte Mexicano, Mexico City.

p. 318   "El arte de Remedios Varo" by Peter Engel, Trad. Joseph Warman from *El arte de Remedios Varo. El mito y la ciencia* (CD), © EDITEC. Reprinted courtesy of the publisher. [text and paintings]

p. 328   Painting by Alaiyo Bradshaw. Reprinted by permission from the artist.

p. 329   "La vuelta a casa", from "Going home" by Caitlin Bird Francke. Reprinted courtesy of the author.

p. 334   "Rebelión de los electrodomésticos" by Alaska y los Pegamoides, © EMI. Reprinted courtesy of EMI Music Publishing, Spain.

p. 340   "La brecha" by Mercedes Valdivieso. Reprinted by permission from the publisher, Latin American Literature Review Press, Pittsburgh, 1986.

p. 344   "Amor de madre", cartoon by Quino. Reprinted by permission from the artist.

p. 345   "Madre campesina" by Sabiá: Lyrics © Folklore Music (ASCAP). Reprinted by permission.

p. 345   Juana Alicia, *Las Lechugueras.*

p. 349   "Sollozando" by Enrique Jiménez Carreño. Reprinted courtesy of the artist.

p. 351   "Medidas contra el aborto" by Josep-Vicent Marqués.

p. 355   Courtesy of Instituto de la Mujer, Ministerio de Asuntos Sociales, Madrid.

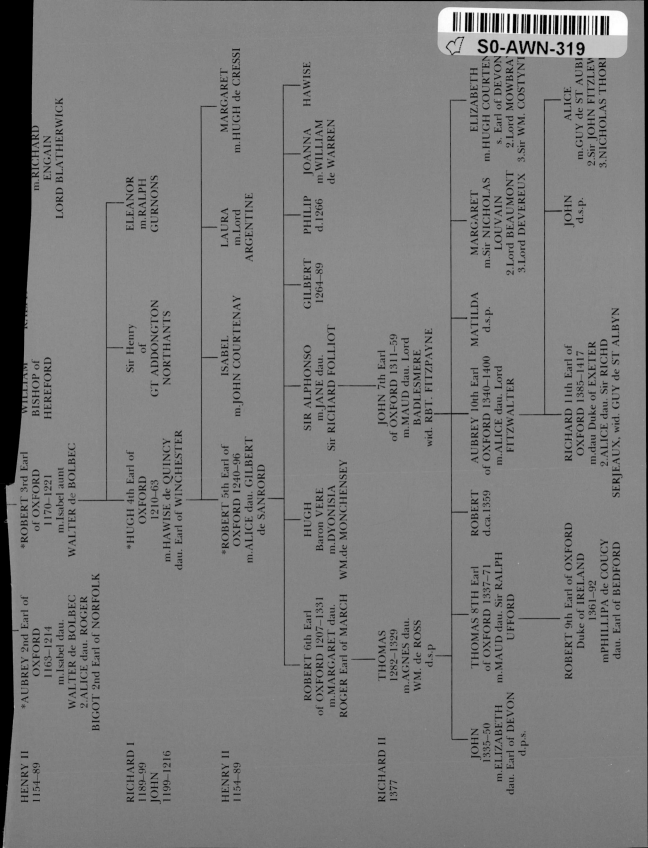

THE DE VERES

OF CASTLE HEDINGHAM

THE DE VERES

OF CASTLE HEDINGHAM

by VERILY ANDERSON

TERENCE DALTON LIMITED
LAVENHAM   .   SUFFOLK
1993

Published by
TERENCE DALTON LIMITED

ISBN 0 86138 062 2

Text photoset in 11/13pt Baskerville

Printed in Great Britain at
The Lavenham Press Limited, Lavenham, Suffolk

Contents

Acknowledgements

Special thanks are due to those who, among so many, have helped to produce this book over nearly a decade. But specially to Lord Gibson for his enthusiasm over my tackling the subject and Mr Reggie Grenfell for encouragement throughout. Then for initial reading guidance, Professor Hassel Smith; for advising, translating and answering queries, Professor David Bradby and Professor Guliano Ferrari-Bravo; for years of typing and the unique ability to decypher the author's handwriting, Mrs Patricia Dykes; for photo-copying and pagination, Mrs Sharon Temple; for indexing, the Misses Daisy Hampton, Kirsty Temple and Evie Anderson; for history editing Miss Julia Warne and Mr Bill Raeper, also proof-reading Mrs Jenny Knight; for organizing and accompanying on wonderful research journeys in the United Kingdom, Denmark, France and Italy, my husband, Mr Paul Paget, and in historic London, Sir John Betjeman, and later in Normandy, Picardy, and Italy, Signora Nancy Guiarnieri, Lady Stratheden and Mrs Marian O'Hare, and in USA, Miss Daisy Hampton.

Many thanks for the help given in the Bodleian Library, Oxford, the London Library, also the libraries of the Universities of Cambridge and East Anglia, the Camargo Institute, Cassis, and the Shakespeare Oxford Society, New York. And to the archivists of the Essex Record Office and the Norfolk Record Office.

Life-long thanks to my arch-editor, Mr Herbert Rees and, finally for the friendly endurance and patience over two generations of my publishers, Terence Dalton Ltd, of Mr Terence Dalton and his daughter, Mrs Elisabeth Whitehair.

Acknowledgements for Illustrations

Drawings and photos by Eloise O'Hare and James Cianciaruso pp. 4, 17, 22, 24, 34, 50, 61, 70, 75, 81, 86, 98, 105, 127, 132, 137, 149, 154, 186, 202; endpapers, photos, map and trees by Verily Anderson pp. 34, 37, 94, 129, 215, 237; photo by courtesy of Colonel Richard Probert, p. 48; photo by courtesy of Lady Victoria Leatham p. 179; photo by courtesy of the Dean and Chapter of Westminster p. 221; photo by courtesy of Thomas Lindsay p. 246.

Introduction

'VERE-DE-VERE' stalked into the English vernacular as a playful term meaning the grandest, proudest, most historic, indisputably aristocratic and absolutely *crème de la crème* of Anglo-Norman antiquity. In fiction the expression is used for characters of, or assuming, unquestionable ancient lineage – and with good cause.

In the Middle Ages, owing to plagues and battlefield mortality, the average noble dynasty in England lasted not more than three generations. The de Veres, however, managed to maintain a line of twenty earls of Oxford over 561 years. Lord Macaulay, Victorian historian supreme, calls this family

> the longest and most illustrious line of nobles that England has seen, whose heads brought it honour in the fields of Hastings, Jerusalem, Runnymede, Crécy, Poitiers, Bosworth, and the Court of Elizabeth where shone the 17th Earl who had won himself an honourable place among the early masters of English poetry.

In our own time Lord David Cecil writes that 'Oxford was a dazzling figure, high-born, wealthy, beautiful, with a considerable gift for writing poetry and a touch of romantic fiction', adding later that 'he was unreliable, uncontrolled, ill-tempered and wildly extravagant', with further references to unseemly behaviour with his kitchen boys and blasphemous jokes about the Holy Trinity. An unsigned Elizabethan editor writes in his time of

> a crew of Courtly makers, Noblemen and Gentlemen, who have written excellent well, as would appear if their doings could be found out and made public with the rest, of which is first that noble Gentleman, the Earl of Oxford.

Vero Nihil Verius ('nothing truer than the truth') is the family motto granted by Queen Elizabeth I. The family crest was already a blue boar. By the time the earldom became extinct in 1703, the true blue blood of the de Veres was trickling through almost every living noble English vein. Today it meanders further than ever, sometimes unbeknown, but proudly acknowledged as it runs through the veins of Prince William and Prince Harry and races through the arteries of the Duke of St Albans, not

Ætatis Suæ 25.
1575

Edward Vere 17th Earle of Oxford
Lord high Chamberlaine of Eng.td
Married 1st Ann Daughter to
Wm Cecil Lord Burghley 2d
Eliz Daughter to Tho: Trentham
of Rowcester in Com: Stafford
and died 24th of June 1604

Edward de Vere, 17th Earl of Oxford, from an original believed painted in Paris March 1575, by
permission of the estate of the Duke of Portland, now on loan to the National Portrait Gallery.

to mention his son, Charles Vere, Earl of Burford. In 1711 the Crown was criticized for granting the earldom of Oxford to a 'stranger in blood', Lord Treasurer Robert Harley. Harley Street in London is named after him, but of far greater cultural value is his unrivalled collection of books and documents known as the Harleian Miscellany, now in the British Library. In 1853 the collection was sold to the nation by his daughter-in-law, who herself had more than a tincture of de Vere blood. The same year, seventy-two years after this second creation had died out, a third was created. Prime Minister Henry Herbert Asquith was made Earl of Oxford and Asquith in 1925. His son, the present Earl, then aged nine, succeeded to the title only three years later.

Chronicles of families that have kept their history intact are usually told against a background of land. There were many legal struggles to retain the de Vere lands, as there were to retain the great chamberlainship granted to Aubrey de Vere of Hedingham Castle by King Henry I. This hereditary honour, which chiefly relates to coronations, now alternates from reign to reign between the Earls of Ancaster and the Marquesses of Cholmondeley, descendants of the de Veres. Hedingham Castle belongs to another descendant, Thomas Lindsay, who opens its magnificent keep so that all may visit and savour the family's undulating history through its 800-year-old stones.

Verily Anderson
Templewood 1993

An episode from the Bayeux tapestry showing King Harold being struck by a spear and four arrows, one possibly in the right eye (though some think, from his expression of triumph, that the arrow-in-the-eye effect was caused by a dropped stitch behind his helmet, and he was returning the arrow by hand).

CHAPTER ONE

Rewards and Fallacies

TEA-TIME on Saturday 14th October 1066: the most decisive hour in the history of England and the best-remembered date! The Royal Observatory, when established at Herstmonceux, eight miles from the battlefield, worked out that sunset on the day of the Battle of Hastings was at approximately 4.59 pm local time.[1]

Sunday was devoted to the burying of the dead. Among the survivors were Aubrey de Vere and his son, William de Vere.

Pictorial details of the whole affair appear in the Bayeux Tapestry, and are now interpreted as hard fact. How we depend on that magnificent length of bright embroidery, the greatest strip-cartoon in the world! Yet the first mention to be found of the existence of the tapestry was in an inventory of the ornaments of Bayeux cathedral made four hundred years after the event illustrated, and it remained unknown to all but the people of Bayeux until 1724.

The theory is that Odo, William's half-brother, Bishop of Bayeux for fifty years, ordered the tapestry to be made. He appears as a prominent figure in it. Odo's name heads the list of the famous Battle Abbey Roll, compiled by the monks of the abbey which the Conqueror built to commemorate his victory. The roll is presumed to have been ordered by the Conqueror so that the monks of his new abbey should pray for the souls of those of his knights who had helped to achieve it. The list was probably first copied from a muster-roll prepared before embarkation, to be called over on the field the morning after the battle. Thus it could have included any unfortunate non-starters and the occasional knight overboard. Over the years there followed two hundred thousand Norman carpet-baggers, many of whom were anxious to own an ancestor who had actually fought at Hastings. If adequately rewarded, the monks would obligingly insert new names. Others had to be removed to make room for them. At the Dissolution of the Monasteries, however, the adulterated Battle Abbey Roll, along with the Conqueror's sword and his Coronation robe (from which the jewels had already been removed) disappeared, but not before copies of the roll had been made. Some were in verse, others in rhythmical couplets, making the names even less reliable. A former editor of *Burke's Peerage* said that not more than twenty-five of the knights who fought with Duke William have definitely been identified by name. De Vere is one of the twenty-five. The name appears recognizably in all the lists handed down, spelt variously Ver, Vere, Veer, de Vere, de la Vere, Verres, Aubrie de Vere and Alberici de Ver. Guillaume de Ver also appears in one list, as he does in the Domesday Book.

The Domesday Book[2] (also known as the Survey or *Descriptio*) and the Anglo-Saxon Chronicle are the two monuments of early English history. It is not easy to find a parallel with them in any nation, ancient or modern. The latter is a collection of reports, rather than one uniform work. There were many chroniclers writing in Norman monasteries at the time of the Conquest. Not unnaturally they were heavily biased against the 'feeble Saxons' and inevitably depended on hearsay for reports of activities outside the perimeters of their own monasteries. Thus a misleading impression is given that Duke William followed his success at the Battle of Hastings by riding triumphantly straight to his coronation in Westminster Abbey. The speed of his horses and the erection of defences against the native population eventually terrorized them into submission, but not without considerable resistance.

The de Veres may have fought and pillaged their way into Oxfordshire with Duke William when, after failing to take London Bridge, he wheeled round to the west to ford his main army across the Thames through the shallows of Wallingford. Or they may have been sent off into Kent to set up castles at Dover and Canterbury and so have reached London from the east.

King William planned to reward his followers in such a way that he could be sure of their further military support. After the landing, he allotted the first pick of the estates he rode through to his nearest relations and the head churchmen (Odo being both). William kept a quarter of England for his own use, but made it quite clear that he *personally* owned all the rest. Landholders took an oath of loyalty to him and were responsible for sub-letting property to a suffficient number of knights to enable them to honour their pledge. The knights, in turn, took an oath of loyalty to their overlord as well as to the King.

Partly to prevent any of the new overlords becoming too powerful in one area and partly to make them more mobile in times of strife, each one was awarded a number of estates, fiefs, or honours, in different parts of England. Thus the landholders had fields dotted about the countryside on which they could refuel their horses, with farms and gardens to refuel themselves and their men. Castles were speedily erected so that troops could move into a trouble spot without advance planning, assured of defensible accommodation which could be used like a series of motels.

Aubrey and his son William were among the exclusive twenty-five who were allotted estates in Middlesex. Both gained well-established Saxon villages, with ploughland, woods and grazing for cattle and pigs. Aubrey held the whole 1,200 acres of what is now the parish of Kensington ('Chenesitun') and William held land in Stepney ('Stibenhede') which lies conveniently between Aubrey's much larger Kensington and much more important Hedingham. The de Veres may have been granted estates in the city of London as well, but both London and Winchester were omitted from the Domesday Survey, except for incidental references. Aubrey was also allotted a quantity of estates which he was able to make more valuable in five East Anglian and East Midland counties: Huntingdonshire, Northamptonshire, Cambridgeshire, Suffolk and Essex.

It was in Essex, some thirty miles inland from the North Sea, that Aubrey de Vere set up his *Caput baroniae* or chief castle. The Saxon name, Hedingham – meaning a promontory on which a group of people lived – suggests a still earlier fortification. At first he would have hastily thrown up a typical motte-and-bailey castle at the head of the natural spur of rising ground, clear-felling the surrounding trees to get an early view of any approaching enemy and using the timber for building. The position was ideal, with the River Colne winding below to supply water and some defence. The vineyards he planted are recorded in Domesday and in the seventeenth century wild vines, bearing red grapes, still appeared on the west side of the castle – as they did until rebuilding after the London Blitz in Kensington, this other of his forty-five estates.

A man could only have been granted such a bountiful share through outstanding service before, during or immediately after the Conquest; or through being closely related to William the Conqueror – which would have given him an added chance to take military command. Aubrey de Vere was not, as has sometimes been said, married to William's sister but to one Beatrice, whose parents have not yet been traced.

Who was this man to whom William the Conqueror granted so much?

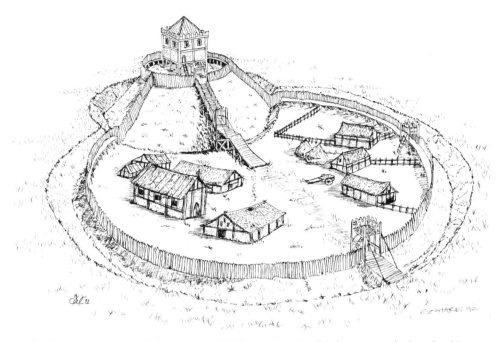

Hedingham was typical of the motte-and-bailey castles hastily thrown up during the Norman Conquest, though with a bigger bailey and a lower motte than most, since it was raised on a natural spur of a hill.

Genesis

An ingenious, though hardly credible, pedigree was compiled by the Tudor antiquarian, John Leland (1506–52), tracing the de Veres back to the Ark. Every man who had succeeded in claiming an ancestor who had fought at the Battle of Hastings wanted, by Leland's time, to be descended from Charlemagne. Leland only permits the de Veres a direct descent from Charlemagne's brother-in-law. However, to balance this defect, he traces them confidently back to Noah, passing on the way Maleager, who slew the Caledonian boar (hence, he says, the use of the blue boar being used as the de Vere's badge), till he reaches Verus, 'so-named from his true dealing', from whose second son descended (some thirty generations after Noah) Miles de Vere, Duke of Angiers and brother-in-law of Charlemagne.[3]

Three centuries after Leland's pedigree, an anonymous writer declared[4] that the de Veres hailed from 'Ver, Zealand, in Denmark', which idea, a hundred years later, C. R. Markham, in his *Fighting Veres*, picked up, correcting the country to Holland, there being no such place as Ver in Denmark. However, in the province of Zealand in the Netherlands, on its most westerly island of Walcheren, lies the picturesque town of Veere, prounounced *Vera*. Once a thriving port, it is now an abandoned fishing village on a lake barricaded from the sea.

Markham follows the same anonymous writer in taking the Vers from Zealand to the village of Ver in the Cotentin. Young William Longsword admitted a fresh Danish colony into his newly acquired Coutances; it could be conjectured that the Vers, whether they came from Denmark or the Netherlands, were part of it.

The hill-top town of Coutances once gave its name to the whole peninsula of the Cotentin which projects northwards into the English Channel. It is now the Department of Manche, a traditional land of cream and apples and sausages, sometimes ingeniously blended into one dish.

Domesday Book shows that Aubrey was a tenant in England of the Bishop of Coutances and that he held land from the Conqueror's son-in-law, Alan, Count of the adjoining Duchy of Brittany. This Alan, Count of Brittany, also later gave land in Essex to the de Veres, who themselves founded a priory at Hatfield Broadoak, Essex, as a cell of the Breton priory, St Mellains de Rennes. Aubrey attested a charter in Brittany before the Battle of Hastings.

Coutances cathedral is one of the loveliest Gothic buildings in Normandy. Looking towards the sea from the lantern towers, in clear weather, the coast of Brittany and the Channel Islands can be seen and, looking inland, the fields and farms and woods with the distant hills beyond of the valley of the Vire. The River Vire rises south of the town of Vire and winds north to flow into the English Channel at Baie-des-Vey.

Ver-like names appear and reappear in all sorts of different forms and spellings throughout the region. Along the coast, halfway between Baie-des-Vey-et-Ver, is Vierville-sur-mer. North west of the bay is Saint-Vaast-le-Hougue, renamed after a successful Anglo-Dutch assault in the seventeenth century yet still pronounced 'Sa' Va'. Confusingly the River Vere rises only a few miles from the source of the River Vire, and nearby are such villages as Vaire, Veyre, Troisegots-la-Chapelle-sur-Vire and the gorge of Vee.

Aubrey's ancestors may have left their name behind, but only two places in the Cotentin are mentioned by both English and French historians as being connected with the family which gave England twenty earls of Oxford. One is Ver-sur-Mer on the north coast a few miles from Bayeux, whose sandy beaches of Pasty Ver could have been the landing place of the first Vers to invade this coast, just as they were for the Allied army in 1944. The remains of 'Les Mulberries', the artificial harbours brought prefabricated into battle, as were William the Conqueror's castles, can still be seen resting on the sea-bed at nearby Arromanches.

The other village of Ver, already mentioned as Aubrey's ancestral home, lies about sixty kilometres south of Cherbourg beside one of the smaller rivers named Seine (sometimes spelt here Syenne or Sienne) upstream from the town of Gavray. The present Château de Ver is now more of a farmhouse than the palace it seems to be on first sight. Wings of assorted earlier dates merge into what are now used as farm buildings. The ruin of an ancient circular building may have been part of a tower, but is now referred to as the dovecot.

Records have long been known of the de Veres having to provide knights in time of war in the Ver district, but only recently has a collection of charters of the Dukes of Normandy been published, one of which refers to a gift from William the Conqueror's uncle, Richard, 5th Duke of

Ver is an enchanting place, which was probably never a great stronghold but a delightful retreat at which a seigneur could graze his brood mares and prepare for the next battle.

Château de Ver (Manche)

Normandy, at the time of Richard's marriage in January 1026 to the daughter of King Robert I of France. The wedding present was *Civitatem quae appellatur Constancia . . . concedo quoque curtem quae dectitur Ver, super fluvium Senae cum silvis et terris cultis et incultis* (the village which is called Ver, on the river Seine, with the woods, the cultivated land and uncultivated).

This Richard was a great-grandson of William Longsword who brought the Danes into the Cotentin, some of them probably his own relations. Many were to become more French than Danish, for the Norsemen brought few of their own women with them. William Longsword's own father, Rou (or Rollo, later christened Robert), married the King of France's daughter and then bred from another French woman, since Vikings remained polygamous even after they became Christians. William Longsword's second wife was French. She was Lutegarte, daughter of the Lord of Peronne and St Quentin, 2nd Count of Vermandois. Lutegarte was not only a daughter but sister, aunt and great-aunt of a succession of Counts of Vermandois and so was likely to have given lands to her family in her husband's new colony, to which they gave their name. 'Ver' has been found as a shortened form of Vermandois in various pedigrees.

Was Aubrey de Vere, then, one of the illustrious family of Vermandois? Success in the field alone could not have brought him reward on such a scale. His first name, used before the Norman Conquest, gives some indication of his status. The Latin name Albericus, anglicized as Aubrey, comes from the old Teutonic 'Albirich', a combination of 'elf', meaning 'supernatural mischief-maker'; and 'ric', meaning 'king', 'tyrant', 'despot', 'master', 'leader', 'head', 'patron' or 'rich man'.

If the Vers and the Counts of Vermandois are synonymous, the de Veres would, despite Leland's dismissal, have qualified for direct descent from Charlemagne. Lutegarde's father, the 2nd Count of Vermandois, was a great-great-great-grandson of Charlemagne, through Pepin, King of Italy.

By the Treaty of Verdun of 843 France was divided among Charlemagne's three grandsons. The result was a scattering of small countries and duchies with ever-changing boundaries. The fertile country of Vermandois once stretched between Normandy and Flanders, with the River Oise wandering up through the garden valleys of Picardy.

A succession of distinguished Counts and Countesses of Vermandois included Raoul, nicknamed 'the Valiant', who married the sister of

Eleanor of Aquitaine. She was first the Queen of Louis VII of France, then the Queen of Henry II of England. The last of the memorable Counts of Vermandois (the natural son of Louis XIV) was believed for a while to be the ill-fated Man in the Iron Mask.

Counts and Countesses of Vermandois proliferate in the pedigree of the great and powerful family of de Coucy, which spurned territorial titles for its own sons. The name Aubrey also appears in the Coucy pedigree; in fact, it heads it.

Six years before the Battle of Hastings, Aubrey de Coucy founded the Benedictine abbey at the foot of the common from which a primitive castle had dominated the centre of Vermandois for over a century. From this Aubrey descended another Aubrey and a succession of Engenarands or Engaines. The first Engaine de Coucy was reckoned to be the most notorious savage of them all, proudly bearing the surname (or nickname) of 'Raging Wolf'. The de Veres of Castle Hedingham are reliably recorded as marrying into the de Coucy family. Colne Engaine, near Castle Hedingham, presumably took its name from this connection, just as nearby Sible Hedingham would have been named after Sible de Coucy, one of Raging Wolf's wives.

The House of Coucy, while affecting to despise sovereign estate, nevertheless assumed what closely approached it, surrounding itself with its own officers of state, like an independent principality. Its charters sometimes ran in the form of '*par la grâce de Dieu Seigneur de Coucy*' and among its war cries were '*Notre Dame au Seigneur de Coucy*' and '*Couci à la Merveille*'.

Long after the de Coucys had been absorbed into other families, their arrogance lived on and surely contributed to the haughty reputation of the de Veres.

Sharing the Spoil

Aubrey de Coucy was granted by the Conqueror, with other lands,[5] all the estates of the English thane, Wulfwine, in Cambridgeshire, and the majority of this thane's former lands in Essex and Suffolk. Aubrey also seized the land that Wulfwine had held in Huntingdonshire as well as two manors held by Faritius, Abbot of Ramsey, near Huntingdon. Later these manors were handed back to Abbot Faritius in the presence of one of Aubrey's sons, also named Aubrey, who continued to take an interest in

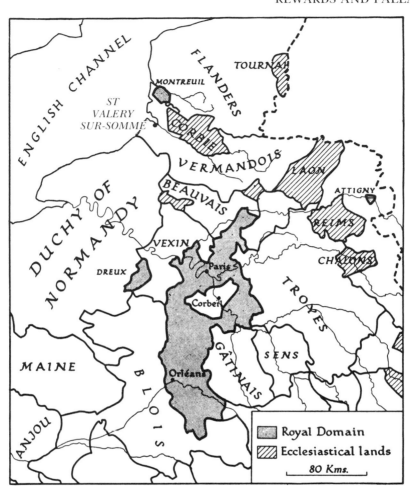

Eleventh century France showing the country of Vermondoise in the main part of what later became Picardy. It was from St Valerie-sur-Somme that Duke William finally sailed to conquer England.

Ramsey, later concerning himself with improving the monastic food for guests (which could well have been in his own interests).

Aubrey also encroached on the King's land in Cambridgeshire, where he was dislodged by Picot, Sheriff of Cambridge. Picot had acquired a considerable amount of land in the county, much of which he and his brother took from Ely Abbey, whose opinion was that he was: 'a hungry lion, a roving wolf, a crafty fox, a filthy pig, a shameless dog'. The monks of Ely were not the only ones to hold this opinion. Picot was accused of being utterly unscrupulous over his calling of the Men of the Hundred.

9

The Men of the Hundred should have consisted of eight men for each hundred, four French and four English. Their function was to ratify commissioners' findings for each hundred and give evidence in the case of disputes to the title of the land. Picot, however, would send only one man who swore in all for eight (the one man invariably being himself). Or he would send eight men to swear in other hundreds than his own. Picot held several of Count Alan's eighty-two manors in Cambridgeshire, from which he could claim the use of carts, draught-beasts and escorts. He also demanded the same, for his own private use, from estates which he did not hold. He built water-mills for his own profit on land held by other people, flooding their pastures for mill ponds.

Aubrey usually got the better of Picot. Both held land from the King in Abington, near Cambridge, as well as holding their own land there. Part of Abington still bears a version of Picot's name or possibly a version of one of the names applied by the monks: Abington Piggots. Aubrey held the main part, with the village, woods, meadows and enough arable for twenty teams of oxen to plough. With one of his sons, or more likely his son-in-law, Walter Gifford, he also appropriated from the King about forty acres of the land held by Picot, as Domesday records.[6]

'Picot adjudged it against Aubrey as the Men of the Hundred Testify', though without much success as Aubrey continued to keep sheep there and then annexed another piece of Abington Piggots. Picot again judged against him but Aubrey continued to plough and to graze 380 sheep there. Domesday shows that young Aubrey's wife also annexed an acre or so near Castle Hedingham, to add to those she already held from the Bishop of Bayeux.

As the King's agent Sheriff Picot had the right to the profits of jurisdiction, so no doubt he made a point of keeping the cases going.

Lost, Stolen or Never Existed

There is another likely reason, besides agricultural needs, for the determination of Aubrey to acquire more land in Abington. Aubrey, like William himself, was typical of all Norman warriors in fighting with both the sword and the law to secure forgiveness in heaven through the intercession of monks. It could have been for the sake of finding favour with an already existing abbey that Aubrey disputed land in Abington. The only sign of there ever having been an abbey there is the name of Grange Farm, on the pre-Roman road, the Icknield Way (a grange was an outlying farmhouse with granaries, nearly always belonging to a monastery). Many monastic settlements disappeared with little more to show for their previous existence. At Thorney, not many miles away, only a few stones have survived of the abbey, founded in the seventh century, but there are records of its monastic charters, one of which was attested by Aubrey's son.

There are no records of an abbey at Abing*ton*. However, much is written about, and signed by, the de Veres in the charters of the pre-Conquest Benedictine abbey at Abing*don* in Oxfordshire. It has therefore long been assumed that this was the abbey closely connected with the family.

But monastic records are notoriously inaccurate. After the sacking and burning of a great number of monasteries, often with the recovery of only a few scattered parchments, there followed copyings, frequently in the form of palimpsests (parchments that were written on more than once). Spelling was inevitably inconsistent when at least two languages were in use and *ton* and *don* are not unalike, either when spoken or written.

The charters of Abingdon are typical. In one Picot is referred to as Aubrey's steward, which was evidently far from the case. This document is a collection of notes transcribed from the journals of more than one monastery. Only two of the original drafts survive. They are written in Latin on doubled membranes of parchment by one 'continuer' or more. Dating was erratic, depending on the calendar system used by the individual chronicler. Copies were invariably made long after the event described, place-names and derived from at least five languages – Celtic, Saxon, French, Old Norse and Latin. It would have been easy enough for a continuer, confined to his distant cell, to have confused a small and already defunct abbey with his own abbey of a similar name, particularly after the de Veres became Earls of Oxford. There are no records, other than in the chronicles at Abingdon Abbey, of any of the early de Veres going into Oxfordshire. Abing*ton*, Cambridgeshire, however, was right in their territory. Moreover, Faritius is recorded as being abbot both of Ramsey and Abing*don*, apparently simultaneously. Abing*ton* is twenty-five miles from Ramsey; Abing*don* is nearly seventy.

When Aubrey's youngest son, Geoffrey, became seriously ill, he would have been more likely to be nursed in an abbey infirmary in the de Vere area than to be taken into Oxfordshire. But the chroniclers of Abing*don* narrate how, after a brief recovery from his illness, Geoffrey died and

11

was buried at Abing*don*, having on his death-bed granted the church of Kensington to Abing*don* Abbey. In another charter it is Geoffrey's father who is named, at his dying son's request, as giving Kensington church and with it dependencies of over 240 acres of land to Abing*don*, which abbey later accepted this valuable property.

There are still two streets in Kensington named Abingdon Road and Abingdon Villas, and a nearby street and walk are both named after Aubrey. Aubrey's 'Chenesitun' land stretched south from Kensal Green down to Fulham Road, and west from Kensington Gardens to Earls Court. Earls Colne in Essex also took its prefix from the de Vere Earls. Colne was one of several river settlements originally simply sharing the name of the river Colne (a shortening of the name of its port of Colchester). At Earls Colne Aubrey is reliably recorded as founding a Benedictine priory. It began with two monks being ordained to celebrate mass daily for the souls of the de Veres in Aubrey's Church of St Andrew, Colne. As the number of monks increased, they began to build themselves a habitation a few minutes' walk from the church. A blessing was given by the Archbishop of Canterbury to anyone helping them. From then on, the de Veres appear to have transferred their attention to Colne Priory from Abing*don* Abbey, Oxfordshire – or in the event of a mistake, unintentional or deliberate, from Abing*ton* Abbey, Cambridgeshire – which transfer could well have caused the beginning of its demise.

There is reliable evidence that the de Veres and their near relations continued as patrons of Colne Priory for the next four hundred years. They used it as their private maternity home, nursing home and final retirement home. The priory church became their chief burial ground. Ten Earls of Oxford and their wives were eventually buried there. King Richard II was to come here to mourn over the grave of his young friend, Robert de Vere, 9th Earl of Oxford and Duke of Ireland.

Not a trace of Colne Priory remains today. The buildings fell into ruin after the Dissolution. Records were dispersed or lost. Even the names of the priors have disappeared.

However, twenty-one tombs survived and are some now being safely cared for in a private chapel a few miles away at Bures. Despite the ravages of time and weather it has been possible to sort out the limbs, heads and torsos of effigies and allot them to their original owners. Four have been identified as almost certainly de Vere Earls and a Countess of Oxford. Crossed legs on tombs are no longer thought to proclaim crusaders only, but any Christian knight. All crusaders had crosses marked on the loose coats that covered their warriors' shields, to protect them from the intense heat of the sun in the Middle East. This easily distinguishable sign served as a useful attraction in recruiting. But in battle further distinctive signs were needed to distinguish one leader's men from another's. The leader's device appeared on the standard that served as a rallying point in battle. The standard was a long, thin, tapering flag made in the livery colours of the lord who served him; it was usually forked at the end and bore, at the broad end, nearest to the shaft, his badge of identification, which was sometimes a tangible object, such as a dagger or a gauntlet. Later, badges were painted in colour on the actual shields.

A legend lingers round the acquisition of the de Vere badge. In the version as told by Leland, author of the Noah descent, Aubrey was 'at the Conquest of the Cities of Nicque, of Antioch, and of Hierusalem' and:

> In the year of our Lord 1098, Corborant, Admiral to the Soudan of Persia, was fought with at Antioch, and discomforted the Christians. The Night coming on in the Chace of this Bataile, and waxing dark, the Christians being four miles from Antioche, God, willing the saufte of the Christianes, shewed a white Starre or Molette of fyve Pointes, which to every Manne's Sighte did lighte and arrest upon the standard of Albrey, then shining excessively.

The mystic star from this miracle became the de Veres' badge, which they wore on their shields from then onwards – quarterly <u>gules</u> and or, in <u>the first quarter a mullet argent</u>. Later heralds argued that it was merely 'a mullet with a difference' as always used to distinguish a younger son from an elder. Others said that it was not a star at all, but the <u>rowl of a spur, from the French</u> word *mollet*, which could have been held up as a pre-arranged sign to muster supporters and was caught in a ray of sun. But for the de Veres the badge was simply God pointing out the family's near-deity.

There has been some argument about which Aubrey of the succession of Aubrey de Veres was this first apotheosized crusader. However, there is no reason to suppose that the Aubrey who came over with William the Conqueror and is frequently recorded in Domesday was not still active enough in his late sixties to take part in the First Crusade. He must have been nearing forty at the Battle of Hastings for his son, William, to have appeared in the Battle Abbey Roll as also taking part.

The First Crusade was a great attraction. It was partly financed by the Conqueror's eldest son, Robert Courthous, Duke of Normandy, who mortgaged what was left of his inheritance after his brother, William Rufus, had helped himself to England. Robert's excessive levity, ease of temper, cheerfulness and well-known love of pleasure augured a lively tour, with mock battles on the way to keep in practice and an opportunity at the end to display true courage and skill. Some even went in a spirit of remorse for past misdeeds with a hope of gaining a high place in heaven.

To ease catering problems for the ever-increasing number of volunteers, the Crusade was divided up, each party taking a different route under a rich young leader. One was Stephen de Blois, father of the future King Stephen of England. Another was Godfrey, Duke of Lorraine, who was to become King of Jerusalem. According to Edward Gibbon, in his *Decline and Fall of the Roman Empire*, the most conspicuous of the leader princes was Hugh the Great, brother of King Henry I of France.

If the de Veres were of Vermandois stock, Aubrey would most likely have joined Hugh the Great, who, through his marriage to Adele, Countess of Vermandois, bore the title of Count of Vermandois. Hugh the Great, whose mother was a Russian princess, was said to be immensely proud of his nobility, riches and power.

Hugh got off to a bad start with the scattering of his advance ships in a gale. Then he himself was taken prisoner. He had announced his arrival on the Bosporus with such a flamboyant display of knights all attired in golden armour that Emperor Alexius, expecting a mere bunch of mercenaries, had the knights and Hugh and the whole of his army surrounded. Here they had to wait until Godfrey, hearing of their plight, reluctantly sent help, only to find them luxuriously settled in the Emperor's palaces and gardens on the shores of the Bosphorus, with no intention of moving on until the spring. No doubt the Court found them good company, particularly as many wives and sisters had insisted on joining the pilgrimage. Hounds and hawks were as much part of the equipage for leisure hours as was the luxurious bedding in the ladies' luggage.

Hugh, Count of Vermandois, was next heard of flying to the succour of Duke Robert with sixty thousand horse, after the siege of Nicea (Leland's 'Nicque'). Without a moment's pause Hugh's army formed in new order and advanced to a second battle near Antioch, where Sultan Soliman, enraged by the loss of his capital of Nicea, had turned to fight again and four thousand Christians had already been ruthlessly pierced by Turkish arrows. The height of a battle lends itself to mystic happenings and mass visions – as in World War I, when a mysterious army appeared before the enemy, setting in motion the Retreat from Mons; to the Allies, this army was seen from the rear as a shining cloud of angels. In the First Crusade, on 10th June, as the Christians were about to face the whole united Muslim front, the miraculous discovery of the so-called Holy Lance brought about unexpected victory to the Christians. The visionary, Peter Bartholomew, who found it, held it aloft. The Battle of Antioch was won and the Crusade saved. Simultaneously it was being saved on another part of the field by the mystic star alighting on Aubrey's standard, if not on that of the more conspicuous Hugh the Great nearby.

Hugh was already an international hero round whom such traditions are woven, but it was Aubrey who is said to have returned to England with the star, to retire, eventually, as a monk into his own monastery at Earls Colne. It would seem, therefore, to have been Aubrey's holiness rather than Hugh the Great's valour which made permanent this shimmering mirage in the desert which grew so solidly into a permanent traditional star of England. There are churches in East Anglia that are still stamped with the five-point mullet of de Vere, de Ver or de Vermandois.

NOTES

1   The actual date was what is now 4th October, owing to the change of calendar in 1582.
2   The final version of Domesday is now in the Public Record Office. Three evidently earlier drafts survive: for Cambridgeshire, the south-western counties and East Anglia (Little Domesday).
3   Queen Elizabeth I's pedigree includes every sage and hero of antiquity back to Adam, complete with all their families' coats of arms, including those of the Virgin Mary.
4   An account of the most ancient and noble family of the de Veres Earls of Oxford, an anonymous MS written in 1825 once to be found in the Central Library at Colchester, Essex.
5   Domesday records Aubrey holding in chief fourteen estates in Essex with two houses and three acres in Colchester; nine estates in Suffolk, seven in Cambridgeshire and two in Huntingdonshire; also the land he was granted in Kensington, and the two properties in Northamptonshire which he held from the Bishop of Coutances.
6   Picot appears in the Ely Inquiry, a more detailed collection of material relating to Ely Abbey's holdings in East Anglia, whose source appears to be drafts (now lost) of the Domesday returns. These differ slightly from the three surviving manuscripts of the Inquiry, which were copied at the end of the twelfth century.

CHAPTER TWO

Putting Down Roots

AUBREY I's most convincingly recorded activity in the late eleventh century is the planting of vineyards, of which he laid out four. Besides the vineyards at Castle Hedingham and in Earls Court, Kensington, he planted the largest vineyard in Essex, at Belchamp Walter,[1] but of its over seventeen acres fewer than two grew vines that bore fruit. The fourth was planted on Aubrey's Lavenham estate in Suffolk.

Burke's Extinct Peerage gives him only five sons and a probable daughter. The sons were Geoffrey, who instigated the gift of Kensington church; Aubrey, who was to become the first Hereditary Great Chancellor of England; and Roger who, with his brothers Robert and William, attested various charters. Over and above these, Domesday mentions 'Humphrey de Vere son of Aubrey' who was granted land in west Norfolk at Riddlesworth, near Bawdeswell, and in south Norfolk at Eynsworth, over which he held jurisdiction. 'Walter son of Aubrey' held Harlton and Orwell in Cambridgeshire from the Conqueror's companion-in-arms and first cousin, Walter Gifford. Bodin de Vere also held land in Norfolk granted to Walter Gifford, which estate was later taken over by 'Hervey de Vere son of Aubrey'. Hervey also held a house in Norwich, a city then second only to London in commercial importance. Those loosely referred to as sons may well have been sons-in-law or grandsons-in-law, particularly Walter, as Aubrey I's son married a granddaughter of Walter Gifford. Hervey de Vere is believed to be the same as 'Hervey of Spain', mentioned in Domesday as holding Willingdale Spain, Essex, and the manor of Spains, Finchingfield, from the Conqueror's son-in-law. Count Alan later gave the latter to the de Veres.

After a long pause in the records, Aubrey reappears attesting a writ at Westminster in 1102. During the next few years he was acting as Sheriff of Berkshire, styled simply 'Aubrey'. Later, as a justice in Northamptonshire, he was styled 'Aubrey the Chamberlain' and then attested a royal charter as 'The King's Chamberlain'.

The lordship of Spains Hall, Finchingfield, now the home of Sir John Ruggles Brise Bt., former Lord Lieutenant of Essex, was held before 1066 by Edeva the Fair and after by Hervey (referred to in Domesday as *Herius de iffa*, Hervey of Spain). Count Alan, Earl of Richmond, gave Spains to Aubrey de Vere, 1st Earl of Oxford and his heirs. In 1426 'Spayneswode' was held in knight service by the 12th Earl of Oxford.

At Spains, where ground has been relatively undisturbed over the millennia, remains of military roads linking Roman forts have been traced. On a map of these findings, 'out' and 'in' drives appear from Spains to and from the main military road, showing the importance of the site.

The Chamberlains mentioned in Domesday were not all of the royal household. Roger Pigott boasted a Chamberlain, as did Count Alan. There is no evidence of there being one single Master Chamberlain in England in the reign of the Conqueror. When he died, England and Normandy parted company and his sons William II, King of England, and Robert, Duke of Normandy, each had his own household. The succession of the Hereditary Master Chamberlain remained where it had begun, with the powerful Tancarville family of Normandy.

Aubrey I, after being 'shorn a monk', died at Colne Priory in about 1112, and was buried in the church there with his wife. According to *Weever's Ancient Funerall Monuments* he was buried in the same grave as his youngest son, William, over which a tomb (long since perished) was erected, engraved with a Latin epitaph, later translated as:

Behold a Father and a Son
Whose fortunes meet in one grave stone.

17

If Aubrey's youngest son is the same William as appears in the Battle Abbey Roll and in Domesday, it is strange that his four elder brothers are not recorded as taking part in the invasion of 1066 or as receiving any benefactions from the Conqueror, as did William, Walter and Hervey. Moreover, their father would have had to have started his family very early to have a fifth son old enough to win honours in the Battle of Hastings. However, as it is usually assumed that the Domesday Aubrey de Vere is identical with, and not the father of, the Aubrey who, after long years of obscurity, again burst into the limelight in 1102, we will refer to his successor as Aubrey II.

Aubrey II made a prestigious marriage which was almost certainly solemnized before his father's death and arranged long before that. The bride, Alice, was the daughter of Gilbert FitzRichard, feudal lord of Clare.[2] Her brother, later to become 1st Earl of Pembroke, married Isobel de Beaumont, granddaughter of Hugh the Great, Count of Vermandois.

Master Chamberlain of All England

As 'Aubrey de Vere, the King's Chamberlain' Aubrey II confirmed his parents' gifts and religious benefactions.

The duties of a King's Chamberlain had long lain somewhere between those of a personal valet (bringing clean water to wash in and being in charge of the private chambers) and a Chancellor of the Exchequer. The name 'exchequer' came from the chequered boards on whose squares the Chamberlains to the treasury laid out the coins to pay the expenses of the Royal Household and Privy Purse, using the boards in their spare time for playing games.

Gradually the more domestic duties of the King's Chamberlain were taken over by deputies and the office became more ceremonial, with the holder officiating on state occasions, which could include the Twelve Days of Christmas.

Norfolk had already become a venue for the royal Christmas by 1122, when King Henry Beauclerk celebrated Christmas at Norwich. Aubrey II was twice a justice in Norfolk and later a joint sheriff of the county. He was joint Sheriff of London in 1123 when King Henry, spending Christmas in Normandy, sent orders back that all moneylenders were to go to Westminster where, within the Twelve Days of Christmas, each was to have his right hand and his testicles removed. None of the deeds Aubrey attested shows that he carried out the orders, though his future co-sheriff in Essex, William Basset, is recorded as carrying out the most barbaric punishments when he was joint Sheriff of London in the previous year.[3]

Aubrey II's financial behaviour while serving in various official positions with William Basset was not entirely above reproach. Their accounts by no means always balanced and Aubrey himself received an account for over £550 for 'allowing' a prisoner to escape, of which he only paid £34 13s 4d, and he was then fined for resigning from the shrievalty of Essex and of Hertfordshire without permission. However, he constantly signed royal charters and by July 1133 he had made himself sufficiently indispensable to King Henry I to be granted, 'for life and for his heirs', the office of the King's Master Chamberlain of all England. This was a tremendously important milestone in the family saga.

A constitution showing the status of the Master Chamberlain was drawn up later, showing that the office was one of six which received the highest rate of pay, the others being the Chancellor, the Stewards, the Master Butler, the Treasurer and the Constable. Provided they took their meals in the Royal Household, each received 3s 4d a day, with two plain loaves, one measure of household wine and adequate candles for the time of year. If they dined elsewhere, they received instead five shillings a day, a cake and two plain loaves, a measure of clear wine and one of ordinary, one thick candle and forty candle-ends.

The service of keeping the King clean now passed out of the Chamberlain's hands into those of the official wielder of the jug, or ewer. The ewerer had an extra penny a day for drying the King's clothes when the King went on journey and threepence for every bath, which were taken in a cask or barrel. However, for state baths before the great Christian feasts, no extra pay was forthcoming.

Nothing was written into the constitution about the traditional right of the Master Chamberlain to keep the silver basins and towels used by the Sovereign before and after his Coronation banquet.

In the charter appointing Aubrey as Master Chamberlain in July 1133, mention is made of the former Chamberlain, Robert Mallet, who had been banished over twenty years before without officially being replaced; meanwhile the Norman Chancellor had officiated when necessary. Now the King ordered that Aubrey and his heirs should hold the office as freely and honourably as Mallet, with the liveries and lodgings at the

19

King's Court that belonged to it. Liveries consisted of rations dispensed for Mallet's horses and men. A lodging in Mallet's time was often no more than a place to stretch himself out near the King.

It was made very clear that land was not included in the perquisites of the office. Mallet's land was forfeited for his being a rebel and not because he ceased to be Master Chamberlain. Nor was the holding of Hedingham or any other fief dependent on the office. The grant was to be limited to England, leaving the post of Hereditary Master Chamberlain in Normandy to the family of de Tancarville.

The charter granted to Aubrey in 1133 still applies. All later claims to the office – and there have been a great many – derive from its foundation, right down to the present joint hereditary Lord Great Chamberlains of England.

The timing of the charter, which was granted at Fareham, Hampshire, coincided with the King's impending visit to Normandy. He was to take Aubrey with him. Rabel de Tancarville had only lately inherited the master chamberlainship of Normandy from his father, who had officiated on both sides of the Channel since Robert Mallet's dismissal. The likelihood of Rabel seizing from Aubrey what he considered his right by force (as, indeed, his son was to do fifty years later) needed to be prepared for. Aubrey II was with the King at Westbourne, Dorset, when they left England on 2nd May 1133. Aubrey attested writs at Dieppe and then headed west to attest more writs at Falaise, birthplace of William the Conqueror. Aubrey de Vere was now in the area of places bearing Ver-sounding names, the most important being Vire, where the chief roads of the Cotentin had always crossed. If on this journey he continued into Brittany to visit Rennes, he would inevitably have passed through Vire, where a castle keep almost identical with Hedingham was going up. No records survive of any de Veres being connected with the castle of Vire, but the similarity of the structures, built at a time when castles only varied according to individual taste, does suggest that Aubrey de Vere, the new Master Chamberlain of all England, may have been involved in the building and control of both castles.

King Henry was now encouraging his magnates in England and Wales, as well as in Normandy, to enlarge and strengthen the castles they had originally only been allowed to build in wood. He had just bestowed Rochester Castle on the Archbishop of Canterbury in perpetuity. It was one of the few early Conquest castles that had been permitted to be built of stone, and he gave Archbishop de Corbeil permission to add an outstanding tower there 'and keep and hold it for ever', hence the present name, 'keep'.

William de Corbeil had been tutor to the son of Radolf, a former Chancellor of King Henry I, and had entered the newly founded priory of St Osyth in Essex in order to qualify as a candidate for the archbishopric of Canterbury. As a canon of St Osyth, he was only just enough of a monk to allow him to compete. One of Aubrey de Vere's sons was also a canon of St Osyth, a priory built on the site of the oft-ravaged Saxon nunnery near the mouth of the River Colne, about twenty miles from Hedingham. These two factors may have had some bearing on Archbishop de Corbeil's name being linked with the architecture of Hedingham Castle. For, in the wake of Rochester came Hedingham, built on Rochester's model but on three-quarters scale,[4] while an almost exactly matching keep rose at the same time in Normandy at Vire. The town of Vire itself stands halfway between Caen and Mont-St-Michel; its castle was built on a promontory with the river below and thus, like Aubrey de Vere's English Hedingham, had been a fortified strong-point long before Henry Beauclerk ordered all three castles to be rebuilt.

The remains of Vire's castle keep, one wall and parts of the adjoining walls with their relevant angles, are almost identical with those of Hedingham Castle's keep. Both were built in an era when few square keeps were to be seen in England. Both bases are enormously thick, the walls thinning only gradually towards the top. Both are faced with ashlar, not yet common in England, the surface of the stone having been smoothed and hewn into the same rectangular shapes. Windows are mostly in the same places, as are garderobe (latrine) shafts; also the holes (to take beams to support internal floor-boards and external scaffolding in times of siege) are almost indentically placed. The exposed interior of the surviving complete wall of the keep at Vire reveals a great cone-shaped chimney flue with two ducts above the arch over the main fireplace, almost exactly as at Hedingham Castle.

Archbishop de Corbeil had visited King Henry in Normandy on his way back from Rome and may well have been involved with the building of Vire Castle as well as the two castles in England, using the same group of highly skilled specialists attached to the King, which sometimes moved about with him and was sometimes detached to work under a master builder chosen by the architect and the patron who commissioned and financed the building. Experienced Norman engineers could earn high wages and also received presents, including sometimes land. Local

21

Rochester castle keep, (below) on whose model Hedingham, was built (above) but only three-quarters the scale. Both castles are believed to have had the earliest fireplaces of their kind in England, except for the fireplace at Colchester which castle was given to the 1st Earl of Oxford by Empress Matilda. It was King Stephen's Queen, also named Matilda who died at Hedingham castle in 1152.

labourers were worked the hardest and paid the least. Close contact with the making of the fortifications was enough to subdue the people. Hauling the enormous blocks of stone on and off boats and litters brought home the futility of trying to rebel against their new overlords, whose forts they were hoping to make impregnable.

Hedingham Castle

At Hedingham, local labourers were likely to be sons and grandsons of builders of the earlier wooden castle. They knew the lie of the land and where the river was likely to flood its marshy banks.

If a river did not run naturally near enough to a great building site, it was usual to dig a canal to bring it as close as possible. The linking fishponds at Hedingham may have originated from this practice and then have been used for the ingenious plumbing systems which were to be devised. Water was soon to be brought into the building by lead pipes to supplement the well water. There is thought to have been a tunnel at Hedingham Castle which emerged near the fishponds. The story goes that once when the castle was under siege, soldiers in the keep threw down fresh fish to show how well supplied they were.

Elsewhere, later attempts were made to raise water by a series of locks and sluices in order to flood ditches and create moats. This may have been tried at Hedingham and the tunnel may have been made for this purpose, though perhaps also used for collecting fish in an emergency. But in many castles the idea of raising water to fill a moat was soon discarded, partly because of rivers running too slowly to keep up the pressure and partly because of inadequate sluices. Moreover, it was found that a dry ditch, which attackers had to climb down into and then climb out of, was often a more effective defence than a moat which could be crossed swiftly by a number of men simultaneously on a raft.

But not always. Whereas miners could tunnel undetected under a dry ditch, there was always the danger of flooding when sapping under a moat. If invading sappers were detected, the besieged would try to intercept their tunnels with saps of their own, down which they are known to have sent wild animals, kept and enraged for the purpose. There are stories of the animals first being oiled and then set alight before being released.

Another tradition that survives is that there was a communicating tunnel, high enough for a horse and rider to canter through from Hedingham Castle to another of the de Vere Domesday castles, Camps

23

Castle, which is ten miles from Hedingham, near Cambridge. Some say it was merely a well-concealed track cut through the dense forest, but long subterranean tunnels of that date certainly have been known and this one may not have been continuous, the route merely going to ground under danger spots. Tunnels running downhill from cliff-top castles to the sea served the dual purpose of disposing of sewage and supplying secret access and escape.

Few such conveniences as saps and drains were built in initially but they were instigated later through necessity. The most urgent job in building a keep was to get it up off the ground, which ground itself had to be very solid to stand the weight. If the ground was honeycombed with tunnels, the whole thing would collapse, benefiting the enemy.

Building was inevitably slow and came to a standstill altogether in winter. Church towers only rose an average of two metres a season. A big stone castle was an immense investment in time, money and skilled manpower.

How much William de Corbeil was involved with the architecture of the castles of Hedingham, or indeed Rochester let alone Vire is not known. The same applies to Gundulf, Bishop of Rochester, who is recorded as the builder of the earlier Tower of London and the curtain wall of Rochester Castle. These two successive ecclesiastics may have drawn up plans, or supervised work on site, or acted as outside consultants and advisers to their patrons. Perhaps they played all three roles in association with all three castles.

24

Family Affairs

Aubrey II and Alice FitzRichard's four sons, Aubrey III, Robert, William (the priest) and Geoffrey, appear in the records as loyal and upright supporters of the Crown, at any rate in comparison with the husbands of their three sisters, Adeliza, Juliana and Rohesia, all of whom seem to have surpassed the worst of their contemporaries in treachery and general skulduggery. All three were hated and feared by almost everyone except, apparently, the de Veres; the family kept together, as can be seen by Aubrey II's having attested his sons-in-law's and brothers-in-law's charters, thereby strengthening all their power.

He gave his estate of Ugly, in Essex, to Adeliza on her marriage to Henry de Essex. Henry is referred to as 'Henry de Vere' in a court case brought against de Essex by a Suffolk tenant. This Roger Kirtley complained that 'Henry de Vere' came to his house at Mutford, near Lowestoft, 'by night, on Monday in the first week of Lent, and a lighted torch of wax carried before him, and broke the door'. He entered his house and asked for Roger's daughter, whom, he claimed, Roger had promised him;

> and when he could not find her in the house, he entered her chamber and sought her throughout the chamber; but her mother had got her out of the chamber window; and when he could not find her in the chamber, he went out towards the barn which was full of corn, to wit of barley, and he found the door closed and bolted, and he broke the bolt and door, and entered and sought her everywhere; and when he could not find her, he set the torch to the corn, and burnt all the corn and barn.

Henry de Essex did not bother to deny the charge; it was enough for him to establish that Roger was his tenant and that, therefore, the man, his daughter, his house, his barn and the produce of his fields were all subject to him as the Lord of the Manor. This was only a start. As Henry grew older his youthful lust and mercilessness increased to violence and malevolence on a national scale.

Rohesia's husband, Geoffrey de Mandeville, son of the avaricious portreeve of London of the same name, was treacherous and virulent throughout his whole bloodthirsty life. Yet, unscrupulous as these rich and successful people were, they still retained their respect for the Almighty and invested heavily in the chances of continued success in the

Opposite page: Medieval architects viewing their builders at work.

hereafter. Many of the documents each family attested for the other concern presents to churches and religious communities. Hatfield Broadoak, Essex, first held by the de Mandevilles from the Conqueror, formed part of Rohesia's marriage settlement and here the family founded a priory.

Juliana married Hugh Bigot, whose family, because of fear of their ruthless cruelty, were said to have got their name from the commonest oath of the time: 'Bi Gott'. Hugh was never more in his element that when in rebellion.

It was Hugh Bigot who, as Henry I lay writhing from his surfeit of lampreys, dashed to England and swore to Archbishop Corbeil that the King, on his death-bed, had disinherited his daughter Matilda and named his nephew, Stephen de Blois, his successor. Archbishop Corbeil believed this and crowned Stephen King of England. Bigot was rewarded with the earldom of Norfolk.

As soon as his earldom was secured, Bigot turned against Stephen and, while the King was ill, seized Norwich Castle. Stephen recovered, re-took Norwich Castle and forgave Bigot, who soon forsook him again and declared for Empress Matilda, who was rampaging about England demanding her father's crown.

Aubrey II swore allegiance to King Stephen, who subsequently appointed him his advocate when the King was summoned to Winchester to appear before the synod to account for arresting such bishops as would not agree with him. Aubrey, 'a man practised in legal cases', spoke up boldly for his royal client and is referred to (at any rate by his own son William) as Chief Justiciar of England – he, as an intimate councillor of the King, was regarded as the most important of all the royal servants.

The Count of Guines

As a boy Aubrey II's eldest son, Aubrey III, had been given land in Suffolk[4] by royal consent. Now Alan, Earl of Richmond, gave him and his heirs the lordship of Spains Hall, in Essex, hitherto held by 'Hervey de Vere', also referred to in Domesday as 'Hervey of Spain'. Remembering that it was a Hervey, the Archbishop of Reims, who built the first primitive castle of Coucy, stronghold of the increasingly grandiose family of de Coucy, a relationship may have had some bearing on the choice, which historians find unaccountable, of young Aubrey III as heir to the Count of Guines. Manasses,[5] Count of Guines, whose wife was a de

Coucy, selected Aubrey III as a husband for their granddaughter, Beatrice, after her mother, Sibyl, died in childbirth. Beatrice was also the great-granddaughter of Raoul, Count of Vermandois.[6]

There is another possibility. Rabel de Tancarville, Hereditary Great Chamberlain of Normandy, was a nephew of Manasses. Young Aubrey was in line to become Hereditary Great Chamberlain of England under the same King. There could well have been some diplomatic reason for wanting to keep both great chamberlainships in the family.

Guines was a valuable domain. Guines Castle, seven miles south of Calais, was strategically important to the defence of the port, which, in peace-time was actively importing wool and exporting cloth. The people of Guines were already beginning to weave the tough fustian cloth which took its name from the village (also spelt Guisnes or Jeans), as do the unisex trousers made from it which are worn today all over the world. Guines was later exporting treacle to England; it could be bought from apothecaries as pots of 'Geane'.

Manasses also held part of the port of Folkestone, immediately across the Channel, where his own wharfs and warehouses dealt remuneratively with his and other merchants' wares.

The marriage betweeen Aubrey de Vere III and the granddaughter of Manasses, Count of Guines, took place in England. Afterwards Beatrice returned to France to her father, Henry, Constable of Bourbourg, and her stepmother and twelve step-brothers and step-sisters. Her grandfather died during the Christmas festivities, on 28th December 1139, and Aubrey hastened to Guines. After doing homage to his overlord, Thierry, Count of Flanders, Aubrey III became Count of Guines.

He returned to England, where King Stephen granted him his wife's inheritance of the wharfs and warehouses of Folkestone. He did not return to Guines 'because Beatrice was suffering from gravel and was afraid to perform her wifely duties'. This fear, if not the cystitis, seems to have continued.

Aubrey III was still in England when, a few months after the death of Manasses, he signed a charter in the presence of his father and brothers in which he was given the fees and service of his uncle, Roger de Vere. This is the only charter known in which Aubrey styled himself Count of Guines. Attached to the charter by a harpstring is a short black-shafted knife. This rare survival of *couteaux d'investiture* is preserved in Trinity College, Cambridge. It must have been a proud moment for his father, who was to die very soon afterwards.

27

Aubrey II was slain in a rising in London, whether in support of his courageous but pleasure-loving King or through joining his son-in-law, Geoffrey de Mandeville, in support of the usurping Matilda may never be known. There is even a discrepancy in the records of the year of his death, which appears in the Court Rolls of two East Anglian villages. Coggeshall, Essex, gives the date of this event as 15th May 1140; and Hoveton, Norfolk, has 9th May 1141, which latter year is regarded as the more accurate.

Immediately after his father's death, Aubrey, Count of Guines, gave every appearance of being on Stephen's side. He remained in England which by now had collapsed into a state of civil war and anarchy. Riots broke out, both pre-arranged and without warning. Supporters of Stephen and his Aunt Matilda were liable to change sides from one blow to the next.

Aubrey was held a prisoner at Lincoln with King Stephen until a ransom was paid for their release. From Stephen Aubrey appears to have obtained a charter confirming him in all his father's holdings, except for the small Northamptonshire barony which passed to his brother Robert.

During the brief period when Empress Matilda was Queen of England, Aubrey III accepted her as Sovereign. The de Vere family's support was important to her and, to make sure that it continued, she promised the brothers high rewards. Robert and Geoffrey were to have baronies and their ecclesiastical brother, William, the office of Chancellor. The Empress confirmed all Aubrey's father's holdings and added other general benefactions, including the office his father had held, Master Chamberlain.

Aubrey, Count of Guines, was then offered a choice of earldoms, a shifting clause that is unique in the history of earldoms. He could be Earl of Cambridgeshire, provided that dignity was not vested in the Queen's uncle, David, King of Scotland, who was the last person Matilda wanted to offend after his rising on her behalf in the North. King David had no wish to exchange Cambridgeshire for anywhere else, regarding it as an essential appendage to his earldom of Huntingdonshire. So Aubrey took the title of Earl of Oxford, regretting that the earldom of Essex, where his *Caput baroniae*, had already been taken (like so much else) by his son-in-law, Geoffrey de Mandeville. The Empress confirmed these honours and at the same time added Colchester Tower and Castle. She then went further and confirmed Aubrey's right to all the land of his wife's half-brother, William d'Avranches, which included most of the rest of Folkestone harbour that had not already been confirmed as his.

Now it was Empress Matilda who was taken prisoner, and after she escaped (in the snow, camouflaged in white) Aubrey de Vere and Geoffrey de Mandeville went to her aid. They were caught hatching a plot against Stephen, who had them both arrested at St Albans. Aubrey was only able to buy himself out of prison by surrendering his castle of Canfield and other estates, but was allowed to retain Hedingham and Camps.

In Guines things were not running smoothly either. Aubrey's wife was not disposed to feel any more courageous about her wifely duties after Aubrey had reft her half-brother's inheritance from him. Sparks flew and Aubrey refused to return to her. Finally her father arranged a divorce. Aubrey gave his consent, thus ceasing to be Count of Guines and thereby also losing most of the Folkestone land and its commercial interests. Beatrice was hastily remarried, this time to Baldwin L'Ardres, who took the title of Count of Guines, but gravel overtook her and within days she had died. Guines passed to her cousin Arnold, son of the Constable of Ghent.

Even after Empress Matilda had been driven out of the country and Aubrey had returned his allegiance to the King, Stephen refused to recognize his earldom of Oxford and for a few years Aubrey was without a title and the income that went with one. However Stephen must have relented, for royal charters were again attested by 'Aubrey Chamberlain', though not immediately again as 'Count'.

When Aubrey III became betrothed to a second bride, Eufime de Cauntello, Stephen and his Queen gave her, on their marriage, the manor of Ickleton, Cambridgeshire. Stephen and his Matilda – not to be confused with his aunt, Empress Matilda – were both staying with Aubrey, together with their son Eustace, when the Queen became ill. She must have realized she was on her death-bed for it was from Aubrey's *Caput baroniae* that she made a last gift to Holy Trinity Church, London, in a charter which was signed by both her husband and her son, Eustace. She died at Castle Hedingham on 3rd May 1152.

The following year Eustace died. Eufime died at about the same time. A roll was carried to all the religious houses of England to ask for prayers for the soul of Eufime, Countess of Oxford, and a priory was founded, probably by Aubrey, at her recently acquired wedding-present, Ickleton.

Aubrey now stayed beside King Stephen, who once more recognized his earldom of Oxford. Aubrey was with him at Wallingford when Stephen promised to make Empress Matilda's son, Henry of Anjou, his heir if she abandoned her own cause. Earl Aubrey attested the resulting Treaty of Wallingford and also attested a similar agreement which was made later between Stephen and Henry at Westminster. Stephen died within two years of his son.

Henry Plantagenet

Henry II was twenty-one when he was crowned on 19th December 1154. Details of the Coronation are not fully recorded, so it can only be assumed that Aubrey, 1st Earl of Oxford, was present and carried out the office of Great Chamberlain, for his great chamberlainship was immediately confirmed. Henry brought riches and power to the English throne through his marriage to Queen Eleanor of Aquitaine and through his own extensive dominions in Normandy and France. Loyalty to the throne became the order of the day. Unlimited hurriedly raised private castles made way to selected solid castles refortified under royal supervision. Hedingham Castle stood out as a fine example of what the King permitted, with Oxford as an example of the kind of leader of whom he approved. Within two years Henry had granted him one penny in every three of the defence taxes collected in Oxfordshire.[7]

Aubrey is recorded as being with the King in England during the next few years and celebrating Christmas with the Court at Le Mans.

In 1162 his mother, Alice née FitzRichard, died. Her brother was now Earl of Pembroke, 'surnamed' Strongbow like their father. Alice had spent several of her twenty-two years of widowhood at Hatfield Priory before she took the veil and became a nun at St Osyth Priory, where her son William was a canon. He was also secretary to the Archbishop of Canterbury, possibly at the same time. Later he became Bishop of Hereford, but the promise of the office of Chancellor, made to him earlier by Empress Matilda, appears to have come to nothing. After his mother's death William wrote two tracts on the life and miracles of St Osyth. Only a few extracts survive, on which hang the still half-believed myths of this isolated marshland village near the mouth of the River Colne.

St Osyth was said to have been the daughter of the first King and Queen of East Anglia to become Christians. When the King and Queen of Essex followed suit, it was agreed that their son should marry the saintly Osyth. At the height of the wedding feast, the bridegroom's interest suddenly waned in favour of hunting a passing stag; he called his men to follow. He returned to find his forsaken bride had taken herself off to the nearest nunnery. The contrite prince tried to woo her back with the gift of the harbour village of Crich (or Creek) but she merely founded another nunnery there and gave the village her name. It was particularly vulnerable to invaders from the sea. When one party of Norsemen came sailing up the River Colne, they turned into the creek, burnt down the nunnery and murdered the good Princess Osyth, whereupon a fountain rose from the spot where she fell. When the marauders reached the wooden church above the little harbour, they found her head had miraculously gone on before and was waiting for them at the altar, all ready to convert them.

NOTES

1 Belchamp Walter was so named after the de Veres had married into these two families.
2 The name Clare (Latinized as *Clarenses*) was brought by Gilbert's grandfather from Claremont in France, of which little country, just south of Vermandois, he was Count. Clare near Castle Hedingham was the chief of ninety-five lordships Gilbert enjoyed in Suffolk. He also held thirty-five in Essex and many others scattered elsewhere, including, eventually, the town and castle of Tonbridge in Kent, whose name he added to that of 'Lord of Clare'. Gilbert, like William the Conqueror, was of bastard descent from one of the Richards, Dukes of Normandy.
3 Aubrey was Sheriff of Essex in several separate years, and with Richard Basset was later joint Sheriff of Essex, Norfolk, Suffolk, Cambridgeshire, Bedfordshire, Huntingdonshire, Surrey, Buckinghamshire, Leicestershire, Hertforshire and Northamptonshire.
4 The Keep of Penrhyn, the huge neo-Norman castle in Wales built from 1827 for Victorian slate millionaire Dawkins Pennant, was modelled on Rochester and Hedingham keeps. Penrhyn is now National Trust property.
5 Manasses (christened Robert) was a business tycoon of Carolingian descent with strong royal connections. He was the second husband of William the Conqueror's first cousin Maude, daughter of the Count Arques and the sister of Crusader Enguerrand II de Coucy.
6 Raoul was son of Hugh the Great, Count of Vermandois.
7 This 'third penny of the pleas of Oxfordshire' is regarded by some as confirmation that the earldom of Oxfordshire was not created until 1156, as there are no records of a third penny being paid to the de Veres before this.

31

CHAPTER THREE

Irrepressible Agnes

SOON after his mother died, Aubrey, 1st Earl of Oxford, made a third marriage, to a child of eleven. She was Agnes, granddaughter of Henry of Essex of the burning barn,[1] who had abandoned Aubrey's sister Adeliza for Agnes's grandmother. Thus Aubrey was marrying his sister's step-granddaughter.

Already there had been disputes over the child. When she was three years old her father handed her over to Aubrey's brother Geoffrey as his future wife. Geoffrey then committed her to Aubrey for safe keeping until she was six. Then, with an eye to her inheritance, Geoffrey took her to his house where he treated her as his wife in all ways 'except completely'. But even so she was too much for him and this was when Aubrey took her on and married her. There is every suggestion that he was the only person for whom she had any respect throughout her life, but after a year of marriage to the turbulent child, Aubrey, too, had had enough and tried to get out of the contract. His excuse was that Agnes boasted that his brother Geoffrey had treated her as his wife without *any* exception. Aubrey demanded that if this was so, Geoffrey should take her back and marry her.

Geoffrey denied it. He had by now acquired her father's vast estates by other means. Henry of Essex's lands had been forfeited after he was defeated in a duel with Robert de Montfort, who accused him of throwing away the royal banner in a battle with the Welsh six years before. Henry was declared disgraced and Geoffrey de Vere managed to become the recipient of Henry's confiscated lands.

In her teens, Agnes became increasingly determined to establish her rights as Aubrey's wife and appealed to bishops and even to Rome itself. She said that she had never agreed to marry Geoffrey and had written to her father that she never would do so. Bishop Foliot wrote to Pope Alexander III that he heard that the Earl kept his wife shut up, did not allow her to attend church or go out, and refused to cohabit with her. The Pope wrote back to say that Aubrey had complained that the Bishop had refused to give her counsel, which may well have been so when all the bishops were much taken up with the recent murder of Archbishop Thomas Becket. The Pope directed Bishop Foliot to make the Earl restore his wife to her conjugal rights within twenty days on pain of excommunication and interdict. Aubrey, whose office of Master Chamberlain might be lost if he were debarred from all important ecclesiastical functions, felt compelled to obey, and the bedchamber seems to have quietened things down for a while. At any rate for the next fifteen years Aubrey's public activities are not recorded and Agnes was bearing him five children. Their bedchamber at their principal dwelling of Hedingham could have been the most finely decorated of the alcoves off the banqueting hall in the castle keep.

Almost as soon as the 1st Earl of Oxford's children – Aubrey, Ralph, Robert, Henry and Alice – were on their feet, he put the elder boys to the work of helping him to sign charters. Even earlier, he was arranging their marriages. For Aubrey, the eldest, he bought the wardship of Isobel, the infant daughter and heiress of Walter de Bolbec, Lord of Whitchurch in Buckinghamshire. Bolbec, a few miles inland from Le Havre in Normandy, later became a valuable cotton-spinning centre. Aubrey had to pay ten marks and a horse for an inquisition on the late Walter de Bolbec's land near Cambridge, which took the name of Bulbeck.

The usual arrangement of feudal wardship was for the purchaser to control the use of the land of a deceased parent until the heir attained majority. But Isobel's land was already being farmed by another, so until she grew up Aubrey was unable to make the usual profit gained in the name of 'expenditure' from a wardship, or to assess its true value. Moreover, she had an uncle alive, another Walter, and three aunts, Isobel, Constance and Beatrice, to watch over their interests. This marriage transaction cost Aubrey the service of ten knights and the pay of twenty more.

After the death of King Henry II, Aubrey attended the Coronation of his son, Richard, on 3rd September 1189, at Westminster. It was the first Coronation to be fully enough documented to show that it did not differ essentially from the rite which we know in Britain today. The procession through Westminster from the palace to the abbey is described – as are the spurs, the sword, the sceptre, the bishops supporting the King on either side, the oath, and the anointing. The crown was taken by the King himself from the altar and given to the Archbishop of Canterbury. The Archbishop of York, on this occasion, was absent. The King's brother,

Records of Swaffham Bulbec and Swaffham Prior appear side by side in the Domesday Survey, as do the towers of the two churches in Swaffham Prior, near Cambridge.

Count of Montain and later King John, is recorded as being present, and so is the 1st Earl of Oxford.

As there is no mention of anybody else carrying out the duties of the Great Chamberlain, it can be taken for granted that Aubrey performed them even if he did need a little help with the pouring of the water now that he was tottering into his eighties. What is recorded in detail is a bat 'in the middle and bright part of the day' fluttering through the church and round the King's throne and, even more ominous, the peal of bells rung on the hours without the agreement of the ministers of the abbey. Maybe the stolid bell-ringers, with all eyes on the sun-dial, had not noticed the Coronation in progress below. Both incidents were regarded afterwards as clear forewarnings of the riots and massacres that followed. A royal proclamation had been made forbidding the intrusion of Jews or witches into the royal presence, which, not unnaturally, was regarded as an invitation to come and make a disturbance.

After the Coronation, the Earl of Oxford's eldest son, Aubrey IV, went straight back to Normandy with King Richard. From then on, Richard, 'surnamed' Cœur de Lion, spent less than six months of his whole ten-year reign in England. Aubrey IV returned in the spring to make sure his betrothed was still worth paying for before she passed the age of fourteen, when a marriage bond could not legally be broken. He ordered a valuation of the Swaffham Bulbeck estate and found the land rich and well cultivated. Mills turned and eels abounded in the navigable tributary of the River Cam, near the already ancient Devil's Dyke, dating from Anglo-Saxon times. He was well satisfied and paid up what was owing for Isobel's wardship. The bill for the search came in later: ten marks and one horse.

At fifteen, Isobel became Aubrey IV's wife and he took the title of Lord Bolbec, which remained with the de Veres. It was borne by the eldest son before he inherited the earldom right up to the final one of the first Earls of Oxford. An oval seal shows 'Ysobel de Bolbec, daughter of Walter' standing, wearing a long dress and holding a leafy branch. They started their marriage by together exchanging a tenement with Woburn Abbey, a cell of which Isobel founded as a small priory at Medmenham, Buckinghamshire, where she also held land. To celebrate further, Aubrey's parents asked him to give a church and wood to the priory that his father had founded at Hedingham, which he did; but somehow the gift went wrong, and young Aubrey found himself being fined ten marks after his men had set light to the priory.

King Richard had now gone off to Palestine on the famous Third Crusade, but there is no evidence that young Aubrey went too, though possibly his brother, Robert de Vere, did. Aubrey IV is known to have been in Normandy with the King's brother, John of Montain, during part of that time and is said to have had an evil influence on this unworthy future King of England. Aubrey himself already had an illegitimate son.

After Richard Cœur de Lion was taken prisoner on his way back from the ill-favoured Crusade, the 1st Earl of Oxford was called upon to pay £30 2s 6d towards the King's ransom. The old Earl died on 26th December 1194 and was buried at Earls Colne. His ever indomitable young wife was to outlive him by twenty years.

It was to the 1st Earl that a later epitaph referred, the mistranslation of which long afterwards gave rise to the confusion that he was known as 'Aubrey the Grim'. Leland mistakenly states that 'This Albrey, for his greatness of Stature, and sterne Looke, was named Albry the Grymme.' It later emerged that an earlier chronicler, Lambert d'Ardres, had referred to 'Albericus Aper', Aubrey the wild boar, which was evidently carelessly copied later as 'Albericus *Asper*', Aubrey the rude, the harsh, the violent, the fierce, or the grim. There is nothing to suggest that Aubrey III was any bigger or grimmer than contemporary Norman lords, who all fought and behaved in what would even now be regarded as a particularly atrocious manner.

Aubrey III had used two seals, both depicting horses. The 'wild boar' badge of the de Veres came later, making a distinctive crest for a helmet. Crests were moulded of boiled leather for lightness, and painted in bright colours for easy recognition in battle. The de Veres' wild boar was painted blue, hence the many hotels and pubs named the Blue Boar still to be found throughout the land that they controlled with such determination.

Coronation Robes

It was ten years before the charter was forthcoming for the 2nd Earl of Oxford to use his title and be paid his Oxfordshire third penny. Meanwhile, as 'Aubrey de Vere Junior', Aubrey IV signed charters and contributed a further five hundred marks towards the ransom of Richard Cœur de Lion, whom Aubrey joined in Normandy after his release from captivity. King Richard I made a brief appearance in England when he found his brother John was trying to seize his crown and reluctantly agreed to dress up once again in his Coronation robes and be recrowned at Winchester. Little is known of the ceremony other than that it was intended to reassure the people, and the services of the new Hereditary Great Chamberlain may not have been included. Five years later, after King Richard was killed by an arrow in battle, he was enfolded in his Coronation robes for the third time for his burial.

At King John's hurried Coronation at Westminster on Ascension Day, 27th May 1199, Aubrey IV would almost certainly have officiated. The ceremony was ingeniously adapted to bring out the elective rather than the hereditary character of the monarchy, in order to exclude the rights of young Prince Arthur of Brittany. The extent of Aubrey IV's involvement in this evasive arrangement and perhaps in the later captivity, torture and murder of the seventeen-year-old Prince Arthur is, fortunately, unknown.

King John visited Castle Hedingham on 16th October 1205, a few months before Aubrey IV's wife, Isobel, died. She was thirty-one and childless, but that was not to be the end of the de Vere and de Bolbec alliance. Isobel's aunt, also Isobel, was still of child-bearing age and when she became a widow Aubrey's brother, Robert de Vere, bought a licence to marry her. In desperation she offered three hundred marks and three palfreys 'that she might not be compelled to marry', but to no avail.

Robert married Isobel. Their eldest son eventually became the 4th Earl of Oxford. He was named Hugh after his maternal grandfather, Baron de Bolbec, whose title was used by the Tudor Earls of Oxford's eldest sons until they inherited their earldoms.

Aubrey, 2nd Earl of Oxford, next married Alice, daughter of Roger Bigot, 2nd Earl of Norfolk.[2] This brought him the Lordship of Prayers in the parish of Sible Hedingham, which, as mentioned earlier, is thought to have acquired its distinguishing appendage from his father's first mother-in-law, Sybil, daughter of Manasses.

Another of Aubrey's properties, *Kokeslane*, in the parish of St Sepulchre, London, is now spelt Cock Lane. There are many stories of ghosts and horrors connected with this narrow London by-way off Giltspur Street, which is easily recognized by the statute of the naked boy on the corner opposite St Bartholomew's Hospital.

Among the extensive ruins of Abingdon Abbey on the River Thames (not to be confused with Abington near Cambridge), is the Checker House with its unusual turreted chimney.

'Atte Bower' was added to the name of Havering some time after Aubrey was made Keeper of the Castle of Havering, a sought-after position which subsequent de Veres also achieved. Though much of Havering Atte Bower is now built over, the site of what was to become one of the favourite small royal palaces still commands a view of open heath. This was part of the great hunting ground of the Forest of Essex, of which Aubrey IV was later made steward, another office much prized by the de Veres, for whom hunting was as important as for any noblemen. The office also gave him the opportunity to acquire large tracts of the forest lying north of Stansted, Essex.

Aubrey, 2nd Earl of Oxford, was made High Sheriff of Essex, but he appointed a deputy while he served in the royal army in Ireland, where the Danish-Irish Kings had abandoned their resentment against each other in favour of armed resistance against English interference.

The Earl of Oxford returned from Ireland to find that the King had been excommunicated and the whole country was under interdict. Couples could not be married in church, all the most sacred services and sacraments were suspended, and no bells rang. Worst of all, for a nobleman who had hoped to cancel out any wordly transgressions with an extravagant send-off into the hereafter, Aubrey found himself facing the prospect of a pauper's funeral. As an 'evil counsellor of the King' all his worldly goods had been confiscated.

When Aubrey, 2nd Earl of Oxford, died in 1214, the interdict had just been removed and some of his possessions had been returned. He could go to his grave in the manner to which the de Veres were accustomed. His widow and his brother Robert played a game of choosing alternately 'one for her and two for him' from the acres of Abington.

Robert, now 3rd Earl of Oxford, applied for the return of the castles of Hedingham and Canfield, but it was a year before the Earl of Winchester was ordered to release them. For this Oxford had to pay a heavy tax, together with paying for the wardship of William FitzOates: eleven thousand marks in all.

The name FitzOates is also spelt Fitzothes, Fitzooth and Fitzood. William appears on more than one pedigree as being the ward and nephew-by-marriage of the 3rd Earl of Oxford, and the father of the legendary noble rebel, Robin Hood – or Robert Fitzood.

Another noble rebel of popular appeal, Hereward the Wake, appears in the de Vere pedigree. Baldwin Wake, son of one of the de Bolbec sisters, is recorded as giving Robert, 3rd Earl of Oxford, his village of

Thrapston, between Kettering and Peterborough. From these Wakes came the appendage to the name of one of the villages on the Colne River, Wakes Colne. The villages of Belchamp St Paul, Belchamp Walter and Belchamp Otten acquired theirs with the marriages into Essex of the 'godlike brood of Beauchamps from Herts, Bucks and Beds'.

Hugo de Beauchamp, spelt 'Belchamp' in Domesday, came from 'beautiful fields' near Avranches in the Cotentin. It was his son, Pain de Beauchamp, who married Robert's aunt Rohesia after her first husband, Geoffrey de Mandeville, 1st Earl of Essex, was killed in a brawl.

Isobel, Countess of Oxford's sister, Constance de Bolbec, married Ellis de Beauchamp, whose daughter married Robert, 3rd Earl of Oxford's ward and nephew, William FitzOates. It was their son, Robert Otes, Othes, Ooth or Ood, who is supposed to have abandoned his aristocratic family in order to rob the rich and pay the poor with his merry men in Sherwood Forest.

The Magna Carta Earl

Whatever Robert de Vere's relationship to the King had been in the lifetime of his brother Aubrey, the 'evil counsellor', as 3rd Earl of Oxford Robert was among the many who found King John's behaviour intolerable. He was one of the Barons who met at Stamford to discuss the Magna Carta and who forced King John to sign it at Runnymede. Nor did Robert leave Runnymede until the King had signed a writ to the Sheriff of Oxfordshire directing him to let the Earl have his third penny.

As Earl of Oxford, Robert was one of the representative twenty-five barons who were chosen from those who had served (or whose fathers had served) as royal officials. They were expected to 'observe, keep and cause to be observed, with all their might, the liberties it [the Magna Carta] guaranteed,' and had to swear that if King John violated the agreement they would restrain him by force of arms.

The twenty-five carried out their promise when the King ignored the Great Charter within weeks of signing it with his seal. In a fury of frustration, King John, 'gnashing his teeth and gnawing straws and bits of stick', threw himself into a Hitler-like frenzy.

'These barons, with all the commons of the land shall distrain and annoy us by every means in their power', he roared. He declared that they were seizing his castles, lands and possessions and everything except his person, Queen and children. 'They have given me', declared the furious monarch, 'twenty-five overkings'. In disgust at Robert's being one of them, the King took land from him in Buckinghamshire and gave it to Constance, the sister of Robert's current wife.

By now the King had swung round to the Pope, who promptly excommunicated all the twenty-five. Several decided to make peace with the King – including Robert, 3rd Earl of Oxford. Bearing letters of safe conduct from the King, the Earl made his way to Colchester Castle, where he declared his future loyalty to the monarch. Two days later King John proceeded up the Colne valley to Hedingham Castle. He reached it on 20th March 1216 and took command of it. Robert must have been with him as two days later the King issued fresh letters of safe conduct for him from Hedingham. There is no contemporary record of the legendary siege. The next day the King announced that he had committed Hedingham and all the Earl of Oxford's land, except for the land at Canfield, to Richard FitzHugh. The same day the King set out on the two-hour ride to Pleshey, whose great castle, fortified by the de Mandevilles, he also took over.

This was too much for Robert de Vere who, with other members of the twenty-five whose land had been confiscated, took up arms against the King, as they were empowered to do in the Great Charter. He was one of the baronial leaders who went to France to offer the crown of England to King Philip's son Louis (Shakespeare's 'Dolphin' in his historical play, *King John*). Prince Louis landed at Stoner, near Sandwich, to join the insurgents and Robert was among the Barons who welcomed him and did homage to him at Rochester on 1st May 1216. King John hurried off to Winchester to collect more troops. From then on he rampaged about England, sometimes gaining support but more often losing it. He was pursued to Cambridge, but the rebels turned back and he moved on to the Fens. It was then that he lost his most precious possessions when his baggage train was caught by the tide in the estuary of the River Welstream. Nevertheless, he succeeded in flushing the rebels out of the port of Lynn, in Norfolk.

On 18th September 1216 King John returned to Hedingham Castle only a month before he died of dysentery at Newark-on-Trent.

The Boy King

When John's nine-year-old son ascended the throne, Westminster was still in the hands of Prince Louis so the boy was crowned Henry III in the abbey of Gloucester. The Bishop of Gloucester crowned him, but without anointing oil or laying on of hands in case he was accused of infringing the rights of the absent Archbishop of Canterbury. Henry was crowned with a chaplet of flowers, perhaps because his father's jewelled crown[3] had been lost with his other treasures in the Wash. But doubtless such a hefty crown would, anyway, have slid down on to the little boy's shoulders. A new gold crown could have been fashioned in a week, so it seems likely that a wreath or chaplet was chosen as being lighter and more suggestive of innocence. Perhaps it was to bring home the point that crowning with a chaplet was intentional that an edict was issued ordering that for a whole month no male or female should appear in public without one. It was as though the buying of a Coronation mug were obligatory.

William Marshal, Earl of Pembroke, was present when the boy King was crowned, and was unanimously chosen as his Regent afterwards. William had been brought up by the Hereditary Master Marshal, which office lent the family its name of 'Marshal' for several generations. The Regent acquired the title of Earl of Pembroke from his wife, the Countess of Pembroke, who was the Earl of Oxford's cousin.

Civil war continued. Prince Louis took Hedingham Castle back from the Crown and restored it to the Earl of Oxford. Orders were issued to the Sheriffs of Pevensey to give him back all his lands which John had confiscated.

The Earl Marshal routed the French and the rebel barons at Lincoln, beseiging London a few months later. After a naval battle off Dover on Prince Louis's departure from England, the Marshal concluded the Treaty of Lambeth so that the prince could return to France in peace.

Three years after he became Regent, the Earl Marshal fell ill and on his death-bed committed the young King to the care of the papal legate. When the Regent died, his body was carried from Reading to the Temple Church, London. The Earl of Oxford was one of the nobles who met the cortège on its way at Staines. Four years after the first coronation, Henry III was recrowned in state at Westminster on Whitsunday 1220, when the Earl of Oxford almost certainly carried out his duties as Great Chamberlain. There were no chaplets this time, but much feasting and joviality.

Robert de Vere, 3rd Earl of Oxford, Hereditary Great Chamberlain, now had 'all and more than his ancestors had'. He was a justice itinerant and a justice in the King's Court at Westminster. He died the following

October 1221 and was buried at Hatfield Priory, which his great-grandfather had founded. His wife Isobel was another Countess of Oxford to survive her husband by over twenty years. She founded the Church of Preaching Friars in St Michael's parish, Oxford; gave pasture for one horse to St Mary's Hospital, Crowmarsh Gifford, near Wallingford; and ended her days in a house near old St Paul's, London.

The Boy Hugh

When Robert died his elder son was eleven, four years younger than King Henry III. Robert's widow bought the wardship of her son Hugh, 4th Earl of Oxford, and kept the custody of his land and of her two younger children, Henry and Eleanor.

Hugh was twelve when he married Hawise, daughter of Saher de Quincy whom King John had created Earl of Winchester. The Earl had had a very poor opinion of John, saying that he 'cared for little but feasting, luxury and lying-in until dinner time'. Winchester was another of the twenty-five guarantors of the Magna Carta. Later, after a brief attempt to put Louis of France on the English throne, with a spell in prison as a result, Winchester set out on a pilgrimage to Jerusalem, but died on the way. His widow, Margaret, was left to pay a fine of four hundred marks for permission to marry their daughter Hawise to Hugh de Vere, to whom she also gave land and rents.

Hugh remained in his mother's custody until he came of age and did homage to the King in 1231. The ceremony of knighthood was not just a tap on the shoulder with the command: 'Arise, Sir Knight'. It was more like a preparation for ordination, or at least confirmation, being preceded by fasting and vigils after some previous trial, usually of swordsmanship on horseback. The candidate was bathed and dressed in a priestly white garment. He was invested with a sword and spur, and his cheek was touched with a blow as an emblem of the last affront which it was lawful for him to endure. From that moment onwards he was to devote himself 'to maintain the right, speak the truth, protect the distressed, practise courtesy, dispense the allurement of ease and safety and to vindicate in every perilous adventure the honour of his character' – a tall order for any knight, particularly if he chose to esteem himself sole judge of what was right.

A few generations earlier, knighthood was regarded as a holy office, which could also be bestowed by abbots. Hereward the Wake, for example, was a 'monk's knight', and so the Wakes adopted as their crest two interlaced rope girdles, like those worn by monks. Compressed leather crests in the round had hardly been introduced in Hugh de Vere's time, though he already had two boars' heads on his shield.

Two days after Hugh was knighted,[4] the King girt him with the sword of the earldom of Oxford and ordered the sheriff to let him have the same rights as his predecessors to the all-important third penny. But such riches proved not enough for this young Earl and within six months he was applying for the rents of his knights and free tenants to be reassessed to help pay his debts. A few months later he was one of the nobles forbidden to attend a tournament. It was well known that tournaments could serve to disguise political conspiracies, since they provided an ideal opportunity to convene large numbers of magnates and knights without arousing suspicion of plots being hatched or officials being dispatched. Jousting, when knights in pairs could clearly be seen trying to unhorse one another with their lances, was straightforward enough; but tourneys, with encounters between teams of knights, resulted in an infinitely more perilous cross-country mêlée, producing enough fatalities for any less sportingly contrived corpses to pass without question. While it could have been for Hugh's own safety that he was among those forbidden to attend, it was more likely that he was already showing tendencies towards dissatisfaction with Henry III's haphazard rule and so was regarded as something of a threat.

Marriage à la Mode

King Henry was immensely excited by his marriage to Eleanor, daughter of the Count of Provence, and equally fascinated by her foreign friends, to whom he promised offices held by English nobles, who were already sensitive about their offices among themselves. In 1236 Queen Eleanor was crowned in a magnificent ceremony, the first time that a Great Chamberlain is actually recorded as having officiated at a Coronation. Hugh de Vere, 4th Earl of Oxford, acted as Major Camerarius, in full charge of the chamberlainship. He had custody of the door and so was responsible for deciding who should be allowed in and for making sure everyone else stayed out. He acted as the King's Chamberlain, serving him with water before and after the banquet and taking home, as his right, the basins and towels which were used. However, this was the Coronation of the Queen, not the King, and the most remunerative office associated with the occasion was that of the Queen's Chamberlain, Gilbert de Sanford, who claimed the bed in which the Queen had slept the night before. It is perhaps not unconnected with this uneven distribution of the prizes that, thirteen years later, Hugh bought the wardship of Gilbert's daughter and heiress, Alice de Sanford, for his only son, the future 5th Earl of Oxford. This may have been an attempt to prevent future claims for Coronation offices straying out of the family.

Not long after the Coronation, Hugh and his mother went on a pilgrimage, and although his wife Hawise is not mentioned it is likely that she accompanied them. Ladies travelling on pilgrimages and Crusades were regarded favourably by many, but their presence was liable to turn jousts, intended for training, into dangerous insurrections if excitement ran too high. The inclusion of ladies in travelling parties was no doubt regarded by some as totally unnecessary, particularly the porters who were required to carry enormous awkward consignments of baggage, which included not only clothes and jewels but also much solid furniture.

Hugh was probably still abroad in 1244 when a deputy represented him in answer to a call from the Abbot of Ramsey for service against the

Ramsey Abbey, where the 12th century young Aubrey de Vere hoped to improve the visitors' menu. This elegant gatehouse, now National Trust property, is the finest of the surviving ruins of this fenland abbey.

Scots. The following year Hugh's mother died and was buried in the church she had founded in Oxford. Hugh inherited all her lands, founded a hospital at Castle Hedingham in 1250 and continued the family benefactions to their favourite monastic houses. He held weekly markets in several Essex villages, which his father-in-law helped him to finance.

The 4th Earl of Oxford married his three daughters – Isabel, Laura and Margaret – into the illustrious Norman families of Courtenay, Argentine and de Cressi. Thus Lords Okehampton, Argentine and de Cressi became his sons-in-law.

Although Hugh fought with, and for, the King in Wales in 1245, the following year he was one of the Barons subscribing to a letter transmitted to the Pope, complaining of Henry's 'naïveté', extravagance and disregard for the English people. He also attended Parliament in 1248 when the King was upbraided for his prodigal expenditure and informed that neither his Treasurer nor his Chancellor had the confidence of their lordships. The Earl followed his father in supporting the provisions of Magna Carta, and in May 1253 was present in Westminster Hall at the excommunication of persons violating it, later being elected by the Barons to the Committee of Twenty-four. In 1258 he filled a vacancy in the Committee of Twelve, which virtually ruled England until 1261. Then failed negotiations turned to civil war, which smouldered and flared up intermittently for the next two or three years.

Hugh died during this period of civil war, two days before Christmas, 1263, and was buried at Earls Colne.

The Kenilworth Arrest

Hugh's son, Robert, 5th Earl of Oxford, who was forbidden to tourney at Dunstable or anywhere else, now openly joined the rebels under Simon de Montfort and was knighted by him before the Battle of Lewes, in Sussex. Henry III was in this battle in which his son, the Lord Edward, and the King's brother, Richard, Earl of Cornwall, were taken prisoner and held captive at Kenilworth. From this Midlands castle, Simon de Montfort organized his revolt against King Henry III, despite the fact that de Montfort's wife, Eleanor, was a sister of King Henry, who had given her Kenilworth. Simon's own second son, also Simon, was now released after having been taken prisoner at the Battle of Northampton, won by the royalists. This younger Simon de Montfort was as optimistic as his father and almost as arrogant. Oxford joined him in collecting fresh troops in London, plundering Winchester and making a triumphant march to Oxford and on to Northampton, and intending to join the elder Simon for the next battle. They had only just reached Kenilworth when young Simon, apparently unable to believe that he was in any danger, was surprised, with Robert and other Earls, in their tent by the Lord Edward. The King's son was himself by way of being a prisoner but was sufficiently in control to arrest them all. De Montfort's garrison tried to kill Prince Edward's brother, Cornwall, but young Simon prevented it, playing the host in his own home, although he was a prisoner, and treating the whole thing in a relaxed and somewhat truculent fashion. His attitude changed a few days later when the Battle of Evesham was won by the royalists and he saw his father's head being carried off on a spearpoint.

Roger Mortimer, having commanded the 3rd Division of forces, claimed to have won the Battle of Evesham for the King and demanded extensive rewards, including Castle Hedingham, which was promptly seized and given to him with other honours along with the earldom of Oxford.

With Simon de Montfort dead, King Henry gave away and took back land and honours indiscriminately. He was anxious to gain the support of all his nobles and so, a few days after almost total confiscation of Robert's properties, the King ordered the sheriffs to give some of them back, particularly the Sanford honours which Robert's wife had brought into the de Vere family. The indignant Mortimer, with other barons, fiercely opposed and denounced the injustice of taking away what 'for their pains and fidelity' had been given to them by the King.

Meanwhile, young Simon de Montfort rallied his supporters at Kenilworth and the King's son laid siege. It was a long and bitter assault. Bombardments and counter-bombardments raged, with boulders colliding in mid-air. The King himself directed the siege for several months and the Archbishop of Canterbury was produced to excommunicate all those inside, who replied by dressing up a stuffed figure as a monk 'to pronounce' a similar sentence on the Archbishop. But Kenilworth's defences of acres of water made the castle impregnable.

The King's forces offered terms to the defenders, known as the 'Dictum of Kenilworth'. This allowed them to regain the lands by payment of a fine, but the terms were not accepted immediately and the siege went on, the defenders hoping for relief. Only when they were starving and an epidemic had broken out did the garrison finally surrender two days before Christmas, on terms which allowed them to evacuate the castle with honour. The King offered Robert de Vere safe conduct, though not a return of his title. This he later retrieved through a private treaty with Roger de Mortimer, whereby he agreed to let his eldest son, Robert, marry Roger's daughter, Margaret. If Robert should die before the marriage, his next son, Hugh, was to marry her, provided they survived childhood. Eventually Robert was to have six sons whom he could barter, if need be, against paying full ransom to recover his land.

The young Simon de Montfort, however, escaped from Kenilworth – some say to Ely, the haven of outlaws – and then to Winchelsea in Sussex. Where he became the leader of the Cinque Ports' pirates with whom he went overseas, only to be seen again on land, or reported to have been seen, at night silently lurking round his father's tomb.

After Henry III's death there was a long interval between Edward I's accession to the throne and his Coronation in 1274 during which he travelled in the Holy Land. But the Coronation, when it did happen, was a magnificent affair, with Edward I and his beloved Queen, Eleanor of Castile, being the first King and Queen to be jointly crowned. There is some reason to believe that Robert de Vere, having had his earldom restored, was allowed to execute the office of Great Chamberlain, although he did not recover the chamberlainship. The most extraordinary piece of entertainment was laid on at what must have been enormous expense, 'for the honour of so marshal a King'. Five hundred great horses, on some of which Edward and his brother, Edmund, and their attendants had ridden to the Coronation banquet, were let loose among the crowd and anyone could 'take them for his own as he could'. It was a gigantic and highly dangerous version of letting a greased pig loose among a crowd to be chased and kept by whoever caught it. The horse being a valuable enough commodity to be used as part payment for wives, ransoms and land, the most likely reason for this generosity was a temporary lack of fodder for the horses after bringing them back from the Holy Land, making them as surplus as a present-day butter mountain. There is no record of the number of dead and injured resulting from the inevitable chaos – which must have been worse than any tourney – nor of the amazed joy of anyone lucky, energetic or skilled enough to win one of the stampeding creatures.

NOTES

1   Henry de Essex, referred to earlier in a court case as 'Henry de Vere', is also referred to as Robert. Agnes's father was also Henry.
2   Aubrey IV's second cousin.
3   The crown is to be seen copied in stone on the head of the effigy of King John in Winchester Cathedral.
4   Hugh's younger brother, Sir Henry de Vere, was knighted also. Through his marriage to a Northamptonshire heiress, he brought the estate of Drayton, near Daventry, into the de Vere family.

Effigies and table tombs of some of the de Veres buried at Earls Colne were salvaged by Colonel Probert in 1935 and moved to St Stephen's chapel on a lonely hill near Bures, Suffolk. Fractured remains have been pieced together and, where possible, identified. Drawings (one made in 1653) helped restorers, but conflict remains over which Earl of Oxford and which Countess are shown here.

The building, after long use as a barn, is again treated with the respect it received before the Reformation as the chapel of St Stephen, dedicated in 1218 by Stephen Langdon, Archbishop of Canterbury. It has long been believed to be the place where King Edmund, saint and martyr, was crowned king of the East Saxons.

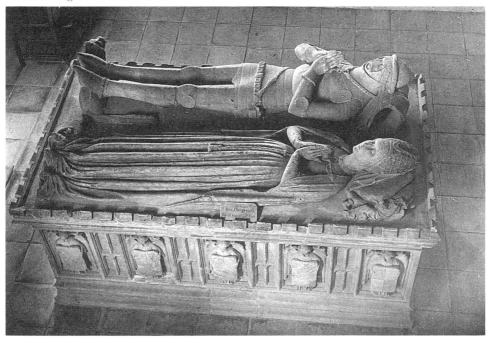

CHAPTER FOUR

Hammer of the Scots

THE new King Edward I expected his nobles to be as warlike as himself. Robert, 5th Earl of Oxford, was summoned to serve against the Welsh in three separate campaigns. After Llewelyn, their leader, was killed, the King decided to make his own eight-year-old eldest son, Alfonso, the Prince of Wales. Alfonso hung the golden coronet of Llewelyn, the previous Prince of Wales, beside Edward the Confessor's tomb in Westminster Abbey (near which, only two years later, the little boy was himself to be buried). The King had named his son after his son-in-law, King Alfonso, King of Aragon. The 5th Earl of Oxford named his third son Alfonso, probably for the same reason.

Oxford named his eldest son Robert after himself and his second son Hugh after his father. All three were knighted and served with renown in the field. Oxford's two younger sons, Gilbert and Philip, became students at the University of Paris and later clerics. Their sister, Joan, married William de Warrenne, son and heir of John, Earl of Surrey. William de Warrenne was killed in a tourney at Croydon soon after his marriage, but left a posthumous son who was to become the last of the de Warrenne Earls. The earldom eventually became vested in the Earls of Arundel and Surrey. Meanwhile the de Veres appeared in force at John de Warrenne's funeral and then at the wedding of the King's daughter, Princess Margaret, to the Duke of Brabant. To this Oxford brought a retinue of a dozen knights 'sumptiously arrayed'.

Despite some irresponsible behaviour over hounds and greyhounds running in the King's forest without a warrant, Oxford remained in favour. He was at Berwick in 1292, taking part in the proceedings to decide the question of the Scottish succession. The King hoped to unite England and Scotland by marrying his second son, Edward, now Prince of Wales, to the granddaughter of the late Scottish King Alexander III. All were agreed on the marriage when news came that the little girl had died at sea on her way to her marriage. That was the end of union with Scotland for more than three centuries.

Ruins of Beeston Priory next the sea *'not in the world, as thei sey, but in Northfolk'*, to quote from a sermon referring to its incumbancy, dated 1422. Well over a century before that, the Countess of the 5th Earl of Oxford 'gave' Beeston Manor to the Priory for ten years.

Five years later, Oxford was summoned to the Model Parliament to discuss paying for King Edward's alternative (and abortive) method of uniting Scotland with England, which had been to attack Berwick and depose King John Balliol with a future plan to bring the Coronation Stone from Scone to Westminster. Robert, 5th Earl of Oxford, did not live to see the plan carried out. He died immediately after being summoned to Parliament again in September 1296.

The following Midsummer's Day, his widow gave Beeston manor to the prior of Beeston Priory, Norfolk, for ten years.

At the time of their father's death, Sir Robert de Vere and his brother, Sir Hugh, were serving in Gascony against 'The auld alliance' of France and Scotland. Robert, now nearly forty and one of the country's most experienced war leaders, returned at once to East Anglia, where, as 6th Earl of Oxford, he did homage to King Edward I at Nayland near Bury St Edmunds. During the Christmas festivities, an invitation came to attend the wedding of the King's youngest daughter, Princess Elizabeth, to the Count of Holland, at Ipswich the day after the Twelfth Day of Christmas. On the royal wedding day, Oxford signed the marriage contract between the King and the Count, and when a clause was added a month later the document was sent to him by the King from Walsingham, Norfolk, for the amendment to be witnessed and sealed.

During King Edward I's absence in Flanders for six months in 1297, Robert, 6th Earl, stood as a member of the Prince's Council to consider the claims made to the office of Earl Marshal. Anselm, Earl of Pembroke and Hereditary Master Marshal, had died, leaving five daughters to share his honours. Among their husbands, who took the name 'Marshal' if not the office, one offered the 6th Earl of Oxford £1,000 if he would marry his only son to his (Marshal's) sister Petronella. But the marriage never took place. Thomas de Vere married instead Agnes, widow of Payne Tibetot.

The Stone Goes South

By 1298 Scotland had risen again, partly as a result of Edward's tactlessness in dismissing it as merely an outlying part of England. He invaded it with a huge force of feudal knights and highly trained archers who were challenged in the field by William Wallace and his army of furious but ill-equipped Scotsmen. Oxford served with the 4th Division at the famous Battle of Falkirk. The Scots were beaten and Wallace was forced into hiding. Oxford went off again to serve overseas while his brother, Sir Hugh, remained with the King, who created him Lord Vere before sending him off to meet the French Ambassadors at Canterbury to discuss a peace treaty with Scotland.

The Earl of Oxford's son, Thomas de Vere, was knighted by King Edward at Westminster at the same time as the Prince of Wales, just before the King set off on his last march to Scotland. He died in Cumberland the following year.

Oxford and his son Sir Thomas, with the Earl's brother, Lord Vere, and his wife, Dyonisa de Monchensey, attended the Coronation of the new King, Edward II, on Shrove Tuesday 1308. Oxford probably performed some office, though his efforts to recover the master chamberlainship had failed. However, his son, Sir Thomas de Vere, is recorded as one of the four bearers of the great checker, a large black chest in which the royal vestments were brought to the Coronation and then carried in procession, lying on the top.

Edward II was the first English King to be crowned on the Stone of Scone in Westminster Abbey, seated on a chair made to fit over it. He and his bride of one month, Isabel of France, were crowned together. The Archbishop of Canterbury, then ill in Rome, appointed the Bishop of Winchester to crown them, an appointment which was regarded as particularly insulting to the memory of King Edward I, whom this bishop had tried to depose. Even more insulting was the fact that the most conspicuous person in the whole ceremony was the unreliable friend of Edward II from Gascony, Piers Gavaston. Edward I had excluded Gavaston from his own Court and his dying wish had been to exclude him from his son's also. Now Gavaston carried the crown before all the magnates of the realm. This 'pampered Gascon' was so disliked that when Parliament was called at York, five Earls, including Oxford, made it clear that the reason they refused to attend was their hostility to the man they nicknamed variously 'The Fiddler', 'Whorson' and 'Burst Belly'.

Edward II showed less enthusiasm than his father for hammering the Scots, but almost through force of habit the hammering continued; and in nearly every year for the next fourteen the Earl of Oxford and his brother, Lord Vere, were summoned to fight against them. The King himself was far happier entertaining in one of his many royal manors in the neighbourhood of London. The Court moved round between Kingston and Cheam, Chertsey and Windsor, and, in the south east, Leeds in Kent and the King's favourite, Eltham, which had been given to him when he was Prince of Wales. It had passed from Gilbert de Clare through the Beaumonts and the Mandevilles, all ancestors of the Earls of Oxford. William the Conqueror's system of dividing up the nobles' lands, which were interspersed with his own, had gradually given way to their exchanging them at their own convenience.

Early Joys of Eltham Palace

The King's father, Edward I, had used Eltham as his headquarters when levying men and provisions for his campaigns against the Scots, and, in his time, the Magna Carta had been re-signed there. But Edward II regarded Eltham as a place for recreation, and Queen Isabel thought of it as a home in which her own and other important babies were born. Her second son, John, was baptized in the royal chapel at Eltham, the font of which was 'drest with Turkey cloth and gold'. Away from the river and up beyond Blackheath, the air of Eltham was considered to be

Eltham Palace, the least visited of ancient royal homes. The existing bridge was built by Richard II with other elegant extravagances when he modernized the Palace ready for his new young Queen, Isabel, whose constant attendant was the wife of Robert, 9th Earl of Oxford. The palace was again luxuriously restored in 1935 for Sir Stephen Courtauld by architects Seely and Paget and is now occupied by the Royal Army Educational Corps. The street name, King John's Court, still remains to commemorate the happiness here of the French King Jean I with his fellow-prisoner, Enguerrand de Coucy over five hundred years ago.

particularly salubrious. London could be reached swiftly, with the Dover Road lying close at hand.

The problem of Gavaston seemed to be solved with his banishment from the country. Oxford was not one of the misguided Earls who brought him back to undo any progress the King had made in cutting down extravagances, nor one who regretted Gavaston's execution in 1312.

Oxford and his son, Sir Thomas de Vere, fought on for the King, mostly in Scotland, but although Sir Walter Scott wrote of 'Oxford's famed de Vere at Bannockburn' in fact both boycotted that campaign, as did all but three of the English Earls. Neither Oxford nor Sir Thomas were at the decisive Battle of Bannockburn, only a few miles from Falkirk, when Edward's enormous army was defeated by Robert the Bruce's fewer but more determined opposition. Afterwards Bruce was crowned the undisputed King of Scotland.

Sir Thomas de Vere fought later at Boroughbridge, and then joined his father as one of the commanders appointed to defend the coast of Essex – Sir Thomas remained Keeper of the Peace for Essex for several years.

Oxford's ambitious and boastful father-in-law, Roger de Mortimer, now frequented Eltham and other royal palaces, not, like Gavaston, as the King's favourite, but to incite Queen Isabel to jealousy of Gavaston's successors. Mortimer's intrigue was soon spotted and he was committed to the Tower of London for treason. Queen Isabel helped him to escape from a window by a rope, after drugging the custodian of the Tower at a banquet. One thousand pounds was put on Mortimer's head, dead or alive, while Isabel departed for Paris, where he joined her.

In 1324 Oxford was summoned to join the projected expedition in defence of Aquitaine after it had been seized by King Charles IV of France, to whom the twelve-year-old Prince Edward of England had obediently done homage.

At home, though buildings of resplendent beauty were beginning to rise through King Edward II's patronage, he was losing power and friends. When Queen Isabel landed in Suffolk, she had no lack of support in raising forces to march against her husband the King, who fled to Gloucester and was later imprisoned at Kenilworth. He was then confined to Berkeley Castle. There his treatment was appalling. When he was not allowed warm water to shave in, he wept. While he was in prison his son, Prince Edward, then aged fourteen, after a most solemn election was declared King. But the young prince loyally refused to accept the crown until his father had confirmed his own deposition.

Within ten days he was crowned Edward III by the Archbishop of Canterbury. The sword and shield of state, kept to this day in Westminster Abbey, were carried for the first time before the Sovereign.

Little is known about who was present except Queen Isabel, his mother, who mopped her eyes throughout the ceremony, more in triumph than in sorrow. This time the youthful innocence and modesty of the prince was represented not by a wreath or chaplet but by a medal showing a sceptre on a heap of hearts and a hand stretched out to save a falling crown.

Queen Isabel and Mortimer then reigned over the young King's head while his father was presently done cruelly to death in Berkeley Castle.

A year later Robert, 6th Earl of Oxford, had the sorrow of losing his only, and regretfully childless, daughter-in-law, Agnes. Less than six months later his only son Thomas died, apparently suddenly for only shortly before he had witnessed a trivial charter for a rabbit warrener.

The Earl, whose brother, Hugh, Lord Vere, had already died without children, applied at once for a licence to entail his estates to John de Vere, son of his brother, Sir Alfonso. The Bishop of Lincoln immediately bought the right to control the nephew's marriage.

John de Vere was nineteen, and had hitherto had no expectations of wealth or a prestigious title, for his cousin, Sir Thomas, was under forty when his young wife died and seemed likely to remarry and produce an heir. In the short time that John had to prepare for the changes ahead of him, his uncle, the 6th Earl repeatedly tried to recover the heriditary office of Great Chamberlain for him. It was some consolation that his uncle was allowed to officiate at the Coronation of young King Edward III's Queen, Philippa, which took place after their marriage. For his fee, Oxford claimed the Queen's shoes, three basins (in one of which she had washed her hands and in another her head) and one hundred marks in compensation for her bed. But his claim to the hereditary great chamberlainship was still pending when he died two years after his son, Sir Thomas.

John, 7th Earl of Oxford, was twenty when he did homage to Edward III a month after the death of his Uncle Robert. When the formalities of inheritance were completed the new Earl set off in the spring of 1332 on a year's pilgrimage to Compostella.

John de Vere came to Court at a time when Edward III's reign was passing through a relatively stable stage and when the chivalrous character for which it will always be known was beginning to be established. With Roger de Mortimer hanged and Queen Isabel confined to a luxurious imprisonment, tournaments could safely be held once again in and around London. The birth of the King and Queen's first baby was later celebrated with a tourney at Stepney and a great procession of masked knights and squires to St Paul's Cathedral, followed by the baptismal jousting at Woodstock, where the baby had been born. A special churching joust was normally held as an act of thanksgiving for a Queen's survival of the dangers of childbirth.

But tournaments for sport and training were not enough for Edward III and he began to prepare for what is known in retrospect as 'the Hundred Years War', though it was by no means continuous for a whole century. King Edward reasoned that he had as good a hereditary right, through his mother, to sit on the throne of France as his overlord, King Philip VI, had. Though succession in France was decided by the Salic law, which excluded females from succeeding, King Edward made out a case that, though his mother could not be Queen of France, she was able to transmit the succession through her body to a male descendant – himself, in fact. It was a good enough case to seem respectable in public opinion and he coupled the title and arms of France with his own, finding little difficulty in raising funds and assembling a large army ready to fight what proved to be a string of famous battles.

The leaders of the Low Countries were only too ready to join King Edward in attacking the French from the Netherlands. They were well

Edward III's effigy in Westminster Abbey is thought to be an actual portrait.

content with the commercial exchange of wool and woven material with England, particularly now they were sending their own weavers over to Norwich; these later spread to the rest of East Anglia and other parts of England. They had no wish for their ports to fall under the control of the French to be used as naval bases against England.

John, 7th Earl of Oxford, started his military career in Scotland and was one of the guarantors of King Edward's terms at the surrender of Berwick in 1333. He served in Scotland for three years until his marriage, arranged by the Bishop of Lincoln, to Maud, widow of Robert FitzPayn. As the sister of the 2nd Lord Badlesmere and granddaughter of Thomas Clare, she was heiress to immense estates.

Guardians of the South-east Coast

The Earl of Oxford was Commissioner of Array in nine counties, but it was in Essex that he operated with the Earl of Northampton as one of a pair of keepers of that part of the south-east coast when the French were preparing their enormous fleet for an invasion of England. Oxford put to sea with three ships in the King's service some months before the first famous battle of the Hundred Years War, when the English shattered two hundred French ships off the coast of Sluys in Belgium. Oxford by then had already landed in Flanders to join in the campaign on land.

The Earl was home on leave for the royal tournament at Dunstable, and then returned to France to serve in Brittany with his own force of forty men-at-arms, a banneret, nine knights, twenty-nine esquires and thirty mounted archers. As wages for himself and his retinue, he was promised fifty-six sacks of wool, the main currency at this stage in the war.

In 1340 Oxford set off in the opposite direction to Scotland again in the expedition for the relief of Lochmaben Castle. He put to sea with three big ships in the King's service some months later. He was among the magnates who, finding themselves, not surprisingly, increasingly out of pocket in these exploits, brought a petition to Parliament to beg the King to end the war with one great battle or a suitable peace. But the King was determined to persevere and in mid-June 1345 he sent the 7th Earl of Oxford off to Brittany again, to take joint command with his co-keeper of the coast of Essex, the Earl of Northampton. On 30th September they defeated a much larger force under Charles de Blois. In writs connected with this campaign, a reference to 'Earl of Oxford,

Chamberlain of England' confirms that the claims made by his uncle to restore the office of Hereditary Great Chamberlain had been at last successful.

On his return voyage, Oxford's ship was wrecked on the coast of Connaught, where the Irish robbed the Earl and his followers of all their belongings. How they reached home is not recorded, but, undeterred, he sailed again the following summer with the King, who put his army ashore at St Vaast and marched them down the Cotentin peninsula towards Crécy. The Earl of Oxford, now described as 'Chief Chamberlain of the Kings of England', was chosen to be commander of the 1st Division in the forthcoming battle.

The French King set off from Rouen to separate the English from the Flemish, who were moving in from Ypres. The English crossed the Seine and bribed a prisoner to reveal a submerged causeway on the estuary of the Somme, which they crossed at low tide in waist-deep water. Carrying their bows above their heads to keep them dry, the archers paddled through the mile of water with the knights following behind on horseback. The far bank was held by a huge French force. Oxford ordered the English archers to fix their arrows while they were still in the water and then step aside into the deeper water to let the mounted army splash by. The French were forced to withdraw and by high tide the English army was encamped in the forest of Crécy.

Edward III took up a station in a windmill with a long view of the valley where the great battle was to be fought. The sixteen-year-old Prince of Wales was in titular command of one division. The plan was to force the French attackers into two narrowing gulleys, but it was not until the afternoon that Philip's immense army moved out of the woods. The French army despised infantrymen and regarded knights as the only fighters worth having. The English fought on foot.

A romantic account describes French knights riding in a dense, glittering line of solid armour, waving plumes and levelling lances. In fact they were barging through the wounded and trampling down the dying. There was some anxiety at one point for the safety of the young Prince of Wales, who was on foot, but when an appeal was made to the King he coined one of his best-known phrases: 'Let the boy win his spurs'. It was in the victory at Crécy that he did so.

The following year, Oxford went off again to join the King in the siege of Calais when the French were making a last attempt to relieve it. He was sent home with the Earl of Pembroke to buy more horses, but on 14th

May they were hurriedly recalled in view of a threatened attack. Calais surrendered, through hunger; the intercession by Queen Philippa, immortalized by Rodin's giant sculpture, saved the lives of the burghers. In due course King Edward resettled the town with English colonists as a commercial port and a well-defended reminder of his claim to the French throne.

Oxford returned to his family in England. His wife, Maud, had just inherited from her brother, Giles, Lord Badlesmere, much of his immense estate in several counties, including the manor of Badlesmere in Kent. As a result of this some of her descendants later styled themselves Barons Badlesmere. Maud was also assigned the stewardship of the Forest of Essex which her grandfather, Thomas de Clare, had bought.

The Earl and Countess of Oxford, mainly based at Castle Hedingham, eventually had four sons and three daughters. Their eldest son, John, was married as a small boy to Elizabeth, the little daughter of Hugh de Courtenay, 10th Earl of Devon, and great-granddaughter of Edward I. Heraldically it was an amusing marriage for the children, for Elizabeth brought the Courtenays' badge of a white boar to join John's blue boar of the de Veres. But sadly it was not to last beyond the nursery.

The Two Gorgeous Garters

It was after King Edward's double success at Crécy and Calais that he designed, for himself and the knights of his new round table, garters of royal blue embroidered with the cross of St George. The popular legend is that the Countess of Salisbury accidentally slipped her garter at a Court ball. The King picked it up and gallantly diverted the attention of the guests from the lady by binding the blue band round his own knee, quipping as he did so, *Honi Soit Qui Mal y Pense* – 'dishonour be to him who thinks evil of it'. All Knights of the Garter since have worn blue garters embroidered with this motto. The symbolism of the garter is that the circlet binds the knights mutually together, and all of them jointly to the King. It has also been interpreted as a reminder that in battle the knight wearing the garter at the knee was hobbled by it and could not run away. The order was limited to the King and twenty-five of the 'most valiantest men of the realm'.

The chosen knights wore their insignia for the first time at a tournament at Eltham in January 1348, when nine of the original 'founders jousted before the King. Among them was the young Prince of

Wales, who became known from the colour of the armour he wore that day as the Black Prince.

Blacker than his armour by far was the advent of the appalling plague know as the Black Death, which was drawing closer to England from the East. King Edward III's daughter, Princess Joan, died from it on her journey to Spain to marry the heir of Castile. By spring 1349 this horrific infection, which was ultimately to claim one-third of the population of England, had reached East Anglia. Oxford's eldest son, John, died, leaving his child-widow to marry again. Her second husband, Sir Andrew Luterel, took her on a pilgrimage to Compostella. Even after his death she continued to call herself 'the Lady de Veer'. Her brother, Hugh de Courtenay, married her first husband's sister, Elizabeth de Vere, and the white and blue boars were joined again. Thomas de Vere, Oxford's second son, now heir to the earldom and chamberlainship, had already married Maud, the four-year-old daughter of Sir Ralph de Ufford, Chief Justice of Ireland. Through her grandfather, Henry, Earl of Lancaster, she was a great-granddaughter of King Henry III, which could account for King Edward III giving Thomas, some years after his marriage, an annunity of £40 'until his father's death or until the King should order otherwise'. Maud's half-sister by her mother's former marriage was married to the King's second son, Lionel, Duke of Clarence.

A younger son of the 7th Earl of Oxford died, probably also of the Black Death. Another daughter, Margaret, married into three great feudal families: first, she married Henry, Lord Beaumont; then Sir Nicholas de Louvain; and thirdly John, Lord Devereux. Her sister, Elizabeth, after Hugh de Courtenay died, remarried twice: first to Lord Mowbray, and then to his cousin, Sir William de Cosynton.

Curiously undeterred by the Black Death, the elaborate ceremony of the Order of the Garter was held in 1349. The Queen and three hundred ladies of the Court were present at the jousts and festivities.

In France Jean II, known ambiguously as 'the Good', succeeded his father as King of France in 1350. In reply to Edward's Order of the Garter, King Jean founded the Order of the Star. Its companions had to swear that they would never flee in battle farther than what amounted to a quarter of a mile. They were expected to prefer death or being taken prisoner to retreat. For the rich, prison could be merely an expensive way of taking a hunting and hawking holiday in a ducal palace, a fact which not surprisingly infuriated those who could not afford to buy themselves out of the acute discomfort and probable starvation of ordinary captivity.

Feasting, fooling and all forms of sport made fourteenth century captivity for the elite anything but boring.

Jean's opening ceremony of the Order of the Star on Twelfth Night 1352 was a dazzling affair. The order was open to five hundred knights and, though he could ill afford it, Jean gave them all their robes and a magnificent banquet in a hall draped with velvet hangings decorated with golden stars and fleur-de-lys. The furniture was specially carved and gilded to match. After a solemn mass the party began. While the knights made merry with their eating and drinking, the English moved quietly in a recaptured the castle of Guines.

CHAPTER FIVE

Prisoners of Poitiers

DESPITE zealous attempts at making peace, backed by the Pope and by the increasingly impoverished English lords, King Edward somehow raised funds to assemble fleets, men, horses and provisions during the spring of 1355.

The 7th Earl of Oxford sailed to Bordeaux in France with the Black Prince to command the 2nd Division in a raid through the steep hills and valleys in the Languedoc, an area not unlike the Highlands of Scotland. After a two-month expedition of looting and terrorizing more than of chivalry, the prince's company returned to winter quarters in Bordeaux, to wait for the second expeditionary force. This was led by the veteran fighter, Henry, Duke of Lancaster, who with King Edward had been delayed by bad weather and an initially unsuccessful landing. King Edward re-embarked his forces, relanded at Cherbourg and marched south to make contact with the Black Prince, who was already marching north west from Bordeaux.

King Jean had now assembled a huge defensive army and both sides were prepared for a pitched battle, with King Jean confident that he would push the English out of France. They first sighted each other near Poitiers.

At sunrise on Monday, 19th September 1356, about two miles south east of the rocky plateau of Poitiers, the first trumpet calls sounded and, on already muddy, marshy ground, the famous battle began.

The Black Prince deployed two battalions in front and one behind with the archers in saw-tooth formation in each. The Earl of Oxford was in joint command of the 1st Division. The prince commanded the rear. The French attacked from the flank and charged in a frontal assault. Shooting from sheltered positions protected by dismounted knights and foot-soldiers, the archers, at the express order of the Earl of Oxford, aimed for the horses' unarmoured rumps. His highly trained longbowmen could each fire up to twelve arrows a minute. The horses reared, dismounting their riders and 'making great slaughter' upon them. In a tangle of killed and wounded horses and men, the battle raged with sword and lance and battleaxe and much hand-to-hand fighting. Spent arrows were used again, and anything potentially lethal was picked up and thrown.

Early in the afternoon King Jean was wounded in the face and taken prisoner. He demanded to be led to his cousin, Prince Edward. From then on there was some fleeing and much submitting to capture, particularly among those survivors who could afford to pay for it.

The French were defeated. The Earl of Oxford's skilful handling of the archers was considered a major contribution to the victorious outcome.

Horses, Dogs and Chess Sets

After the burial of the dead, mourning was proclaimed for the captured King and celebrations of feast days forbidden. In the Languedoc, the wearing of gold, silver, pearls, ornamented hats or scalloped robes was forbidden, and entertainment by minstrels and jugglers was prohibited for a year, so long as the King was a captive.

King Jean, however, well before the year was out, was living it up in the Duke of Lancaster's palace of the Savoy in London and enjoying the best hunting and hawking King Edward could provide. For his ceremonial entry into London the route had been prepared as for a Coronation procession with houses hung with tapestries, the streets strewn with rose petals and tableaux of live maidens in gilded cages set along the route to scatter favours. Christmas and New Year celebrations followed with more than usual extravagance.

Records show that horses, dogs, falcons, a chess set, an organ, a harp, or clock, venison and whale meat as well as fashionable clothes for the King's son, Philip, and his jester were all delivered to comfort him. He had an astrologer and an orchestra, cocks for cock fighting, books with fine bindings and wine which he could, and did, both drink and sell. King Jean was at liberty to entertain French visitors and enjoy all the pleasures of Court life although he was under discreet but continual guard against escape or attempted rescue. King Edward was determined to get an exorbitant ransom before he would either make permanent peace or let King Jean go. He demanded three million silver crowns, écus, for the release of Jean the Good.

When the French balked at the terms of settlement reached in 1358, Edward responded by raising his demands. Oxford was called to London when, in 1359, the truce was about to expire. King Jean yielded, trading half of his kingdom for his own release. By the Treaty of London he not only surrendered almost all of western France but agreed to put the ransom up to four million silver *écus*, payable at fixed instalments, to be guaranteed by the delivery of forty royal and noble hostages. Moreover, France was to bear the cost of the English occupation army in the ceded territories.

The French Council, much as they wanted peace, hardly felt their King was worth it. War was ordered to be made on England.

King Edward claimed he had good enough grounds to reply with a 'just war', and bishops offered indulgences to encourage recruitment. A thousand ships, carrying ten times as many men and three times as many horses, set off with all the accoutrements of war together with hawks and hounds for sport. Oxford and his eldest surviving son, Thomas de Vere, embarked for Calais with the King and his four sons: Edward, the Black Prince; Lionel, Earl of Ulster; John of Gaunt, Earl of Richmond; and Edmund, Earl of York. All the great soldier aristocrats were there. King Edward intended to be crowned King of France in Rheims. The army set off along three routes, blocking the roads through Picardy with three lines 'to spread their foraging'. Among the foragers in the Earl of Ulster's contingent was Geoffrey Chaucer, the young poet, whom the Countess had fitted out when he came to be her page two years before with a short cloak, a pair of shoes and some parti-coloured red and black breeches.

After four weeks' marching and camping in perpetual rain, King Edward and his commanders arrived, with their forces wet and dispirited, at the gates of Rheims. They found them barred and, despite repeated summons, the Archbishop and citizens refused to open them. The English could still destroy the French army in the field, but they could not reduce a strongly fortified city except by surprise or starvation. Their arrival with such a large army was certainly no surprise to the people of Rheims, giving them ample opportunity to prepare for a long siege. It must have been a poor Christmas for both sides. For nearly two months in bitter weather the English occupied the surrounding heights, while patrolling parties scoured the countryside trying to raise a relieving force to go into battle, but it was not an alluring prospect and none came. While on a foraging party, young Geoffrey Chaucer was taken prisoner.

Thomas de Vere was in the skirmishes round the wall of Rheims. In the last attack, towards the end of January 1360, Thomas's father, the 7th Earl of Oxford, was killed. His body was brought back to rest in the lady chapel of Colne Priory, at the head of the graves of his two sons, John and Robert.

Rheims Abandoned

Thomas, the new and 8th Earl of Oxford, had just buried his father when rumours reached England that attempts were to be made to rescue the French King. King Jean was hastily moved from castle to castle and eventually into the Tower of London itself. French spies, unable to catch up with information about his whereabouts, landed mistakenly on the south coast. They took the cliff-top town of Winchelsea, from which the sea today has receded nearly two miles. They murdered an entire congregation in church and raped, pillaged and terrorized throughout the district. They then set fire to the nearby island town, as it was then, of Rye. A hurriedly raised 'Dad's Army' gave the impression of a great English force and, within forty-eight hours, the two thousand French knights, archers and foot-soldiers, under a group of doughty commanders, were gone.

The Earl of Oxford was back in France when King Edward III abandoned Rheims through cold and hunger and headed south for the richer and warmer lands of Burgundy. He surrounded Paris with his troops as he had surrounded Rheims, but again to no avail. He tried Chartres and eventually gave up after hailstones in a torrential thunderstorm had killed men and horses. This was regarded as a sign from heaven to go home and on 8th May 1360 the Treaty of Bretigny was signed in a small village near Chartres. The treaty included a maze of legal and territorial details but was really a return to the original settlement. King Jean's ransom was put back to three million French crowns, but he was still to hand over about one-third of France to the King of England, free of homage, while King Edward renounced the crown of France and the rest of the territory.

To ensure fulfilment, forty princely and noble hostages, including the French King's sons and brothers, were to be exchanged for King Jean, whose release was to start by his being sent to Calais. There he would remain with his youngest son until a first payment of six hundred thousand crowns was made. There were to be six instalments at six-monthly intervals and on each delivery one-fifth of the hostages were to be released, a release on the 'never-never' whose full payment never was fulfilled. Even the first payment, delivered to the English at Calais, was less than the stipulated sum. However, the peace treaty was ratified as the Treaty of Calais and the Earl of Oxford, as Hereditary Lord Chamberlain, was among those who signed it. After jointly swearing to keep the peace, the two Kings dined together and then parted.

Less than a week later King Edward and the Black Prince sailed to England with the Earls of Oxford and Ulster as custodians of the princely and élite hostages. Among the noteworthy passengers in the convoy, if not in the same ship, were three young men all aged about twenty. Geoffrey Chaucer, whose ransom of £16 had been partly paid by the King, was yet to be described as 'the founder of English poetry and literature'. Jean Froissart, bearing an account he had written of the Battle of Poitiers to take to Queen Philippa, was to become one of France's best-known chroniclers. The third young man among the hostages was Enguerrand de Coucy, son of the contemporary Count of Guines.

Although the newly signed Treaty of Calais seemed to make the hostages' future clear cut, only some were eventually to be returned to France. Others were to die in exile. None would have known then that one of the travellers on that voyage – Enguerrand de Coucy – was to become King Edward III of England's son-in-law. His daughter was to marry the Earl of Oxford's son and to become, through him, the Duchess of Ireland.

Love and War

Maud, the new Countess of Oxford, was nearly thirteen and ready to take up her wifely duties on her husband's return from Calais. Oxford was soon under orders to accompany the King's son, Lionel, Earl of Ulster, to Ireland; their wives, who were half-sisters, almost certainly went too as Maud became pregnant towards the end of this expedition. Indeed, they may have been deliberately sent out of England by the King to try to avoid a new outbreak of the plague, which had just killed their maternal grandfather, Henry, Duke of Lancaster. His daughter, Blanche, was married to Lionel's brother, John of Gaunt, who succeeded through his wife to all her father's estates and was created Duchess of Lancaster in her own right. The half-sister wives of the Earls of Oxford and Ulster both had strong connections with Ireland.[1] Maud's father, Sir Ralph Ufford, had been Chief Justice of Ireland. Elizabeth's father was William de Burgh, 3rd Earl of Ulster, from whom Elizabeth's husband, Lionel, took his title. He and Elizabeth only had one child, Philippa, who was ten years younger than Maud. The de Burghs, Earls of Ulster, had been a turbulent tribe, making war and imprisoning each other when in Ireland, though they took their name from the peaceful royal manor, given to them by Henry III, of Burgh-next-Aylsham (spelt *Buc* in Domesday).

Soldiers who had fought over the cultivated fields and river valleys of France found Ireland 'one of the worst countries to make war in or to conquer because of the impenetrable forests, lakes and bogs, which only the Irish knew how to negotiate'. It was so thinly inhabited that 'whenever the Irish pleased, they deserted the towns and took refuge in the forests'.

On 16th January 1362 Maud gave birth to her first and only son, Robert, at Castle Hedingham, either in the castle itself or in its more peaceful nunnery. The Earl remained with his wife in England, dealing with state affairs as well as his Essex estates. He was commissioned to look into the evasion of taxes on wool and corn, which was prevalent all along the east coast. In his capacity as Great Chamberlain of England, he witnessed a treaty with the King of Castile and Leon. The Oxfords were much at Court, not only through the royal friendship stemming from the

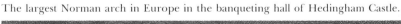

The largest Norman arch in Europe in the banqueting hall of Hedingham Castle.

Earl's having shared the discomforts and dangers of war with the King and his sons, but through the Countess and her half-sister's kinship with the reigning King.

Soon after Robert de Vere was born, his own Aunt Elizabeth became a Duchess when her husband, Lionel, was created Duke of Clarence. It was a status she was only to enjoy for just over a year for she died early in 1363, probably of the plague. Her page, Geoffrey Chaucer, was transferred to the household of her brother-in-law, John of Gaunt, Duke of Lancaster, and subsequently married one of the Duchess of Lancaster's ladies-in-waiting.

Chaucer's contemporary, Jean Froissart, found approval in the eyes of Queen Philippa herself, and remained at Court fashioning the gossip he heard into stories to entertain her.

Froissart took a delight in denigrating acts of courage and initiative in a confusion of names, titles and dates. He told stories of the cowardice in battle of nobles who at the time of the engagement were in another country or not yet born. The memory of the late Earl of Oxford's chivalrous exploits on active service was, like that of other military leaders of the time, absurdly distorted and sometimes given to Thomas, his son. He referred to him variously as Kenfort, Oakfort and Askesufford. It was all probably hilariously funny when first invented to entertain the Queen and her ladies, but when presented to Richard II many years later in a crimson velvet cover, embossed with ten buttons, its content was taken surprisingly seriously.

Froissart called himself Sir John Froissart, though it is unlikely that he was knighted in England.[2] Even Chaucer, who was to become a yeoman of the chamber and remained close to the King, was only styled 'Esquire' when he was pensioned off.

The hostages who arrived together had to live at their own expense. This was considerable for those who, with their own orchestras and hunts, extended and accepted much lavish hospitality. The return of the plague slowed down payments of King Jean's ransom, so hostages were not returned to France in fixed numbers every six months or replaced by substitutes. The royal prisoners grew bored with their leisurely life and tried to make separate treaties. Then, suddenly, for no apparent reason, King Jean himself, after having forgone so much of his country to gain his freedom, returned to English captivity of his own volition. During the Twelve Days of Christmas he was treated to even more magnificent entertainment than before.

Young Froissart described how the King and Queen of England rode from Eltham Palace towards Dover to meet the hostage King and then returned with him to Eltham, which was such a favourite of his that for long after it was known as 'King John's Palace'. They arrived after the morning meal and between 'diner' and 'super' time there was 'great daunsying and karolyinge. There was the younge lorder of Coucy who enforsed himselfe to daunce and to synge so that bothe frenches and englysshe were gladde to beholde hym, it became hym so well.'

Three months later, in April 1364, the processions for King Jean were even more spectacular, with thousands of torches and candles, as he was carried to his own funeral service at St Paul's having died, almost certainly of the plague, with much of his ransom still owing. Some of the hostages bought themselves out with their own land in France. Others went on parole and never returned. Enguerrand de Coucy, however, was paid to stay. The price was gold, honours and the hand of a royal princess.

Princess Isabel, King Edward III's second and favourite daughter, found Enguerrand's dancing and carolling irresistible. She fell madly in love with him and her father approved.

Hands across the Sea

Edward III had always tried to attract the allegiance of great French nobles. Now he could achieve a useful foothold on the borders of Picardy through the marriage of his daughter to this French lord who had recently inherited all his father's lands and riches (as had the new French King, Charles V, when his father, King Jean, died at Eltham). There were also de Coucy lands in the North of England, which Enguerrand inherited.

Princess Isabel had already been unsuccessfully betrothed three times and was no ingenue. She had had her own ménage for several years and, as an over-indulged, wilful and wildly extravagant thirty-three-year-old, she was unlikely to have been the first choice of twenty-five-year-old Enguerrand; the lure was freedom plus high rewards. His betrothed had a great deal of money and spent even more. Her father seemed to relish paying her debts and redeeming her jewellery from the pawnbrokers. Two or three goldsmiths, seven or eight embroiderers, two or three cutters and a handful of furriers went with her wherever she went. They no doubt supplied such frivolities as the rings on her fingers and bells on

Coucy castle built by Enguerrand de Coucy's arrogant ancestors in Picardy. Its gigantic keep was finally demolished by the German army in 1917. Thirty miles south of the present village of Coucy-le-chateau, Vermandois, once a whole country in its own right, has now shrunk to the small shopping area of Bohain-en-Vermandois.

her toes. Bells were then very much in the fashion, particularly dangling from the elongated points of shoes and wide sleeves.

On 27th July 1365 Princess Isabel and Enguerrand de Coucy were married at Windsor Castle amid great festivity and brilliance. The music was superb, the bride was covered in jewels given to her by her family. The King's wedding present to his daughter was four thousand marks and £1,000 a year. To his son-in-law he gave his freedom without a ransom and three hundred marks a year.

The couple's first child, Marie, was born almost exactly nine months later in the fabulous castle of Coucy. Letters show that King Edward had been worried about his favourite daughter leaving England when she was pregnant. Maybe he also worried about his ex-hostage never returning, except with belligerent intentions. However, they sailed back immediately after the birth and Enguerrand was created Earl of Bedford and inducted into the Order of the Garter. His name from then on was spelt in England as Engain, Ingelram or Ingram.

During his five years of luxury imprisonment his French domain had suffered badly through heavy taxation and shortage of labour, results of the Black Death. He himself declared, 'the land was in a great part uncultivated, unworked and reverted to waste land'. This may have contributed to Isabel's intense preference for England.

Within twenty months of the wedding, a second daughter was born at Eltham Palace. She was the third of the Queen's granddaughters to be named Philippa after her. There was already Lionel's daughter and John of Gaunt's.

The new Philippa received from her royal grandparents an elaborate silver service of six bowls, gilded and chased; six cups; four water pitchers; four platters and twenty-four each of dishes, salt-cellars and spoons. Forks were not yet considered fit for the table and noblemen carried their own hunting knives to cut up their own and their ladies' meat.

Another royal grandchild was born that year, a second son for the Black Prince. Prince Richard was born at Bordeaux. Soon afterwards Sir Aubrey de Vere, brother of the Earl of Oxford, undertook 'to abide for life' with the Black Prince, for which service, as his aide-de-camp he received an annuity of one hundred marks.

The next royal event was one of tremendous splendour. The widowered Lionel, Duke of Clarence, stayed in Paris at the palace of the Louvre on his way to Milan to marry the thirteen-year-old daughter of the Count of Milan. He brought a retinue of 457 people and 1,280 horses. As many of his family as could make the journey met him to join in the feasting and dancing and games. The Bedfords were there and the Earl of Oxford is recorded as being in France soon afterwards; his pleasure-loving Maud would not have missed her brother-in-law's remarriage celebrations if she could have helped it.

Lionel's wedding was held in Milan with many of the same guests present as at the previous royal wedding. There were eighty bridesmaids all dressed alike in gold embroidered scarlet gowns with white sleeves and gold belts. At the reception there were thirty double courses of meat and fish with presentations between courses of wedding presents which included coats of mail, helmets, horse armour, greyhounds in velvet collars, falcons wearing solid silver bells, bottles of wine, wine in bottles worth more than the wine, cloth and coats covered with ermine and pearls, seventy-two horses and twelve fat cows. The food was powdered with real gold leaf to make it sparkle. Four months later the Duke of Clarence was dead. He was believed to have been poisoned. His mother, Queen Philippa, died the following year.

When England was drawn into open war with Charles V of France, Thomas, Earl of Oxford, sold the Irish lands which he had inherited from his mother so that he could afford to take part in the raids organized from Calais. Enguerrand, Duke of Bedford's sense of chivalry prevented him from fighting for or against England or France, so he went off to run a private war of his own against Austria. Knights and their squires from the still existing country of Vermandois were among those who joined him. Their intention was to reclaim some of the other small countries which for centuries had been tossed around among the ever-changing powers.

During Enguerrand's long expedition, his elder daughter, Marie, as heiress to the Coucy domain, remained in France for such education as was correct for her age and status. Her mother and younger sister, Philippa, spent most of their time in England. Meanwhile, by August 1371 the Earl of Oxford had returned to Essex and was signing his will at Great Bentley Priory. He died in September and was buried at Earls Colne. He was thirty-five, his widow was twenty-three and the new Earl of Oxford was nearly ten.

The King's Closest Friend

Robert de Vere continued to be brought up in the lap of luxury by his increasingly wealthy mother. As sole heir to her father, and co-heir to her mother's fortune she now inherited a bountiful dower from her husband.

The wardship of Robert's lands was bought, not, as might have been expected, by any of his father's royal and influential relations, but by Thomas Tirell and two unknown speculators, for £300 a year. A month later Robert's marriage was granted to Enguerrand, Duke of Bedford, and his wife Isabel, with a view to the boy marrying their younger daughter Philippa, then aged four. The children were not blood relations though they had been brought up like first cousins through their mothers being sisters-in-law by marriage.

To his son, the deceased Earl had left silver plate and to his brother, Aubrey, a steel haubergeon and other lethal weapons.

Within a month of his brother's death, Sir Aubrey was made secretary to the Black Prince. He was also made Constable of Wallingford Castle and Steward of the Port of St Valery in Vermandois, both venues for the Black Prince's prodigious hospitality. The prince kept open house for something like four hundred people at almost every meal and there were two formal meals a day as well as banquets, hunting parties and the tournaments he loved to hold when not fighting in earnest.

His entourage was as great as ever in Gascony in 1372 when, to the consternation of them all, his elder son died aged eight. None was to be more affected by this than his six-year-old brother, Richard, who seems gradually to have transferred his affection and adoration for an elder brother, who 'knew everything', to his cousin Robert, Earl of Oxford. There was five years and ten days between them. Robert, as Chaucer put it, 'knew the way to sit a horse and ride. He could make songs and poems and recite, knew how to joust and dance, to draw and write.' The elder cousin must have learnt to hunt with a hawk before Richard and been able to beat him at chess and backgammon. Robert was a born extrovert and always more sure of himself than the fair-haired, sensitive Richard of Bordeaux, who never quite got over his boyhood stammer.

When the Black Prince himself died four years after his elder son, Richard became heir to King Edward III, who at once made him Prince of Wales. Both cousins, Prince Richard and the Earl of Oxford, were now fatherless, only sons of rich doting mothers.

On St George's Day in the spring of 1377, the cousins were knighted at Windsor by the old King, Edward III. Robert, Earl of Oxford, was the eldest of the group of boy-knights that included the future King Henry IV, son of John of Gaunt; and Henry Percy, whose passionate belligerence Shakespeare was to dramatize under his 'surname' of Hotspur. The King was already beginning to fail and his daughter Isabel had been sent for to be with him in his last weeks. She was still his favourite. His last New Year presents to her were a complete set of chapel furnishings and two saddles, one of red velvet and one ornamented with copper and gold. The previous Christmas the King had given her and her younger daughter each an ermine-trimmed velvet robe. Little Philippa already bore the title of Countess of Oxford through her betrothel to Robert de Vere. King Edward died in his palace of Sheen on 22nd June 1377. His grandson Richard succeeded him. His three powerful uncles immediately tried to wrench individual control from an ill-assorted Parliament.

Coronation Youthfulness

Tremendous preparations were made for the Coronation of the ten-year-old son of the dead hero, the Black Prince. It was to be held three-and-a-half weeks after his grandfather died.

The magnificence of the dresses and of the procession is described at length in contemporary chronicles. The day before the Coronation, Richard was dressed in white for the newly-innovated cavalcade from the Tower, in which he had just spent a week in order to show that he was master of the city. He rode through Cheapside, Fleet Street and the Strand to the palace of Westminster. He was escorted by a body of knights created specially for the occasion. After being duly washed in a bath, they assumed their knightly dress and accompanied their young King to his palace. Known as the Knights of the Bath, from then on they formed part of Coronation ceremonies until the end of the seventeenth century. The cavalcade, with the small boy at its centre, took hours to travel from the Tower to Westminster, passing under triumphal arches at every turn. At one well-head a domed castle with four turrets had been set up. In each of these stood a little girl of the King's own age who blew golden leaves at him and showered imitation florins under his horse's feet. Then the little girls came down and offered him wine in a golden cup, while a gilded angel in the dome leant forward with an artificial crown. This was all part of the theme of youthfulness, as perhaps was John of Gaunt's permission for the Earl of Oxford to execute his hereditary office of King's Chamberlain, although he was still only a minor of fifteen.

Richard was crowned by Archbishop Sudbury of Canterbury, who was later to be murdered. The service itself was so long that by the end, worn out by it all, the child-King was carried back in his robes to the palace on the shoulders of Sir Simon Burley 'contrary to ancient custom, with the abbot of the place protesting'. One of the King's red velvet shoes, which had been blessed by the Pope, fell off and was never recovered.

The King was supposed to have been met on the way by Sir John Dymoke, the King's Champion, to challenge 'any person of what degree soever, high or low' to personal combat if they should dispute the King's right to the crown of the realm. But owing to a confusion of orders, Dymoke turned up on his charger inside Westminster Hall in the middle of the feast and was hustled out backwards and told to come back later. This mistake became part of Coronation tradition and was repeated by descendants of the Dymoke family.

At the banquet Robert carried out the office of the King's Chamberlain by offering the King water before and after eating. He had had to send in a special petition claiming the right to take home the ceremonial basin and towels, as it had been forgotten that the service of the ewery was an essential part of the ceremony. Robert's mother, Maud, would not have forgotten, for there were already two silver basins in the de Vere family from previous Coronations. Soon there were three.

Fragments of the tomb of St William, who was Archbishop of York at the time when top ecclesiastics took an active part in the design of all kinds of buildings. His tomb in York Minster, although not erected until nearly two centuries after his death in 1154, reflects the spirit of his times in the serenity of the maiden and the whimsicality of the foreshortened figure.

Five weeks later Enguerrand, Duke of Bedford, reckoning he had paid off his ransom in kind, formally renounced to King Richard all his English honours, making special mention of 'the noble Order of the Garter, so let it please your noble and puissant lordship to provide in my place whomsoever you may please, and therein hold me excused'.

Enguerrand de Coucy left England and founded his own order of chivalry in France. He called it the Order of the Crown, the crown symbolizing grandeur, power, dignity, virtue and high conduct. He parted with his wife along with his English fealty. Isabel could have gone too, but only if she had become reconciled to the loss of their English estates. With her compulsive extravagance, this would have been more than she could contemplate.

The following summer the marriage duly took place between their daughter, Philippa, and Robert, Earl of Oxford, whose warm friendship with the King continued as before. Whereas previous de Veres are presumed to have been close to their monarchs through their high offices and shared experience of battle, Robert, 9th Earl of Oxford, is the first of the de Veres to have been constantly at the King's side as his closest friend and confidant. Richard already hero-worshipped his rich, amusing cousin with his attractive young mother, but now that he was King he was able to enjoy Robert's company and delight in all his luxurious and amusing ideas to the full. It does not appear to have been a homosexual relationship, as in the case of Piers Gavaston and Edward II, but more of an exuberant schoolboy ganging-up against the discipline exercised by seniors. The gossip Froissart writes that the Earl of Oxford 'managed the King as he pleased' and 'if he said black was white, Richard would not have contradicted him . . . by him everything was done and without him nothing'. In fact Richard sought Robert's advice and preferred it to that of any other. Oxford's love of ostentatious splendour enchanted the King, as did such delicate and fastidious ideas as carrying a handkerchief, which equipment, normal today, first appears in history in Richard II's royal linen list as 'little pieces [of cloth] made for giving to the lord King for carrying in his hand to wipe and clean his nose'.

Contemporary advice to young knights appearing in the *Roman de la Rose*[3] gives an idea of the kind of behaviour at court which Robert advocated and Richard was anxious to excel at, for example. 'If you have a good voice, seek no excuse when asked to sing, for good singing gives pleasure.' Dancing and playing the flute and strings were to be encouraged too. The young knight should keep his hands, nails and teeth clean, lace his sleeves, comb his hair, but use no paint or rouge which is not considered fitting even for women. He should dress handsomely and fashionably and wear fresh new shoes, 'which fitted so well that other people wondered how they could be entered'. Fresh flowers, worn not so much as a buttonhole as a garland, were considered as manly as the carnations worn at weddings today by the most masculine of bridegrooms.

Richard followed this advice by later ordering for himself, for a ceremonial occasion, a gown of gold cloth, garnished with pearls and precious stones. The rebuilding of Westminster Hall, one of the most magnificent Gothic buildings in the world, was a later example of Richard II's extravagant taste, which was personalized with a frieze of his favourite badge, the white hart. Both cousins thought the creation and contemplation of beautiful palaces, furnishings, clothes and food more exciting than war with France, which had so preoccupied their fathers – not that either lacked courage when faced with danger.

When Richard was fifteen, an alarming and unusual uprising broke out, threatening London itself. An enormous band of infuriated armed labourers advanced, led by the rebel Wat Tyler. King Richard rode out to meet them. At his side rode Robert, Earl of Oxford, whose uncle, Sir Aubrey de Vere, now Chamberlain of the Royal Household, bore the King's sword. The young King quelled the Peasants' Revolt with outstanding bravery and promised the rebels that their grievances should be remedied. The trouble had arisen over unjustified taxation by John of Gaunt, Earl of Lancaster, who had taken over more than his share of control from Parliament. After the leaders of the revolt had been executed, King Richard, in an attempt to keep his word, issued a general pardon to the surviving rebels.

NOTES

1   King David II of Scotland was Elizabeth, Countess of Ulster's first cousin. Her aunt, Elizabeth de Burgh (after whom she was presumably named) had married his father, King Robert the Bruce.
2   However, it was not unusual to prefix the addition of 'Sir' to the Christian name of a priest. Froissart was given a clerical living with no duties except to write his books.
3   *Roman de la Rose*, a thirteenth-century poem modelled on Orid, was translated partly – if not entirely – by Chaucer as *The Romaunt of the Rose*.

CHAPTER SIX

The Wearing of the Green

KING Richard II was married immediately after his seventeenth birthday. Robert, Earl of Oxford's uncle, Sir Aubrey de Vere (who had himself just married in his late forties a niece of Henry 'Hotspur' Percy), was one of the three commissioners to treat with Bohemian Ambassadors over King Richard's marriage to Anne of Bohemia, daughter of Charles IV, Emperor of Germany, and sister of the Emperor Wenceslas. Anne was a pious and diligent student of the Bible and Richard adored her in their relatively brief but blissful eleven years of marriage, which in no way broke up his close friendship with Oxford.

In token of this friendship and appreciation of Robert's support, on 10th January 1382 (a day specially chosen for being halfway between their two January birthdays) Richard made Robert his Chamberlain and confirmed Henry I's charter 'granting the Chamberlainship to Aubrey II and his heirs'. In the next three years Robert was repeatedly appointed a commissioner for all sorts of purposes, many grants being made to him. In an effort to shake off the authority of their elders, Richard made Robert a member of the Privy Council and a Knight of the Garter. He arranged for Garter robes to be provided for him and for the Countess of Oxford for the Feast of St George the following year and for several years to come.

On the River Medway, Richard, with a boyish flourish, gave Robert the castle and wardship of Queenborough, invoking 'the curse of God and St Edward and the King upon all who should do or attempt anything against his grant'. On the road to Scotland, when they were travelling together on their way to invade the Scots, the King granted Robert the castle and lordship of Okeham and the hereditary shrievalty of Rutland. It was as though he only had to see his castles to want to shower them on the Earl of Oxford. Nor was it only castles and honours and commissions that he gave him, but also high military command.

In the North, Robert was made commander of the 2nd Division immediately under the King, leading 140 men-at-arms and two hundred archers. His uncle, Sir Aubrey, for all his experience in battle, was only given twenty men-at-arms and two hundred archers. The English were at first successful, but food supplies ran out and they had to turn back. Blame for the retreat from Edinburgh was thrown on to Oxford by his jealous enemies and particularly by Froissart, who told a story of his having dissuaded the King from pursuing the Scots beyond the Forth.

Almost as unpopular as the Earl of Oxford was a friend of his and of the King, Sir Michael de la Pole, whose father had made his fortune as Chief Customs Officer of Hull. Sir Michael had served in France with the Black Prince, probably more as a purveyor than a soldier. King Richard must have known him well all his life. In 1385 he made him Earl of Suffolk, creating a new earldom of Suffolk, which title had last been held by Robert's uncle, Maud's brother.

That autumn envoys arrived from the English colony of Ireland, which feared eradication by the Irish-Scottish enemy. They urged Richard to go over in person, or, if that were impossible, to send one of the highest and most powerful of his nobles to protect his Irish dominions from impending catastrophe. It could hardly have been expected that the task would fall to the twenty-three-year-old, politically inexperienced Earl of Oxford, for all his family connections with Ireland. However, in full Parliament on 1st December 1385 the King created Oxford Marquess of Dublin for life 'in consideration of his noble blood, strenuous probity, eminent wisdom and great achievements', granting him the territory and lordship of Ireland, with quasi-regal powers. This was the first creation of a Marquess in England, and the other Earls were becoming increasingly resentful of Oxford's advancement.

The Earl was to rule and govern Ireland for two years at the King's expense and afterwards at his own. He was permitted to keep for himself lands conquered or retrieved from the King's enemies, with the right to appoint all officers and judges and to mint gold and silver coins. In January 1386 the King granted him an azure shield with three golden crowns for so long as he held the lordship of Ireland. On 13th October 1386 the King revoked the grant of the marquessate, creating Robert Duke of Ireland for life instead and giving him Ireland and its adjacent islands and all other appurtenances on his liege homage only – that is, the Irish must kneel to Robert and no other, except if the King were there himself. Honours continued to be heaped on the new Duke; on 8th September 1387 he was appointed Chief Justice of Chester, which he made his headquarters, and a month later he was made Justice of North Wales.

Jealousy and resentment of the Earl of Oxford turned to disgust when, instead of taking his wife Philippa to live with him in Chester, he abducted one of the Queen's ladies-in-waiting. She is referred to variously as Alice Lancecrone, Lanchecron, Landskron and Launcecrona. Some said she was 'ugly and low-born, the daughter of a Bohemian saddler' and others that she was of a noble family named Landskron and possibly German or Czech. Infatuated by his new love, Robert is said to have sent a clerk to the Papal Court to try to obtain a divorce from Philippa so that he could marry his 'Bohemian'. It is not known for certain whether by this or any other means he succeeded. The King did all in his power to support him. The Queen protested, but in vain, and Robert's mother, Maud, took up the cause on behalf of the injured wife. 'Oxford's treatment of his wife', decided Froissart, who was then under the patronage of her father, 'was the chief thing that took away his honour'.

King Richard and Earl Robert, both tired of the excessive restraint and disapproval of the older generation, decided to put an end to it. While riding together on the summer Progress of 1387, they planned a *coup de main*. But they were forestalled.

They returned to London in November to find the Duke of Gloucester and the Earls of Arundel and Warwick were already arming against them. King Richard was forced to grant them an audience, in which a formal charge of treason was laid against Oxford and others among the King's advisers. The King was compelled to promise that his cousin would be tried in the forthcoming Parliament. As soon as the audience was over he broke his promise and had Oxford smuggled immediately back to Chester disguised as an archer. From Chester, with the help of Thomas Molyneux, Constable of Chester, Oxford raised troops from Cheshire, Lancashire and Wales, amassing a force of six thousand men. With them, the 9th Earl of Oxford marched towards London.

On the march south, he found his way blocked at Northampton by the five 'Lords Appellant', as his enemies called themselves. Oxford turned aside and marched down the Fosse Way to Stow-on-the-Wold. On 20th December 1387, near Witney, Oxfordshire, he encountered the vanguard of the enemy under the Earl of Arundel. The bridge over the Thames at Radcot was held by the Earl of Derby.

Oxford, displaying the royal banner and the banner of St George, was about to attack when the main army under Gloucester emerged from the fog at his rear. Some say that Arundel persuaded Robert's men to abandon him with cries of 'the traitor', others that they lost interest and that Oxford was unable to command them. It is clear that there was practically no fighting. As the main forces of the Lords Appellant approached, Oxford abandoned his troops and disappeared. He was believed to have ridden east along the river bank and, finding New Bridge occupied by Derby's archers, swam with or on his horse across the Thames further upstream. In his baggage letters were found from King Richard, promising to meet him and hazard his own royal body.

Once safely across, Robert disguised himself, this time as a groom, and travelled in the opposite direction to London. After a hasty interview with Richard he retreated to Queenborough and sailed for the Low Countries. He landed at Dordrecht, where Michael de la Pole, Earl of Suffolk, who had also escaped, joined him, and they went together to Bruges. Froissart claims that he had previously sent gold, silver 'species', jewels and plate to Bruges through the Lombards and that the sum of sixty thousand francs was awaiting him there. Certainly both Earls were able to obtain safe conduct from Charles IV in France, which may have

Musical boss found on the site of St Mary's Abbey, York, founded during the burst of monastic building following the Norman Conquest. By 1536 there were more than 800 religious houses, monasteries, nunneries and friaries in England and Wales. Four years later, there were none. Their buildings had been sold or leased by the Crown and their contents and 10,000 former occupants had been scattered. Abingdon, Ramsey and Glastonbury were the three oldest, all founded in the tenth century.

been paid for in francs, though their English enemies accused them of buying their safety with the return to France of Calais and the castles round it.

The Merciless Parliament

When Oxford failed to appear at the opening of the 'Merciless Parliament' of 1388 to answer the charge of treason, he was outlawed and all his possessions, except for his entailed estates, were placed in the hands of the King. The detailed indictment subsequently laid before Parliament accused him, along with the Earl of Suffolk and others, of deliberately attempting to secure control of the King and exclude all good councillors. They were charged with impoverishing the Crown by making grants to themselves, their relations and friends; of interfering with the common and statute law and unlawfully maintaining quarrels. They were also charged with inciting the King to get the Pope's consent to Oxford being made King of Ireland; and of prompting the King to refuse to recognize the parliamentary commission of reform, and to arrest and put to death the Duke of Gloucester. Finally they were accused of seeking the French King's assistance against the Lords Appellant, and returning Calais and its surrounding marches to him in payment. Certain of these articles were pronounced to be high treason, and Oxford was sentenced to be drawn and hanged as a traitor to the King and the realm.

Sir Aubrey de Vere was removed from Court by the victorious Lords Appellant. All the King could do was make sure that his cousin Maud, Robert's mother, was able to keep the castle and manor of Hedingham and twelve other manors for the next twenty years at a rent of £300 per annum, and that robes would continue to be provided for her for Garter ceremonies.

In France, Oxford made his way to Paris with Michael, Earl of Suffolk, who became ill and died the following year, leaving all his possession to Robert de Vere. According to Froissart, Oxford's ex-in-laws, the de Coucy family, made his life so uncomfortable in Paris that he was forced to leave.

The Earl persuaded King Charles to write to his aunt, the Duchess of Brabant, asking her to give him asylum. She offered him a residence in the region of Louvain, which could have been a castle or a cottage. Here, four years after his escape, his mother visited him 'to talk to him and relieve him with certain gifts', for which she had to be pardoned when she returned to England.

Robert did not live long enough to learn of King Richard II's successful reversal of the banishment imposed by the Merciless Parliament. The year after his mother's visit, the 9th Earl of Oxford died from a hunting injury when a hunted boar 'whose frothy mouth he painted all with red, like milk and blood being mingled together' turned and attacked him. It was a gory but apt death for one whose badge was a wild boar. The dukedom of Ireland died with him. He was buried in Louvain in 1392.

The First of the Uncle Earls

On Robert's death his entailed estates were restored to his heir, his uncle, who styled himself 'Aubrey de Veere Chavler' until the King, with the consent of Parliament, revived the earldom of Oxford in his favour. But Aubrey's plea for the restoration of the chamberlainship of England was refused, even though he insisted that his ancestors 'had been seized of the office from time immemorial, as an annex to the Earldom of Oxford'. During Robert's exile the King had given the office to his own half-brother, John de Holand, for life. It was an odd benefaction, for hitherto Richard had despised this son of a previous marriage of their mother, Joan, 'the Fair Maid of Kent'. Holand was fifteen years older than Richard and had served with him in Scotland when Robert, Earl of Oxford, was blamed for the retreat from Edinburgh. During this expedition John Holand killed another young knight, for which the King, in a fury, outlawed him and seized all his lands and possessions. Their mother begged Richard to forgive him and when he refused she died within days, it was said, of grief. Peace had eventually been made between the half-brothers through the King's uncle, John of Gaunt, who took John Holand abroad with him to France and Spain and then married him to his own daughter. On his return Holand was created Earl of Huntingdon by demand of Parliament.

Huntingdon repaid his half-brother's forgiveness with great loyalty and friendship, but at the expense of the new Earl of Oxford, whose nephew had been accused of hypnotizing the King into his extravagant patronage of the arts. It had been when his dearest friend was beside the King that the most memorable examples of early Perpendicular architecture were achieved. Now, without him, King Richard lavished unrestrained expenditure on flamboyantly ostentatious display. When the new, older Earl of Oxford tried to introduce some restraint, he was treated with alternate disdain and angry threats. Although he was legally entitled to the chamberlainship of England, Richard now forced him to release the claim, regranting the office to his half-brother, Huntingdon, whom he then created Duke of Exeter. In desperation the Earl of Oxford married his elder son Richard to the new Duke of Exeter's daughter in the hope of retrieving the chamberlainship in a later generation.

Two years after the death of Robert, 9th Earl of Oxford, the King's beloved wife Anne died at the palace of Cheam. He cursed the palace in a frenzy of despair and then had it razed to the ground. His expenditure in grief excelled even that in joy. For his Queen's funeral he ordered hundreds of pounds' worth of candles to be brought from Flanders. He had a heavily bejewelled and marbled tomb erected over her body in Westminster Abbey, with his own effigy in gilt bronze beside hers, clasping her hand. In his obsessive brooding over death, he sent for the body of his greatest friend and cousin to be exhumed and transported to England.

King Richard, the Archbishop of Canterbury and Robert's mother, Maud, were present at her son's reburial at Earls Colne. The King had the lid of the coffin removed so that he could 'look once more at the face of the man he had loved', although it could hardly have been quite so lovable after nearly three years' burial and a sea trip.

Richard's gloom lifted with Parliament's decision in 1396 that the latest peace treaty with France should be sealed by his marrying Isobel, the eight-year-old daughter of the French King, Charles VI. The little girl was handed over to the English King in France in the presence of his beloved Robert's widow, Philippa, still styled Duchess of Ireland. She remained throughout the introduction beside the richly adorned litter on which the child was carried. After the wedding at Calais, she accompanied the little Queen to Eltham Palace, which was to become her English home. Philippa, Duchess of Ireland, had no children of her own and never remarried. Her father, Enguerrand de Coucy, had just died in Turkey after being taken prisoner during the disastrous Crusade of Nicopolis. Although Philippa had inherited all her mother's English property, all her father's was to remain in France. There Philippa's elder sister, Marie, and their stepmother were now embarking on a prolonged contest over their claims, each sitting firmly in a separate castle surrounded by her own entourage and other contestants from the many religious houses Enguerrand had mentioned in his will.

Palace life at Eltham was full of pleasure. Even a child would carry a hooded hawk on the wrist and, when trained this way, both could be taken out hawking with the adults. Horns 'spoke', not only out hunting but on the approach of strangers and, like church and monastic bells, at regular times of day. There was often dancing in the evenings and nearly always some kind of music. Minstrels sang and played lutes, harps, reed-pipes, bagpipes, trumpets, cymbals and drums. Acting or verbal and written games, of the charades and consequences variety, brought laughter and buffoonery if not occasional wit into the life of the very young Queen.

The King was at Eltham Palace when he heard of the conspiracy to have him deposed by Parliament to appease the people who were complaining against taxation being spent in luxurious living at Court. When he learnt that his uncle, the Duke of Gloucester, was behind it, he flew into a passion of desire to revenge all five Lords Appellant who had defeated his beloved Robert at Radcot Bridge. He ordered Exeter, who was with him as he raged, to arrest and have executed Exeter's own grandfather, the Earl of Arundel. Gloucester was arrested by the King in person and died mysteriously in prison in Calais, probably having been smothered. Richard banished the Earls of Nottingham and Warwick and exiled Warwick's son, Henry Bolingbroke, for ten years, though he promised to allow him to succeed his father, John of Gaunt, Duke of Lancaster, on the latter's death.

However, when John of Gaunt died two years later Richard confiscated Henry Bolingbroke's lands and banished him for ever. The King then went off to Ireland leaving as Regent the only uncle he had ever liked, the amenable but ineffectual Edmund, Duke of York.

The King was recalled by the news of Henry Bolingbroke landing near Bridlington in Yorkshire, to claim peacefully, he said, his succession. King Richard arrived from Ireland in Wales but his army lost heart and wandered off. At the Parliament which Richard himself called in London he was compelled to abdicate. John of Gaunt's son, Henry Bolingbroke, was elected King Henry IV of England.

Suspension of the Great Chamberlainship

Henry IV's Coronation was inevitably hurried on before Richard's supporters had a chance to prevent it. Hence there is a certain amount of confusion in the records. The Earl of Oxford quickly petitioned the Steward of England, now the King's eleven-year-old son, to officiate as Chamberlain at the Coronation, but the prince was considered too young to decide. Sir Thomas Erpingham replied for the King that the office was vested in King Henry to be assigned to whoever he pleased and that it pleased him that it should be committed to himself, Erpingham. Parliament petitioned that the office should be restored to Aubrey's fourteen-year-old son and heir, Richard de Vere, as the 10th Earl himself was now too weak and ill in mind and body to carry it out. Permission was refused, yet an eye-witness recorded having seen Oxford, though it could only have been his son, giving the King water before and after the Coronation banquet. There is no indication of who kept the basin, ewer, towels and other perquisites belonging to the office.

For the next eighty-four years the chamberlainship remained vested in the Crown, with the King granting it for life or during his pleasure to eleven successive peers whose tenure had no bearing on the hereditary clause in the initial charter of Henry II.

Meanwhile ex-King Richard was moved from the Tower of London to Leeds Castle, Kent, to be finally imprisoned in Pontefract Castle, Yorkshire. It was well known that his friends were working underground to restore him to the throne. His half-brother, still Earl of Huntingdon

though he lost his dukedom of Exeter, conspired with others to overthrow the government. But the plot was discovered. The conspirators, trying to escape by sea, were blown back on to the Essex coast at the mouth of the Thames. Huntingdon made his way to Hadleigh near Southend, where he was given sanctuary by the old Earl of Oxford who had many years before been made Constable of Hadleigh Castle.

Huntingdon was later arrested while having supper with a friend and executed at Pleshey. Other supporters conspired to murder King Henry and spread the rumour that the ex-King had escaped from custody, which rumour was kept going by fleeting appearances of one of his favourite chaplains, who bore an extraordinary likeness to his royal master.

Aubrey, 10th Earl of Oxford, was still at Hadleigh Castle when he died on 23rd April 1400. He was probably buried at Hadleigh. His widow was given custody of the inheritance of their fifteen-year-old eldest son, Richard, 11th Earl of Oxford, until he came of age. Meanwhile nobody was more determined to keep the rumour going that Richard II was still alive than Maud, who had never ceased to adore her cousin and her son's dearest friend from their earliest childhood.

The exact circumstances of Richard II's death are obscure and the mystery surrounding it only helped to enhance the rumours that he was still alive. Officially he was said to have gone on hunger strike and died gradually. Others said he had been starved to death. Later, Shakespeare had him murdered by an unknown knight.

To combat the rumour, the body was embalmed and covered with lead except for the face, so that as many people as possible could see that the ex-King was dead. The body was carried openly from Pontefract to London and shown in all the towns on the way, while requiems were sung as an excuse for these public exhibitions. But his supporters now put it around that this was the body of the same look-alike chaplain who had been accused by the royalists of impersonating the ex-King. This belief was fostered by many and persisted over several years.

Maud, the dowager Countess of Oxford, distributed 'gold and silver stags' among those she hoped would remain loyal to Richard. The white hart was his favourite badge, one which he had not long before given as a tournament prize. It had been his mother's badge, derived from a white

Opposite page: The Tower of London, after a fifteenth century French manuscript, which showed a somewhat distorted placement of London Bridge and the City.

Hadleigh Castle's ruined towers and glorious views of the Thames estuary were painted by John Constable several times. He had East Anglian ancestors named Golding, as did the last four of the Earls of Oxford. Aubrey, 10th Earl of Oxford, was governor of Hadleigh Castle, Essex, and later died there.

stag caught in Windsor Forest with a collar round its neck. It was now looked upon with disfavour by the new monarch, but it was adopted with singular tenacity by those who had loved their unpredictable former King. Henry IV experienced great difficulty in suppressing the badge for several years to come.

When Richard II's fate .was known in France, King Charles VI was naturally anxious about his little daughter and sent two ambassadors to Eltham to inquire after her. They were entertained by King Henry and reassured that she was safe. King Charles was in the process of making her co-heiress to the de Coucy estates, for he had just put an end to the family dispute by forcing the Duchess of Ireland's sister, Marie, to sell him the 150 villages with all the castles of the Honour of Coucy.

CHAPTER SEVEN

Oxford of Agincourt

RICHARD, 11th Earl of Oxford's mother died a year, almost to the day, after he inherited from his father. With the Council's consent, the King placed the boy in the household of the Countess of Hereford, who also acquired the valuable custody of the Earl's lands until his majority. The Countess of Hereford was the mother of King Henry IV's first wife, Mary de Bohun, and so was grandmother of the future Henry V. Richard, Earl of Oxford, was less than a year older than Prince Henry and they had already spent much of their early youth together. Both had been loyal pages to Richard II, who had taken young Henry to Ireland with him and knighted him there after his father's banishment. The boys' chief councillor was Henry 'Hotspur' Percy, cousin of both, who had joined Henry's father in putting him on the throne, but later regretted it. With Oxford's Aunt Maud insisting that ex-King Richard was still alive, the young Earl was watched with some suspicion.

Henry Hotspur was soon quarrelling with the King over who should claim the ransom from prisoners they took in the North, which led to a fresh outbreak of rebellion against the throne. A proclamation that Richard II was alive and with Hotspur brought in many adherents. Later the pretence was dropped and after a desperate battle Hotspur was killed, to which event Shakespeare added much unrecorded detail in his play, *Henry IV Part 1*.

In 1404 the rebellion was revived in Essex when Oxford's Aunt Maud conspired to receive the young ex-Queen Isabel and Charles, Duke of Orleans, with their French ships in the River Orwell. The plot was discovered and Maud, Countess of Oxford, was sent to the Tower and all her goods were confiscated. She had to pay a heavy ransom before she was pardoned and released. A month later, during Christmas festivities at Eltham, King Henry narrowly escaped assassination. The young Duke of York was caught with intent to scale the palace walls at night and murder the King. At about this time there was a rising against the King of Scotland, who sent his eleven-year-old son, Prince James, to France for safety. While his ship was sheltering off Cromer, the future King James I of Scotland was captured and detained in England, where he was educated. He was only released after several years on paying a ransom, withdrawing Scottish troops from France and marrying an English wife.

Richard, 11th Earl of Oxford's marriage with the Earl of Huntingdon's little daughter, which his father had arranged in the hope of bringing the hereditary great chamberlainship back into the family, appears to have petered out, the child possibly having died. When Richard came of age he married Alice Sergeaux, the already widowed granddaughter of Sir Edmund de Arundel.

The marriage of another young widow that year was ex-Queen Isabel's to the Duke of Orleans, with whom she had planned to invade Essex. He was assassinated the following year and she died two years later, still not twenty-one. But Maud, Countess of Oxford, lived on, continuing to spread enough rumours about the survival of Richad II for King Henry to have his corpse exhumed. Still wrapped in lead, with the face by now fairly unrecognizable, it was being exposed for public exhibition even after the Countess died in 1413, having outlived her husband by forty years.

When King Henry IV was succeeded by his high-spirited son, the young King instantly threw off his frolicsome ways and gravely took on all his responsibilities, though some of his contemporaries were slow to follow his lead – including Richard, Earl of Oxford. Although the last Great Chamberlain to be appointed had died three years before and another was not appointed until after Henry V's Coronation, there is no record of Oxford either trying to claim his hereditary rights or officiating at Henry V's famous thunderstorm-dominated Coronation. For three years the fees belonging to the Great Chamberlain had been paid to Lord Gray of Codnet, who may well have had the Coronation silver too.

Oxford gradually assumed responsibilities in Essex, and his two sons were born at Hedingham Castle. He later became involved in the suppression of the Lollards, the religious sect which continued to rise against clerical wealth and papal interference. The Lollards were particularly apt to spring surprises when heads were turned the other way. One Lollard rising occurred just before Henry V made war on France.

While the Dauphin, brother of late little ex-Queen Isabel, was teasing King Henry V with tennis balls (not an invention of Shakespeare's, but quoted earlier by the chronicler, Holinshed, on whom the former drew freely for his historical plays), England was energetically preparing for war with France, claiming that Henry V was rightfully King of both countries. Oxford is recorded as 'dealing with obstructions in the River Lea', probably removing them so that bigger warships could be built upstream and brought down into the mouth of the Thames.

Oxford's indenture to serve, dated 29th April 1415, stipulated that he was to bring thirty-nine men-at-arms and sixty archers. For expenses he was given jewels and silver plate as security, with a promise that accounts would be settled by the following January.

The Earl of Oxford's name appears on the roll of Parliament as taking part in the trial of the Earl of Cambridge and Lord Scrope at Southampton on 5th August 1415. Shakespeare made this trial scene famous in his play *Henry V*, which he preferred to set in Portsmouth. Oxford does not appear in the scene or in any other part of the play. However, in the anonymous play, *The Famous Victories of Henry V* – on which critics have long agreed that Shakespeare based some of the best-known scenes of his trilogy, *Henry IV parts 1 and 2* and *Henry V* – Oxford plays a heroic part throughout. He appears in Henry IV's death-bed scene, in two tennis ball scenes, several semi-historical and non-historical scenes and in eight scenes covering the Battle of Agincourt. Although the trial scene itself is ignored in *The Famous Victories*, 'the Lord of Oxford' advises Henry V in the play to conquer France before Scotland and asks for, and is given, command of the planting of the palisade of stakes that probably did more to win the battle than anything else. King Henry hangs on Oxford's every word in the play, and Oxford is given a great many words. But all this is poet's licence, as is much of Shakespeare's *Henry V*.

All that the chronicler William Hall[1] has to say about Oxford and this invasion is that he was one of the lords who stayed not far from the small priory in which the King and his brothers lodged after landing in France; and, later, that he was one of the three Earls under the King and his brother 'in the middleward'. A French chronicler mentions that Oxford was one of the commanders of the rearguard in the march from Harfleur. In the Battle of Agincourt itself he makes him one of the commanders in the centre, taking a noble but unnamed prisoner. The Frenchman, also wrongly, claims Oxford's death in this battle. Oxford, foreseeing this possibility, had made his will the day after the Southampton trial.

Clearly in reality it was an amazing victory, for Henry V's troops were tired and hungry and outnumbered by five to one. Luckily for them, the heavy French artillery were bogged down in the mud and those who got through were killed by arrows shot from behind the palisade or in hand-to-hand combat.

Henry's army returned to his 'sceptr'd isle' in triumph. Richard de Vere, 11th Earl of Oxford, was nominated a Knight of the Garter in place of Edward, Duke of York, who was killed at Agincourt. Oxford was installed in St George's Chapel, Windsor, with Sigismund, Emperor of Germany, Henry's latest ally. Oxford then sailed back to France with the fleet to relieve Harfleur, which had fallen back into French hands. He contributed to the English victory at the mouth of the Seine which led to the return of Harfleur. The following spring Richard, 11th Earl of Oxford, probably wounded and certainly exhausted, died at home aged thirty-two.

The 11th Earl's rich young widow, Alice, was left with two small boys, John, 12th Earl of Oxford, aged eight, and Robert, whose grandson would be the 15th Earl of Oxford. Sitting between the Countess of Northumberland and Lady Neville, Alice appears in the *placement* of the Coronation Banquet of King Henry V's bride, Katherine (herself best known from Shakespeare's enchanting 'English lesson' scene in *Henry V*). She was the youngest daughter of the mad King Charles VI of France and the younger sister of the late ex-Queen Isabel of England.

The custody of John de Vere's lands was granted to Thomas Beaufort, the new Duke of Exeter, who had served with John's father at the siege of Harfleur.

The Earl of Oxford, then aged twelve, is recorded as being present at the siege of Melun in 1420, when the Duke of Bedford took over from his brother, Henry V, during the King's first illness. Bedford was active in the capture of this important island fortress in the Seine, returning to England shortly afterwards. As a lifelong friend of the young Earl's father, having been brought up with him by Marie de Bohun and having also served with him at Harfleur, Bedford evidently took the boy to Melun to give him a taste of battle. After Exeter's death Bedford was to take over Oxford's wardship.

Two years later King Henry V died after the shortest reign since the Norman Conquest, leaving his baby son of nine months as King of England. Within weeks the infant was King of France as well, with the death of Queen Katherine's father, King Charles VI. After Henry V's success in the field, the Treaty of Troyes provided that he should become regent of France during Charles VI's lifetime on marrying his daughter

Katherine. Henry and Katherine and their heirs would then inherit the French crown on Charles' death.

The baby King Henry VI was made to take part in public functions before he was three, toddling up the aisle of old St Paul's Cathedral on one state occasion and being carried up the chancel steps. When he was five, in 1427, his uncle, the Duke of Bedford, dubbed him a knight. The same year the Earl of Oxford and his brother, who were also minors, were knighted with twenty-four others at Leicester. A roll note of that year mentions the 12th Earl of Oxford holding knight service of Spains Hall Wood, Finchingfield, which service, on demand, he was now entitled to meet himself.

Inevitably there were frantic struggles for power among the Council of Regency. Nobody points this out more dramatically than Shakespeare, who shows in his *Henry VI* trilogy the furious family squabbles among the closely related members of the Council. Disorder spread and laws were disregarded, resulting in extra heavy penalties for those discovered breaking them. When Oxford's mother, Alice, took a third husband, Nicholas Thorley, the bridegroom ignored the necessity of applying for a licence and was committted to the Tower for marrying without one. Writs were issued for the seizure of her dowry and it was months before Thorley was pardoned and released on payment of an exorbitant fine.

Alice's son, the Earl of Oxford, also married without a licence and was fined £2,000. He put the blame on his original guardian, the Duke of Exeter, who arranged his marriage when he was seventeen to Elizabeth, fifteen-year-old daughter of Sir John Howard of Wiggenhall, Norfolk. As granddaughter of Baroness Plaiz, Elizabeth later brought this barony into the de Vere family as well as the barony of Scales, both of which were to remain in it on and off down the generations.

Henry VI was crowned at Westminster just before his ninth birthday. Although Oxford had come of age and taken on his inheritance, he took no official part in the Coronation. The office and perquisites of the Great Chamberlain were kept by the Regent, the Duke of Gloucester, for himself. At the ceremony, on 6th November 1429, the little King, perched on the high platform, looked around him in bewilderment as though it were nothing to do with him, an attitude to the monarchy which remained with him throughout his life. The master appointed to tutor him was Richard Neville, Earl of Warwick, better known in history as Warwick the King-maker and called by Shakespeare 'the setter-up and plucker-down of kings'. Much as he loved the boy, he was convinced that

THE DE VERES IN SOUTH EAST ENGLAND
1066–1703   ABOUT 10 MILES : 1 CM

he would never be fit to rule and so had in mind a list of possible replacements, which later included himself.

With Joan of Arc's inner voices leading to already alarming victories against the English, Henry was hurried across the Channel to be crowned King of France in a ceremonial gesture which, it was hoped, would help to hold down the French provinces conquered by Henry V. The Coronation was held in Paris but the Parisians were unimpressed, complaining there was not enough feasting to warrant it. The Earl of Oxford, as a Privy Councillor, attended the first Parliament after the burning at the stake of Joan of Arc, whom Shakespeare disparagingly called 'La Pucelle', the virgin, painting her as an evil witch in league with the devil.

Oxford carried out various commissions at home before he was granted a licence to go to the Holy Land with a company of twelve, £100 in money and another five hundred marks to be picked up on the way. Protection was given for two years. He may have taken his wife Elizabeth or he may not have started at all for the following year he was mustering his retinue at Sandwich ready to go to the rescue of Calais, which was once more in danger. He certainly took his wife to Canterbury in 1437 for the funeral of Queen Joan, the King's step-grandmother. The same year the King lost his mother, Queen Katherine, whose secret marriage to Sir Owen Tudor sixteen years after Henry V died, had long kept her out of the public eye. Twenty-four years after her death, her grandson Henry Tudor, was to become King Henry VII of England.

Service Abroad

On the Earl of Oxford's next commission for peace with France, he sailed to Calais with his wife's first cousin, John Mowbray, 3rd Duke of Norfolk, who had been knighted at the same ceremony as him when they were boys. With other young nobles under Cardinal Beaufort they took part in a long and ineffectual conference between Calais and Gravelines.

The next time Oxford went to France, he sailed from Portsmouth with the Duke of York who, after the Duke of Bedford's death, was sent to replace him as Lieutenant-General and Governor of France and Normandy. The Duke of York had succeeded to the lands and fortunes of Edmund Mortimer. Because of the long-standing mistrust by the de Veres of their Mortimer cousins, and also because Richard, Duke of York, was himself a discontented bully, Oxford could hardly have found serving under him easy.

At last the long-drawn-out Truce of Tours was signed. It was sealed in 1445 with the royal Anglo-French marriage of the gentle monkish Henry VI and the extremely forceful Margaret, daughter of the Count of Anjou, titular King of Sicily, Naples and Jerusalem. In the bridegroom's absence, William de la Pole, later Duke of Suffolk, stood proxy for him. Nevertheless, the royal wedding in Nancy was a splendid affair:

> Three French Dukes, seven English Earls, twelve Barons, twenty Bishops and many honourable men and women, richly adorned with jewels and taking costly chariots and gorgeous horse-litters, sailed into France for the surveyance of the nominated Queen.

This was celebrated with enough feasting and jousting to satisfy the French before the bride was escorted to England, where, after a slight delay while she recovered from small-pox, there was a repeat performance with further feasting and junketing after her Coronation at Westminster.

The marriage, which was designed to ease hostility with France, brought nothing but enmity at home. The formidable new Queen complained at once that the King allowed himself to be ruled by his Uncle Gloucester, whom she accused of plotting to kill him. Backed by William de la Pole, now Duke of Suffolk, she had Gloucester arrested and he died in prison a few days later.

In his *Henry VI* plays, Shakespeare gives Queen Margaret a fictitious affair with Suffolk and wastes nothing of the drama of Suffolk's beheading at sea by revengeful enemies. He gives the Duke of York the villainous part of the instigator of the abortive insurrection of the turbulent mob leader, Jack Cade, and makes him claim to be the twin brother of Robert Mortimer, 'stolen away in infancy and meanly brought up'. After a temporary defeat by the royalists, Cade, dressed up in knight's armour, rides into the city of London. Here Shakespeare depicts him striking his staff on London Stone in Cannon Street as he proclaims: 'Now is Mortimer Lord of this city. And here, sitting upon London Stone, I charge and command that, of the city's cost, the pissing-conduit run nothing but claret wine this first year of our reign.'

Under the assumed name of Mortimer, Cade is well recorded as inciting the mob to follow him into London. In fact his demands were chiefly directed against the government's incompetence and financial oppression. Although the royalist troops turned out, repulsed the rebels and mortally wounded Cade, the King offered concessions and pardons to all but 'the stubborn-headed and disordered ringleaders'. Commissioners were equally light-handed, as is seen in a letter from the 12th Earl of Oxford to the High Sheriff of Norfolk and Suffolk, informing them that he intended 'to quash certain bills against particular persons and not suffer them to appear in the next sessions'. The Earl expressed himself as friendly to the people and wished to be sympathetic over their grievances.

This is one of the many letters by, to or about the Earls of Oxford and their family in the well-known cache of over a thousand letters preserved by the north Norfolk family of Paston. The letters were written by the Pastons between 1422 and 1509, mostly to each other and in an intimate and immediate context, often hurriedly scrawled within days, if not hours, of the incidents described. Shakespeare dramatized many of the high spots of history which also appear in detail in the Paston letters, written a century before his plays. The letters were kept privately in Norfolk until the beginning of the eighteenth century. The Earls of Oxford were regarded by the Pastons in each generation as 'patrons and friends' and stood by them against the Yorkists throughout the Wars of the Roses.

A letter dated 19th August 1450, from James Gresham in London, has scribbled on the back, 'to the right worshipful and my right special my lord of Oxenford', having been forwarded by John Paston. It mentions the disturbances continuing in London and that 'this same Wednesday was it told that Cherbourg is gone, and we have not a foot of land in Normandy, and men are afraid that Calais will be besieged hastily'.

Such estates as the de Veres once owned in the Cherbourg peninsula in the region of Coutances had long since been lost. But in England their lands continued to increase through their proximity to the throne and resulting prestigious marriages. The 12th Earl and Countess of Oxford had a young family of five sons and three daughters. Their main home was Hedingham Castle; but, like all the nobility, they moved round from castle to castle with their retainers, partly to exhibit their power and partly to give each estate a chance to replenish provisions and to restore hygienic conditions for the next visit. A favourite seaside estate for generations of de Veres was Wivenhoe in Essex, which came to the 12th Earl's wife, Margaret, through her brother, who married the daughter of Sir Richard Walton of Wivenhoe and was killed in 1409 in the Holy Land, leaving a widow still too young to have a child by him. The 12th Earl of Oxford had only been a year old when this crusader was killed and his

Wivenhoe on the estuary of the River Colne was the main out-port of Colchester. The gatehouse tower of the de Vere's seaside retreat at Wivenhoe was for centuries used as a landmark by sailors.

future wife became joint heiress with her sister-in-law to the estate. There was something of the game of roulette in these infant marriages, for the chances of survival were then even shorter for babies than for crusaders. Replacements were kept ready in the nursery; sometimes there was even a race to beget them for the purpose.

Another estuary estate which came to the de Veres through the same Countess, was Winch (now West Winch) in Norfolk, almost on the Wash. While the Oxfords were in Norfolk, one of the Earl's entourage fell madly in love with a girl called Agnes and persuaded his master to release him to John Paston so that he could remain in the county which had so taken his fancy. The Earl writes on his behalf:

> as you well know yourself, we have for a long time had the service of John Denyes, by continuance whereof we thought to have had his attendance at our pleasure; nevertheless we have so strictly examined his demeanor that we feel, and plainly concede, that the love and affection which he has for a gentlewoman not far from you causeth always to desire towards your country, rather than towards such occupation as is suitable unto us.

He goes on to ask Paston to try to promote the match. The marriage took place, but no sooner was Agnes in the family way than Deynes was thrown into the Fleet prison for 'inciting hired men to violence in defence of her property', whereupon she was thrown into Newgate.

Maybe Oxford had found Denyes too much of a liability to keep him in his service. At any rate he did not go in person to remove him and his wife from their neighbouring gaols, as he later did for another man, Piers of Leigh, who was in the bishop's gaol at Lynn. (The port was known as Bishop's Lynn until Henry VIII seized its priory in 1536, when it became King's Lynn.)

'My Lord pulled him out of the said gaol, and made to put him upon a horse, and tied an halter by his arm and so led him forth,' the story goes. This was to the consternation of the bishop, who objected on the grounds that his charge was a prisoner, to which Oxford replied, 'He is my prisoner now. When asked to produce a warrant, he declared, 'I have warrant sufficient for me', and departed, 'the Major and all the commonality of Lynn keeping their silence, for the Earls of Oxford were well known to be a law unto themselves'.

Trouble, Trouble Boils and Bubbles

The birth of a son and heir to the Queen and the simultaneous lapse into insanity of the King did nothing to reduce the ever-increasing civil disorder. Random pirates and other coastal invaders took advantage of it. Margaret Paston tells in a letter from Norwich of the ease with which invaders could land on the Norfolk coast at Yarmouth and Cromer:

> and have done much harm, and taken many Englishmen, and put them in great distress, and greatly ransomed them; and the said enemies have been so bold that they come up to the land and play them on the sands in other places as homely as if they were Englishmen; folks be right sore that they will do much harm this summer but if there be made right great purveyance against them.

With six other peers, the Earl of Oxford and his brother, Sir Robert Vere, undertook to 'keep the sea' for three years, which entailed organizing look-outs and guards all along the east coast. A year later the Wars of the Roses opened with the first Battle of St Albans.

NOTES

1   Edward Hall, died 1547.

CHAPTER EIGHT

The Wars of the Roses

THE name 'Wars of the Roses' first came into being in the late eighteenth century. The title referred to the thirty-year struggle for the English crown among Edward III's descendants, which was a general excuse for other inter-family feuds, sometimes fought to the death. There are, however, frequent references in Shakespeare's plays to the red rose of Lancaster and the white rose of York. Lancastrian soldiers are directed by Shakespeare, in his play-cycle, to wear red roses in their hats on stage although in reality the red rose only appeared as the Lancastrian badge in the final battle. The white rose had been worn as a badge by the Duke of York's men throughout the war years, in which turbulent period the crown changed hands six times.

Intrigue and preparation filled the gaps between the relatively short bursts of bloody warfare. Even six months before they began, the 12th Earl of Oxford, who never at any point failed to support the Lancastrian King Henry VI, was writing to John Paston from Winch with a list of knights chosen for duty by the Duke of York, whom he still respected as elected Protector despite his personal dislike for him. 'I send you a sedell closed [schedule enclosed] of their names in this letter, wherefore me thinketh it well done to perform my lord's intent, he wrote.

After York's protectorate was revoked, he tried to talk himself back into the power now restored to his enemy, the Duke of Somerset, but in vain. In exasperation York took up arms and attacked Somerset, who headed the royal forces marching from London to St Albans with the King. The King's person, lucid or insane, was an essential part of the equipment for ruling the country. The first Battle of St Albans mostly took place in the town, and King Henry, slightly wounded, was captured. The Duke of York now had him 'not as a prisoner', he said as he swore true allegiance on his knees, 'but as a King'.

The fighting only lasted a day. The Earl of Oxford arrived with his men to find the battle over, Somerset slain and the King, whom he had come to support, carried off to London by his overbearing cousin York.

The King's reason waned again and in November it was the Duke of York who opened Parliament as the King's Lieutenant. The Yorkists now occupied London. The Lancastrian troops camped outside the city wall, while armed Londoners policed them both. Archbishop Bourchier tried to make peace between them with his 'love-day' procession, with both factions going arm in arm to St Paul's. But peace was short lived and at Ludlow the Lancastrians attacked and defeated the Duke of York, who was joined by Warwick the King-maker. Both noblemen were driven out of the country. When Warwick went to Calais, of which he had hitherto been captain, he found the gates closed against him. Queen Margaret appointed the young Duke of Somerset to supersede him. Somerset, son of Protector Somerset, took up his position at the nearby castle of Guines, whose Counts had been vassals of England since 1332.

Warwick was back again in six months. He landed in Kent with his army and, having secured London, made for Northampton to meet King Henry, who was encamped nearby. Again the King refused to talk. The Earl of Oxford arrived with his men, again not soon enough to save the King from being taken prisoner in his tent. He became a semi-prisoner in London until York broke into his chamber and announced that the King could keep the throne for life on condition that he, the Duke of York, was to be his heir instead of the King's own son. The lords begged the King to object, but he agreed and another procession to St Paul's was made with the King and Duke of York walking amicably together, to show all was well between them. Now Henry could retire to his prayers and books and architectural plans, with even a little gentle hunting at Eltham.

Queen Margaret was furious and hastily raised a rag-and-bobtail army in the North and marched south to reclaim her unambitious husband. The Duke of York marched out against the raging Queen and King Henry was taken out of his peaceful retirement and carried into this battle against his wife. They met at Wakefield. The Duke of York's army was defeated in Christmas week 1460 and he himself was killed. Warwick's brother was also killed and their father, the Earl of Salisbury, was wounded and beheaded. Warwick immediately set up York's son, Edward, aged nineteen, as future King and new Duke of York.

The Earl of Oxford's eldest son had that year married his cousin, Lady Anne Neville, daughter of the 1st Earl of Buckingham and a first cousin of the new young Duke of York. Queen Margaret is recorded as thinking highly of Aubrey de Vere, so presumably he supported her rather than his now double cousin, the Duke of York. Oxford's second son John, later

101

married Lady Margaret Neville, a daughter of Warwick the King-maker. Supporters of opposing sides were invariably closely related, as Shakespeare shows in the tragedy of a father killing his own son, and a son his father, in *Henry VI Part 3*.

There was little chance of finding out who fought in each battle, except for those killed or in command. Whereas in foreign wars rolls were called before setting out, in this one, as in most civil wars, almost anyone might turn up at anything from a skirmish to full-scale slaughter, and would not necessarily always be on the same side on each occasion. Leaders heard through messengers, in such communications as the Paston letters, that an attack was going to be made, and spread the call to arms on the grapevine. Supporters of both sides were likely to get secret information, particularly if they were closely related.

Blood Freely Shed

Six years and four battles after the first Battle of St Albans, at the second battle of the same name, the now victorious Queen succeeded in retrieving her increasingly disorientated husband. They were reunited and King Henry dubbed their seven-year-old son a knight while the Queen's army went in pursuit of the retreating Yorkists. The Queen and her army were recovering from their success when the Yorkists moved into London and had young Edward, the new Duke of York, proclaimed King.

Henry and Margaret retreated to York, where her unruly army was busy devastating the country. Young Edward hurried north and on Palm Sunday 1461, assisted by Warwick, won the decisive Battle of Towton. He was proclaimed King Edward IV of England and crowned by Archbishop Bourchier. The deposed King Henry fled further north where he wandered around in a mental haze.

When Oxford was summoned by the new King, the Earl pleaded infirmity and failed to attend Privy Councils on the same grounds. His brother, Sir Robert de Vere, who had kept the seas with him, was killed in Cornwall in April. Oxford's former henchman, Denyes, whose romance with the unfortunate Agnes the Earl had condoned, was murdered in Norfolk on his Winch estate by the parson of Snoring. But by now murder was an almost everyday event.

In the autumn of 1461 the Earl attended Parliament twice and then was absent from two sittings, at the last of which King Henry and all his adherents were declared traitors. The Earl and Countess of Oxford's family circle was of such mixed loyalties that accusations may well have been made as well as received among them. Their sons consisted of Sir Aubrey de Vere, married to the daughter of a prominent Yorkist; Sir John, who was to serve as a Suffolk Justice of the Peace and Commissioner of Array for four years; and Sir George, Sir Richard and Sir Thomas, who were all still too young to become involved. Of the daughters, Lady Mary was to become a nun; Lady Joane was to marry Sir William Norris, whom the new King had just knighted as one of his bodyguards; and Lady Elizabeth was to marry William Bourchier, whose father had just been created Earl of Essex by his brother-in-law, the new King.

Hardly surprisingly, the 12th Earl of Oxford's loyalty to the deposed King Henry was an ill-kept secret. He and his eldest son, Sir Aubrey de Vere, were arrested in Essex on 12th February for plotting against the King and were committed to the Tower of London.

Middleton Tower, Norfolk, the gate tower of the moated house built originally by the 7th Lord Scales, who served the Lancastrian cause with the 12th Earl of Oxford. Oxford inherited the baronies of Scales through his wife, Elizabeth Howard. Now the home of Mr and Mrs Timothy Barclay.

They were tried by John Tiptoft, Earl of Worcester, who had been appointed Lord High Constable of England five days before their arrest, probably in anticipation of its likelihood. The trial took place in Westminster Hall. It seems unlikely that there was much truth in an anonymous account, which is inaccurate both in names and dates and states that Aubrey accused his own father of treason. But a youth under the torture of being dragged, 'as befitted a commoner', through the streets of London might have sworn anything. He was then executed on Tower Hill on 20th February 1462 on a specially erected scaffold, 'eight feet high'.

Six days later his father was led on foot, as befitted a peer of the realm, from Westminster to Tower Hill. There he was executed on the same scaffold on which his son had died.

Father and son were buried together 'as it pleased them to bequeath their bodies' by the altar of the Church of Austin Friars, within the walls of the Tower of London. The church was rebuilt half a century later as the Chapel of St Peter ad Vincula. In it three of Henry VIII's Queens were buried without any memorial at the time.

In East Anglia, a few weeks later, a Lavenham man was arrested in Great Yarmouth 'because he dwelt with the Earl of Oxford's son, and proposed to have passed the sea without licence'. The usher of the new King's Chamber heartily thanked his cousin, John Paston, in a letter for his 'great present of fish' but demanded that his tenant, John Fermor of Lavenham, be taken at once to Castle Rising 'to be examined on certain articles, which I may not disclose till I have spoken with the King's Highness'. Evidently the fish had not been great enough to allay suspicion of anyone serving a de Vere son. The family's patronage was something John Paston hoped to retain. What happened to Fermor is not recorded, but the 12th Earl of Oxford's second son, Sir John de Vere, was allowed to succeed his father when he came of age over a year after his father's execution. He received licence to enter all the castles and other properties which his father held. But his attempt to revive the dukedom of Ireland, forfeited by the 9th Earl, only brought forth evasive procrastination from the King.

Favours and Disfavours

The office of Great Chamberlain of England continued to be held by Oxford's brother-in-law, Warwick the King-maker, in whose absence

Lavenham Church, the magnificent land-mark of miles around, built as thanksgiving for the victory at the battle of Bosworth.

abroad the immensely tall, good-looking King Edward secretly married a young widow, born Elizabeth Woodville. With Warwick away Oxford officiated not only as Great Chamberlain but also as Chamberlain to the Queen Consort at her Coronation in 1464, for which service he was created a Knight of the Bath. Warwick returned from negotiating a politically more advantageous wedding for the King to find him already married and distributing among the new Queen's family and friends high offices intended by Warwick for his own coterie. The Earl of Warwick withdrew from Court to consider an alternative use for his talents as King-maker.

Edward IV believed himself to be still high in Warwick's esteem, with all the prominent Lancastrians safely dead, in exile or converted to the Yorkist cause. He continued to carry out his kingly duties in style, making a point of showing Londoners his great strength. Paston describes his riding 'out of his way through the Cheap so that he could be seen accompanied by one thousand horse, some harnessed and some not'. The Dukes and Earls riding with him are listed 'and many other knights and esquires; the Mayor of London, twenty-two Aldermen in scarlet with two hundred craftsmen all in blue added to dazzle the crowd'. But 'my Lord of Oxford' was not among them. He was staying with the Archbishop of York, Warwick's brother, at his country seat, 'and they came not to town with the King,' despite his sending them a message that they should come when sent for.

The King, recognizing signs of antagonism in those nearest to him, put it about, according to Paston, 'that he himself hath good language of the Lords of Clarence, of Warwick and of my Lords of York and of Oxford, saying they be his best friends; but his household men have other language'. These were the four lords who were already plotting Edward's overthrow. Oxford was arrested in November 1468 under suspicion of planning a landing on the east coast and was committed to the Tower for questioning. He is said to have 'confessed myche things' but was released early in the New Year and received a general pardon by Easter. On 4th July 1469 he joined Warwick, Clarence and the Archbishop of York at Canterbury and they crossed, probably in the same ship, to Calais for the Duke of Clarence's wedding that week. Warwick was turning the tables on King Edward by marrying his daughter to the Duke of Clarence, contrary to the King's wishes.

The party returned to Canterbury ready to put their plot into action. Oxford sent off at once for staves and asked Paston to order harness for three horses 'as if it were for yourself'. The harness was to be of the best at the same price that Lord Hastings paid but – since Hastings, brother-in-law of Warwick, was an ardent Yorkist – Oxford insisted, 'I would not that mine were like his', only that it should cost as much.

Oxford's plan was to fan local feuds all over the country into rebellions against the King. He was thought likely to go to these or send troops to them. Thus incidents arose, large and small; and rumours of incidents, often the same one under different names, spread. Witnesses were quoted who could not possibly have been at them, and others were named who had no wish for their presence to be known.

A week after Oxford's order, the Battle of Edgecote – also known by the name of its nearest town, Banbury – led to King Edward's capture by Warwick, who put him in the care of his brother George Neville, the Archbishop of York, at Middleham Castle in Yorkshire.

Edward escaped and found his way to Westminster, where a conference was held at which it was decided that he should return to the throne. Warwick was soon offering the King assistance in putting down one of the risings Warwick himself had created, and the King rode north, ostensibly to join him and his brother and the Earl of Oxford. On the way the King encountered rebel troops whom Warwick had summoned from another incident and, interrupting them, routed them so quickly that they abandoned their coats in flight, leaving also the name of Losecoat Field behind them. Flushed with success, Edward mustered his victorious army in sight of his brother and the two Earls, whose own forces, without the coatless contingent, were so clearly inadequate that they melted quitely away. When the King issued warrants against them, proclaiming them traitors, the three leaders slipped hurriedly out of the country.

Drayton Lodge, once on open heathland near Norwich, 'a striking fortress when seen from afar' now hidden in a hospital garden. Margaret Paston, when left in charge of Hellesdon and Drayton, writes to her husband Sir John when he was away supporting the Lancastrian cause, telling him that the Yorkist Duke of Surrey's men 'made your tenants of Heylesdon and Drayton, with others, to help to break down the walls of the place and the lodge, both'. She goes on to describe the damage in detail and how she had comforted tenants afterwards, dating her letter 'Sunday 27th of October 1465'. Hellesdon Hall was rebuilt at least twice before it was finally demolished but Drayton Lodge was left for nature to carry on the Yorkist's ruination.

Warwick and Clarence went for help to the French King Louis XI and Oxford sought out ex-Queen Margaret and her son, for whose rights she was ready to raise troops to fight. A conference was held and Warwick was reconciled to Queen Margaret. With Louis XI's aid, an invasion of England in favour of Henry VI was planned.

The invasion was accomplished in September 1470. After a successful landing at Dartmouth, Devon, the loyalists daily increased in numbers on their march to London. When Henry VI was proclaimed King, there was a repeat of the Lancastrian leaders' earlier flight, but this time by the Yorkists. Seeing the size of the well-ordered Lancastrian army, Edward departed. He marched his men towards Norfolk, embarked at Lynn in a small boat and, after several narrow escapes, landed in the Netherlands.

With the all-important person of Henry VI transferred from the Tower to Westminster, Parliament declared Warwick and Clarence joint Protectors of the realm. Oxford bore the sword when King Henry wore his crown again at St Paul's on 13th October. Two days later Oxford tried and condemned John Tipcroft, Earl of Worcester, who had condemned his father, the 12th Earl, and his elder brother. Worcester, having failed to escape with his royal master, had been caught up a tree. Like him Oxford was appointed Constable of England only a few days before the trial of a peer. Again the office may well have been filled for the purpose.

Two weeks later Edward's Queen, in sanctuary at Westminster, gave birth to her first child, who was later to become King Edward V, the elder of the little princes in the Tower.

Trusty and Well-beloved East Anglians

Changes took place more rapidly in East Anglia than anywhere but it remained the most prosperous and populous part of England. The Earl of Oxford went to Norwich to see how the county of Norfolk was affected by the change of government. As one of the three leaders of the restoration, he was highly respected by all ranks. The great and the good came to meet him, hoping to receive offices. John Paston wrote to his mother that the Duchess of Norfolk:

> hath promised to be ruled by my Lord of Oxford in all such matters as belong to us . . . and as for my Lord of Oxford, he is a better lord to me by my troth than I could wish . . . the Duke and Duchess sue to him as humbly as I ever did to them.

On 28th December 1470 the three leaders, Warwick, Clarence and Oxford, were issued with Commissions of Array. It was already known that Edward had persuaded his brother-in-law, the Duke of Burgundy, an enemy of King Louis XI, to back his return to England, though when and where he might land his troops could only be guessed.

On 12th March Sir Thomas de Vere reported that Edward's fleet had appeared off Cromer in Norfolk. A reconnaissance party had been sent ashore which found 'the vigilance of the Earl of Oxford's brother and the great preparations the Earl had made, was such that it would be unsafe to land'.

The Earl received the news at Hedingham Castle and told his brother that he would gather all the power that Essex, Suffolk and Cambridge-shire could provide to go to Norfolk if Edward succeeded in landing there, and 'if he arrive northward, like as ye weet by likelihood he should, I cast to follow and pursue him'.

In fact Edward had already landed that day at Ravenspur in Yorkshire. Oxford was in Suffolk when he sent the following memorable letter to five East Anglian worthies.[2]

My trusty and well beloved, I commend me to you, letting you weet that I have credible tidings that the King's great enemies and rebels, accompanied with enemies as strangers, are now arrived and landed in the north parts of this his land, to the utter destruction of his royal person and submersion of all his realm, if they might attain; whom to encounter to resist, the King's Highness have commanded and assigned me, under his seal, sufficient power and authority to call, raise, gather, and assemble from time to time, all his liege people of the shire of Norfolk, and other places, to assist, aid and strengthen me in the same intent.

Wherefore in the king's name and by authority of aforesaid, I straightly charge and command you, and in my own behalf heartily desire and pray you that, all excuses laid apart, ye and each of you in your own persons, defensibly arrayed, with as many men as ye may goodly make, be on Friday next coming to Lynn, and so forth to Newark; where with the leave of God I shall not fail to be at that time; intending from thence to go forth with the help of God, you and my friends, to the rimcounter of the said enemies; and that ye fail not hereof, as ye tender the weal of our said sovereign lord and all this his realm. Written at Bury [St Edmunds] the 19th of March Oxenford.

Oxford joined forces with the Duke of Exeter, son of the Earl of Huntingdon who had been the 12th Earl of Oxford's guardian and had taken refuge with him. Though married to Edward IV's daughter, Exeter had remained faithful to Henry VI. With Warwick's brother, the Marquess of Montague, they advanced to Newark and entrenched with Warwick near Coventry. Warwick and Oxford advanced to meet Edward, only to find that their restoration co-leader, the Duke of Clarence, had defected to his brother, Edward, with four thousand men. Clarence had hitherto only opposed him in the vain hope of getting the throne for himself. He made a frivolous pretence of attacking and then bore his brother off to London, which they occupied without difficulty, and Edward instantly resumed control.

The Lancastrians marched towards London and Edward, who had already been proclaimed King in East Anglia, sallied out with the unreliable Duke of Clarence and their younger brother, the Duke of Gloucester. They were attacked at Barnet at dawn on Easter Day in a thick mist.

Oxford led the van as Constable of England. He routed Hastings, whose harness had been deliberately made different from his own, and drove him off the field. At the height of the battle a disaster occurred connected with the Earl of Oxford's badge, a story as well known in the de Vere saga as the mystical birth of the badge itself in the First Crusade. After three hours' fierce fighting, his hungry men 'fell to ryfling', and when he led them back they lost their way in the fog and emerged face to face with their own army which, mistaking the de Vere silver star for Edward's sun 'with stremys' (streamers or rays), met them with a flight of arrows. With cries of 'Treason! Treason!' Oxford and his men, like Hasting and his earlier in the battle, fled from the field. Edward's men took advantage of the disaster and Warwick the King-maker and his brother Montague were defeated and killed.

By early afternoon, numbers varying between fifteen hundred and one hundred thousand were said to have been killed that day on both sides. Historians differ, too, over Warwick's death, 'in flight, half a mile from Barnet' or 'while fighting valiantly', but agree that the two brothers' bodies were taken to St Paul's Cathedral and exposed to public view for three days.

Shakespeare, in *Henry VI Part 3*, shows Oxford beside the dying Warwick and sends Oxford off with a cry of 'Away, away, to meet the Queen's great power'.

As James Gresham, of Holt, Norfolk, put it just after the battle, 'Here in this country be many tales, and none accord with other,' He was told that, 'Clarence is gone to his brother late king; insomuch that his men have the gorget on their breasts, and the rose over it', meaning they still wore the Duke of Clarence's badge on their livery with the white rose of York hurriedly superimposed on it. The impromptu badges could have caused as much confusion in the fog as the two celestial devices of sun and star; so too could the unexpected change of sides of a large part of an army that had set out as one.

Pilfering was no more unusual than changing sides, particularly by men who joined up on the way in order to get a square meal. Warwick had a huge cauldron in the kitchen at Kenilworth from which anyone who agreed to fight for him could fork out a piece of meat. In action hospitality was inevitably leaner and Oxford's men, after three hours' battling, no doubt decided to fend for themselves in the fog. Their roar of 'Treason' as they ran away was a far cry from the spirit of the Earl of Oxford's sacred call to arms in his lyrical letter.

Escape and Exile

Oxford, at first reported slain, retreated with some of his followers to the North. The King of Scotland issued a safe conduct for him and forty men for six months; but, discovering that his chaplain intended to betray his whereabouts, Oxford went off to Wales in secret to join Jasper, Earl of Pembroke, who was a son of Owen Tudor and Henry V's Queen Katherine and the loyal half-brother of Henry VI. Supplies of men, horses and money were urgently needed to strengthen Queen Margaret's army, which was now marching towards Wales.

A secret letter survives, written presumably to Oxford's wife. In it he asks her to send in all haste all the money available, including gold promised by the Bishop of Thetford 'and as many of my men as can come well horsed', who are to 'come in diverse parcels'. He added that 'they should be sent with my steel saddles, which the yeoman of the horse should cover with leather'. He also asks for three Norfolk knights to be sent to him: Paston (whose brother was wounded while fighting beside him at Barnet), Felbrigg (of the existing Felbrigg Hall) and Bruce (a distant cousin through their de Clare ancestry).

The Earl asks the recipient to let his mother know that he is safe 'and bid her send me my casket by this token; that she hath the key thereof, but it is broken'. The letter is signed 'O . . . D'.

It is doubtful whether Oxford or Pembroke reached the Queen before the Battle of Tewkesbury on 4th May. However, Shakespeare shows them both with Queen Margaret and young Prince Edward in readiness for the battle and in another scene, after all her troops had been routed. In the latter Shakespeare dispatches Oxford 'to Hammes Castle straight', though in fact he was at large for nearly two years before being imprisoned at Hammes in France. In the same scene the young prince is stabbed to death, as indeed he was, though not because his cousins were exasperated by his teenage impertinence. King Henry VI, as Shakespeare shows, was later murdered in the Tower and Queen Margaret was sent from one prison to another. In reality the Earls of Oxford and Pembroke escaped, Pembroke taking his ten-year-old nephew, Henry, Earl of Richmond, later Henry VII, to be brought up in safety in Brittany.

Oxford went to France where he took up privateering and got 'greet good and rychesses' from commissions on the capture of hostile merchant ships. Early in 1473 the Earl fitted out a squadron of twelve ships at Dieppe. His brothers, Sir George and Sir Thomas de Vere, who had gone into sanctuary after the Lancastrian defeat at Barnet, came out and joined him; as also did William, Viscount Beaumont, another faithful Lancastrian, who had been attainted and had all his possessions bestowed on Lord Hastings. With some three hundred men they sailed up the east coast and landed in Essex on 28th May, near St Osyth in the marshy creeks that the de Veres had protected and knew well. They were back in their own home territory, an hour or so's ride from Castle Hedingham. Here they expected to raise enough followers among their friends to make a fresh attack. But when a royal contingent under their sister's father-in-law, the Earl of Essex, came riding towards them in force, they re-embarked and sailed north.

After another attempted landing, in Scotland, Oxford returned south and was sighted off Thanet. On 30th September 1473, with his brothers, Lord Beaumont and 397 men, he took St Michael's Mount by storm. Orders were sent to Sir Henry Bodregun to besiege them. Though Oxford was wounded in the face by an arrow, the siege was a half-hearted affair, the Earl being allowed daily parleys and the re-rictualling of his forces; it was rumoured that he even dined ashore in Cornish castles. As a result, in December the King transferred the command to John Fortescue, Sheriff of Cornwall. Guns and ammunition were sent down from the Tower for a grand siege on 23rd December, but Oxford stood fast. Fortescue was then given wages for 200 men for the next eight weeks, but to no avail. Then the King's ship, *Le Caricou*, was sent with 260 mariners and their pay for six weeks. By 15th February 1474 Oxford found that his men had had enough and only eight or nine remained trustworthy. He agreed to surrender 'on promise of their lives'.

It was then that he was sent to Hammes to be imprisoned for nearly twelve years. The castles of Hammes, Guines and Calais formed a triangle in the territory adjoining Calais, which was the last part of France to belong to England.

The three de Vere brothers – John, Earl of Oxford, Sir George and their youngest brother, Sir Thomas – were all attainted in 1475 at the same time. All the Earl's possessions were confiscated, leaving his wife, Elizabeth, though officially pardoned, in great poverty and increasing distress, dependent only on charity and her needle. For ten years after

St Michael's Mount, Cornwall, now National Trust, which can only be reached on foot at low tide. The 13th Earl of Oxford seized this dramatic rock fortress in 1473 but was beseiged for several months. After his surrender, he was imprisoned for twelve years in Hammes Castle, near Calais.

the execution of the Earl's brother with his father, the rents of the manor of Kensington had been issued to Aubrey's widow, even after her second marriage. Now, after her death, her sister-in-law Elizabeth was deprived of them.

Historians disagree over the existence of the 13th Earl's son, also named John, who is said to have died young in prison in the Tower during his father's exile. There is no record of that period of him, but the Countess is known to have been 'still in St Martin's' and out of communication with her friends for over a year and could well have had a child with her who died in some form of internment, though not necessarily in the Tower. The son Arthur, who plays a prominent part in Sir Walter Scott's *Anne of Geirstein*, is totally fictitious.

Sir John Paston wrote from London to his brother in Norfolk on 23rd June 1477, 'My Lord of Oxford is not come into England that I can perceive and so the good lady hath need of help and council how that she should do.' Evidently her husband was expected to return, and he may have sent a secret message giving hope of yet another of the escapes he had hitherto succeeded in making.

In another letter from Paston in London to his brother, he wrote, the following summer:

> as for the pageant that men say that the Earl of Oxford hath played at Hammes, I suppose ye have heard thereof; it is so long ago, I was not in the country when tidings came, therefore I send you no word thereof; but for conclusion, as I hear say, he leaped the walls, and went down to the dyke, and into the dyke to the chin; to what intent I cannot tell; some say to steal away, and some think he would have drowned himself.

Sir John Paston had been sent by Lord Hastings to Guines Castle to help his temporarilly sick brother to govern the castle. Lord Hastings had appointed Sir James Blount, another friend of his, as Lieutenant of Hammes Castle. Thus Paston would have heard about the Earl of Oxford being up 'to the chin' in the neighbouring castle's moat as, possibly, an after-dinner story. Paston may even have related it to his brother in a spirit of absurdity that the intrepid Oxford could have scaled the walls of his prison for any other reason except to escape.

Sir John Paston, as a lawyer's son, may well have provided the help and counsel Lady Oxford needed that resulted in a renewed general pardon and eventually, in 1481, after six years of penury, in a grant of £100 a year 'during her husband's lifetime'.

Outlawed

The outlawed 13th Earl of Oxford was in prison or being besieged for all but the last of the fourteen years of history encompassed by Shakespeare's play *King Richard III*. He was still at Hammes when King Edward IV died, leaving seven daughters and the two small sons popularly known as the 'Princes in the Tower'. Their uncle, Richard, Duke of Gloucester, had been appointed Protector of the elder son, Edward, and brought the boys to the Tower of London. All was going ahead for the boy's Coronation as Edward V on 22nd June, with the banquet ordered and the guests' clothes made, when Gloucester, noticing signs that Lord Hastings was becoming suspicious of his own evil intentions, had him arrested and beheaded without trial. Gloucester then bribed the Duke of Buckingham to spread doubts about the children's legitimacy, and had himself proclaimed King Richard III. This was followed by his own ostentatious Coronation only two weeks after the date arranged for Edward's – 'Never was such a one seen.'

What happened to the little boys has never been fully known. Sir Thomas More[3] was the first to state, many years later, that Gloucester, whom he represents as a monster of iniquity, had the children murdered in the Tower. But More himself was only five when they mysteriously disappeared. Shakespeare confirms More's assertion, making Richard one of the blackest of blackguards. The strength of feeling that the accusations are unjustified has generated enough controversy for a Richard III fan club to be formed.

The Duke of Buckingham is said to have helped to murder the princes and then, dissatisfied with his reward, raised the rebellion against Richard in support of Henry Tudor, Duke of Richmond. Richmond had gathered round him in France survivors of the Lancastrians whom the Yorkists had been unable to exterminate, together with supporters of the now late Queen Margaret.

At a council of refugees held at Rennes in Brittany, the Earl of Richmond, their chosen leader, promised that if he could obtain the English throne he would marry the eldest of Edward IV's seven daughters, Princess Elizabeth, and thus unite the rival houses.

Well supplied with funds from the French King and in constant communication with many of those whom Richard had believed to be reliable, the Earl of Richmond set off across the Channel only to have his fleet scattered by an almighty storm. Buckingham, marching south with his rebel army to join him, was turned back by floods, then betrayed by one of his own retainers for the £1,000 which was set on his head and instantly executed.

Richard was fully aware of Henry Tudor's intentions and issued a proclamation from Westminster the day before he proclaimed himself King. It begins with the names of the four leaders he feared most: 'Piers, Bishop of Exeter, Jasper Tydder, son of Owen Tydder, calling himself Earl of Pembroke, John, late Earl of Oxford, and Sir Edward Woodville'. They, with other attainted 'rebels and traitors . . . murderers, adulterers, extortioners' and so forth' who had transferred 'their obeysance to the Duke of Bretagne, and to him promised certain things . . .'[4] The public address shows that Oxford, although still in prison, was known to be in close touch with the other three men mentioned by name and to have already begun negotiating for Henry Tudor's use of the few strategic castles still in English hands. Richard expanded this information into the Lancastrians having 'released in perpetuity all the rights, titles and claim that the Kings of England have had and ought to have to the crown and realm of France, including the Duchies of Normandy, Anjou, Maine and Gascony' ending with 'Guines Castle and the towns of Calais, Guines, Hammes, with the Marches appertaining to the same'.

It was several months before John, Earl of Oxford, was able to escape and to put his ability and experience into action in the final drive to remove from the English throne King Richard III, whom Shakespeare makes Oxford call 'this guilty homicide'. Oxford was able to persuade James Blount, now Governor of Guines as well as of Hammes Castle, that the Earl of Richmond should be supported and Hammes Castle put at his disposal. By August 1484, Oxford had left Hammes with Blount and joined Richmond in Paris, leaving a garrison in Hammes to hold it for the Lancastrians. When Hammes Castle was threatened by the army occupying Calais, which was still loyal to Richard III, Oxford came to its relief and made diplomatic terms for the garrison of Hammes to depart safely 'with bag and baggage'.

With two thousand French mercenaries and artillery supplied by his ally, the young King Charles VII of France, and the private bodyguard of about forty faithful followers which always accompanied him, Henry, Duke of Richmond, sailed from Harfleur on Sunday 1st August 1485 and landed at Milford Haven a week later, with Oxford and James Blount, who was knighted on arrival. Henry had deliberately chosen to land in Wales, where he had been born, in the hope of being joined, as he soon was, by his Welsh compatriots. He collected more forces as he marched to meet his rival at Bosworth, near Leicester.

Shakespeare, in a scene on the eve of the battle, shows Richard III confident in his tent; while Henry Tudor, in his, with Oxford and two others, is drawing up a plan of action. Sir James Blount is sent to say goodnight to Henry's uncle, Jasper, Earl of Pembroke, whom he expects to meet before daybreak.

The Lancastrian forces are estimated to have been between two thousand five hundred and five thousand, and the Yorkists are thought to have had considerably more than twice as many. Lord Stanley, with his own army almost the size of the Yorkists force, lay at a slight distance, remaining neutral, while King Richard held Stanley's eldest son hostage against Stanley attacking him. The King placed his eight thousand foot-soldiers under John Howard, Duke of Norfolk. Richmond took command of his own cavalry, putting his main force of archers in the centre under Oxford. Richard III ordered Norfolk to attack. Oxford ordered his troops to form a wedge, and they stood firm with their backs to the sun while the Yorkist cavalry wheeled round them, only to flounder in the marshy ground beside them. Oxford's men charged and 'slew many'.

Norfolk was killed in hand-to-hand fighting, to Oxford's personal sorrow, despite his being on the opposing side. Norfolk's leaderless men scattered, whereupon the hesitant Stanley weighed in. King Richard, who had already been unhorsed once, charged headlong into the oncoming cavalry, determined to engage Richmond in single combat. He was cut down and killed. The crown he had been wearing on the top of his helmet rolled into a hawthorn bush. A soldier handed it to Lord Stanley, who placed it on the Earl of Richmond's head, proclaiming him King Henry VII of England.

NOTES

1 Another of Warwick's daughters was the widow of Protector Somerset.
2 Henry Spilman, Thomas and John Seyre, James Radcliff and John Brampton the elder.
3 More's *History of Richard III* was inserted in Holinshed's chronicle, from which many of the events in Shakespeare's play were taken.
4 Peter Courtenay, Bishop of Exeter, unnamed here, had fled to Brittany after taking part in the Duke of Buckingham's abortive rising.

CHAPTER NINE

Pinnacles and Pediments

O N 3rd September 1485, just before his forty-third birthday, the 13th Earl of Oxford attended King Henry VII in St Paul's Cathedral for the Thanksgiving service for his victory. On the repeal of the attainder which outlawed him, Oxford recovered the hereditary chamberlainship of England and was immediately appointed to decide which claimants should perform the services at Henry VII's Coronation. Henry VII was crowned at Westminster Abbey on 30th October, less than two months after the Thanksgiving, with the 13th Earl of Oxford officiating as both Great Chamberlain and Lord High Steward. To protect the King's slightly dubious claims,[1] a bodyguard was formed to escort him, which corps from that time onwards (possibly even before the actual Coronation day) became the famous Yeomen of the Guard; the Earl of Oxford was its first captain. The now ancient Archbishop Bourchier crowned the King, supported by another of Oxford's kinsmen, Peter Courtenay, Bishop of Exeter.

As part-fee for acting as Lord Great Chamberlain Oxford received a bed, complete with red-white-and-blue canopy, curtains and counterpane to match, 'all embroidered with gold letters and roots, worth £26 13s 4d'.

His Countess, herself no longer dependent on the needle, could now recline in luxury. Among the many lucrative appointments that followed were High Steward of the Duchy of Lancaster south of Trent, and Constable and Keeper of the Lions at the Tower of London. Oxford was made a Privy Councillor and Henry VII's first Knight of the Garter; as such he carried the crown at the festival held in York on St George's Day. As Lord High Admiral of England, Ireland and Aquitaine, he wore a gold chain with a mariner's whistle, worth £243 6s 8d. He used a whistle and chain as one of his badges.

In the New Year following his Coronation, King Henry kept his promise and married Elizabeth, eldest of King Edward IV's seven daughters and sister of the princes in the Tower. Though traditionally the Wars of the Roses ended in their marriage, there was one more battle to be won by the Lancastrians. Lambert Simnel, impersonating the son of George, Duke of Clarence, and backed by Irish landlords with Yorkist leanings, invaded Lancashire. Oxford led the van of the royal army which defeated the invaders at the Battle of Stoke, near Newark, on 16th June 1487. John Paston, fighting under Oxford's command, was knighted. Simnel was taken prisoner and his talents for disguise were relegated later to the King's overcrowded kitchens – each of the King's many officials had his own cook.

Although well satisfied with the union made between the two factions through his marriage, Henry delayed his wife's Coronation until anti-Yorkist feelings, deliberately fanned to ensure Lancastrian support during the recent invasion, had cooled down. Their first son, Arthur, was born three months after the invasion. His godfather, the Earl of Oxford, gave him a pair of gilded basins and a cup. A year later Elizabeth was crowned and, for serving again in the offices of Hereditary Lord Great Chamberlain of England and Lord High Steward, Oxford acquired another bed, this time of rich tapestry with the canopy decorated as a pavilion, a tourney of knights galloping all over the curtains. With no counterpane, it was worth only £8.

Henry was by nature parsimonious and his treasury was always full, yet 'he never spared charge which his affairs required, and in his building was magnificent'.

He began by rebuilding the ancient royal palace of Sheen on the Thames and renaming it Richmond after his former Yorkshire earldom. When the palace burnt down he began again, covering ten acres with even more sumptuous spired and cupola-headed accommodation for his frequent visits with his enormous number of retainers, many of whom travelled with their wives. Flowery fruit trees, fountains and dovecots not only delighted the eye but were there for practical purposes, as were the conduits which served the chambers with running water 'for the hand'. The 'House of Office' was anything but a 'usual office', being large and set discreetly away from the larders. The King was a serious, highly intelligent man who blended his appreciation of beauty with a resolute determination to make things work – from plumbing to managing a country unused to superintended economics. Without ostentation, Henry VII displayed his majesty in the grandeur of Richmond Palace. Only the ruined outer gateway and a few unfinished sketches remain, but the glory of Henry's surviving architecture is enough to confirm the contemporary descriptions of the splendour of Richmond Palace. Other examples of splendid buildings instigated by the King can be seen today in the Henry VII Chapel in Westminster Abbey; King's College Chapel, Cambridge; the Savoy Chapel, London; Eton College Chapel; and St George's Chapel, Windsor.

What the King achieved architecturally in magnificence and glory, his statesmen were encouraged to carry out, relatively modestly, in the castles and other buildings they already owned or had been given after confiscation from attainted Yorkists. In Oxford's case, rebuilding began late, for while he was still captain of the Yeomen of the Guard he could never stray far from the King's side. He was one of the executors of Henry VII's will, made before they set off on an expedition in Picardy with Oxford appointed to lead the vanguard over ground he knew well. After what was little more than a token invasion terms were drawn up for a proposal of peace, Oxford being one of the signatories. Later he gave his personal guarantee to the treaty with Burgundy, signing 'Oxynford' under his seal. In most formal documents he styled himself, and was styled, 'Earl of Oxford, Great Chamberlain and Admiral of England, Viscount Bulbeck and Lord Scales'. He had become heir to the barony of Scales when his mother, Elizabeth Howard, died during his exile.

In 1497 Oxford was one of the commanders against the Cornish rebels led by another impostor, Perkin Warbeck, who posed as the younger of the princes in the Tower. It was Oxford who cut off Warbeck's retreat from Blackheath.

On the ceremonial side, Oxford acted as Great Chamberlain when his godson's three-year-old younger brother, Henry (afterwards Henry VIII), was created Duke of York and dubbed a Knight of the Bath. This blonde toddler, who had to go through the usual bathing formalities before the dubbing, was already Warden of the Cinque Ports, Constable of Dover Castle, Earl Marshal and Lord Lieutenant of Ireland. It was his father's policy to provide incomes for his children not by taxation but by keeping as many as possible of the great offices of state in the family. However, in gratitude for Oxford's part in procuring the throne for him, he showered the Earl with grants and lucrative posts in all parts of England. The richest and most populous area was then East Anglia, and here, easily administered from the still barely habitable Hedingham Castle, Oxford acquired a collation of fruitful commissions. In Norfolk the King made him Constable of Castle Rising, three miles from Sandringham.[2] In Suffolk he granted him Framlingham Castle, forfeited after the Duke of Norfolk was killed and his son, Earl of Surrey, was attainted and imprisoned for three years. In Essex Oxford was made Steward of the Forest of Essex and given many other benefactions besides, including the right to hold Monday markets every week at 'Hedingham ad Castrum' which helped the village to pick itself up as well as benefiting others supplying the markets.

Both castle and village were in a very poor state of repair after Oxford's long absence. By the end of the Wars of the Roses new castles were no longer built essentially for defence, but more for comfort and display. Richmond Palace was rebuilt from scratch after a disastrous fire, with a lay-out of beautifully proportioned little courts and quadrangles, as in a college. Oxford's task was to convert an ancient fortress into an agreeable country residence for the Countess and himself and their guests. It also had to function as the headquarters of his innumerable offices, with adequate facilities for the large staff essential for both purposes.

Oxford was able to comply with the King's wishes in keeping his rebuilding relatively modest and yet, thanks to the splendour of the great keep rising in its ancient grandeur, produce a magnificent and imposing whole. There could be no complaints about the richness of architecture which had already been there three and a half centuries. A galaxy of chevron-enriched arches rested on highly ornamented capitals, letting light filter in, as in a forest glade, through the galleries of the banqueting hall. Most splendid of all is the great round arch which rises to four times the height of its cushion-capitalled piers, a Norman counterpart to the Gothic tracery and bossed fan-vaulting of Henry VII's new edifices.

A picture-map shows the position and state of the buildings a hundred years after the 13th Earl's restoration with the great keep standing free, almost in the middle of the inner court or Bailey, which is encircled by a curtain-wall. On the south side of this is written a 'Brick Turret undefaced', and in the south-west corner, 'The great brick Tower the lead timber iron and glass taken awaie'. This is shown taller than the keep. Nothing remains of the brick tower now, but it seems likely to have been built much on the lines of the surviving beautiful gatehouse of Middleton Tower, which Oxford inherited through his mother. As a known lover of the arts, he must have admired its early Flemish brickwork and gracious oriel windows, from which, at Hedingham, 'the lead timber iron and glass was taken awaie'.

Also shown on the map are the chapel, great chamber, hall and

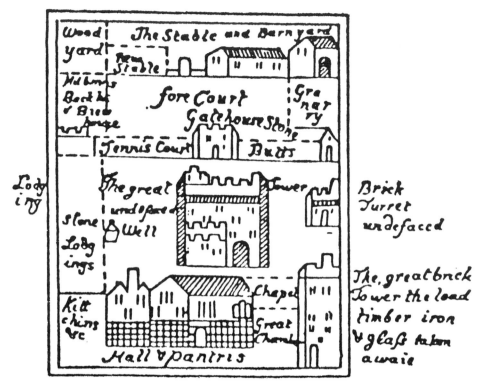

From this picture-map of Hedingham, dated 1592, foundations were traced and uncovered in 1868 and found to match the buildings believed to have been erected by the 13th Earl who entertained King Henry VII here for a week in 1498. It is thought to be a survey showing positions and state of the buildings immediately after the 17th Earl of Oxford had handed them over to his daughters and their grandfather, giving rise to the unfounded accusation of the 17th Earl deliberately vandalizing the castle in a fit of rage.

pantries, all chequered, as though to show that the ground floor was built of bricks, under the overhanging timber – and plaster – first floor. The pitch of the roofs is shown as typically Tudor. The two blocks of buildings on the north wall are not drawn, but merely named 'kitt chins &sc' and 'Stone Lodgings'. These lodgings may have been old buildings which the Earl restored or, as at Richmond, the most important sleeping quarters, newly built of stone rather than of the more homely brick and half-timbering used elsewhere. Near the lodgings is shown 'The great undefaced wall' with an apparently conical well-head. Tradition has it that there was another well inside the keep, but there is no mention of it on the plan nor any sign of water being brought in from clean springs by pipes, nor of any other plumbing – though clearly gardrobes existed in the north-west corner of the keep.

Hedingham appears from the map to have had none of the formal courtyards to be found tucked away in most new Tudor complexes. A picture-map, made at about the same time, of the Tower of London, another Norman castle of which the 13th Earl had been Constable – also shows none and is comparable with Hedingham in many other ways. The inner court of the Tower of London, which is still in full use today, covers the same amount of ground as Hedingham Castle's. Its great keep stands almost alone in the middle with Tudor and other later dwelling houses and offices built against the curtain-wall, whose old protective towers still intercept the wall at intervals. Except for a space in the southern wall, as at Hedingham, to allow in more sunlight (originally in case of the necessity of a mass military escape), domestic buildings line the whole wall, facing inwards on to the keep-dominated open space. The court is now made pleasant with paths and trees and lawns, and enlivened by the offical ravens.

At Hedingham the only courtyards totally enclosed by buildings appear to have been the 'fore Court' across the bridge with a smaller enclosed stable and barn yard forming the opposite side of it. The buildings in the forecourt are named as 'bake and brew houses', 'midden' (refuse-heap), wood store and, on the south and driest wall, granary. On the south side of the bridge and gatehouse, 'Butts' are marked. These were for the rigorous practice of archery which successive Earls of Oxford proved was essential for victory in battle.

On the north side of the gatehouse, a 'Tennis Court' is marked, stretching over a hundred feet beside the dry moat. The length is decreed in the rules of real tennis, which is said to have been played originally by monks in narrow cloistered courtyards.

The smithy and slaughter-house usually to be found in this vicinity are not mentioned by name; they were either included in the 'Stable and Barnyard' or moved further afield.

Another Royal Visit

By the summer of 1498 Hedingham Castle was sufficiently restored for the King to be entertained there for about a week. To this occasion is generally referred the tradition – mentioned by Bacon as a report that had come down to him from a century before – of the Earl incurring a heavy fine for collecting a large body of retainers with his badge and livery in order to receive King Henry with proper honour. The scene is dramatized thus:

> The monarch visiting the Earl's Castle of Hedingham was there sumptuously entertained by the princely noble; and at his departure his lordship's livery servants ranged on both sides, made an avenue for the King; which attracting his highness's attention, he called out to the Earl and said, 'My lord, I have heard much of your hospitality, but I see it is greater than the speech. These handsome gentlemen and yeoman, which I see on both sides of me, are surely your menial servants?' The Earl smiled and said, 'It may please your Grace they were not for mine ease: they are most of them my retainers, that are come to do for me service at such a time as this; and chiefly to see your Grace.' The King started a little, and rejoined, 'By my faith, my lord, I thank you for my good cheer, but I may not endure to have my laws broken in my sight; my attorney must speak with you.' It is added that this affair cost his lordship eventually no less than 15,000 marks in the shape of compromise.

This may well have been another after-dinner story, like the Hammes moat 'attempted suicide' tale, and told by the Earl himself or his friends – or even played as a charade. The reference would have been to the King's policy of 'money, not arms' as embodied in the Statute of Livery and Maintenance, which was passed to restrain over-mighty subjects who ravaged England during the Wars of the Roses with their private armies. 'The King was as pleased to surround himself with a small army of retainers as he was determined that his subjects should not', wrote Canon Ian Dunlop in 1962 in his *Palaces and Progresses of Elizabeth I*.

No fine is mentioned, but the story has been passed down as one of the better-known things about the Earl of Oxford, not necessarily always the 13th – rather as Dick Whittington's cat is the best-remembered thing about the one-time Lord Mayor of London.

At any rate the visit produced no enmity between the King and the Earl, whom Flemish ambassadors were told was '*le prinicipal personnaige de ce royaulme*'. The following year Oxford was appointed Lord High Steward, in which capacity he had to act at the trial of the son of his old associate, the Duke of Clarence. The young Earl of Warwick was regarded as a potential danger to the throne as the last surviving male of the royal House of Plantagenet, and had been kept in prison for twelve years for no other reason. He and Perkin Warbeck had tried to escape from the Tower of London, something with which Oxford himself must have had some sympathy in view of his own attempted escape from Hammes Castle. Like him they were caught but, unlike him, condemned to death. Edward, Earl of Warwick, was beheaded and Perkin Warbeck hanged.

On Sunday 14th November 1501 Oxford escorted his godson, Arthur, Prince of Wales, to his marriage to Catherine of Aragon, daughter of Ferdinand V, King of Spain. The fifteen-year-old bridegroom arrived at St Paul's between nine and ten in the morning with the Earls of Oxford and Shrewsbury. Later, for the customary ceremonial bedding, other lords and gentlemen joined them to escort Prince Arthur to the bridal chamber 'wherein the bride was reverently laid by her Maids of Honour'. The assembled bishops blessed the bed and another legend was born, first told over twenty years later, that the marriage must have been consummated because later the prince had called for wine, saying that it was 'thirsty work in Spain'. Prince Arthur died within five months of his wedding. Uncertainty over the consummation only arose after his brother, Henry VIII, nineteen years after marrying Catherine himself, was attempting to divorce her on the grounds of God's law being broken, according to the Old Testament text: 'If a man shall take his brother's wife, it is an unclean thing.' Despite several pregnancies and a living daughter to show for it, he tried to persuade the Pope that his own marriage to Catherine would count as unconsummated – especially if his late brother's could be proved to have been *completum*. In this he failed, but eventually gained a divorce by more independent means.

Family and Friends

The vast mansions of the Tudors, whether of monarchs or of leading nobleman, according to Horace Walpole, 'received and harboured all the younger branches, dowagers and maiden aunts, [so] that the family proper was often present in its entirety'. The relatively recent Wars of the Roses produced many more dowagers and maiden aunts, not to mention twice- or thrice-widowed aunts, than there were 'entire' surviving uncles. The cadet branches of the de Veres, descended from two of the 1st Earl of Oxford's younger brothers and from all of his three sisters, and taking in descendants from nine of the intervening generations, provided a great many to be received. Beauchamps, de Quinceys, Uffords, de Warrennes, Mortimers, Fitzpaynes, Louvains, d'Albions, Argentines,

Devereuxs and Serjeauxs were all among the surviving Norman families likely to come into harbour.

Of the 13th Earl's immediate family, or *family proper*, his younger brother, Sir Thomas de Vere, who had been at sea with him and at St Michael's Mount, had died too soon after Bosworth to enjoy the hospitality of their restored ancestral seat. The other brother to have share their hazards, Sir George de Vere, had been made Chief Steward of St Osyth's Priory at the mouth of the Colne, half a day by rowboat from Hedingham. Sir George was married to the daughter of Sir William Stafford and had four children. Their eldest son died in 1498 and was buried at Halstead. Another son was born the following year and christened John, after his uncle. The fact that he was known as Little John suggests that they were in close enough touch to need to be distinguished from each other, particularly after Sir George died and Little John, aged four, became the Earl of Oxford's heir. However, there was yet another John in the family, seventeen years older than Little John, and this may have accounted for the nickname. There is no proof that the younger John was, as has been said, 'of small stature'. The older John de Vere, Little John's second cousin, was eventually to become the 15th Earl of Oxford. Both were great-grandsons of the 11th Earl, of Agincourt fame. To add to the confusion, the older John's father was also named John de Vere; his mother, Alice, was widow of Sir Walter Courtenay who was beheaded soon after the executions of the 13th Earl's father and brother in 1461.

The Earl's youngest brother, Sir Richard, married Margaret, daughter of Henry Percy, whose family complained when he was murdered by the populace for over-taxing them that he had been 'a victim of Henry VII's avarice'. He was one of many who had disagreements with the King over the heavy taxes he expected them to extort from the people.

Oxford's sisters were Mary, a nun at Barking; Joan, married to Sir William Norris; and Elizabeth, married to William Bourchier, son of Henry, Earl of Essex, who had driven the de Vere brothers back to sea after their attempted invasion near St Osyth.

A more welcome visitor, if he could remember to go upstream from nearby Wivenhoe and not out to sea, was another seafaring companion imprisoned with the de Veres at St Michael's Mount. This was William, 1st Viscount Beaumont, who, having been heaped with honours after Bosworth, almost simultaneously lost his memory and married Elizabeth, eldest of nine daughters and heiress of Richard, 1st Baron Scrope, of

Bolton. Shakespeare introduced the Scrope family into four of his plays, *Richard II*, *Henry IV Part 1* and *Part 2*, and *Henry V*, using poetic licence to reverse the generations for dramatic purposes.

Lord Beaumont was 'living under his old friend's care' at Wivenhoe. The estate had been confiscated by Edward IV, who gave it to his brother, the Duke of Gloucester, on whose death as Richard III it was restored to the Earl of Oxford. The mansion itself was later described as large and elegant, of brick and plaster with crowstep gables and much ancient timber-work. The high-towered gatehouse was used to guide shipping. Oxford may have rebuilt it for his old friend or – and this is more likely – Elizabeth, Viscountess Beaumont, who was specially fond of Wivenhoe, put some of her Scrope fortune into the mullioned windows and fine moulded ceilings also mentioned.

A pair of brasses in Wivenhoe church show 'Lord William Beaumont' in armour, as worn at the battle of Bosworth, with his spurs resting in an elephant's how-dah. Beside him lies his wife, 'Lady Elizabeth Scrope' of Felbrigg. Norfolk, as she was before her first marriage to Lord Beaumont's close friend, the 13th Earl of Oxford. Even including the elephant, Lady Elizabeth appears a good head taller than her 'sometyme husband'.

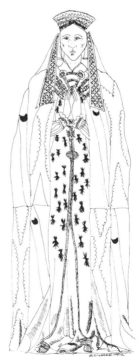

Oxford's brother Sir George died in 1503. Three years later, Margaret, the Earl's Countess, died and was buried at Colne Priory. A year later old Lord Beaumont died at Wivenhoe and the following winter his widow Elizabeth, née Scrope, married his old friend, the 13th Earl of Oxford.

The following July Oxford spent a few days with the King at Greenwich and at Stratford, Middlesex. This was King Henry VII's last summer before he died at Richmond in April 1509. The elder John de Vere, who was in Henry VII's service, acted as an Esquire of the Body in his funeral procession to St Paul's Cathedral and on to Westminster Abbey for his burial beside his wife. Their effigies, in gilt bronze, lie on the magnificent Florentine-design tomb.

On the accession of Henry VIII the Earl of Oxford continued in high favour. Within a fortnight of his father's death the new King gave the Earl the castle and tower of Colchester, as confirmation of the grant of Empress Maud to his forefather, Aubrey de Vere, 1st Earl of Oxford.

When the joint Coronation of Henry VIII and Catherine of Aragon took place in Westminister Abbey on Sunday 24th June 1509, Oxford officiated as Lord Great Chamberlain. He received no bed or bedding, though according to custom he had earned both. However, bedding of another kind resulted from the Coronation celebrations with a spate of marriages, mostly second. The Earl of Oxford and Elizabeth née Scrope, widow of his old friend, Lord Beaumont, consoled each other in wedlock. Elizabeth's mother was a daughter of the 1st Duke of Norfolk and Oxford's mother was also a Howard, so the couple were already cousins. Now Elizabeth's sister, Eleanor, and their widowed mother Margaret married, respectively, Sir Thomas Wyndham and his father, Sir John Wyndham, of Felbrigg, Norfolk.

The new Lady Wyndham's brother, Thomas Howard, whose earldom of Surrey had been restored but not yet his dukedom of Norfolk, offered his daughter, Lady Anne, to Oxford as a future wife for his heir, Little John. A settlement was made on 11th November 1511; the marriage was to take place before May Day the following year and may well have done so as part exchange for Oxford returning Framlingham Castle to Surrey. Later King Henry claimed it was invalid because Little John was under fourteen at the time. The older John de Vere had also been married at eleven, but his bride only lived to be seven. Now, before or just after the Coronation, the older John joined the rush to the altar with Elizabeth Trussel. She brought him an additional badge of a trestle table and several valuable estates. The loveliest of these was Bilton Hall, near the

ROGER GOD-SAVE-LADIES
as named in Domesday (Rogeri. ds faluk& dnas)

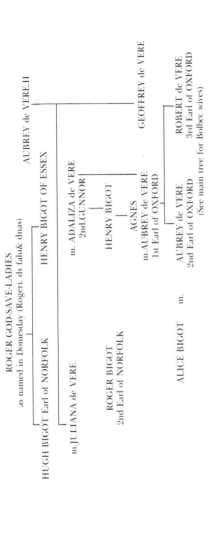

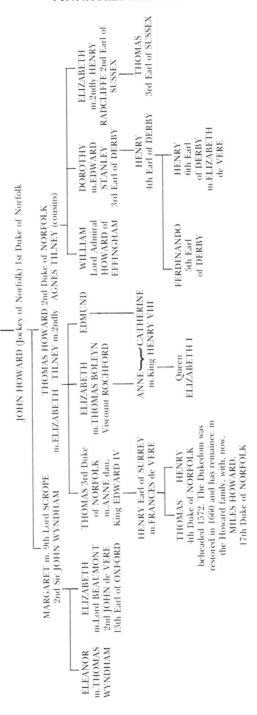

AUBREY de VERE.II

HENRY BIGOT OF ESSEX

HUGH BIGOT Earl of NORFOLK

m.JULIANA de VERE

m. ADALIZA de VERE
2nd.GUNNOR

GEOFFREY de VERE

HENRY BIGOT

ROGER BIGOT
2nd Earl of NORFOLK

AGNES
m.AUBREY de VERE
1st Earl of OXFORD

ROBERT de VERE
3rd Earl of OXFORD

AUBREY de VERE
2nd Earl of OXFORD
(See main tree for Bolbec wives)

ALICE BIGOT   m.

Three more Bigot Dukes of Norfolk were followed by Royal and Mowbray creations, before a new Dukedom was created and conferred on the son of:

MARGARET MOWBRAY m. Sir ROBERT HOWARD

JOHN HOWARD (Jockey of Norfolk) 1st Duke of Norfolk

THOMAS HOWARD 2nd Duke of NORFOLK
m.ELIZABETH TILNEY m.2ndly AGNES TILNEY (cousins)

ELIZABETH
m.THOMAS BOLEYN
Viscount ROCHFORD

EDMUND

ANNE CATHERINE
m.King HENRY VIII

Queen
ELIZABETH I

WILLIAM
Lord Admiral
HOWARD of
EFFINGHAM

DOROTHY
m.EDWARD
STANLEY
3rd Earl of DERBY

ELIZABETH
m.2ndly HENRY
RADCLIFFE 2nd Earl of
SUSSEX

THOMAS
3rd Earl of SUSSEX

HENRY
4th Earl of DERBY

FERDINANDO
5th Earl
of DERBY

HENRY
6th Earl
of DERBY
m.ELIZABETH
de VERE

MARGARET m. 9th Lord SCROPE
2nd Sir JOHN WYNDHAM

ELIZABETH
m.Lord BEAUMONT
2nd JOHN de VERE
13th Earl of OXFORD

THOMAS 3rd Duke
of NORFOLK
m.ANNE dau,
King EDWARD IV

HENRY Earl of SURREY
m.FRANCES de VERE

THOMAS   HENRY
4th Duke of NORFOLK
beheaded 1572. The Dukedom was
restored in 1660 and has remained in
the Howard family, with, now,
MILES HOWARD,
17th Duke of NORFOLK

ELEANOR
m.THOMAS
WYNDHAM

River Avon in the Forest of Arden. Shakespeare mentions Tressel in *Richard III* as one of the gentlemen attending the widow of the Prince of Wales as she mourns over his father's corpse, brought on stage in an open coffin guarded by gentlemen bearing halberds. 'Tressel and Berkely', Lady Anne's voice rings out in the play as though bringing a couple of foxhounds to heel, 'go along with me'. It has been suggested that the name is a joke against the Trussels, who were well-known courtiers and strong Lancastrians.

After the 13th Earl married again, he appeared little at Court. His health was beginning to deteriorate and his interests were chiefly in his home county. His last public appearance was in Essex as a Commissioner of Array in January 1513, prior to Henry VIII's first French campaign. Oxford was once again planning the protection of the coast he had guarded as a young man and later attempted to invade when the Yorkists were in power. He did not live to see his orders carried out.

John de Vere, 13th Earl of Oxford, died at Castle Hedingham on 10th March 1540 and was buried at Colne Priory in the same tomb as his first wife. In the report of the funeral his soldier cousin is styled 'Master John Veere' but was soon to be knighted by King Henry at Tournay while serving in the campaign which culminated in the Battle of the Spurs, so called from the speed of the French retreat.

Little John of Camps

As the only surviving son of the late Sir George Vere, whose father, the 12th Earl, had been executed over half a century before, 'Little John', aged thirteen and a half, succeeded his uncle as 14th Earl of Oxford, Lord Plaiz, and Hereditary Lord Great Chamberlain of England. His uncle's property was worth a total of £8,206 17s 8¾d – a billionaire's estate by today's reckoning. The Countess was well provided for by dowers from each of her husbands. The rest was on offer to be handled (at a price) on behalf of Little John, along with his person, until he came of age. Despite the Earl of Surrey claiming that the boy was already married to his daughter, this was when King Henry brushed the contract aside as invalid and made a bid for his custody himself. The King reminded Surrey that the boy was under the age of fourteen when betrothed, and offered him his ward, Margaret Courtenay, instead. Her father had fairly lately been extracted from prison, only to die before the King had time to restore his earldom of Devon. But the new Earl of

Oxford 'utterly refused' her and the King reluctantly accepted John's marriage and returned the custody of his lands to the first bidder, the Earl of Surrey. Surrey was created Duke of Norfolk the following year for his victory over Henry VIII's brother-in-law, the invading Scottish King James, who was killed at Flodden. It was two years after the 13th Earl of Oxford's death before the Duke received custody of the 14th Earl's lands and was appointed Great Chamberlain of England during the rest of the Earl's minority.

Little John does not appear to have relished the hand of his cousin, Lady Anne Howard, any more than the prospect of Margaret Courtenay's. He presumably continued his education with her and her four sisters and five brothers, some of the half-blood, at Ashwellthorpe, Norfolk, where they were then living. He may well have attended Cambridge University, though his name is not registered – that could account for his passion for Camps, ten miles from Cambridge, in preference to Hedingham, both of which had been in the family since Domesday.

Camps Castle was merely a ruined fort when Little John inherited it, but the romance of its earlier days, with its legendary tunnel to Hedingham, could have fired an early desire to rebuild it as his own and live in it, untrammelled by the restraints and formalities of a ducally governed establishment.

The Dowager Countess of Oxford may have tried to curb his enthusiasm for this derelict ruin, but she had only been his aunt by marriage for four years – and she, like him, appears to have spurned Hedingham, preferring Wivenhoe – though she may have had no choice. She must have remained at Hedingham for the lugubrious period of mourning, copied from the French, which entailed sitting alone in her widow's weeds, which were draped not only over her person but over the whole chamber. This was at the time when 'more glass than wall' was in vogue to admit the new-found joy of sunlight. This ordeal over, she returned to Court to wait on Queen Catherine of Aragon. Her place at table is shown at a banquet at Greenwich in July 1517. In June 1520 she attended the Queen at King Henry VIII's spectacular twenty-three-day event of the Field of the Cloth of Gold in France. It was held in Guines, of earlier de Vere connections.

The Earl of Oxford arrived with his retinue of three chaplains, six gentlemen, thirty-three servants and twenty horses. Both he and Sir John de Vere attended the King, who disembarked at Calais and proceeded with his Court to Guines. The 14th Earl of Oxford performed his first public duty at Guines, officiating, according to the programme, as one of the judges of the foot races at this most gorgeous display. Shakespeare opens his play *Henry VIII* with a description of it given by Little John's father-in-law, the Duke of Norfolk, to the Duke of Buckingham (who was actually present, though poet's licence leaves him at home with flu).

The Field of the Cloth of Gold, a mistranslation of its local name of the buttercup field, had been set up in the same way as a Hollywood city. There were temporary palaces, pavilions, chapel, fountains, and amenities for every kind of medieval tournament, sport and parade, all of which were interspersed with feasting, masques and music, events held in spite of an inevitable summer storm. Each day had a new theme. Torchlight processions and fireworks lit the nights. It was a stupendous

Guines, near Calais, once the *caput baroniae* of the powerful counts of 'Guisnes' and later the site of Henry VIII's famous interview with Francis I in France in 1520, known as the Field of the Cloth of Gold for the splendour and magnificence displayed. The only pageantry seen there today is an occasional visit from a travelling circus.

and costly affair. Henry VIII's excuse for producing this extravaganza was to bring about a mediatory meeting between his wife's nephew, the twenty-year-old Charles V of Burgundy, and King Francis of France. This took place in the valley mid-way between Guines and Ardre, with much formal kissing and exchange of gifts among the Kings and Queens taking part. In terms of diplomacy the results of the great gala were negligible – Emperor Charles and King Francis hated each other for the next twenty-five years – but it would certainly have earned a small grant from the Arts Council today. 'The temporary *Palais d'Art* at Guines', wrote an Italian who was there, 'could not have been better designed by Leonardo da Vinci himself,' Leonardo had died the year before.

Two months later, the Earl of Oxford officially came of age and took up his inheritance. By then the foot races, if not the whole of King Henry's sumptuous holiday camp itself, had gone to his head and Camps Castle was in the process of being transformed from a derelict hill-top landmark into a permanent version of the transitory creations seen at Guines.

Tier upon tier of decorative arcading, rising up to fanciful crenellations, enhanced the brick tower that replaced the old stone keep. The crumbling stone wall round the inner court was replaced by a high brick wall, more garden than curtain, entered by a pedimented doorway over a scalloped arch copied almost exactly from the very *Palais d'Art* which Leonardo 'could not have bettered'. There was water in the moat below, now 'all clinquant' as Shakespeare would have described the sparkle that replaced the ancient sludge. Pinnacled gables, high Tudor chimney stacks, dormers, angleshafts and groups of tall windows, mullioned and transomed, graced the main living quarters.

Once off the leash, Little John of Camps threw care to the winds to keep the spirit of *Drap d'Or* going. Within a year his extravagance had caused the King to put him back in the Duke of Norfolk's care. Cardinal Wolsey issued ordinances, by the King's command, under which he was 'to discharge his household and live with his father-in-law, the Duke of Norfolk, and lovingly, familiarly and kindly treat and demean himself towards his wife'. He was accused of letting Hedingham Castle, as well as his Countess, suffer from neglect. He was neither the first nor the last of the de Vere Earls of Oxford to find the wives chosen for them something of a drag.

While Henry VIII was concerning himself with the Countesses of Oxford, he decided that the 'old Lady Oxford', widow of the 13th Earl,

The North East View of Camps Castle in the County of Cambridge

Camps castle near Cambridge in 1738, showing early sixteenth century 'modernization' made of the Norman citadel granted to the de Veres by Henry I. The present farm house was built on the site by the Charterhouse Foundation. Fragments of ancient stone-work can be found on the still well-defined castle motte and ditch, with the church standing below on what was once the outer bailey. The Domesday fief of Camps is now divided into two villages, Castle Camps and Shudy Camps.

would be a suitable governess for Princess Mary, aged five. Cardinal Wolsey, who wrote offering her the post, doubted whether she could be persuaded to accept it owing to her current ill-health. For whatever reason, she declined it.

A year later the Earl again attended the King at a meeting with Charles V, but without the same temptations to extravagance as at Guines. They met on the road between Dover and Canterbury. Charles V had come to visit his aunt, Queen Catherine, and uncle-in-law, King Henry VIII, before being crowned Emperor of Germany in Aix-la-Chapelle, now Aachen.

Nothing further is known about the Oxfords' marriage except that they had no children. The King's behaviour with the Countess's nieces – who were also Queen Catherine's ladies-in-waiting – Anne Howard and Anne Boleyn, can hardly have helped to keep high the moral tone at Court. The Earl of Oxford is last mentioned at Court in 1526 when he witnessed the charter of the Cardinal's College and then officiated when the Earl of Devon, brother of the bride he had utterly refused, was created Marquess of Exeter. At the same time Henry VIII's illegitimate son by Elizabeth Blount, Henry Fitzroy, was created Earl of Nottingham.- Later Nottingham was raised to Duke of Richmond and finally 'poisioned to death' by, it was suspected, Anne Boleyn.

A month later, just before his twenty-seventh birthday, 14th July 1526, Little John died. His wife proceeded to outlive him by thirty years. His two surviving sisters and his eldest sister's son put in claims for the baronies of Bulbeck, Sandford and Baddlesmere, which they supposed had been vested in him, though to no avail. The lord great chamberlain-ship reverted to the Crown. Sir John de Vere became 15th Earl of Oxford and his son, Aubrey, although not technically so, styled himself Lord Bulbeck.

On the family tree the 14th Earl of Oxford seems out on a limb. He was not directly descended from the 13th Earl and left no direct descendant to become the 15th. In his brief period as Lord Great Chamberlain there was no Coronation for him to take part in. There was no war for him to distinguish himself in and, apart from judging the foot races at the Field of the Cloth of Gold, he hardly impinged upon history. When he inherited he was still small; his life was short; his public achievements were negligible; but his enthusiasm for building his castle was tremen-dous, earning him his unique title, in the family and its archivists, of 'Little John of Camps'.

NOTES

1   Henry VII's three claims rested on right of birth, right of conquest, and approval of Parliament. The first was not very sound as there were several nearer claimants, including Edward IV's daughter, Elizabeth of York. Henry's promise to marry her to end the contention between York and Lancaster gained him government support.
2   Sandringham, Queen Elizabeth II's Norfolk seat, did not become royal until her great-grandfather, Edward VII, rebuilt it in 1862 when Prince of Wales.

The Mature Earl

At forty-four 'the elder John', 15th Earl of Oxford, was already established as an experienced soldier and reliable civil leader on whom the King could depend for unerring personal loyalty. In the last decade he had been Keeper of Colchester Castle and Sheriff of Essex and Hertfordshire for three separate terms. He was now made commissioner for sundry other public works in Essex and Middlesex.

Within months of succeeding Oxford was appointed Great Chamberlain, but only for life. He accepted this grant, though not without a continued struggle to urge his right to the office as his heritage. The King held that the office of Great Chamberlain had reverted to the Crown and Henry VIII was not a monarch against whom it was safe to stand out for one's real or supposed rights. Only five years earlier the Lord High Constable, the 3rd Duke of Buckingham, whose granddaughter was to marry Oxford's eldest son, had gone to the scaffold on a trumped-up charge of treason while trying to recover his hereditary right. Oxford evidently thought it better to yield to the King rather than risk getting nothing and perhaps losing his head.

In due course the 15th Earl was allowed to take over all the 14th Earl's possessions, except particular parcels of land which the King assigned to his sisters and nephew. All other 'manors, lands, tenements, rents, reversions, remainders, offices, avowedsaids, patronages and all other hereditaments' went to 'the now Earl of Oxford and his heirs for ever to have and to hold and to enjoy the said castles, manors, messuages and all other premises'.

Camps Castle receded in family importance and Hedingham Castle took its place again as *Caput baroniae*. The new Earl and Countess with their family and retinue moved in. There were now three Countesses of Oxford living, for neither the 13th nor the 14th Earl's dowager married again. All three were at various times ladies-in-waiting to Queen Catherine, but it was the youngest, who was only Countess for a year, who died first. Elizabeth Trussel, aged thirty-one, died at Hedingham Castle

John, 15th Earl of Oxford, who died in 1539, and his young 2nd wife, Elizabeth Trussel. Their children can also be seen kneeling round the sides of their black marble tomb in St Nicholas church, Castle Hedingham.

in July 1527, leaving eight children.

Their father never married again. Elizabeth, widow of the 13th Earl, who had cared for her first husband – her 'deare Lorde' Beaumont – in his absent-minded years at Wivenhoe, was clearly devoted to the young de Veres, the youngest of whom was probably only days or hours old when their mother died. John was eleven and Aubrey, Robert and Geoffrey were younger. If any of Elizabeth, Anne, Frances and Ursula were older than John, she could have only just reached her teens.

The year their mother died 'old Lady Oxford' had spent the summer with the King and his Court at New Hall in Boreham, Essex, which he had recently acquired from Sir Thomas Boleyn. That was perhaps in exchange for creating him Viscount Rochford – though it has also been suggested that it could have been for services rendered by the elder Boleyn daughter, who had been the King's official mistress since Elizabeth Blount was retired into the country. The King liked the place so well that he renamed it 'Beaulie' and built on another wing, presumably for Sir Thomas Boleyn's younger daughter, Anne, whom he liked even better. On Anne's account he was already, that May, starting negotiations for a divorce. Cardinal Wolsey, who was also there, was disapproving of both the divorce and the King's extravagance in his rebuilding. When the young Countess of Oxford died in July, 'old Lady Oxford' (she was now in her fifties) may well have been appointed by the King himself to 'govern' the de Vere children; he had suggested her before as governess to his own little Princess Mary.

At any rate she appears to have acted as governess, though perhaps more in the role of grandmother. She evidently adored the cheerful easy-going John, whom she refers to in her will as 'Lorde Bulbeke my godsonne'. She also left presents to the 15th Earl and 'Albery' and his sisters, but she may have found the little brothers a bit of a handful; they are not mentioned by recognizable names.

A piece of ecclesiastical embroidery in the Victoria and Albert Museum, not mentioned in her will, shows a shield bearing her arms of Vere, Howard, Scrope and Tiptoft. She may have worked it herself.

She lived after the death of the 15th Earl's young Countess mainly at Castle Hedingham and Wivenhoe, with periods in Norfolk – at Felbrigg and Norwich – to see her sisters and other members of the Scrope family.

The King's Bearer

Meanwhile, within a few months of his young wife's death, Oxford was nominated a Knight of the Garter, and later was made a Privy Councillor. When he took his seat in Parliament, which was held at Blackfriars, 'as Lord Chamberlain of England' he bore the King's train, supported by Lord Sands 'as Lord Chamberlain to the King'.

Cardinal Wolsey's earlier criticism of the King's behaviour blew up into accusations being brought against him, which Oxford had to sign, followed by his signing an address to the Pope appealing for the King's divorce. Four months later, on his way to his trial for high treason, an accusation that was totally unsubstantiated, Wolsey died.

Oxford went to Calais in the King's train for a meeting with the French King, Francis I, and stayed on in France to survey the English lands in and around Calais and Guines.

He returned to find he was to be one of the commissioners for the deposition of Queen Catherine and then was to be one of the envoys sent to her daughter, Princess Mary, to express the King's displeasure at her refusing because of his treatment of her mother to use her title of princess. By now the King had secretly married Anne Boleyn.

On Whitsunday 1 June 1533, the Earl of Oxford officiated as bearer of the crown at Anne Boleyn's Coronation. Such spots and blemishes as hung about the marriage were all to be forgotten in the splendour of the Coronation. For the procession the streets of the city were dressed in scarlet, crimson and gold tapestry, gauze and Persian carpets. Anne Boleyn had appeared the day before in a chariot drawn by two palfreys draped in white damask which swept the ground, a golden canopy borne over her had silver bells that made music wherever she went. She was dressed in white robes to match, her fair hair blowing loose over her shoulders.

Next day, with the Earl of Oxford walking immediately in front of her carrying the crown on a cushion, Anne Boleyn swept out across Palace Yard, preceded by the other peers, Knights of the Garter and bishops with monks, 'solemnly singing'. Her train was carried by her aunt, the Duchess of Norfolk, and the Bishops of London and Winchester held on to its lapels.

Shakespeare gives a short street scene in his play *Henry VIII*, in which an anonymous gentleman who had managed to squeeze into the overcrowded abbey describes the determination of the courtiers within not to miss a trick in the ceremony: 'Great-bellied women, that had not half a week to go, like rams in the old time war would shake the press and make 'em reel.'

The banquet was held in Wolsey's magnificent York Place, once terraced right down to the river. Since taking it over himself, the King had renamed it Whitehall. John Stow, the Tudor chronicler, writes of Queen Anne Boleyn on this occasion:

> On the right side of her chair stood the Countess of Oxford, widow, and on her left stood the Countess of Worcester all the dinner season, which divers times in the dinner time did hold a fine cloth before the Queen's face when she list to spit, or do otherwise at her pleasure [examples are not, fortunately, given] and at the table's end sat the Archbishop of Canterbury, on the right of the Queen; and in the middest, between the Archbishop and the Countess of Oxford, stood the Earl of Oxford, with a white staff all dinner time; and at the Queen's feet under the table sat two gentlewomen all dinner time.

The Countess of Oxford standing by the Queen's chair, was likely to have been the 14th Earl's Countess, Anne née Howard, as she was the Queen's aunt, rather than the 13th, Elizabeth née Scrope, who by then had reached the age of needing a table napkin of her own. Both were present at the banquet.

Three years later, on 15th May 1536, the Earl of Oxford was one of the peers who had to try Queen Anne and find her guilty of adultery, for which four days later she was to lose her head. Next day the King married Jane Seymour. In defiance of the Pope and the Holy Roman Emperor Charles V, he had already proclaimed himself Supreme Head of the Church of England.

A more acceptable marriage ceremony, six weeks later, was the triple wedding of the 4th Earl of Westmorland's eldest son and two daughters at the Earl of Rutland's Holywell Palace in Shoreditch. Henry, Lord Neville, married the Earl of Rutland's daughter, Lady Anne Manners; the Earl of Rutland's eldest son, Lord Henry Manners, married Lady Margaret Neville; and the Earl of Oxford's eldest son, styled on this occasion 'Viscount Bulbecke', married her sister, Lady Dorothy Neville. The three bridegrooms were destined to succeed their fathers as 5th, 2nd and 16th Earls, of Westmorland, Rutland and Oxford respectively.

The Springs of Lavenham

With three of his sons, John, Robert and Geoffrey, and three of his daughters, Elizabeth, Anne and Frances all safely married into titled families (Ursula remained a spinster), the 15th Earl of Oxford took a step which would have been unthinkable in earlier generations of the proud de Veres. He married his second son, Aubrey, into an immensely rich family with so far only one recently acquired knighthood to their name. The families of de Vere and Spring of Lavenham had for over fifty years both been most actively involved in rebuilding the magnificent church which still stands, uncluttered by buildings, on its hill above the town. Nikolaus Pevsner calls it 'one of the most famous of the parish churches in Suffolk; for it is as interesting historically as it is rewarding architecturally'. Townsfolk say that the 15th Earl of Oxford on his return from the Battle of Bosworth suggested to the leading merchants of Lavenham that the church should be lavishly rebuilt in gratitude for the victory and in the hope of peace to come in the new era. Those who were foremost in taking up the challenge are still shown today by the Springs' merchant mark, the tree and star, which alternates with the de Vere's ancient heraldic mullet round the base of the tower.

Many other churches in the area are stamped with the de Vere star by way of a record of the money the family spent on restoring them or on having masses sung in their chantries.

Thomas Spring was clearly a religious man of great energy and forethought. His family clothing firm continued to expand during the peak period of Lavenham's prosperity, between 1450 and 1550. It is calculated to have been the fourteenth wealthiest town in England. The wool trade was on the wane in other parts of the country, but East Anglia, with its easy access to the textile ports of the Low Countries, continued to flourish.

The de Veres had been Lords of the Manor of Lavenham since it was no more than a small hamlet on the River Brett, but for generations they only used their manor house as a hunting lodge if the quarry happened to run that way. Hunting scenes can still be seen carved on the door-posts of one of their houses, known as De Vere House, in Water Street. It has the mullet and the boar above the door. Merchants were more interested in making money than in hunting; riding to hounds was exclusively for the nobles anyway. Meanwhile, regardless of who owned them, the huge flocks of sheep, nibbling away, gradually changed the hunting. Seeking out and killing game in thick undergrowth became noisy, spectacular gallops on short grass. Such sport could be seen and heard from a long way off. The new large bay windows were deliberately placed so that field sports could be viewed from indoors.

Building began on Lavenham's 140-foot-high church tower the year after Bosworth, but there was a long pause when it had reached only half-way. In 1523 Thomas Spring's grandson, Sir Thomas, left £200 in his will for 'fynishing of the stepyl'. His widow, Alice, completed it with visibly rougher-textured napped flint. But nothing was spared in the delicacy of the tracery and mouchettes of the Spring Chantry, which Sir Thomas left Alice to carry out – his new coat of arms appears thirty-two times in all throughout the church. The Oxford Chantry is less fantastical but no less impressive with its castellated buttresses.

Pevsner describes the porch as 'a spectacular piece'. The entrance has spandrels with the Earl of Oxford's boar and above it a frieze of six shields of the de Vere family. In a vestry is the brass of the first Thomas Spring's son, who died the year the tower was begun. His wife, four sons and six daughters, are all depicted kneeling, wearing shrouds. It was Margaret, daughter of this Thomas Spring's brother, John Spring, who married Aubrey de Vere. She was the grandmother of the 19th Earl of Oxford.

The Dissolution

Henry VIII's excuse for suppressing the monasteries was the decadence of the monks, though it was no secret that the money to be gained was intended to go towards building a navy, among other projects. In the south many who had suffered from the overbearing greed and oppression of the monastic orders applauded the greatest change of ownership since the Norman Conquest. East Anglia had always been strongly religious, with more abbeys, priories, nunneries and chantries than most other areas, but the people were ready to forgo them for an approach to religion that was more to their liking. The northerners were less enthusiastic about the King's changes to the Church and rose in defence of the monasteries and the Roman Catholic faith. The Earl of Oxford was called upon to take five hundred men to put down the so-called Pilgrimage of Grace. His eldest son, then known as John Bulbeck, went with him. Although the rebels were persuaded to disperse peacefully, further disturbances produced harsher repression instigated by the late Wolsey's secretary, Thomas Cromwell – whose rise as a Protestant was as rapid as Wolsey's fall as a Catholic. The Earl of Oxford was on the panel of peers who tried the leaders of the Pilgrimage of Grace in May 1537.

In the King's disposal of monastic properties, other than by sale, he granted to Oxford Earls Colne Priory, which his ancestors had founded and where many of them were buried, together with some of its property. This included a house in Lavenham still known as the Priory and the nunnery at Hedingham, which was allowed to continue as a family nursing home but is now only remembered as a street name. Literally hundreds of other small monastic buildings disappeared without trace or have since been confused with others with like names.

In the City of London, a small courtyard tucked away behind Cannon Street and named Oxford Court marks a tiny corner of the King's grant to the Earl of Oxford of 'the great messuage . . . in the parish of St Swithin near London Stone'. It is later described as 'a fair and large built house sometime pertaining to the prior of Tortington in Sussex, since to the Earl of Oxford . . . which house hath a fair garden thereunto, lying on the west side thereof'. This suggests that it was already habitable when the Earl of Oxford acquired it and was not built from scratch by him or his son, as were many post-Reformation houses on monastic lands. London Stone, mentioned by Holinshed and by Shakespeare in *Henry VI*

Part 2, is thought to be part of the old Roman defences and has recently been resited from a wall of St Swithin's Church to another nearby.

Soon after the trial of the Pilgrims of Grace the old Countess of Oxford died. In her will she asked to be buried at Wivenhoe 'by the bodie of my dere lorde and sometyme husbande William, late Viscount Beaumounte'.

It was ten years since she had become deputy grandmother to the Earl of Oxford's children on the death of their mother. A further painful occasion for their father, that autumn, was when Henry VIII's third Queen, Jane Seymour, gave birth to a much longed-for son – who was to become Edward VI – and died within forty-eight hours. The Earl of Oxford attended the baptism of the baby at Hampton Court and, four weeks later, the funeral of Queen Jane at Windsor.

During the Christmas festivities the following year Oxford and his eldest son, Lord Bolebec, went with the King to Blackheath to receive Anne of Cleves. Henry VIII had already married her by proxy on the advice of Thomas Cromwell who was anxious to conclude an alliance with the Protestant powers of the Continent. Anne was the daughter of an influential Protestant prince of the lower Rhine. But this time Cromwell, lately created Earl of Essex, had gone too far. The King's reaction on first seeing his bride on the bleak heath in early January resulted in the prompt annulment of the marriage. In the more flattering summer sunshine of August in the same year, the King married Catherine Howard, niece of Thomas, 2nd Duke of Norfolk. She was cousin-german of Queen Anne Boleyn and first cousin of Little John's neglected wife, Anne Howard, who was still very much alive.

Oxford had earlier been forced on to the panel of peers compelled to try and find guilty of treason two more of the King's 'sometyme friends', Henry Courtenay, Marquess of Exeter and Henry Pole, Lord Montague. He himself was spared the fate of many who like him had remained loyal through thick and thin, through divorce and dissolution. John, 15th Earl of Oxford, against long odds, managed to die naturally, aged fifty-eight, at his manor of Earls Colne on 21st March 1540. He was the first Protestant of his family to be buried at Castle Hedingham.

The Earl of Oxford's Players

John de Vere, Lord Bolebec, was twenty-two when as 16th Earl of Oxford he succeeded his father. A month later the great chamberlain-ship was granted to Cromwell, Earl of Essex, for life – which in his case was only a matter of months, for he was executed soon after. It was a curious grant, considering how the King felt towards Essex after his marriage to Anne of Cleves. After Cromwell's death the office went to Robert Ratcliffe, Earl of Sussex, on whose death two years later the King granted it to his own favourite brother-in-law, Edward Seymour, Earl of Hertford.

By then the King was beheading his 'sometyme friends' again, specifically another Howard cousin, Catherine, his fifth wife. The new Earl of Oxford took no part in her trial. As an affectionate young husband and father of a baby daughter, Katherine, he was happiest at home, looking after his estates, hunting and entertaining his friends and relations. The Earl had his own packs of hounds and was surrounded by magnificent hunting country, in which his cheerful nature made him extremely popular for miles in all directions.

Hedingham Castle remained a centre for the extended family, which included such connections as Catherine Parr, the widow of Lord Latimer. Lord Latimer had been the widower of Little John's elder sister before marrying Catherine. In 1543 she became Henry VIII's sixth wife and third Queen Catherine.

The members of the de Vere family itself – those raised by the old Countess and their spouses – were among the forerunners of the enthusiasts for the Renaissance arts coming into the country with the new learning from the Continent. The Earl of Oxford had his own company of players, for which the talented members of the family could provide material for dramatic and musical entertainment. His sister Frances wrote poetry and her husband, Henry Howard, Earl of Surrey, was High Steward of Cambridge University. He introduced the sonnet from Italy as well as the blank verse in the particular metre in which most of Shakespeare's plays were later written. Oxford's youngest brother-in-law and ward, Lord Suffield, who was married to his sister, Anne, was also a poet and musician. Other inevitable *habitués* were Oxford's brother Geoffrey and his wife, daughter of Sir John Hardkyn of Colchester. Their sons, Geoffrey and Horatio de Vere, were to distinguish themselves in battle as the 'Fighting Veres'. Oxford's eldest sister, Elizabeth, had married Sir Thomas d'Arcy, who had just acquired St Osyth's Priory. From its creek or *criche* he took the title of Baron d'Arcy of Criche. The other brother, Robert, and his wife Joan lived in London, but the youngest sister, Ursula, remained a maiden aunt to be harboured. The Springs of Lavenham lived near enough to bring zest to the circle.

One of Surrey's forty best-known poems nostalgically describes castle life when the young danced and flirted, played ball games in green courts, fought mock battles, sailed and rode 'foaming horses' in the chase 'with the cry of the hounds and merry blasts between'.

The Earls of Oxford and Surrey, each with a large following, accompanied the King on his final campaign. After taking Boulogne they stayed on in France, where Oxford was invited to a wild boar hunt, 'a sport mixed with much danger and deserving the best men's care for his preservation and safety', as the report of it goes.

> Frenchmen, when they hunt the beast, are ever armed with light arms, mounted on horseback, and having chasing staves like lances in their hands. To this sport the Earl of Oxford goes; but no otherwise attired than as when he walked in his own private bedchamber, only a dancing rapier at his side;

In St Michael's, Framlingham, lie the brightly painted effigies of the executed poet, Henry Howard, Earl of Surrey and his wife, Frances de Vere. Below their feet kneel their sons, Thomas, 4th Duke of Norfolk, also executed, and Henry, Earl of Northampton; below their pillow kneel their daughters. Jane married 1st Earl of Westmorland, Catherine married Lord Berkely and Margaret married Lord Scrope. Is it a coincidence that all these names and titles appear in Shakespeare?

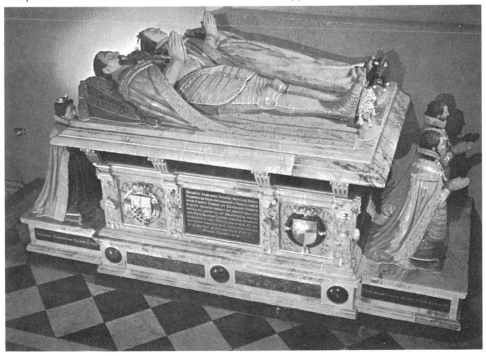

neither any better mounted than on a plain English Tracconer, or ambling nag. Anon the boar is put on foot (which was a beast both large and fierce), the chase is eagerly pursued, many affrights are given, and many dangers escaped. At last the Earl, weary of the toil or else urged by some other necessity, alights from his horse and walks alone by himself on foot; when suddenly down the path in which the Earl walked, came the enraged beast, with his mouth all foamy, his teeth whetted, his bristles up, and all other signs of fury and anger, [Shakespeare's 'frothy-mouthed hunted boar, bepainted all with red like milk and blood' again] the gallants of France cry unto the Earl to run aside and save himself; everyone halloed out that he was lost, and none there was that durst bring him succour. But the Earl (who was as careless of their clamours as they were careful to exclaim) alters not his pace, nor goes an hair's breadth out of the path: and finding that the boar and he must struggle for passage, draws out his rapier and at the first encounter slew the boar. Which, then the French nobility perceived, they came galloping in unto him and made the wonder of their distracted amazements, some twelve times greater than Hercules' twelve labours, all joining in one, that it was an act made degrees beyond possibility. But the Earl, seeing their distraction, replied: 'My Lords, what have I done of which I have no feeling? Is it the killing of this English pig? Why, every boy in my nation would have performed it. They may be bugbears to the French: to us they are but servants . . . and so they returned to Paris with the slain beast, where the wonder did neither decrease.

Details, no doubt, increased in many an Oxford after-dinner story.

The report given here was published fifty years after the event by Gervase Markham (1568–1637) in his *Honour in his Perfection*. That was three years after the publication in 1593 of *Venus and Adonis*, which depicts part of the same scene. Markham, of Tilbury near Castle Hedingham, was a writer and collaborating playwright of scant merit but great admiration for the Earls of Oxford.

Rumble of Distant Adversity

Soon after the Earl of Oxford's return from France, his young Countess died, leaving only one little daughter, Lady Katherine de Vere, who was cared for at Castle Hedingham by a lady-in-waiting named, like the child's mother, Dorothy.

On 12th December 1546, the Earl of Surrey and his father, the Duke of Norfolk, were arrested for treason and sent to the Tower. Surrey was found guilty, chiefly on the frivolous charge of playfully advising his ten year-old daughter to become Prince Edward's mistress. Three days later he was beheaded, leaving Oxford's sister Frances with a nurseryful of young Howards and some of the first Italian-style sonnets to be written in England. The bill for Surrey's father's execution awaited the King's assent. It never arrived and Norfolk survived, for the day before he was to be executed, the King himself died at Whitehall. His secretary, Lord Paget, concealed the news for three days while the late King's brother-in-law, Edward Seymour, Earl of Hertford, brought the nine-year-old King Edward VI safely to Enfield, within ten miles of Westminster. There were many who considered him to be illegitimate and regarded Catherine of Aragon's daughter, Mary, as the legal heir to the throne.

Henry VIII had willed that he should be buried 'in the choir of our college of Windsor'. A week before the funeral, in every parish church in the realm a solemn dirge was to be sung by night with all the bells ringing. Unfortunately in Southwark the Earl of Oxford's company of players started up in the street, thereby drowning the solemn dirge in St Saviour's Church nearby. Though it caused a temporary scandal, the Earl was still one of the twelve chief mourners supporting the thirteen-storey hearse on its way to St George's Chapel, Windsor. There the tomb of Henry VIII's favourite wife, Jane Seymour, was opened and his body was laid beside hers.

Oxford was one of the forty who were knighted at Edward VI's Coronation in lieu of being made a Knight of the Bath, there being no time for the ceremonial bathing. Owing to the haste to have the little boy safely on the throne, the connection between the 'service of the ewery' and the chamberlainship was forgotten. Despite Oxford's frequent claim to hold the office being refused, he still managed to serve the King 'of water, as well before dynner as after' and to carry the 'regall of golde'.

The only result of the Earl of Oxford's claim to the great chamberlainship was his being ordered by the Earl of Hertford to surrender it 'for the clere extinction of the pretended clayme of the said office whereto he could shewe no thing of goode ground to have the right to the same'. Hertford, who was supposed to rule as Lord Protector with the Council of Regency's advice until his nephew's majority, instantly had himself created Duke of Somerset, ignored all advice and kept the great chancellorship for himself. His brother, Admiral Lord Seymour, even more instantly, became the fourth husband of the late King's sixth wife, Catherine Parr.

Meanwhile at Castle Hedingham, the Earl of Oxford had fallen in love with 'Mistress Dorothy', his little daughter Katherine's lady-in-waiting.

This was against other marital plans the Protector had in mind, and he ordered his secretary, Master William Cecil, to appoint Oxford's own brother-in-law, Thomas d'Arcy, to spy on him. To this d'Arcy readily agreed, and eventually reported as follows:

> After right hearty commendations these shall be to advertise you that according to my late conversation with you in my Lord Grace's Gallery at Westminster, I have by all means that I can, enquired of the matter between my Lord of Oxenford and the gentlewoman with whom he is in love, namely Mistress Dorothy, late woman to my Lady Katherine his daughter. And upon conversation had with them both, I had found and do perceive them to be in the same case that they were in when my said Lord of Oxenforde was before his Lord's Grace and no other, saving that the banns of matrimony and solemn conversations have not been before witness but only been in secret between them. Sir, if it will stand with my Lord Grace's pleasure to have this matter further staid, as my Lord of Oxenford's honour wealth and preservation considered I think it be thereof advertised. And yet, you will move his Grace to direct his letter to Mr Edward Green of Samford in whose house the said Dorothy doth now continue, commanding by the same neither to suffer my said Lord of Oxenford to have access to her nor she unto him and that no privy messengers may go between them, which as I suppose will be the surest way to stay them. And upon further advertisement to be had from his Grace, if it shall so stand with his pleasure, I will enter into conversation with my Lord Wentworth for a marriage between my said Lord Oxenford and one of his daughters and as they, upon sight, what other treaties may agree, so proceed the same. Sir upon this our motion to be made unto your Lord's grace concerning the premises I pray you I may be advertised by this bearer of his pleasure in the same, which knowingly I shall right gladly endeavour myself to accomplish by the aid of the Blessed Trinity who has you in continual preservation. From Hedingham Castle the XXVI day of June 1547 by your loving friend Thomas d'Arcy.

Banns of marriage had to be proclaimed three times to constitute a legal marriage, no further ceremony being necessary, though usually one was performed. So d'Arcy had to act quickly if the marriage was to be prevented. The identity of Mistress Dorothy (not to be confused with the Earl's first wife, Lady Dorothy Neville, daughter of the Earl of Westmorland) remains a mystery, as perhaps Oxford intended it should. And so does the reason for forbidding the banns. William Cecil himself, the son of a wealthy Northamptonshire squire, could not have been too concerned with any possible lack of ancient high breeding. Perhaps as he was close to the strongly Protestant throne, he regarded any sign of

Part of St Osyth's Priory, the residence after the Dissolution of the Monasteries, of Thomas, Lord D'Arcy, who was set to spy on the love-life of his brother-in-law, John de Vere, 16th Earl of Oxford.

adherence to the Roman Catholic faith as highly dangerous. The 1st Lord Wentworth, apart from being descended from King Edward I, had embraced Protestantism as firmly as Cecil had himself.

The lack of access and of privy messengers between the lovers evidently took effect, unless Mistress Dorothy was bundled out of the way by some more drastic means. The one person who never got over her departure was the seven-year-old Katherine, who was convinced for the rest of her life that the couple were legally married.

Protector Somerset next got to work on blackmailing the Earl of Oxford, forcing him, for some unidentifiable misdeed, to marry his little daughter Katherine to the Protector's own infant son, Henry Seymour; and stripping Oxford and his collateral heirs of nearly all the great de Vere estates. The distinguished eighteenth-century antiquary, Philip Morant, FSA, gave his version of the Earl's predicament:

> Edward Seymour, Duke of Somerset, Protector of the Realm, out of his extreme avarice and greedy appetite did, under color of justice, convent before himself for certain criminal causes John Earl of Oxford and so terrify him that to save his life was obliged to alienate to the said Duke by deed all his estates, lordships, manors etc.

Oxford's crimes must have been more than allowing his players to drown the funeral dirge in Southwark, though Surrey had been beheaded for less than that. His proximity by river to the sea and the family's intimate knowledge of the coast could have tempted him to admit unwelcome guests. There are no obvious hints of what his crimes could have been, but certainly great pressure must have been put on a man who had faced a wild boar so calmly with a dancing rapier, in order to make him give way now.

The 16th Earl of Oxford signed away his daughter and what the Protector called his 'fine' on 1st February 1548. On the same day Oxford made a new will which was witnessed by Thomas Golding. The Wentworth sisters were phased out. The man who had witnessed the will saw something better in it for himself. He produced his only sister, Margery, as an alternative candidate to be Countess of Oxford.

Thomas Golding was the eldest son of the late John Golding, a fiercely Calvinist auditor of the Exchange. Thomas had recently inherited his father's house, Paul's Hall, still to be seen on the perimeter of Halstead. He had moved there from Nottingham, but there have been Goldings since time immemorial in what is now often called Constable country.[1] In 1548 Margery Golding lived with her stepmother at Halstead, at Bloomsters Manor, another house still in existence today.

Thomas Golding took five months to complete his arrangements, making sure that, whatever had happened with Mistress Dorothy, the banns were witnessed and that John de Vere, 16th Earl of Oxford, and Margery Golding completed the formality with an official entry in the parish register of Belchamp St Paul, in whose church they were married on 1st August 1548.

The following year, throughout almost three hot summer months, Kett's rebellion smouldered and sparked around Norwich and finally burst into a battle in the city itself. The nobles rode in, leading troops sent by the Protector in King Edward VI's name. The Earl of Oxford was not among them. His brother-in-law and ward, young Lord Sheffield, was the only nobleman killed, after he had fallen from his horse and the ransom he offered for his life had been refused.

The church of Belchamp St Paul, four miles from Castle Hedingham, where John, 16th Earl of Oxford married Margery Golding.

Oxford had been married to Margery for over a year when the Protector wrote to her brother:

> We command us unto you, and for the confidence we have in you, being our servant, we will and require you to solicit and give order for our very good Lord the Earl of Oxford's service for the King's Majesty; whereon, if any occasion shall chance, you will signify by our letters. Thus we commit the order of the whole unto your good discretion, and will you to use herein convenient secrecy. From Hampton Court, 5th October, 1549.
>
> Your loving Lord and Master, E. Somerset
> To our loving servant . . . Golding, esquire.'

The letter would seem like a fairly straightforward call to arms except that Golding was not a Commissioner for Array. The emphasis on secrecy suggests that it could have had some connection with the Protector's blackmailing of Oxford.

The following year Protector Somerset was arrested and replaced by Sir John Dudley, who immediately had himself created Earl of Warwick.

151

'Somerset had his head cut off', the schoolboy King notes in his diary. Lord Paget, whose advice to Somerset went repeatedly unheeded, was arrested at the same time but with not a jot of evidence against him to go on. Paget, educated at St Paul's, London, and Trinity College, Cambridge, was the son of a City sergeant-at-arms of Staffordshire yeoman stock. He was degraded from the Garter by John Dudley, now Duke of Northumberland, 'on grounds of insufficient birth'; this was a subject Northumberland, of no known education and son of a slightly shady lawyer, was particularly touchy about. The first Englishman with no blood royal to bear a ducal title clung grimly to his own Garter.

After it was the turn for Northumberland's head to roll, Lord Paget's Garter was restored. A way was also found to return the Earl of Oxford's estates and annul the enforced marriage contract between his daughter, Katherine, and Somerset's son, Henry Dudley. The relevant act in the lists of statutes of the realm is marked 'MISSING'.

NOTES

1 The father of the great painter John Constable in fact had the sole Christian name of Golding. John Constable was born and lived in a house in East Bergholt, over two hunded years after it ceased to be part of the de Vere domain.

CHAPTER ELEVEN

Birth Of a Star

DATING from around the 16th Earl of Oxford's absence from the fighting round Norwich in July 1549, his Countess found herself great with child, or possibly with children. She was brought to bed of a son on 12th April 1550. His sister Mary may well have been his twin as a later document, endorsed in their grandfather's hand, refers to each child in turn as 'a minor of fourteen years'.[1] The son was baptized Edward in respect for the King and styled Viscount Bolebec, as was his father before inheriting his earldom.

There is no more certainty about whether the Countess of Oxford gave birth to the poet and dramatist, Edward de Vere, in Hedingham Castle or in the 'family nursing home' of Earls Colne Priory than there is about whether William Shakspere was born in 'The Birthplace', Henley Street, Stratford-upon-Avon. However the date of de Vere's birth is reliably recorded and Shakespeare's is only guessed at as being three, or perhaps four, days before the recorded baptism of *'Gulielmus Filius Johannes Shakespere'* on 26th April 1564.

There are an increasing number of people in the English-speaking world today who are unable to accept Will Shakspere of Stratford-upon-Avon as author of the works of Shakespeare. So little was recorded about this man in his lifetime and so much has been written since that he has become almost as much of a mythical character as Robin Hood. In their efforts to find out the truth, many over the last century and a half have put forth other candidates for the authorship. Top candidate at present is Edward de Vere, who at various times signed himself, 'E.O', 'E. Oxenford', 'Ver', 'Ever', 'Ignoto' or did not sign at all. Oxfordians believe that he later chose the sobriquet 'Shake-spear', either because of his success at the tilts or because the Bolebec crest shows a lion with a broken spear. 'Shake-spear', later spelt 'Shakespeare', is believed by Oxford's adherents to be his definitive pseudonym.

Introducing for a moment my own personal feelings, I am delighted in the ever-growing interest in the 'crew of Courtly makers, Noblemen and

Only the peace, so loved by the more pious de Veres, survives of the priory they founded and supported at Earls Colne. Not a trace of the old building remains. It was in an old summer house that 'mutilated trunks of wood and stone with many human bones' were last seen before the best were first removed to Earls Colne church. A large collection of family charters and deeds, 'with fair seals affixt' were burnt by the lady of the manor 'as afelefs lumber' (sic.).

Gentlemen, who have written excellently well, as it would appear if their doings could be found out and made public with the rest, of which number is first that noble Gentlemen, the Earl of Oxford', as they are described in *The Art of English Poesie* (1589).

Since I was first introduced to de Vere when a teenager, he has fascinated me on account of his misunderstood youth, wit, sensitivity and alternating buffoonery and gloom, comparable with the moods of Shakespeare's Hamlet and to some degree of his Henry V. For a long time I was convinced that mere undiluted faith, if only on my part, would reveal him as the true bard. This was because I rolled the once living de Vere into one with the characters and lines of *The Works of Shakespeare*. Others, Sir Francis Bacon, for example, and A. L. Rowse and his American counterpart S. Schoenbaum have rolled Will Shakespeare of Stratford all into one with *The Works of Shakespeare*.

154

When I was asked to write a down-to-earth factual history of the whole de Vere family, merely *including* Edward de Vere, 17th Earl, I found it impossible. His term of holding the earldom of Oxford, of the first creation, was essentially different from those of the sixteen earls before him and the three after. Most of the Earls appear to have been literate (which is more than can be said for William the Conqueror), but the 17th was above all a writer. His lucid style appears in over forty letters which still exist, as do some of his published poems and contemporary praise of his plays, which could not appear under his name once he was established at Court. None of the poems of his fellow-courtier, Sir Philip Sidney, appeared under his name in his lifetime.

My creed is now this, but it is open to change. I believe that Will Shakspere of Stratford-upon-Avon did *not* write all the plays of Shakespeare. I believe that Edward de Vere wrote the sonnets dedicated to his would-be son-in-law, the 4th Earl of Southampton. I suspect that more than one poet and dramatist had a hand in the plays. I would be very happy if genuine proof were to appear from somewhere that de Vere was the main author, but I believe that even if proof were unearthed, so much capital is tied up in the Stratford cult that it might suppressed.

Having said that, I will restrict comparisons between *The Works of Shakespeare* and the recorded facts of De Vere's life to a few incidents. Professional students of Shakespearian authorship can make a better job of it than I can, and many have. The temptation to deduce the behaviour, actions and whereabouts of the author through the works, without confirmation, cannot always be resisted. Rowse and Schoenbaum quite shamelessly sprinkle their supposedly authentic lives of Will Shakespeare with 'no doubts' and 'may bes'.

However there is no doubt that Edward de Vere, who later 'received scurrilous abuse and unstinted praise', was born beautiful, talented, daring and outrageously funny. From the cradle his desire to delight and charm alternated with bursts of passionate rage.

An idea of his earliest training, which continued in a more elaborate form throughout his life, is given in *Thee Babees Book*, a manual written a century before but revised in Lord Edward's nursery days.

O ye younge babees,
Brush them and sponge thy clothes too,
That through that day shall wear,

In comely sort cast up thy bed,
Lose you none of your gear,
Make clean your shoes and comb your head,
And your clothes button or lace,
And see at no time you forget,
To wash your hands and face.

Lord Edward loved dressing up, he loved making an entrance and loved combining elegance with outrageous originality.

Thanks to his father's company of players, Edward, Lord Bolebec, was introduced at a very early age to musicians and actors. The great Banqueting Hall at Hedingham Castle, where they performed, was part of his home.

Chivalrous manners could only have intrigued this small, lithe character. 'He is but a little fellow', John Lyly wrote of him when he was thirty, 'but he hath one of the best wits in England.'

A boy destined for Court was taught to kneel on one knee to a lord and on both knees to God, how to answer when spoken to, how to accept an act of favour and how to serve at table. He was taught the difference between serving a knight, a squire and a gentleman, and how to arrange a master's chamber at night. He learnt that it was below nobody's dignity to do menial service to his elders and betters; indeed, it was considered an honour to serve those who were honourable. It was still the custom for the young sons of the nobility to spend a few years serving their lordly uncles or their peers as pages. Edward de Vere's first cousins, sons of the executed Earl of Surrey, were among those likely to have served the 16th Earl of Oxford and to have joined his children playing skittles and battle-dore-and-shuttlecock, and later tennis. They fenced and marched with willow wands, as the Earl's men did when called upon to practise. Young noblewomen as well as young noblemen learnt to ride early and to carry hawks upon their wrists to train them.

His sister Lady Mary was romantic, affectionate and headstrong, but she developed so sharp a tongue that her grandfather said of her, when she grew up, 'She will be beaten with that rod which heretofore she prepared for others.' Their half-sister, Lady Katherine, was nervous and suspicious, despising the younger children for their 'inferior breeding'. Her mother's family had reason to remind her that only she was descended from the Earls of Warwick, Worcester and Westmorland, even if all three children were half 'magnificent de Veres'. The ancient families, most of whose powerful leaders had been killed in the Wars of the Roses, were beginning to feel the impact of the rising, highly educated, new rich. King Edward VI, who was both highly educated and of ancient blood, mentions in his diary in 1552 that Lady Katherine's cousin, Lord Abergavenny, 'was committed to Ward for striking the [16th] Earl of Oxford in the Chamber of Presence'. Abergavenny was let off within a month, suggesting personal rather than political grounds for the assault.

Schoolboy-like, King Edward mentions his spots in this diary. These turned into measles, then smallpox, and finally galloping consumption, which heralded his end. Protector Northumberland quickly arranged a marriage for his eldest son, as Protector Somerset had also hoped to do to his advantage. In this case it was to sixteen-year-old Lady Jane Grey, to whom Northumberland persuaded the King, on his adolescent death-bed, to leave the throne in his will.

Oxford was one of the twenty-six peers who signed the letters patent of 16th June 1553 settling the crown on Lady Jane Grey. Northumberland next planned to capture and imprison both King Edward's sisters to prevent either disputing the settlement. Each was warned, however, that a message to bring her to her dying brother was a trap. Princess Elizabeth, at Hatfield near London, took to her bed, announcing she was too ill to go. Princess Mary, staying near Bury St Edmunds in Suffolk, was unaware that her summons was a ruse till she was well on her way to her brother. She turned back with her small retinue of faithful friends and made for Kenninghall, seven miles into Norfolk, where she knew she would be comfortingly received by the Earl of Oxford's Roman Catholic widowed sister, Frances, Countess of Surrey. 'Under a lowering black sky that blew up into a fearful thunderstorm', the party clattered through the village and up the hill to arrive at Kenninghall exhausted, frightened and soaked.

The King died that night at Greenwich. It was 6th July 1553. Three days later the news reached Norfolk. Mary was at once proclaimed Queen in Norwich. When it was known that Northumberland's daughter-in-law had been proclaimed Queen Jane in London, Mary moved south to the stronghold of Framlingham Castle in Suffolk and gathered her forces ready to resist a rebellion.

The Earl of Oxford declared for Queen Mary and, as a joint Lord Lieutenant, received commission papers from Queen Mary's Council to raise the men of Essex on her behalf. Most of East Anglia declared for

Mary, including the captains of ships ordered by Northumberland to prevent Mary's possible escape from Great Yarmouth in Norfolk.

Hedingham was not the only castle in which the hum and clatter came to a halt. Lord Bolebec was not yet four when all became quiet, except perhaps for the gaggle of geese in the farm court, with the occasional distant bark of a dog or whimper of a small child in the town below. Castle and town had emptied overnight. Cooks and butlers, pages and buttery boys, gardeners and grooms, falconers and kennelmen, and even the tennis court keeper and actors had to turn soldier and march away. The stables were empty but for a lame horse or two, and possibly a mare and foal.

To the nucleus of Oxford's own band of servants and tenantry was added, as they marched towards London, all who preferred the daughter of the late King Henry VIII as Queen to the unknown child-bride of the son of the hated Northumberland. Riding in support of Mary were the Earl of Oxford's close friends. Thomas Radcliffe, Earl of Sussex, and Sir Henry Bedingfeld of Oxborough, Norfolk.

Queen Jane reigned for only ten days before she was deserted by all her new in-laws. Her own father, the Duke of Suffolk, was left to break the news of defeat to his daughter and then he too declared for Queen Mary. Northumberland was deserted by the Council and, like his unfortunate daughter-in-law, he was later executed.

On 19th July Mary was proclaimed Queen in Cheapside in London, and Oxford received word that he could retire to Ipswich with his 'companyes and bands'.

Bloody Mary's Fell Reign

The Queen was warned that her passage through the streets of London would be unsafe unless her accession had been sanctioned by Parliament and the act which illegitimized her had been repealed. With Lord Paget's help, she overruled these objections and declared she would be crowned on 1st October 1553. Lord Paget, the Earls of Oxford and Sussex, and Sir Henry Bedingfeld were among her chosen Privy Councillors.

On her Progress through London, the day before her Coronation, she was protected by her retinue of lords from expected insults; however, the Londoners cheered and politely raised banners. The 16th Earl of Oxford bore the sword before Queen Mary. At her Coronation in Westminster Abbey next day he officiated as Lord Great Chamberlain, on what grounds is not known as the great chamberlainship was still out of the family. For all their declarations, officials were not easy to come by. The three chief prelates, the Archbishops of Canterbury and York and the Bishop of London, were imprisoned in the Tower. The Bishop of Winchester crowned Queen Mary, on a chair she insisted on having sent for from the Pope.

Throughout her reign Lord Paget remained at her side, for which he was later made Lord Privy Seal. The Earl of Oxford retired to Castle Hedingham where, thanks to his prompt support of Queen Mary, the de Vere family were safe so long as they were quiet and at least showed outward signs of embracing her faith. Others who remained true to the reformed faith joined them, including Arthur Golding, the Countess of Oxford's eighteen-year-old half-brother. He, finding the Marian persecutions unbearable, left Jesus College, Cambridge, after a year without a degree. It has been assumed that Edward de Vere had learnt to read from an 'absey' (an ABC on a board covered in a thin layer of transparent horn), and that his uncle taught him. Possibly the statesman and scholar Sir Thomas Smith, who had resigned his post as Provost of Eton because of his Protestant sympathies, also taught him. Both were certainly his tutors later. Arthur Golding was beginning to work on his well-loved translation of Ovid's *Metamorphoses*, and is believed to have combined this with teaching Edward Latin when he was still very young. Much of the translation is so jaunty and comic it could well have been addressed to a child, particularly such a 'shrewde pert wag' as Edward turned out to be. He may well have contributed his own jargon in such descriptions as the goddess Ceres 'eating hotchpotch' and being called 'a greedy gut'.

Sir Thomas Smith, one-time secretary to Lord Paget on his travels, may well have sparked off Edward's later longing 'to see strange and foreign places' by describing, and pointing out on maps Paris, Padua and other places where he had been.

There was plenty of opportunity at Hedingham Castle for Edward to start learning to play and compose music, at which he was later to excel. Princess Elizabeth, also in exile, was treated to occasional amateur dramatics when a semi-prisoner at Hatfield. But any acting at Hedingham Castle at this time had to be performed with discretion, for the Earl of Oxford's co-Lord Lieutenant, Lord Rich, showed no mercy in suppressing stage plays and imprisoning the actors. The Earl of Oxford was ordered by the Privy Council to attend the burnings of heretics in various parts of his county. There is no record that he complied. Lord Rich, however, took a pride in assisting in the burnings 'of such obstinate persons'. He was a dangerous man to have as a friend. He had already lost no time in informing on Oxford for declaring for Queen Mary only after signing the letters patent for Lady Jane Grey, though Rich did the same. It was Rich who, in Henry VIII's reign, had perjured himself against his lifelong friend, Sir Thomas More, and brought about his execution; Rich had pulled down monasteries and thrown out the monks, and now he was exercising the same severity against Protestants. He had always 'acted with the party uppermost' to his own material advantage. In London he had turned part of St Bartholomew's Church into his own house and he had acquired confiscated church property on favourable terms in Epping Forest, Essex. There he made Wanstead Manor magnificent, holy, plain or ornate, according to the religion promoted by the five monarchs with whom he insinuated himself.

From *Foxe's Book of Martyrs*: the burning of heretics and heretical literature in the 16th century.

Lord Rich was likely to have been behind the 16th Earl of Oxford's coming under suspicion in 1556. Oxford headed the lists of suspects concerned with the conspiracy of Henry Dudley (brother of Robert, future Earl of Leicester) to drive out the Spaniards brought into Queen Mary's Court by her husband, the King of Spain. A harbour master had confessed to providing Dudley secretly with a boat and, as he embarked, agreeing to join him on his return in his anti-Spanish plot. As an outlaw Dudley could not hope to get the necessary royal licence to leave the country. Oxford may have again been suspected because of his service in strengthening coastal defences and consequent knowledge where a man could be smuggled out as well as in again.

Queen Mary's death, after a reign only slightly shorter than her brother's, came as a welcome relief.

The Earl of Oxford immediately emerged from his enforced retirement and accompanied Princess Elizabeth from Hatfield to the Charterhouse in London, where she was proclaimed Queen. He petitioned for and was granted the office of acting Great Chamberlain at her Coronation.

It was essential that this should take place quickly to secure the oaths of allegiance of those of the aristocracy who were prepared, at that moment, to take oaths. There was only one snag. There was no one to crown her. The Archbishop of Canterbury was dead; the Archbishop of York positively refused to crown her as Supreme Head of the Church; and the six Catholic bishops who had survived the last plague all refused to perform the ceremony or to consecrate any new bishops who would. It was the Queen herself who settled the date, 15th January 1559, on the advice of her astrologer, Dr Dee.

Lord Bolebec and his sisters would almost certainly have been taken to London for the Coronation in which their father was to take an important part, if only to watch the procession which was to pass their house in the then sole main street between the Tower and St Paul's. The Queen arrived at the Tower by river and, after a night's rest, proceeded the day before the Coronation in her open-sided coach, accompanied by lords and ladies in crimson velvet with their horses decked out to match. Scarlet-gowned trumpeters blew lustily. The streets had been gravelled. Scaffolding had been erected at intervals for pageants, music and verses, 'which children shouted to the Queen'. The first of a series of such pageants is described in Nichols's *Progresses* as particularly pleasing to the Queen. An old man with a scythe and wings, representing Time, emerged from a cave leading a lady clad in white silk, representing Truth. This lady held and then handed down to the Queen an English Bible on which was written: '*Verbum Veritatis*' ('the Word of Truth'). The de Veres' motto being *Vero nihil Verius* (Nothing Truer than the Truth) and the fact that the scene was enacted beside the conduit nearest to their house suggest that the Earl of Oxford and his company of players must have taken an active part in producing it. The Queen kissed the Bible and held it up with both hands for all to see, then laid it on her bosom.

Queen Elizabeth's procession was greeted with considerably more enthusiasm than her late sister's. Next day the Coronation mass was celebrated in the abbey, the Abbot of Westminster taking his part in a service there for the last time. Because the Litany was to be read in English, the entire bench of bishops was empty. The see of Canterbury was vacant and the Archbishop of York refused to take part. The Dean of the Chapel Royal, in robes borrowed from the Bishop of London – who was in prison – crowned Elizabeth 'Empress from the Orcade Islands to the Mountains Pyrenee'. He died soon afterwards, it was said of remorse.

The Queen sent personal assurances to the Protestant Kings and princes of her attachment to the reformed faith, at the same time assuring the Roman Catholic powers that she had no intention of uttering violence to the consciences of any of her subjects on the score of religion. The Pope sent a furious message back reminding her of her illegitimacy in his eyes, and declaring that Mary Queen of Scots, as the senior legitimate descendant of Henry VII, had the right to the throne.

The Infant Undergraduate

Meanwhile, within weeks of the late Queen Mary's death the Earl of Oxford had entered his eight-year-old son for Cambridge. Edward matriculated to Queens' College in November 1558 as an *impubes* – youthful – fellow-commoner; that is to say he was admitted to the status given to sons of wealthy families, for which a payment of thirty shillings was made. Fellow-commoners were privileged persons. They had their meals with the fellows and were excused from keeping most of the rules of the institution. Arthur Golding, who had been a fellow-commoner himself at Jesus College, probably went to Cambridge too and continued to combine translating Ovid with teaching Lord Bolebec in his own time. Sir Thomas Smith, an earlier Vice-Chancellor of the University, was soon to return to France as Queen Elizabeth's Ambassador.

The Earl of Oxford was now in high favour, and he and his Countess spent much of Coronation year at Court. The Countess was appointed a maid of honour to the new Queen.

Lady Katherine de Vere, released from her infant betrothal to Henry Seymour, was married that year to Edward, 3rd Baron Windsor de Stanwell,[2] whose ancestry could be traced far enough back to Henry II's governor of Windsor Castle to satisfy his bride. In April her father was summoned, as High Chamberlain of England, for the trial of Lord Wentworth, whose daughters had been suggested as suitable alternatives to his marrying 'Mistress Dorothy'. Wentworth was tried for the final surrender of Calais after he was besieged for a week, with only eight hundred men, by thirty thousand Frenchmen.

In July Oxford was chosen to meet the Duke of Finland, son of the Protestant King of Sweden, to offer Queen Elizabeth the hand in marriage of his elder brother, Prince Eric. It was to be discussed over dinner with the Queen's Council. It was one of the first of many such offers the Queen was to receive over the next few years. Most of her suitors were kept dangling; a few were dismissed immediately.

> 'The Duke landed at Harwich, and was there honourably received by the Earl of Oxford and the Lord Robert Dudley [the future Lord Leicester] and by them conducted from thence to London. He had his own train of about fifty well-mounted; the Earl of Oxford also, and the Lord Robert Dudley were followed with a fair attendance both of gentlemen and yeomen.

The chronicler, John Stow, describes the Earl of Oxford's men on such an occasion when he was seen:

> to have ridden into this City and to his house at London Stone with eighty gentlemen in a livery of Reading tawny and chains of gold about their necks before him and one hundred tall yeomen in the like livery to follow him without chains, but all have the cognizance of the blue boar embroidered on their left shoulder.

Henry VII's objection to the 13th Earl of Oxford's show of men was evidently forgotten, or else the event itself was; Stow admits it had been witnessed forty years before he published his *Survey of London* in 1598.

In the autumn, now as sole Lord Lieutenant of Essex, the Earl of Oxford welcomed the King of Sweden's son again and entertained him at Hedingham Castle, not only with his company of players and muscians. In a letter signed 'Oxynford', dated 1 October 1559 from Colchester, he reports to the Privy Council his proceedings with 'Duke Eric' of Sweden, describing the hunting he provided and the bag, which included pheasants and partridges. From the same place and on the same day Sir Thomas Smith wrote to Sir Wiliam Cecil:

> I do assure you I think no man of England, either in Q. Mary's time or any other, could do so much and so readily, with threatenings imprisonments and pains, as my lord doeth here with the love that the gentleman and the whole country beareth to him. Whether the antiquity of his ancestors or his own gentleness or the dexterities of those that be about thus doeth it or rather all these I think you could not wish it to be better done.

It was a charming tribute, written by a man who had been part of the Earl's household and knew it to be true.

In July 1561 Queen Elizabeth supped with Sir William Cecil at the still unfinished London house he was aggrandizing in the Strand. He was to be in the Queen's train on her next Progress through East Anglia. She was so impressed by hearing about the Earl of Oxford's popularity in his county or, more likely, about the sport he had given Duke Eric of Sweden, that she arranged to pay Castle Hedingham a five-day visit during the Progress.

The streets were gravelled for her departure and again her procession passed Oxford's London house in Cheapside, which street, now hung with velvet and cloth of gold, also served as a market place. The aldermen took their leave of the Queen at Whitechapel, and she and her retinue went on towards Essex. They lodged that night at Wanstead House as guests of Lord Rich, now somewhat subdued by age. Hosts vied with each other to produce rare food and entertainment for the Queen's visits. This would happen whether she was entertained by courtiers or by civic authorities. She spent a night at St Osyth with Oxford's suspicious brother-in-law, now Baron d'Arcy of Chicke, and then went on to Hedingham Castle from 14th to 19th August 1561 (which, through a confusion of spellings, gave rise to the legend that she stayed with the Tollemache family that week at Helmingham). Of all the pageantry and sports laid on for her, what she enjoyed most was the unpredictable thrills of hunting, even if she was not riding herself – she often did. With magnificent views from his castle and famous quality in his horses, the Earl of Oxford was able to add to the spectacle and sound of the hunt through the ingenuity of his players. The huntsmen's livery seen through gaps in the trees has always been part of the spectacle, and for music there were the varying sounds of the horn and the baying of the hounds.

Bells and whistles were sometimes fixed to the archers' bows and arrows to enhance their natural twangs and whizzes. The Queen was not squeamish about the actual slaughter of the quarry; far from it. She liked to be in at the kill and on a fine evening even enjoyed a bit of bear-baiting.

The Queen had just given Sir William Cecil the remunerative post of Master of her Wards, which entailed caring for the eldest sons of the nobility (and their inheritances) should their fathers die before they came of age. Oxford was only forty-five and apparently fit, but it is believed that it was on this occasion, while the Queen and Cecil were at Castle Hedingham, that he arranged, in the event of his early death, for his son Edward to become a royal ward in the care of Cecil. Queen Elizabeth may have already been amused by this bright little charmer who was to become her favourite and wittiest dancing partner. It could only have been with her approval that in the following spring the Earl of Oxford approached her cousin, the 3rd Earl of Huntingdon, heir to the Duke of Clarence, with the suggestion that Edward, Viscount Bolebec, should marry one of his daughters. A covenant was drawn up by which Huntingdon should pay 2,500 marks in November that year and another 1,500 marks on the consummation of the marriage.

But before the agreement was signed, Oxford suddenly, on 28th July 1562, made his will at Hedingham Castle, where he died five days later. After various legacies to his family he left 'ten pounds and one of my great horses' to his 'very good Lord', Sir Nicholas Bacon, Lord Chancellor, and another ten pounds and a great horse to his 'trusty and loving friend Sir William Cecil', both of whom he asked to help his executors.

It was nearly a month before his final production was staged It was his magnificent funeral procession held on 31st August with:

> three Heralds at Arms, Master Garter, Master Lancaster and Master Richmond, with a standard and great banner of arms, and eight banner rolls, crest, target, sword and coat of armour, and a hearse with velvet and a pall of velvet, a dozen scutcheons, and with many mourners in black; and a great moan was made for him.

The procession ended at Earls Colne Priory, where he is buried.

Four days later, his twelve-year-old son Edward, 17th Earl of Oxford, 'went riding out of Essex from his father's funeral with seven score horses all in black'. A hundred and forty horses seem excessive. This is where the extravagance for which he was known later began, and he had every intention of keeping the show going. And anyway, the funeral horses may well have had to be returned to London. There is a legend that when it began to rain on the way to London, the new Lord Oxford threw himself into a furious state of disbelief that the elements would dare to disoblige him.

His cavalcade passed 'through London, the Chepe and Ludgate and so to Temple Bar between 5 and 6 of the afternoon'. Here he entered the gates of Cecil House, now complete with four turrets, a great hall and oratory, all 'raised with bricks', and ornamental grounds stretching back into part of the old convent garden (today's covered-market known as Covent Garden).

The newly built towers and spires of Cecil House, where Edward de Vere became a Ward of Court in 1562, rise up behind the already ancient Savoy on the Thames water-front. Ivy Lane stairs can be seen on the left and Arundel House and Essex House on the right, with Harrow on the Hill in the distance.

The Royal Ward

Cecil intended to run his establishment as a very exclusive boarding school, not only for his wards but for a few hand-picked sons of important living men. His own family were to be educated with them, all with individual time-tables arranged for them according to their age and ability. When Edward, 17th Earl of Oxford, arrived, Thomas – Cecil's eldest son by his first wife, Mary Cheke – was abroad and Cecil's children by his second wife, Mildred Cooke, were still in the nursery or not yet born. In his first year at Cecil House, Edward, 17th Earl of Oxford, was certainly the most important pupil, of whom there were never to be more than twenty. His routine appears under 'Orders for the Earl of Oxford's exercises', devised by Laurance Nowell. He was to

rise in such time as to be ready to his exercises by 7 o'clock.'

7 to 7.30	dancing
7.30 to 8	breakfast
8 to 9	French
9 to 10	Latin
10 to 10.30am	Writing and Drawing.

Then common prayers, and so to dinner.

1 to 2	Cosmography
2 to 3	Latin
3 to 4	French
4 to 4.30pm	Exercises with his pen.

Then common prayers, and so to supper.

On Holy Days he had 'to read before dinner the epistle and gospel in each his own tongue and in the other tongue after dinner. All the rest of the day to be spent in riding, shooting, dancing, walking and other commendable exercises, saving the time for prayer.'

Laurence Nowell, a cousin of the Dean of Lichfield of the same name and himself distinguished antiquary and cartographer, was his main tutor. Church-going was compelled by law on Sundays, and on Holy Days all shops and taverns were closed and markets and fairs were banned. In his spare time Oxford is said to have ridden off to hunt with his hawk in the fields and woods of Kensington, very few of which by then remained in his family. Arthur Golding was appointed collector of rents and revenue for both Lord Oxford and his sister, Lady Mary de Vere. Six months after their father's funeral, their mother was being harried by her trustees for not signing probate papers. At last she replied on 30th

April 1563, excusing herself for the delay with the fact that her late husband had kept all his finances secret from her and that the debts he had left were a great surprise and worry to her:

> I had rather leave up the whole doings thereof to my son (if by your good advice I may so deal honourably) then to venture further and uncertainly . . . for I mean the honour or gain (if any be) might come wholly to my son, who is under your charge.

This, the only surviving letter of the widowed Countess, has suggested to over-zealous Oxfordians that the Countess had no further contact with Edward because in this business letter she omits to send her love to him. 'In delivering my son from me I bury a second husband' is quoted from *As You Like It* and 'the funeral baked meats did coldly furnish for the marriage table' is quoted from *Hamlet* as references to the Countess's, 'o'er hasty marriage' to Charles Tyrrell, one of the Queen's gentleman pensioners. It is suggested that the letter partially proves that it was her son who later wrote *Hamlet*.

In fact there is no known date on which she remarried in the six years between her first husband's death and her own. Nor is there any proof that Edward felt any resentment against his stepfather, let alone the burning desire for revenge felt by Hamlet. The fact that Edward gave Charles Tyrell one of his best horses suggests the reverse. There are many more convincing clues in *Hamlet* to suggest that much of the poetry, at any rate, in the play was Edward de Vere's and that the main characters exactly matched those closest to him.

Edward's exuberant spirits and ready wit helped him to overcome the irritations of the Puritan atmosphere of Cecil House, particularly after he was joined by his cousin, Edward, 3rd Earl of Rutland, who was of almost the same age. Their fathers had married sisters at the triple wedding in Shoreditch on 3rd July 1536. In 1564 the young Earls were pages at the wedding of Ambrose Dudley, Earl of Warwick (another brother of Robert, whom Queen Elizabeth created Earl of Leicester that year) and Anne, daughter of the Duke of Bedford, who became Ambrose's third wife. The marriage, as was not unusual after important religious ceremonies, was followed by a tilt, which dramatic sport could never have failed to excite Oxford, even before he was old enough to take part.

His spirits had plunged when his half-sister Katherine and her husband Lord Windsor charged him and his sister Mary with illegitamacy, claiming that Katherine was the 16th Earl of Oxford's only legitimate child and heir, and therefore Lord Windsor and their infant son Frederick should inherit the earldom and the hereditary lord great chamberlainship. The 17th Earl of Oxford wept openly over the accusation of illegitimacy, of which – he was reminded by way of comfort – the Queen was also accused by her enemies.

After a year of acting as Oxford's tutor, Laurence Nowell wrote in Latin to Sir William Cecil, mentioning the inaccuracy of English maps and asking to leave in order that he could compile more accurate ones, because 'I clearly see that my work for the Earl of Oxford cannot be much longer required.' This could mean that he found the boy's irrepressible high spirits, alternating with passionate tears or haughty silences, beyond him. But it is usually interpreted as the Earl, through his exceptional brilliance, having outstripped his master. Certainly, when Edward was only fourteen and a half and staying at his guardian's old college of St John's, he received a Cambridge degree. It was given to him on 10th August 1564 during the Queen's Progress to the University, so it could have been hurried on by Cecil to make sure the Queen continued to notice his high-born ward. However, an existing letter from Edward to Cecil shows that he was not only already fluent in French, but could put together some courtly phrases assuring Cecil of his intention to profit by the education arranged for him by his guardian. A dedication to Edward that year, by Arthur Golding, of a history (of the Latin historian, Pompeius) makes a good school report, allowing for the flattery to be found in most dedications. Golding, saying he had intended to dedicate the book to the 16th Earl, had he survived, goes on:

> It is not unknown to others, and I have had experience thereof myself, how earnest a desire your honour hath naturally graffed in you to read, persue, and communicate to others as well the histories of ancient times, and things done long ago, as also the present state of things in our days, and not without a certain pregnancy of wit and rightness of understanding.

NOTES

1   Public Records Office, State Papers Domestic, Eliz. Vol 29.
2   Ancestor of the present Earl of Plymouth.

CHAPTER TWELVE

Cecil House

BACK in London, an entry appears in Sir William Cecil's diary for 1st July 1564: 'My daughter born at Cecil House at night, between seven and eight.' A week later the baby was christened Elizabeth and the Queen supped at Cecil House. The learned Lady Cecil had two other children: Robert, then two, and seven-year-old Anne, whom her father petted and called his 'Tannikins'. He gave her a tiny spinning wheel for a New Year present and wrote her a poem about it.

Cecil was well aware of intrigues against him by the ancient aristocracy who had less influence on the Queen than he had. But he had no intention of allowing them to remain his enemies. His ambition was to join them and raise his own family to the nobility. Tannikins, young as she was, could hardly have failed to notice that the lively young Earls in her home, who quipped and danced between their studies, were treated with firm but reverent respect by her father, whereas her own much older half-brother Thomas seemed to be in permanent disgrace. Their father called him 'a dissolute and careless young man and an especially noted no lover of learning or knowledge'. He had been sent to the Continent to learn languages and good manners, but his father in disgust said he would come home only 'meet to keep a tennis court'. There is no mention of tennis in the Earl of Oxford's time-table and though his playing tennis later is recorded – as well as a tennis court at Hedingham Castle – Cecil does not appear to have adapted the old convent cloisters for real tennis. He preferred to inspire his 'wards and children with a love for gardens'. Thus Tannikins could watch the students taking an interest in her father's garden. This, and Cecil's country gardens, were laid out by the botanist and author John Gerard, who was to have charge of them for the next twenty years. Oxfordians point out in well-documented detail that this could account for the notable knowledge of plants and flowers to be found in the *The Works of Shakespeare*.

During Oxford's first four years in Cecil's care, his accounts show that his main interests at this time were clothes and, to an only slightly lesser degree, rapiers and swords. Even allowing for fast growth in his early teens, the extravagance for which he was to be known later appears already in such items as two cloaks, one short and one for riding; two doublets, one of fine linen and one of satin; a pair of velvet hose (all these in black); ten pairs of Spanish leather shoes and three pairs of slippers. He could hardly have outgrown these when yet another cloak appeared (to be bordered with velvet and satin) and two hats, one velvet and one taffeta, two velvet caps, a scarf, two pairs of garters with silver at the ends, a plume of feathers for a hat, and 'furniture of a riding cloak'.

Books, paper and pen-nibs make up about one-sixth of the rest of his expenses. The Geneva Bible, and the works of Chaucer, Plutarch and Plato – mentioned in his accounts – have long been regarded as Shakespearian source books.

These and some relatively inexpensive saddlery total £627 15s, almost as much as Cecil would have charged Oxford for the weekly keep of himself, his tutors and servants when at Cecil House, had they remained there throughout the four years concerned. However, for part of the time Oxford was at university and it was only when he was in residence that Cecil charged £3 a week for them all.[1] This was considerably less than Oxford's expenses later, when he was at Windsor for several weeks with an illness which involved the hire of a hothouse, 'horse hire, boat hire, and carriages as well'. The young Earl required a dozen new handkerchiefs, six fine holland sheets, a wool bed bolster and pillows of down. The apothecary charged £15 15s 4d for 'potions, pills and other drugs, for my Lord's diet in time of his sickness'. The bill was twice as much as the apothecary's for house rent,wood and coals for victuals for 'my Lord and his men in the time of his said diet', and 'a comocase furnished' (medicine chest). There was additional expenditure of £36 5s for 'More to him for certain other articles for my Lord, during his being sick at Windsor for rewards to his physician, and others, for servants' wages . . . and for the charges of keeping in the stable and shoeing of four geldings for my Lord's service.'

In 1566 the Earl of Oxford was in Her Majesty's train during her progress to Oxford University. On 6th September he was given an MA at Christchurch, while only sixteen – perhaps because he was in the company of 'other nobles and persons of quality who were given MAs.' Philip Sidney, then aged twelve, was also on this royal Progress with his parents and was later at Christchurch, Oxford, before he followed the Earl of Oxford to Gray's Inn to study law. Oxford was admitted to Gray's

Inn in 1567. The leading light there was his cousin George Gascoigne who, in his spare time from studying for the Bar, was writing for the stage. Two of his plays were acted by 'the gentlemen of the Inn'. Oxfordians naturally connect de Vere's known study of law with the intimate knowledge of legislation found in *The Works of Shakespeare*.

Gray's Inn, attended by several of Sir William's wards and both his sons over the years, was only about ten minutes' walk from Cecil House, where Oxford continued to live and behave not entirely to the satisfaction of his guardian. One of ten pieces of advice Cecil compiled may well have been aimed at his exasperating ward, who was later to be as well known for his wit as for his quarrels:

> Be not scurrilous in conversation or satyrical in thy jest; the one will make thee unwelcome to all company, the other prolong quarrels, and get thee hatred of thy best friends. Jests, when any of them savour of truth, leave a bitterness in the minds of those which are touched . . . I have seen many so prone to quip and gird, so they would rather lose their friend than their jest; and if, perchance, their boiling brains yield a quaint scoff, they will travail to be delivered of it as a woman with child. These nimble fancies are but the froth of wit.

Whether it was due to an untimely jest, a genuine quarrel or merely high-spirited fooling about, Cecil had cause to write in July 1567 in his diary:

> About this time Thomas Bricknell, an under-cook, was hurt by the Earl of Oxford at Cecil House in the Strand, whereof he died; and by a verdict found felo-de-se with running upon the point of a fence sword of the said Earl's.

That year Edward's uncle and sometime tutor, Arthur Golding, published his translation of Ovid's *Metamorphoses*. Golding was also based at Cecil House, and Oxfordians connect his presence there with the copious lines and figures of speech borrowed from his work which appear verbatim throughout *The Works of Shakespeare*.

The following year Edward's mother died and was buried beside his father at Earls Colne. Earlier the same year, the wife of Edward's favourite first cousin, Thomas, Duke of Norfolk, who had only been married a year, died in childbirth.[2] Almost at once a plot was hatched to find a second wife for Norfolk. The idea was that marriage to Mary Queen of Scots, then imprisoned in Scotland, would solve the problem of keeping Mary under control and also bring union between England and

Scotland. The Earl of Leicester assured Mary that Elizabeth would encourage the marriage. At first the Duke was nauseated by the idea of marrying an adulteress and murderess, who had poisoned one husband, blown up another, and was still married to her lover. Later Norfolk was persuaded to believe it was his duty to Queen Elizabeth to marry Mary, and they exchanged tokens. All Mary Stuart wanted was her freedom. On her flight into England, where she was soon re-imprisoned, the northern Earls rose in her support. The aim was to rescue her, arrange her divorce, marry her to Norfolk, and put her on the English throne. This would return Roman Catholicism to England and Scotland. Norfolk, premier Duke of England, was officially a Protestant but, as head of what is to this day the most prominent Roman Catholic family in the country he was acceptable to the Roman Catholics.

Queen Elizabeth immediately sent off a hastily raised army to quell the rebels, and had Mary moved to a secret destination. The rising petered out, largely owing to the Duke of Norfolk's lack of enthusiasm for the cause.

The Joke That Failed

The Queen restricted her summer Progress to the home counties in case of a rekindling of the still glowing embers of revolt. Much as the Duke of Norfolk disliked the slow trundle round the palaces, he joined the Progress, intending to explain to Her Majesty why he thought he ought to marry Mary Queen of Scots. But he could not bring himself to tell her, as Cecil advised him to do. The Earl of Sussex, who could have reassured the Queen that Norfolk was fundamentally loyal to her, had been appointed President of the North and was in York. Eventually the Queen accosted Norfolk herself, at which point he joked that his tennis court in Norwich was as good as any King's, so there was no need for him to marry to acquire a royal Court. The joke fell flat. It was only then that he realized that Leicester had been hoodwinking him into believing that the Queen would condone his marriage to Mary. The Earl of Sussex, his closest friend, said afterwards that, had he been there, he could have prevented the misunderstanding. The result was that Norfolk hurriedly left the Progress to seek his advice. The Queen, who had heard exaggerated rumours of further risings in the North, with landing places being made ready for Spanish soldiers to join in, was convinced that Norfolk had departed to give the signal for a revolution to start. She

173

ordered ports to be closed and the militia to be alerted, and she prepared to stand siege in Windsor Castle. There was a rumour that notice of imminent rebellion was to be spread by the pealing of church bells in an ascending scale, which might well have failed to produce the desired rush to arms from the musically untrained.

Among those in Windsor Castle was the ailing Earl of Oxford, languishing in his hired hothouse on his fine wool bolster and pillows of down. At Kenninghall in Norfolk his cousin had also taken to his bed, too overcome to do anything else. The Queen summoned Norfolk to her side 'even if he had to be brought on a litter'. He rode off on horseback, was arrested before he reached her and taken to the Tower.

When examined the day after, he was not charged with treason. There was no proof, only reports of a possible intention to marry Mary. He was far too popular, especially in East Anglia, for the authorities to risk offending the already unsettled masses. Cecil said Norfolk should be freed and encouraged to marry someone else, but it was agreed to keep him in the Tower until all signs of revolt had been quelled. The Queen was so furious that Norfolk was not instantly executed that she fainted.

During that summer, despite the Earl of Oxford's reputation at Cecil House as a capricious trouble-maker, Thomas Underdoune dedicated a translation of *An Æthiopian History* to him, praising him for, among other virtues, 'so haughty courage joined with great skill, such sufficient learning, so good nature and common sense'.

In a letter of 24th November 1569 to his guardian, Oxford writes:

> I find my health restored, and I find myself doubly beholden unto you both for that and many good turns which I have received before of your part . . . I am bold to desire your favour and friendship that you will suffer me to be employed, by your means and help, in this service that is now at hand.

He reminded Cecil that he had always wanted to 'see the wars and services in strange and foreign parts', and asked him to buy him a licence to travel so that he may be 'called to the service of my Prince and country, as, at this present troublous time, a number area'. His cousin the Earl of Rutland and Cecil's elder son, Thomas, were among the number who took part in the action in the North to drive the rebel nobles into Scotland. Another inmate of Cecil House, Thomas Churchyard, a minor poet and speechifier already in the pay of the Earl of Oxford, had been sent to the Netherlands, where outbursts of fighting against Roman Catholicism were almost continuous.

Edward de Vere's request to join in a revolt involving the old King of France met with a reproach from Queen Elizabeth, who said, 'we cannot allow a man of such note among our people to find himself on the side of one who is fighting against his King'.

The Earl of Sussex finally agreed to accept the son of his old friend, John, 16th Earl of Oxford, to fight in Scotland. In March 1570 Cecil wrote, 'the Queen's Majesty sendeth the Earl of Oxford into north parts to remain with my Lord Sussex, and to be employed there in Her Majesty's service'. He took with him £40, and presumably a contingent of men. The campaign in Scotland lasted throughout April and May. The skirmishes, cavalry charges, sieges and attacks on the northern strongholds – which ended in almost complete destruction of the area – are fully recorded. There are no individual details of Oxford 'gaining honour in the field' but he certainly had a chance to gain insight into military life.

The Queen thanked Sussex in a letter of praise for 'so much attempted and achieved with so small numbers, and so much to our honour, and the small loss or hurt of any of our subjects'.

Compare the later portraits of the Earl of Oxford at Windsor with this young nobleman holding his horse at the kill, from a treatise on hunting dated 1575.

The Queen's New Blue-Eyed Boy

Oxford returned to London covered in reflected glory, ready to take his place at Court as an ever more prominent favourite of Queen Elizabeth. The Queen had recently been excommunicated and her Roman Catholic subjects had been released from allegiance to her by the Pope. The company of a witty young officer was the diversion she was most ready to receive, especially one who danced well, was a keen hunter and falconer, and returned excitedly from every event to exaggerate it into a dramatic adventure. Though her new blue-eyed boy's eyes were hazel, his skin was fair. At a time when beards and long moustaches were almost the universal fashion, he was clean-shaven but for an almost imperceptible moustache. He usually wore his russet curling hair cut very short. A later drawing of him with the Queen suggests that he was of a light build and no taller than she was, yet as she liked to 'dance high' he must have been strong enough to lift her easily off the ground.

The Queen's undoubted top favourite for the past decade had been Robert Dudley, Earl of Leicester. Ten years before she had agreed to meet him at Oxford Court, where he turned up in style with a following of seven hundred footmen but she failed to appear. She had been rowed discreetly, by a boatman with one pair of oars, and attended only by two ladies-in-waiting. They landed at the nearby Three Cranes wharf and drove in a covered coach to St Swithan's churchyard, by which time her 'Robin' had left. However, 'he intercepted her on her route to Greenwich by coach, and into it he climbed', according to an onlooker.

The Earl of Sussex found Leicester unbearable and made a great effort to negotiate a more suitable marriage. The dislike was mutual. Still, in the 1507s Leicester believed the Queen might marry him, despite the various royal suitors from abroad. She led most of these up the garden path only to keep them dangling, as she did her established or constant Court lovers, with whom she had romantic affairs, consummated only – it is assumed – by spoken and written words and extravagant exchanges of presents. She gave them nicknames: Leicester was 'Eyes'; Christopher Hatton was 'Mutton' or 'Sheep' and sometimes 'Lydds', signing himself with an eye-lid. The Earl of Ormonde was 'Black Tom'; and Edward de Vere was soon to become her 'Turk' or 'Boar'.

She was not above playing off one or more of her admirers against another. The Queen's excessive praise of Sussex, when he returned from his somewhat ruthless triumph over the Scots, may well have begun merely to tease Leicester. When Leicester's nephew and heir Philip Sidney came to Court, his uncle inevitably set him against Oxford because he was still under Sussex's wing. Edward de Vere, Earl of Oxford, and Philip Sidney frequently trod the same path and they had much in common.[3] The famous tennis court quarrel between them has been blown up out of all proportion; there were many other occasions when they were together and clearly in accord. Both were educated at Oxford and studied law at Gray's Inn. Both had strong ambitions to travel and to fight abroad. Both took part in the jousting and tennis and dramatic entertainments at Court. Above all, both were taken seriously as poets, though, because publication by courtiers was taboo, little of de Vere's and none of Sidney's poetry was printed under their own names in their lifetimes.

Both were indirectly involved in the English début of *The Courtier* by Castiglione, first translated from Italian by Sir William Cecil's brother-in-law Sir Thomas Hoby, who was a close friend of Philip's father, Sir Henry Sidney. Castiglione had received the Order of the Garter from Henry VII before finishing his book, in which he sets forth in a series of dialogues his conception of the ideal courtier and the norms of courtesy in a cultured society. Castiglione's courtiers were not only sage statesmen and skilled soldiers, accomplished musicians, dancers, horsemen and all-round sportsmen; they were also men of wit and fashion, able to exchange talk on art and poetry, and yet be playful with their Sovereign, knowing exactly where to draw the line. The book was much consulted regarding behaviour at Court. Sidney was said to carry a copy of it in his pocket, and he certainly succeeded in living up to the advice offered by Castiglione half a century before.

A story is told that in a Court play written by Sidney, a boy actor ended, without bowing to the jewel-bedecked Queen, rather lamely on the line: 'the beautifullest lady the woods have ever received'. Philip leapt to her feet and, kneeling, quickly improvised:

> Like sparkling gems her virtue draws the sight,
> And in her conduct she is always bright.
> When she imparts her thoughts, her words have force
> And sense and wisdom flow in sweet discourse.

A like story is told of how, when Oxford was playing the part of a King in a play one evening, the Queen teasingly dropped her glove at his feet. With perfect aplomb he handed it to her while declaiming, as though delivering part of a speech,

> Although engaged in this high embassy,
> Yet stoop I to pick up our cousin's glove.

and then carried on with the play. Neither of these tales is surprising. There was a touch of today's game of charades in Court productions, with, as can be seen in the surviving plays from the time, many allusions to current issues.

Moving in Court Circles

Being at Court involved receiving invitations that it was not easy to refuse. When Sidney was a boy, his father was rebuked by Cecil for taking Philip away from Christchurch to 'wild Wales', beginning his letter: 'I think indeed you have forgot the Queen's Progress to be so near Oxford or else you have some matter of necessity to allege.' Courtiers were expected to join the Queen at least for part of her summer Progresses round her own palaces and the country houses of her richer ministers, who were perpetually enlarging and glorifying them for the purpose.

The favoured hosts vied with one another, at their own expense, to make their homes magnificent for the Queen, who minced no words over any shortcomings. Cecil began by making his modest manor house of Burghley, near Stamford in Lincolnshire, grander, but the Queen preferred Theobalds, only twelve miles from London. Cecil had originally bought this house for his eldest son, Thomas, when — having finished sowing his slothful oats — he married the daughter of Lord Latimer. But it was not for their five sons and eight daughters that Cecil spent the next twenty-five years enlarging and elaborating 'Tyballs' as they called it, but for the Queen's twelve visits. Thomas, later 1st Earl of Exeter, moved into Burghley and his much younger brother, Robert, later 1st Earl of Salisbury, became heir to Theobald's 'excess of magnificence and elegance'.

On the Progresses, giant house parties lasting several days were interspersed with journeys through lanes churned up by anything up to two thousand horses and three hundred wagons carrying beds, bedding, clothing, Her Majesty's wine and all the necessary equipment for hunting and indoor entertainment. As the royal procession passed through towns and villages, loyal subjects hopefully shouted speeches against the pealing church bells. More peaceful were the Progresses made by water to the Queen's own palaces on the River Thames.

Burghley, near Stamford, Lincolnshire, which William Cecil, when he became Lord Burghley, 'grandified' from a modest manor into what is still known as the largest and most spectacular house of the First Elizabethan Age. Burghley, which remains a family home for his descendants, is open to visitors throughout the summer.

On Monday 2nd April 1571 the Queen opened Parliament in state after a five-year lapse. The 17th Earl of Oxford took his seat in Parliament although he was still not quite of age. As Lord Great Chamberlain he held a prestigious position in the procession to Westminster, riding just in front of the Queen's coach. The Earl Marshal, his cousin the Duke of Norfolk, who should have been riding beside him, was still in prison. After the service in the abbey Oxford bore the Queen's train as she was conducted to the House of Lords.

Oxford's guardian, Sir William Cecil, elevated only two months before to the barony of Burghley[4] of Stamford, stood, as Lord Treasurer, third in the order of precedence of the officers of state. As Great Chamberlain Oxford took his place above all the other Earls. It was heady stuff for someone who was still – just – a minor. Showing how seriously he was now taken, Edmund Elvedon dedicated a history to him 'for your honour's recreation and avoiding of tedious time, after your weighty affairs finished . . . intended to satisfy the humour of your wise disposition'.

During the next ten days the Earl attended Parliament seven more times, including on his twenty-first birthday, Thursday 12th April, when he officially took over his estates. This was the highest number of appearances he made in Parliament in any of the nine sessions throughout the rest of his life.

A three-day event of great magnitude started on May Day. It was held at Westminster in the presence of the Queen on what is now Horse Guards Parade, with as much ceremony as in today's Trooping the Colour. Rules included the following: 'who so striketh a horse shall have no prize', and 'who so breaketh most spears, as they ought to be broken, shall have the prize'. Illegal weapons were banned: 'neither engine, instrument, herb, charm or enchantment' was permitted. Challenger and defendant 'should not put trust in any other thing than God'. They crowd was warned against uttering any 'speech, word, voice or countenance whereby either might take advantage'.

At this 'solemn joust' there were five challengers. 'All did very valiantly; but the chief honour was given to the Earl of Oxford and the Queen herself presented him with a tablet of diamonds.'

In a letter to the Earl of Rutland, one of the defendants writes:

> Lord Oxford has performed his challenge at tilt, tourney and barriers far above expectation of the world . . . the Earl of Oxford's livery was crimson velvet, very costly; he himself, and the furniture, was in some more colours, yet he was the Red Knight . . . there is no man of life and agility in every respect in the Court but the Earl of Oxford.

Edward de Vere was now the cynosure of all eyes, not only the Queen's. He is reported to have been the leading luminary at Court. The maids of honour adored him, but it was fourteen-year-old Anne Cecil who won his heart and on 3rd August at Hampton Court the Queen gave her approval of their engagement, as did the Duke of Norfolk. The Duke had been moved from the Tower to be a prisoner in his own London home at the Charterhouse.

The Earl of Rutland, who had been at Cecil House as a ward with Oxford, received the news from another young peer:

> The Earl of Oxford hath gotten himself a wife – or at the least a wife hath caught him: this is Mistress Anne Cecil; whereunto the Queen hath given her consent, and the which hath caused great weeping, wailing, and sorrowful cheer of those that had hoped to have that golden day. Thus you will see that while some triumph with olive branches, others follow the chariot with willow garlands.

Official news reached Rutland a fortnight later. Lord Burghley's letter to him hints that Rutland himself was among those considered as a possible husband for his daughter and that they had already discussed the matter. He rambles on in a circumlocutionary way, for which he was well known, to confuse the reader by not making any firmer statement than the following: 'percase your Lordship may guess where I mean, and so shall I, for I will name nobody'. He does, however, mention Philip Sidney.

Two years earlier Anne's bethrothal to Philip Sidney was being arranged. Cecil , as Burghley then was, had written to Sir Henry Sidney on 3rd September 1568, sending love 'to my darling Philip' in reply to Sidney's 'affectionate remembrances of Lady Cecil and your little maid'. After Philip had spent the Christmas holidays with the Cecils in London and at Hampton Court, Cecil wrote that he loved him as if he were his own, in reply to which Sir Henry suggested Philip should marry Cecil's daughter. Cecil replied that his daughter, who was only thirteen, must seek a richer suitor.

Robert Dudley, Earl of Leicester, had then offered to provide his nephew and heir, Philip, with an income of £266 13s 4d on the day of his marriage with a reversion to a fixed income of £840 4s 2d and other sums on the death of his parents. Cecil was to pay out £1,000 to leave his daughter an annuity of £66 13s 4d.

But by 'richer suitor' Cecil meant more ancient blood to go into his great new dynasty and, looking round his high-born wards, he could see more of this among them than in the Dudleys. He withdrew from the contract. The romantic idea that Philip retired as a broken-hearted lover, as he later did over Lady Penelope Devereux's marriage, seems unlikely to have had much foundation. If he noticed the arrangement at all, it would have seemed merely a matter of family politics.

Burghley wrote to Rutland breaking the news of Oxford's 'purposed determination' to marry his daughter. He said that he 'could not well imagine what to think, considering I never meant to seek it nor hoped of it.' He leaves it to posterity to assume that the proposal of marriage came as a shock to him and as something he was unable to refuse. This could have been the case, since the Queen approved the marriage and may even have instigated the idea in order to keep Edward de Vere at her side; his future wife was a shy child in whom he apparently had no interest. It was also suggested that Oxford only married Burghley's daughter to gain an opportunity to persuade him to have Norfolk released.

Wedding Deferred

The marriage was to take place at Theobalds in September. The Queen arrived on the 22nd, but there was no wedding. Reasons for this mysterious postponement range from the decision to wait for Anne's fifteenth birthday on 5th December to the much less likely possibility that the bridegroom had involved himself in a plot to arrange the Duke of Norfolk's escape from captivity.

At the Charterhouse, which was more accessible than the Tower, the Venetian banker Ridolfi was busily convincing the Duke that at least half the population of England – including three or four dozen peers – was anxious to obey the Pope and if possible dethrone Queen Elizabeth. Religious fervour not being as hot as Ridolfi suggested, he was soon exposed and orders were given to return Norfolk to the Tower. Norfolk's supporters hoped to divert that move. Suspicion of Oxford's involvement stems from the mention in secret dispatches, sent later by the French Ambassador to Paris, of 'a certain proposal recently made by the Earl of Oxford to some of my friends, and what came of it'.

Two years later, a poor woman's evidence given in a court of law suggested that a plot had been engineered by Lord Oxford to try to rescue the Duke. The woman said:

> My husband being a prisoner in the Fleet, the Earl of Oxford provided a ship called the *Grace of God* and £10 was earnest thereupon and £500 more was to be paid to me, my husband's liberty granted, and the ship to be given him with £2,000 in ready money, the one half to be paid here, the other to be delivered to him at the arrival of the Duke in Spain. My husband opened these dealings with me, and offered me £900 of the first payment but I utterly refused such gain to receive; I had a care of the duty I owe to your Majesty, as also I feared it would be the utter destruction of my husband . . . and so that enterprise was dashed.

If this evidence was true then the 17th Earl was following his ancestors' example in being in close enough touch with seafarers to hope to smuggle a friend out of the country by water. However, the evidence was stale and came out at a time when there were some who were deliberately trying to pin trouble on to Oxford. It could well have been false.

If Oxford did attempt this hare-brained rescue, the Queen – who normally had a sharp ear and eye for the faintest suggestion of intrigue – appears to have known nothing about it. Cecil, who set spies even on his own sons, could hardly have failed to get wind of such a plan and, if it existed, may well have used Anne's birthday as an excuse to delay the marriage until he had persuaded Oxford that, loyal as he was to his cousin Norfolk in wanting to save his life, to succeed would amount to high treason. Despite Burghley's diffidence in his letter to Rutland, he appears to have intended that Oxford should marry his daughter at all costs, if only to please the Queen, an aim that was always high on, if not always at the top of, his agenda. And marry his daughter to Oxford he did, on Wednesday 19th December 1571. The wedding took place in Westminster Abbey in the presence of Her Majesty and was celebrated with great pomp followed by much feasting and gossip at Cecil House in the afternoon.

After the guests had left, Burghley wrote a short poem on marriage in Latin hexameters and then a letter to Sir Francis Walsingham, Queen Elizabeth's Ambassador in Paris, describing his own comfort in the Queen's presence and the great favour that accompanied it.

Less than a month later, on 16th January, Norfolk was brought to trial in Westminster Hall before a court of twenty-six peers, of whom Burghley was the leader. The Duke was found guilty and condemned to death. Although at first the Queen rejoiced, she wavered until the summer between giving orders for his execution and then relenting. Oxford is believed to have begged for the life of Norfolk, who was cousin to the Queen as well as to him. Norfolk wrote to his eldest son, Philip, Earl of Surrey, that although his kinsmen had cause to be ashamed of him, he hoped that when he was gone they would 'be in good will to you, yet heretofore have they been to me. Amongst whom I will begin as high as I am worthy to dare to presume, with my cousin Oxford.'

In March one of Burghley's agents from Antwerp related, among other garbled rumours, that at a meeting on a day when it was expected that Norfolk was to be executed, the Earl of Oxford, a 'most humble suitor of the Duke's, conceived great displeasure against Lord Burghley . . . whereupon he hath, as they say here, put away from him the Countess his wife'.

This roundabout report of the newly married couple's bedroom activity made to the bride's father (who was surely in a position to find out such things for himself) is the only known evidence to support the variations on the theme that Oxford refused to sleep with his wife in order to revenge himself on her father for finding Norfolk guilty.

A frivolous letter from the notoriously gossipy Lord Gilbert Talbot to his father, the Earl of Shrewsbury, on 11th May suggests no more than

the most natural anxiety of a young bride very much in love with her
husband:

> My Lord of Oxford is lately grown into great credit, for the Queen's Majesty
> delighteth more in his personage and his dancing and his valiantness than
> any other. I think Sussex doth back him all that he can. If it were not for his
> fickle head he would pass any of them shortly. My Lady Burghley [meaning
> the Countess of Oxford] unwisely hath declared herself, as it were, jealous,
> which is come to the Queen's ear; whereat she hath been not a little offended
> with her, but now she is reconciled again. At all these love matters my Lord
> Treasurer winketh, and will not meddle in any way.

The Queen's earlier favourites had more cause for jealousy, for on
their charm at Court hung future high office. Christopher Hatton, newly
apponted captain of the Yeoman of the Guard, was so worried that he
sought help from the poet Edward Dyer on how to outstrip 'the Boar'. He
followed the advice not to hate his rival openly but to declare his
reverence to Her Majesty, which he did in a spate of love letters,
eventually winning through to the lord chancellorship.

NOTES

1 Cecil maintained a household of eighty, costing him £30 a week in his absence and
   nearly £50 when he was present.
2 She was heiress to the Earl of Arundel. Her baby, Philip, was eventually to inherit his
   grandfather's earldom.
3 Eventually Sidney was to become posthumous great-uncle to three of Edward de
   Vere's grandsons as Oxford's daughter married the son of Sidney's sister, Mary,
   Countess of Pembroke.
4 The most consistant of the many spellings of the title is Burghley.

CHAPTER THIRTEEN

The Spear and the Pen

THE Duke of Norfolk was executed on 2nd June 1572. The Earl of Oxford attended Parliament the following day. Two weeks later, as the senior nobleman present, he carried the Sword of State before Queen Elizabeth at the installation of Lord Burghley and the Duc de Montmorencie as Knights of the Garter. The Earl also arranged the display of 'Acquebusiers and Artillery' shown afterwards at Westminster to entertain the Queen's French guests.

The Queen then set out on her summer Progress. In July the Court paused at Havering atte Bower, whose keepership was held by the 17th Earl of Oxford, as it was by his ancestors. With its thousand acres and views over five counties and of the Thames with ships continually passing, there was no need to stage an elaborate diversion, as was held in the following month at Warwick. There is no mention, as is sometimes suggested, of this Progress calling on the way at the Earl of Oxford's house at Bilton, near the same River Avon which passes through Warwick and Stratford.

Lord Burghley, lately made Lord Chancellor, and the Earls of Oxford and Sussex appeared in the procession approaching Warwick on 12th August. The Court spent part of the week with the Earl of Leicester at Kenilworth Castle and returned to Warwick Castle for a great reception, at which the local people were as amazed as they were pleased to see their Queen 'dancing and making very merry'.

After supper they watched a mock battle which turned out to be as frightening and noisy and almost as dangerous as the real thing. The Earl of Oxford played the part of the governor of a fort, which had been made of canvas. The Earl of Warwick defended the actual tower and between these forts were placed battering rams and cannon borrowed from the Tower of London and used to produce the greatest possible noise and alarm. In between assaults, Oxford and his two hundred soldiers attacked their opponents with lusty enthusiasm. Fireworks were then let off to add to the hubbub. Finally, a set piece of a dragon flying,

At Warwick Castle, Queen Elizabeth I was entertained by the young Edward de Vere making a mock assault, with 200 soldiers and fireworks, on the Earl of Warwick who defended the actual tower. In their over-exuberance they set alight to the house at the end of the bridge, whose sleeping inmates were rescued by de Vere and Fulke Greville.

casting out flames and squibs, lit up the fort and, as planned or otherwise, set light to it. Unfortunately a 'ball of fire' fell on a house at the end of the bridge. A man and his wife were asleep in their house and were only with difficulty rescued by the Earl of Oxford and Philip Sidney's great friend Fulke Greville. Four other houses in the town and suburbs were on fire at once. The next morning Oxford, joined by other courtiers, hastily raised £25 12s 8d for the occupants of the house burnt down by the bridge.

As the Progress returned to London, news came of the massacre of Protestants in Paris on St Bartholomew's Eve. Philip Sidney was in Paris, but unharmed. Oxford later wrote to his father-in-law warning him of the danger he was in as the leading Protestant.

> I think if the Admiral in France was an eye sore or beam in the eyes of the papists, that the Lord Treasurer of England is a blot and a crossbar in their way, whose remove they will never stick to attempt, seeing they have prevailed so well in others.

He ends this long letter, 'thus with my hearty commendations and your daughter's we leave you to the custody of Almighty God. Your lordship's affectionate son-in-law Edward Oxeford.' This hardly suggests that he and Anne were apart, nor does his next letter,which begged his father-in-law to rest and

> have some respect for your own health, and take a pleasure to dwell where you have taken pains to build. My wife, whom I thought should have taken her leave of you if your lordship had come, she would have otherwise commanded, is departed unto the country this day; and myself as fast as I can get me out of town to follow.

Nor is it necessarily a sign that they were already on bad terms that in this letter, when volunteers were being enrolled to assist the Dutch against the Spaniards, Oxford asks:

> If there to be any setting forth to sea, to which service I bear most affection, I shall desire your lordship to give me and get me that favour [and, if that were impossible] then I shall be most willing to be employed on the sea coasts to be in readiness with my countrymen against any invasion.

He worked out how he could afford to go, while assigning enough for his wife to live on while he served his time beyond the seas. But neither Lord Burghley nor the Queen would allow it. Oxford's place was at her side, keeping up her spirits at Court.

Unlike his known participation in the mock battle at Warwick Castle, Oxford's involvements in other devices to raise a gasp or a laugh have mostly remained obscure. A letter exists to Lord Burghley from 'Fawnt and Wotton, May 1573, from Gravesend' complaining of their being held up near Gadshill, on the Gravesend to Rochester road, by three of Oxford's men who

> lay privily in a ditch awaiting our coming with full intent to murder us, yet not withstanding they all discharging upon us so near that my saddle, having broken, fell with myself and the horse and a bullet within a half a foot of me . . . whereupon they mounted horseback and fled towards London with all possible speed.

But could the letter to Lord Burghley have itself been a leg-pull? Is there not a hint of the comical in the shattered saddle? Did it really happen? Were Fawnt and Wotton as fictitious as Wart and Pistol in Shakespeare's *King Henry IV*, Act I, in which a like incident occurs with a mock hold-up near Gadshill instigated by the carefree young Prince Hal, causing, he says 'an argument for a week, laughter for a month and a good jest for ever'! In the play, the prince and his men ride off to London to reunite at the Boar's Head tavern, Eastcheap, where the prince boasts: 'I can drink with any tinker in his own language.' The Earl of Oxford's crest was a boar and his mansion stood in Eastcheap.

Lord Burghley was already accusing his son-in-law of keeping low company in nearby taverns. Oxford had taken tenements in the dilapidated old Savoy 'Hospital' opposite Burghley's house for 'secretaries' whom he later encouraged to write for the theatre. A number of more serious works were already being dedicated to him. 'Your honour taketh single delight in books of geography, histories and other good learning' wrote the physician, Thomas Twyne, in his long dedication to the Earl of Oxford of his translation of *The Breviary of Britain* from the Latin. Arthur Golding dedicated his translation of John Calvin's version of the Psalms of David to him. When Oxford's old Cambridge tutor, Bartholomew Clarke, made a new translation into Latin of every young courtier's favourite, Castiglione's *Il Cortegiano*, the Earl was so enchanted by it that he wrote an eloquent preface to it. Six years later it was praised by the writer Gabriel Harvey as being 'more polished even than the writings of Castiglione himself'.

Another early preface written by Lord Oxford was to the translation from the Latin of *Cardanus' Comfort* by his old friend Thomas Bedingfeld, son of Sir Henry Bedingfeld. Sir Henry had been playfully nicknamed by Queen Elizabeth her 'Gaoler' through his being put in charge of her before she came to the throne. Oxford had seen the manuscript of the translation earlier and now, in 1573, he took himself off with it to what he called 'my new country muses of Wivenhoe', the dearly loved ancestral estate of the de Veres by the sea, which he had given to his wife on their marriage. As he does not mention her presence, it is suggested that he went there to escape the interruptions of Court life, including those of his wife. At Wivenhoe he not only wrote an eloquent foreword to the work but also a charming poem, publishing it himself, somewhat to the surprise of Thomas Bedingfeld. He is also believed to have been the publisher in the same year of *A Hundreth Sundrie Flowres*, an anthology of poems, all signed with initials or Latin tags. Sixteen of these were his own, forty-five were by his cousin George Gascoigne, and the rest by various semi-anonymous courtiers, including '*F. I Fortunatus Infœlix*'. This was Christopher Hatton, who was abroad at the time and whose indignation on his return would account for Edward Bacon writing to his brother, Nathaniel, 'My Lord of Oxford and Mr Hatton were at great words in the Chamber of Presence which matter is said to be before the Council.'

Court in Progress

Increasingly reluctantly Oxford continued at Court, staying at the Archbishop of Canterbury's Croydon palace for the Queen's visit. A letter that spring suggests that he was not enthusiastic about his wife following the Court.

'My good Lord,' wrote his father-in-law to the Earl of Sussex who, as Lord Chamberlain, arranged the courtiers' sleeping accommodation on each Progress.

> I heartily thank you for your gentle remembrance of my daughter of Oxinforde, who, as I think, meaneth, as her duty is, to wait on Her Majesty at Richmond, except my Lord her husband shall otherwise direct her.

Clearly the Earl expected his Countess to fall in with his demands even if he was not already treating her as badly as her adherents claimed. Later Oxford believed he had cause to distrust her with other men and may well already have decided to keep her on a tight rein.

However, by far his greatest interest then was his desire to be allowed to go abroad. His next New Year's gift to the Queen was the most extravagant hint among the many suggestive combinations of jewels from her 'lovers'. Oxford's last had been a slipper to remind her of the dance. This year's was a woman wrought in gold, holding on her knee a golden ship set with magnificent diamonds and rubies hung with pearls and three gold chains. This 'very fair jewel' represented the Queen holding the ship in which, while he was chained at home he longed to sail.

With the message ignored, Oxford was condemned to continue on the rounds of Court, and when he permitted it the Countess went too.

On a repeat visit to the Archbishop's palace at Croydon in May 1574, the Lord Chamberlain's list of lodging includes 'the Captain of the Guard where my Lord of Oxford was', which suggests that Lord Oxford had acted as captain of the guard the previous year and possibly still did. The note goes on, 'The Earl of Leicester where he was', and, 'I cannot tell where to place Mr Hatton', showing that Christopher Hatton was not yet, as he became that year, captain of the guard. 'The grooms of the privy chamber have no other ways to their chambers but to pass through that way again that my Lady Oxford should come . . . As for Lady Carew', the Lord Chamberlain seems to sigh, 'there is no place with a chimney for her.' Even in May the ladies demanded fireplaces, and that was a particularly cold, wet spring. The Queen was 'meloncholy and so had been for many days', and no small wonder when the weather was bad, the courtiers' behaviour worse and 'most of the women therein slandered'. Among those examined for libel 'were Southal, who was with Lord Oxford, and divers others'.

At the end of May Queen Elizabeth retired to Havering atte Bower for six nights, but whether the Earl of Oxford was there or not is not recorded. The current tittle-tattle from Gilbert Talbot included a report that the Queen remained 'sad and pensive in the month of June'; and that:

> the young Earl of Oxford of that ancient family of Veres had a suit that now came for the Queen which she did not answer so favourably as was expected, checking him, it seems for his unthriftiness. And hereupon his behaviour before her gave her some offence.

Whether he was in a rage with the Queen or simply decided to take the matter into his own hands, on 5th July 1574 the Earl of Oxford left Wivenhoe in a ship unstudded with jewels but filled with 'a great sum of money', as Edward Bacon added in a postscript to a letter to his brother Nathaniel, continuing: 'My Lord Edward Seymour was with him and

The Earl of Oxford bearing the Sword of the State before Queen Elizabeth at Windsor Castle, 18th June 1572 engraved by Marcus Gheeraerts.

Edward York and others. He went without leave. The cause of their departure unknown. Much speech there of. The Queen is said to take it ill.' Rumours spread that Oxford had gone to join the northern Earls in exile in Brussels and was preparing to fight in Flanders against the Queen's allies.

The Queen immediately sent Oxford's friend Thomas Bedingfeld to bring him home. Burghley wrote round to his friends that, however inconsiderate Lord Oxford might be in matters of thrift, he knew him to be resolute in dutifulness to the Queen and his country – in which he was right. Oxford was back in England two weeks later, and with his wife and her father went off to Theobalds to await Her Majesty's pleasure. The Queen sent for him almost at once to join her Progress at Gloucester. He set off with Bedingfield, pausing in London long enough to acquire what Burghley considered was some unnecessary new attire for the audience. In the Queen's relief to find his loyalty intact, she forgave him. But he is recorded as being absent from the Progress during the next six weeks. An anonymous note reveals that 'the desire of travel is not yet quenched in him' and 'by no means can he be drawn to follow the court and yet there are many cunning devices used in that behalf for his stay'.

His Countess wrote to Lord Chamberlain Sussex asking not for two chambers but three at Hampton Court. She explained that it was so long since she had seen Her Majesty that she should do her duty by going into waiting, and 'the more commodious my lodging is the willinger I hope my Lord my husband will come thither, thereby the oftener to attend Her Majesty', ending, 'from my father's house of Theobalds. Your Lordship's poor friend, Anne Oxenforde'.

Lord Burghley's diary shows that the Earl and Countess of Oxford spent October at Theobalds and at last it was agreed that crossing the Alps would be permissible for the young Earl, provided he first signed all the appropriate documents dividing his property up between his wife and his sister Lady Mary in the event of his death and leaving land in Essex to his favourite cousins Francis and Horatio Vere, sons of his Uncle Geoffrey. Lord Burghley pointed out that savings could be made if his daughter were at Court, where food and fuel were provided.

Occupied in Foreign Travel

The Earl of Oxford set out on 7th January 1575 with two gentlemen (William Lewyn was one), two grooms, a housekeeper, a cook, a harbinger to go ahead and arrange lodgings, and one payend to settle the account when they left. In Paris the English Ambassador, Dr Valentine Dale, presented the Earl to the new King, Henri III, and his Queen. They had been luxuriously entertained in Venice the year before, sleeping between sheets embroidered with gold thread and crimson silk, and attending a banquet decorated with statues by Sansovino made of sugar, as were the flowers, fruit, knives, forks, bread, table cloth and table napkins. The Earl not only was 'well liked of' but 'governed himself very honourably'. The King gave him letters of recommendation, and the Venetian Ambassador gave him others both to the state and to his own relations in Venice.

In mid-March came news that the Countess of Oxford was pregnant. In high spirits, Lord Oxford wrote back at once to his father-in-law, delighted that he was to become a father.

> And now it hath pleased God to give a son (as I hope it is) methinks I have the better occasion to travel, sith whatsoever becometh of me I leave behind me one to supply my duty and service, either to my Prince or else my country.

Making it quite clear that he did not intend to return home, despite the news that made him a 'glad man', he went on to tell of his hopes that there might be a sea-fight against the Turks in which he could take part. Failing that, he hoped to spend two or three months seeing Constantinople and Greece. Meanwhile everything was more expensive than in England and he would need to pick up more money along the route than had been expected.

The same day he wrote to his wife and sent her two horses and his portrait, which had been painted in Paris by a Fleming. He then set off for Strasbourg, then the chief city of Alsace, where he visited John Sturm, rector of the as yet unofficially founded university, whose method was said to be the basis of English public school teaching. Philip Sidney's brother Robert later studied under 'Sturmius'. Philip was on his way home from Italy and Oxford probably met him there, for Oxford left Strasbourg on 26th April accompanied by Ralph Hopton (son of the Lieutenant of the Tower of London), who had hitherto been travelling with Philip.

Avoiding Milan for fear of the Inquisition, the party made for Padua via Germany, presumably crossing the Alps by the Brenner Pass. The hazardous journey took about a month. Oxford may have lingered for the next four months in the already 350-year-old University of Padua, or he may have travelled around before settling in Venice, which was only half a day away from Padua by river and canal. During this time, William Lewyn, who was older than the other gentlemen, had left Oxford's retinue and later reported to Lord Burghley that he did not know whether the Earl had started for Greece or was still in Italy.

Meanwhile another Englishman, Sir Richard Shelley, who was known to have Roman Catholic leanings, offered Oxford a fully furnished house in Venice that would cost him nothing. He was somewhat hurt that the Earl thanked him politely but refused the offer, and also asked him not to send him letters or messages without Queen Elizabeth's approval.

Oxford's attempts to write home were discouraged by the return, on account of the plague, of three packages of his letters. In later letters he tells of hurting his knee in one of the Venetian galleys, of his being ill with a fever and, above all, of his need of more money. There is no mention of embroidered sheets, table-cloths made of spun sugar or any other lavish entertainment, which Oxford no doubt received as well as gave. Nor is there mention of the new printing of music and the magnificent presentations of opera which were just beginning, or of meeting the painters, craftsmen and scientists of the flowering of the Renaissance. There is also silence about the licentious company he inevitably sought.

It was not until 24th September that Oxford received two letters from his father-in-law with the news that Anne had given birth to a daughter on 2nd July.

A Greek Testament survives that is inscribed: 'To the illustrious Lady Anne de Vere, Countess of Oxford, while her noble husband, Edward de Vere, Earl of Oxford, was occupied in foreign travel', as well as a Latin verse extolling the truth addressed to 'the mother of a Vere daughter'. They are believed to be from her husband. His replies to his father-in-law are mostly concerned with selling land in order to repay money borrowed from the Venetian money-lender, Baptista Spinola, and with giving instructions to sack servants at home whom he believed to be exploiting him.

His money arrived just before Christmas, and he left at once, almost certainly by river and canal, for Florence. Early in the New Year he wrote again from Siena for more money. During the next three months he almost certainly visited Sicily via Rome. An account was published fourteen years later by Edward Webbe[1] of the Earl of Oxford, 'a famous man of Chivalry, at what time he travelled into foreign countries, being then personally present' in Palermo in Sicily, where he challenged all-comers to fight with any weapons, with or without horse and armour, in defence of his prince and country. But 'no man durst encounter him'. Another reference appeared much later in George Chapman's play *The Revenge of Bussy d'Ambois*:

> I overtook, coming from Italy,
> In Germany, a great and famous Earl
> Of England: the most goodly fashion'd man
> I ever saw: from head to foot in form
> Rare and most absolute: he had a face
> Like one of the most ancient honour'd Romans
> From whence his noblest family was deriv'd;
> He was beside of spirit passing great
> Valiant and learn'd, and liberal as the sun,
> Spoke and write sweetly, or of learned subjects,
> Or of the discipline of public weals:
> And 'twas the Earl of Oxford.

Oxford is said to have been in Lyons on his way home during carnival week in March, at the end of which month he arrived in Paris. The legendary sighting in Germany must have been on his way out, with the speaker 'coming *from* Italy', for Oxford would hardly have gone three hundred miles out of his way for the Lyons carnival. There was a carnival of some sort in almost every big town in France throughout the year.

Later still, at the end of the sixteenth century, John Aubrey in his *Brief Lives* tells of the learned Mr Nicholas Hill accompanying the Earl

> in his travels (I forget whether Italy or Germany, but I think the former) a poor man begged him to give him a penny. A penny! said Mr Hill, What dost say to ten pound? Ah! Ten pound! said the Beggar, that would make a man happy. Nicholas Hill gave him immediately 10 pounds and putt it downe upon account – Item, to a Beggar ten pounds, to make him happy, which His Lordship allowed and was well pleased of.

Aubrey writes that Nicholas Hill was a great mathematician, philosopher, poet and traveller with Roman Catholic leanings and was

> so eminent of knowledge that he was the favourite of the Earl of Oxford who had him on travells [he was his steward] which were so splendid and sumptious as that he lived in Florence in more grandeur than the Duke of

Tuscany. The Earle spent fourty thousands pounds per annum in severn yeares travell.

The notorious Aubrey, who claimed Dr Dee as an ancestor, repeats versions of his stories sometimes as many as seven times. But at least he sticks to the same number of years (Oxford was actually abroad for sixteen months) in a story which is a great favourite with Stratfordians as proof that such a 'lewd' man could not have written any of the works of Shakespeare. In his 426 lives, varying in length between two words and twenty-three thousand, Aubrey makes no mention of William Shakespeare. The story goes:

> This Earle of Oxford making of his low obeisance to Queen Elizabeth, happened to let out a Fart, at which he was so abashed and ashamed that he went to travell 7 yeares. On his return the Queen welcomed him home, and sayd, My Lord I have forgott the Fart.

If only his homecoming could have been so simple.

The Bitter Pill

Oxford is recorded as arriving in Paris on 31st March 1576 with William Russell, youngest son of the Duke of Bedford. Living in Paris as Ambassador to Mary Queen of Scots was young Charles Paget, the youngest son of the 1st Lord Paget. Also probably in Paris then, or anyway known to be in close touch, was Henry Howard, youngest son of the executed 4th Duke of Norfolk, and another courtier, Charles Arundel. Their brilliant, racy set fascinated Oxford on account of its members' ingenious flippancy, delivered in cool, sarcastic tones. He wanted to be like them; in fact his temporarily joining them in Roman Catholicism was as much due to his wanting to be part of their coterie as to being overwhelmed by the beauties of the Renaissance churches he had seen in Roman Catholic countries. He wanted to impress them, yet they enraged him. They knew exactly how to cause him to rise by taunting him with untruths and far-fetched accusations. Evidently he met them in the three days of bibulous celebration of his return to Paris. Later they accused him of exaggerating the wonders he claimed were to be seen in Milan, Venice and Genoa and also the army of which the Pope had made him a general through hearing of his fame when serving in the Low Countries. A surfeit of wine was held to be responsible for his imagination running riot.

195

On the fourth day Oxford suddenly left Paris in an overwhelming passion, taking with him Rowland Yorke, avowed Protestant friend of George Gascoigne. It is assumed that this was after learning that the top gossip in Court circles was that Oxford was not the father of his wife's child.

He had a terrible crossing, during which his ship was attacked by pirates and most of his goods were stolen. His brother-in-law Thomas Cecil was at Dover to meet him, but he refused to land and went on into the Thames estuary, only to find his wife and father-in-law waiting for him when he landed at Tilbury on the Essex bank. He brushed them aside, refusing to speak to them, and went straight to Rowland Yorke's house before going to the Queen.

Two days later Her Majesty received one of Lord Burghley's long and circuitously worded letters in which he protested of his daughter that he 'never saw in her behaviour in word or deed, not ever could perceive by any other means, but that she hath always used herself honestly, chastely, and lovingly' towards her husband.

Burghley also made private notes that his daughter had being financially embarrassed in the Earl's absence, and that Henry Howard had told him that Oxford had confessed to him 'that the child could not be his'.

Oxford answered letters from his father-in-law with a firm refusal to accompany his wife to Court until he had found out who was responsible for making her 'so disgraced to the world, with openly raised suspicions that, with private conference, might have been more silently handled'.

Another of Burghley's lists survives, headed '12th June 1576. To be remembered.' It mentions two months 'of unkindness both towards my daughter, my wife, and me also; rejecting of her from his company; and not regarding his child born of her'. Notes follow of his own benefactions to his son-in-law, including his 'care to get him money when his bankers had none', trying to sell his land to the best advantage, staying the clamours of his debters and going back ten years to his persuading 'the jury to find the death of the poor man whom he killed in my house, *se defendendo*'.

This list seems to have been intended for prying eyes, but another, unheaded and written at about the same time, gives the dates of Oxford's whereabouts during Anne's pregnancy and seems to be a genuine puzzling over whether there could be any truth in the accusations of her infidelity.

The last of Wivenhoe Hall, the much loved sea-side retreat of the de Veres over the generations, rebuilt ca. 1530, refurbished in 1573 and demolished in 1927. Nothing now remains but a small part of a garage wall and the name of the lane that was once part of the garden.

Lord Burghley and his son Robert, 1st Earl of Salisbury, are said to have had complete control of all the documents in their family concerning the Earl of Oxford, including letters to and from him. Cecil had a habit of copying, and often marking, the letters he wrote. Between them they were able to sift out any papers showing themselves in a bad light and to keep letters showing them as wise, honest statesmen and generous family man. Oxfordians point out that documents that escaped their censorship often show otherwise.

The morning after Oxford relented into agreeing that his wife could come to Court, provided he was absent, he exploded with rage on finding that Lord Burghley intended to take her to Court that very day in the hope of meeting him and 'furthering her cause'. In his anger Oxford had arrangements drawn up for her separate maintenance. Whether she chose his favourite seaside house at Wivenhoe or whether it was chosen for her, she was allowed to keep it, and also lodgings in the Savoy.

The Earl of Oxford continued to appear intermittently at Court and to perform such ceremonial duties as carrying the Queen's train. He amused Her Majesty (but not many others) by dressing in the latest Italian fashion. 'Large bellied codspeas'd doublet, uncodpeas'd half hose, straight to the dock like a shirt, and close to the breech like a diveling. A little apeish flat, couched fast to the pate like an oyster', wrote Gabriel

Harvey later. Among the novelties Oxford brought back from Italy which were ignored by the pirates (unless they came in another ship) were:

> gloves, sweet bags, a perfumed leather jerkin, and other pleasant things; and that year the Queen had a pair of perfumed gloves trimmed only with four tufts, or roses, of coloured silk; the Queen took such pleasure in those gloves that she was pictured with those gloves upon her hands, and for many years after it was called the Earl of Oxford's perfume.

Literary Losses

As well as his 'loss of a good name', as he called the gossip about his wife, and the loss of his valuables at sea, Oxford soon learnt that another piracy had taken place in his absence. His collection of poems, *A Hundredth Sundrie Flowrs,* with sixteen of his own poems, had been republished as *The Posies of George Gascoigne, Esquire.* Gascoigne also claimed to be the author of an echo song, 'penned upon a very great sudden' which he had produced as a short pageant, incorporating the Queen herself as she returned from hunting. As the echo answers repeatedly 'True' and 'Ver', it is thought to be an early version of Oxford's echo song. Moreover, Gascoigne had contrived by the New Year to be appointed Poet Laureate. He presented the Queen with an elaborately illuminated translation of the *Tale of The Hermite* in four languages, with a frontispiece showing himself kneeling at her feet under a crown of laurels.

Oxford shows his disappointment in a sonnet, beginning:

A crown of bays shall that man wear
That triumphs over me;

It appeared later in the year, with six other poems also signed 'E.O.', in *The Paradyse of Daintie Devices,* another anthology which Oxford probably published himself. Most of it, according to Horace Walpole, was 'written by another comic writer'. These were the last of Edward de Vere, Earl of Oxford's poems to be published under any recognizable signature. Many Court poets never achieved publication at all. None of Philip Sidney's poetry was published in his lifetime, even under a pseudonym. Poems were passed round in manuscript among the poets, who sometimes added a stanza or brief comment.

In July 1577 Oxford's sister Lady Mary de Vere became engaged to Peregrine Bertie, Lord Willoughby de Eresby, son of Richard Bertie and the widow of the Duke of Suffolk. She retained her title of 'Duchess of Suffolk' and pronounced 'Bertie' to rhyme with 'hearty'. All were zealous Protestants.

Oxford thoroughly disapproved of his sister's choice, probably on religious grounds as he was still secretly – except to his increasingly infuriating clique – a Roman Catholic. Neither he nor the Queen would give their permission for the marriage. The Duchess was even more forcibly against it than he, writing to Lord Burghley that 'if she should prove like her brother, if an empire follows her, I should be sorry to match it so . . . she said she could not rule her brother's tongue nor help the rest of his faults'. But Mary was as determined as she had been as a child and, though her betrothed wrote that her brother 'as I hear, bandeth against me and sweareth my death', the marriage took place just after Christmas. By March the Duchess was buying them two tuns of wine. The Duchess warmed so much towards her daughter-in-law, and even towards her brother, that she told her that if he would take his wife again 'nothing could comfort me more, for now I wish to your brother as much good as to my own son', and she devised a scheme to try to bring them together again. In a long letter to Lord Burghley she wrote that Mary had said that Mary's brother would be very glad to see his child, Elizabeth, then aged two-and-a-half, if a way could be found. She suggests 'having some sport with him' by taking Elizabeth to Lord Burghley's house while Oxford was there and bringing her in 'as though it some other child of my friend's, and we shall see how nature will work in him to like it, and tell him it is his own, after'.

Whether the ruse was carried out is not recorded, but Oxford was still disowning Elizabeth many years later. His animosity towards his new brother-in-law soon passed however.

It could have been due as much to his brother-in-law as to others around him at the time that Oxford invested £3,000 in a proposed marine expedition. More than twenty years before, Peregrine's kinsman Sir Hugh Willoughby had tried and failed to find a north-eastern passage to the Orient. In fact, it was to be three hundred years before a way was found through the ice, and that way was only usable in the summer. Walter Raleigh's half-brother Sir Humphrey Gilbert had written *A Discourse of a Discovery of a New Passage to Cataia* [China], which George Gascoigne had just published, though against Gilbert's wishes. The latest attempt was planned by Humphrey Gilbert with Michael Lok as financial arranger and also Dr Dee, the nefarious astrologer who claimed to be consulted by Queen Elizabeth and the Earl of Oxford. Other investors besides Oxford included Queen Elizabeth, Burghley, Sussex, Leicester and Philip Sidney.

Two ships set out under Gascoigne's cousin Captain Martin Frobisher. The object of the exercise seems to have been forgotten in the excitement of finding and bringing back what was thought to be gold ore. On examination it proved to be worthless. Frobisher accused Lok of fraudently extorting £1,000 from Lord Oxford and Lok ended up in the Fleet prison. Oxford, with his life-long interest in the sea, stemming from his cartographer tutor and his favourite Wivenhoe home, was not to be put off. Two years later Frobisher wrote to Leicester that he 'has not moved Sir Francis Walsingham nor any of the rest but my Lord of Oxford, who bears me in hand, and would buy the *Edward Bonadventure*'. Edward de Vere offered £1,500 for the ship and eventually secured her. She sailed in Frobisher's next voyage in a flotilla of three vessels which returned empty of either goods or loot.

NOTES

1   Edward Webbe was a master gunner.
2   There was a suggested link between Alberic Ver of the Domesday Survey and Alberic II, Governor of Rome in 932.

CHAPTER FOURTEEN

High Life

DURING the summer Progress of 1578 through East Anglia, High Sheriff William Spring escorted the Queen through Suffolk accompanied by five hundred gentlemen clad in velvet, the young in white and the not-so-young in black. The last-minute order for this compulsory costume caused a rush on the cloth, which could hardly have worried Sir William as he was the leading East Anglian clothier. Sir William Spring and the Earl of Oxford, whose ancestors had combined to raise Lavenham's glorious church, welcomed the Queen to Lavenham, Oxford in the capacity of Lord of the Manor.

During the same Progress the Spanish Ambassador tells how at Long Melford Hall the Queen, wanting to impress the French Ambassador at dinner, said the sideboard was not so well furnished with pieces of plate as she would have liked the Frenchman to see:

> She sent for the Earl of Sussex, Lord Steward, and asked him why there was so little plate. The Earl said that he had for many years accompanied her and other Sovereigns of England in their Progresses and he had never seen them take so much plate as she was carrying on this occasion. The Queen told him to hold his tongue, that he was a great rogue and that the more good that was done to people like him the worse they got.

A typical Court wrangle ensued over who was responsible. Inevitably Oxford took Sussex's side and the next day, wrote the Spanish Ambassador:

> the Queen sent twice to tell the Earl of Oxford, who is a very gallant lad, to dance before the Ambassadors; whereupon he replied that he hoped Her Majesty would not order him to do so, as he did not wish to entertain Frenchmen. When the Lord Steward took him the message a second time he replied that he would not give pleasure to Frenchmen, nor listen to such a message, and with that he left the room. He is a lad who has a great following in the country.

At Audley End the Queen and some of her chosen courtiers were each presented with a pair of gloves and a Latin verse. Her Majesty's gloves were 'perfumed and garnished with embroidery and goldsmith's work price 60.s.' She sniffed them before putting them halfway up her hands for all to see. Lord Burghley's gloves were perfumed but cost 20s. The Earl of Surrey, his brothers and Philip Sidney were among those less expensively honoured: 'Unto the Earl of Oxford a paire Cambray [fine white linen] gloves and verses were given.' Gabriel Harvey 'poured forth his encomiastic strains in great abundance' and afterwards published them. His verses consist of a heroic address of some fifty lines, beginning with the dignity of Oxford's military affairs, but mainly paying tribute to his learning, scholarship and 'services of a poet possessing lofty eloquence' which 'is a wonder which reaches as far as the heavenly orbs'.

Carvings of the family badges of the star and the boar appear in the more ancient timbers of De Vere House in Water Street, Lavenham.

202

However the citation ends in an appeal to throw away the pen and, in a favourite translation quoted by Oxfordians as a reason for Oxford's choice of a pseudonym, runs: 'now must the sword be brought into play, now is the time for thee to sharpen the spear . . . Thine eyes flash fire, they countenance shakes spears.' Others suggest that Harvey, in collusion with Oxford, was reminding the Queen of the Earl's continued wish for further military service.

More Pen-shaking than Spear-shaking

Edward de Vere and Philip Sidney had become the leaders of two literary factions. De Vere led the Euphuists, who were for enriching the English language by adding to it or adapting it to modern usage; Sidney led the Romanticists, the passionate visionaries who rose above practicalities. De Vere was primarily interested in the language and Sidney rather more in the story.

De Vere employed secretaries, scriptwriters and translators; whereas Sidney relied more on his friends for encouragement. For years, on and off, Thomas Churchyard was lodged and paid by Oxford. Churchyard had been, as a boy, a page to Oxford's uncle, the poet Surrey. De Vere employed and also provided quarters at the old Savoy palace for the playwright John Lyly, whose *Euphues, the Anatomy of Wit* was followed by *Euphues his England*, dedicated to his 'very good Lord and Master Edward de Vere, Earl of Oxenford'. Antony Munday and later Thomas Lodge, Thomas Watson and Robert Green all followed Euphuism. Holinshed's *Chronicles of England, Scotland and Ireland*, published in 1578, was primarily used as a source for plays by Oxford's faction.

Gabriel Harvey made fun of the Euphuists and particularly of Edward de Vere, but he was a friend of both leaders, Oxford and Sidney, and was behind there 'often being more frolic than seriousness' in the letters and poetry they exchanged. He was living in the old Savoy and did not forget that the Earl of Oxford had helped him out with gold coins and 'many gracious favours' at Christ's College, Cambridge – which could account for his extravagant praise at Audley End. Edmund Spenser, who concealed the identities of both sides in his *Shepheardes Calendar*, was himself essentially a Romanticist and joined Sidney at Leicester House, where he was living with his uncle. Fulke Greville, Sidney's old schoolfriend and later biographer, remained his lifelong admirer. But Sidney's greatest support came from his sister Mary, Countess of

Pembroke, particularly when inspiration failed him. 'The use of a pen has plainly gone from me', he wrote in 1579, and his mind, 'if ever it was active about anything' was 'by reason of indolent sloth' beginning to lose its strength. De Vere's mind, if not his behaviour, had been more rigorously disciplined by his distinguished tutors, and he never appears to have allowed mental blocks to hold up his writing.

In a recent experiment, a piece of Oxford's handwriting, of which much survives, was shown anonymously to Muriel Stafford, a leading American handwriting analyst, who spotted his 'extraordinary literary talent; swift intractable brilliant mind' and writes that, 'his concentration is so intense he may have difficulty in judging a situation or problem as a whole; but he certainly can see all the details'. There is nothing in this reading that is not consistent with what is known of the man. It ends, 'his personality can be charming but if bored he can become moody and impatient'. That is putting it mildly.

Hackles rose when the Queen gave the Earl of Oxford the manor of Rysing in Norfolk[1] which had been confiscated by the Crown on the execution of his first cousin, the Duke of Norfolk, six years earlier. Not surprisingly, the late Duke's sons resented this gift. 'Some unkindness and strangeness proceed therein between my Lord of Surrey, Lord Harry and his Lordship', Lord Burghley was informed.

In the bill of conveyance, the Queen gives the reason for the gift to be 'in consideration of the good, true and faithful service done and given to us before this time by our most dear cousin Edward, Earl of Oxford'. Oxfordians point out that the faithful service could only have been producing such devices to amuse the Court as gave him the acclaim of being 'the best for comedy'. In the previous Progress the Privy Council is mentioned as granting 'eight carts to carry my Lord of Oxford's stuff from the Court to London'. It is assumed that these carts were to carry theatre props.

De Vere was one of the English travellers who brought home a stock of Italian games, some of which are still played by the literati of today. 'In *The Ship* each lady chooses two gentlemen, then pretending a storm, obliges her to throw one overboard, deciding whom she wishes to save and why.' There is no hard line between such spontaneous challenges to produce witty, ingenious dialogue as these and the production of the masques that the courtiers put on themselves, sometimes with a mixture of professional actors and members of the Court, both high and low, playing themselves.

In 1579 Gilbert Talbot wrote to his father of:

> such shows as were showed before Her Majesty this Shrovetide at night. The chiefest was a device presented by the persons of the Earl of Oxford, the Earl of Surrey, the Lords Thomas Howard and Windsor. The device was prettier than it happened to have been performed; but the best of it, and I think the best liked, was two rich jewels which were presented to Her Majesty by the two Earls.

All 'unkindness and strangeness' was forgotten where entertainment was concerned, not only towards Surrey and his brother but towards Lord Windsor, who was Oxford's half-sister Katherine's eldest son, Frederick. On his behalf she and her husband had tried to prove Edward de Vere illegitimate.

Visitors from France

When the French Ambassador was sent to reopen negotiations for a marriage between Queen Elizabeth and François, Duc d'Alençon, later Duc d'Anjou, the Earl of Oxford was asked to act as intermediary because he spoke and wrote French well. He had also met Alençon's brother, Henri III, King of France, who had earlier been offered to Queen Elizabeth as a husband. King Henri and Alençon's mother, Queen Catherine de Medici, were most enthusiastic about the latest match, as were Lord Burghley and the Earls of Sussex and Oxford. The Earl of Leicester and his following were strongly against it. When the French Ambassador discovered that Leicester had secretly married Lettice Knollys, widow of the Earl of Essex, he used the information to have Leicester banished from Court to a tower in Greenwich Park. Philip Sidney was left to write to Queen Elizabeth, giving as the reason why she should refrain from the marriage, his being 'a Frenchman and a papist' who the common people knew perfectly well, whatever excuses were made, was the son of the Jezebel of the age. He refers bitterly, having been present, to the Roman Catholic massacre in Paris. The Queen was not pleased and although Sidney was not officially banished, he took himself off to the country. He remained with his sister Mary at Wilton. Here he was stimulated into writing *The Countess of Pembroke's Arcadia*, originally merely for her amusement, for she too was a poet.

In fact the Queen had had little intention of marrying either of Catherine de Medici's sons, who were a generation younger than herself and wore low-cut frocks and pendent ear-rings. Moreover her 'Frog', as she playfully nicknamed Alençon, was badly pock-marked. Sidney had also 'picked his spots' at an early age, but the Queen prided herself on surviving smallpox without a blemish.

The legend goes that Sidney was expelled from Court because of a previous incident that has been blown up out of all proportion to the actual event. Philip Sidney and Edward de Vere both had easily roused tempers. Sidney is recorded as having threatened a man with a dagger for opening his father's letters. Oxford's verbal threats were considerably more numerous. Unfortunately their flying into a rage with each other was witnessed by French commissioners who were watching the ancient game of royal tennis on the great court sited on the present Horse Guards Parade. According to the Spanish Ambassador Sidney was playing when the Earl entered the court and, uninvited, joined in the game. Sidney objected and, as the Earl ordered all the players to leave, remonstrated with him. Oxford shouted that he was a puppy, and Sidney replied, 'Puppies are gotten by dogs and children by men.' Oxford left and Sidney followed up the insult by challenging the Earl to a duel. The Queen forbade the fight and demanded that Sidney should apologize to Oxford as one of higher birth. There is no proof of another version that Oxford planned to murder Sidney 'with a foolproof method of assassination'. Such tiffs were common at Queen Elizabeth's Court, but this one has remained memorable through the pantomime-like theme of the haughty Lord Great Chancellor overpowering the cheeky young Master Sidney – Philip was to remain untitled for another four years before he was knighted.

In 1580 Oxford's literary eminence and good favour with the Queen led him to be regarded as successor to Leicester as leader at Court. Fulke Greville admitted that Oxford was 'superlative in the Prince's favour'. Books, plays and pamphlets were dedicated to him and, though extravagant in their praise, as in most dedications, at least touched on the patron's actual interests. Southerne, a Frenchman who was one of the resident writers employed by Oxford, refers to him as an amateur astrologer, historian, linguist and musician:

For who marketh better than he
The Seven turning flames of the sky?
Or hath read more of the antique;
Hath greater knowledge of tongues
Or understandeth sooner the sounds
Of the learner to love music?

Edmund Spenser published a lampoon by Harvey exaggerating Oxford's Italianate garb and manners, calling him 'delicate in speech, quaint on array, conceited in all points'.

Thomas Nashe replied indignantly that Oxford had one of the best wits in England, and said that if Harvey attacked him again he prophesied 'there would be more gentle readers die of merry mortality engendered by the eternal jests he would maul thee with'.

In fact in the same poem Harvey also praises Oxford for his gallantry, honour and linguistic ability, and calls him a 'resolute man for great and serious affairs', mentioning his lynx-like ability to 'spy out secrets and privacies of states'. He also wrote that: 'the noble Earl, not disposed to trouble his jovial mind with such saturnine paltry, still continues like his magnificent self'.

Early in 1580 Oxford rented Blackfriars Theatre and took over the Earl of Warwick's actors.

Alençon had already arrived in England when Oxford took a step which led the French Ambassador to write that Lord Oxford 'has lost all credit and honour, and has been abandoned by all his friends and by all the ladies of the Court'.

Either because he had had enough of his one-time friends' provocation or through a genuine fear for the Queen's life, Oxford went to her and confessed that while abroad he had become a Roman Catholic. However he had recanted on realizing that it involved allegiance to the King of Spain, which was now leading, in the case of certain others, to a conspiracy against the Queen.

The Queen was deeply shocked and, though the Earl flung himself on the ground begging for forgiveness several times, she ignored his pleading in her determination to gain the facts. These Oxford gave her, naming Lord Henry Howard, Charles Arundel and Francis Southwell. If Oxford behaved dishonourably in betraying his friends, it was nothing to what they had already done to him in breaking up his marriage and nothing to what they planned to do in retaliation. Hitherto the Queen had turned a lenient eye towards those whom she knew to be Catholics so long as they remained loyal to her, but hardly were the Christmas festivities over than severe measures began against all known Roman Catholics. The Spanish Ambassador wrote that 'the three who were formerly great favourites at Court were taken to the Tower on the 9th January 1581'.

Two weeks later a tournament was held to celebrate Lord Henry

Howard's half-brother, the Earl of Surrey's succession to the earldom of Arundel.[2] Again 'strangeness' was forgotten in the cause of royal entertainment. Oxford was the challenger and his star shone again in a final burst of adulation on his winning the prize of the day.

Meanwhile Henry Howard made a list of preposterous countercharges to bring against Oxford which he sent round to his fellow conspirators to see how far they were prepared to support him. The list included attempted murder of several dignitaries, treasonable correspondence with the Spanish Ambassador, and scurrilous accusations of homosexuality (which Stratfordians are particularly fond of quoting in sordid detail as facts that prove such a man could not possibly have written *The Works of Shakespeare*). Among other crimes which Oxford was alleged to have committed were:

> Railing at Francis Southwell for commending the Queen's singing one night at Hampton Court, and protesting 'by the blood of God' that she had the worst voice and did everything with the worst grace that ever woman did. Against this, in another hand, appears: '*audibi, sedin poculis*', meaning, 'Yes, I heard him say so, but he was intoxicated at the time.'

Among other charges, they denounced the Earl (whose name is never mentioned) as a great liar, quoting from his after-dinner travellers' tales. Arundel later admitting that he had often been 'driven to rise from his table laughing'.

Arundel ends his accusations, many of which applied to himself, with:

> To record the vices of this monstrous Earl were a labour without end; they are so many and so vile and so scandalous that it would be a shame to write them, and a loss of time to read them . . . his impertinent and senseless lies . . . he hath perjured himself a hundred times and damned himself to the pit of hell . . . he is a most notorious drunkard and very seldom sober; – in his drunken fits he is no man but a beast . . . sparing no woman be she never so virtuous, nor any man, be he never so honourable.

Oxford was arrested and sent to the Tower but was released on Lord Burghley's and Raleigh's intervention. He was certainly not committed for treason, though the Yeoman Porter of the Tower tried to claim fees for the Earl's upper garments 'in respect of persons committed to the Tower for treason' – he failed. Howard and Arundel complained that their enemy was free and allowed to 'graze in the pastures'. But though Oxford was released from the Tower on 8th June, he was still under house arrest and wrote to Lord Burghley, asking for help in obtaining his full liberty. After his complete release he was still forbidden to come to Court.

It was through Arundel's accusation of Oxford 'craving access to his mistress' that an affair came to light between Oxford and one of the Queen's gentlewomen of the bedchamber. Anne Vavasour, from a proud and aggressive family claiming descent from William the Conqueror's doorkeeper, was nevertheless regarded at Court as little more than a 'drab'. Only when she gave birth in the maids-in-waitings' chamber at Court did the Queen pack the Earl of Oxford back into the Tower. With him went Ann Vavasour and their new-born son, to be named Edward Vere.

The Countess of Oxford made fresh appeals to her husband to end their long separation. A later letter to him from Thomas Vavasour, a relation of his mistress, whom he continued to see in secret, complains, 'thou art so much wedded to that shadow of thine', meaning, presumably, his writing. This suggests that his refusal to return to the Countess and his almost life-long attempt to break away from the dominance of her father was due, above all else, to his innate craving to be able to create undisturbed.

He had ample opportunity to write during his banishment, but he seemed only to be able to think about being set free. His acting companies continued under Lyly but could not perform at Court without him.

Present Reconciliation

At last, after Oxford's release, while out of favour and, in his father-in-law's words, 'ruined and in adversity', he relented and returned to his wife. They spent Christmas together with her family, almost certainly at Theobalds.

On Shrove Tuesday, Lord Burghley's eldest granddaughter, Elizabeth Cecil, was married to Lord Wentworth[3]. This was just after her grandfather learnt that Pope Gregory XIII had issued a bull ordering a controversial reform of the calendar, which he rightly predicted would cause rioting and dissent for years to come. Four days later news came that the Earl of Oxford had been seriously wounded in a fight and Lord Burghley, overcome by it all, took to his bed. The fight, over Anne Vavasour, had broken out between the Earl and Thomas Knyvett, lately appointed Keeper of the Palace of Westminster.[4] Both contestants were hurt, Oxford 'more dangerously'. He was lamed, it is said, for life. It was

Ann Vavasour who inadvertantly gave birth in the maids-in-waiting's chamber at Court to the 17th Earl of Oxford's natural son, also named Edward. Queen Elizabeth immediately had all three packed off to the Tower of London. Copy of a portrait believed to be by Marcus Gheeraerts.

apparently not an organized duel but a spontaneous combat. Later Anne's cousin Thomas Vavasour[5] challenged Oxford to a duel (which was not fought), leaving him the choice of weapons 'at the place to be appointed by us both'. Vavasour wrote, 'if thy body had been as deformed as thy mind is dishonourable, my house had been yet unspotted', which could be interpreted as one of the House of Vavasour causing Oxford's body to become deformed. However there is no actual record of permanent damage to the Earl from his fray with Knyvett, and the notion that he was wounded for life may have come from over-zealous Oxfordians who related the Earl's much later references to 'my old infirmity' to the mention in three of Shakespeare's sonnets of their author's lameness.

No mention is made of any disablement when, three months later, Oxford is recorded walking in the garden of Willoughby House after he and his brother-in-law Peregrine, Lord Willoughby, had supped together. A friend had been sent round after hearing a rumour that they were planning to lie in wait to attack Knyvett, only to find this peaceful scene. Willoughby House was in the London Barbican, now built over by towering blocks of flats of the same name that rise above terraced gardens and pools.

Only a month after walking in his London garden with Lord Oxford – and not, as is often said, the following year – Lord Willoughby was sent to the still unfinished castle at Elsinore as Queen Elizabeth's Ambassador to the King of Denmark. In Shakespeare's *Hamlet* English Ambassadors are sent to the same Elsinore Castle. Willoughby's ship docked at Elsinore on 22nd July 1582, and on 14th August he presented the King of Denmark with the Order of the Garter. After this ceremony Willoughby notes 'a whole volley of the great shot of the Castle discharged, royal feast and cunning fireworks'; matching intriguingly the lines in *Hamlet* 'to the ambassadors of England gives this warlike volley' and 'the King keeps wassail' as 'the kettle drum and trumpet bray out the triumph of his pledge'. But it is for the experts to point out the countless affinities between the characters and detailed circumstances of the play and what is known about the emotions and life of Edward de Vere, 17th Earl of Oxford.

On 20th September Willoughby landed at Broomholme Priory, Norfolk, now no more than a ruin lying beside Bacton North Sea Gas Terminal. By then resentment was smouldering all over England over the ten days people believed was being stolen from their lives through Pope Gregory's order that in 1582 15th October was to follow immediately on 4th October. Public rioting, as always, was an excuse for private scores to be settled in the streets. The quarrel between Oxford and Knyvett blew up again in the spring and is regarded by Oxfordians as a Montague-and-Capulet-like feud involving a pair of star-crossed lovers, as in Shakespeare's *Romeo and Juliet*. Whether Oxford's affair with Anne Vavasour, which is recorded as continuing in secret, ended before or after he returned to his wife is not known. Certainly one of Oxford's men, buried in St Botolph's just off Bishopsgate, was 'slyne 21 Febr' 1583, and the following month Knyvett was telling the Queen that his men were 'evil used by Lord Oxford's men', whereupon Her Majesty 'tended to bring some good end to these troublesome matters betwixt my Lord of Oxford and Master Knyvett'. Oxford complained that the Queen had been told that he was going about with a retinue of fifteen or sixteen pages in livery. Burghley assured her that this was far from the case, for his household consisted only of four: 'one of them waiteth upon his wife my daughter, another is in my house upon his daughter Bess, a third is a kind of tumbling boy' and the fourth was the nephew of an old servant.

If Oxford still refused to believe that 'Bess' was his daughter, at any rate he enthusiastically claimed paternity of his first legitimate son, born at Hedingham Castle, where surely more than four servants were needed, less than two months after Burghley's assertion.

It would not have been unlike Lord Burghley to reduce the number of Oxford's servants in his letter to the Queen to those he could see at the time. Nor, however, would it have been unlike the Earl of Oxford to increase his retinue soon after his father-in-law's letter in order to open up his own birthplace so that his hoped-for son might be born there too.

Alas, this son and heir, styled 'Lord Bolebec', only survived four days. The record of his burial can be seen in the parish register of St Nicholas' Church, Castle Hedingham: '9th May 1583. The Earl of Oxenford's first son.'

The sorrow of the young couple, who had come together again at last, touched the Queen's heart. On 2nd June Roger Manners wrote to his father:

> Her Majesty came yesterday to Greenwich from the Lord Treasurer's . . . The day she came away, which was yesterday, the Earl of Oxford came to her presence, and after some bitter words and speeches, in the end all sins are forgiven and he may repair to the Court at his pleasure. Master Ralegh was a great man herein.

A verse by the Queen appeared in *Pandora*, published by John Soouthern, which anthology was dedicated to the Earl of Oxford. It also contained 'Foure Epytaphes made by the Countess of Oxenford after the death of her young Sonne, the Lord Bulbecke'. Oxfordians compare her lines:

> Had with the morning the Gods left their will undone,
> They had not so soon herited such a soul;
> Or if the mouth, time, did not gotten up all
> Nor I, nor the world were deprived of my son.

with lines in Shakespeare's Sonnet 33, beginning, 'Full many a glorious morning have I seen', believing it to be an epitaph on the same son by his father. It is suggested that he may have only seen the baby for one hour during his four days on earth. Punning, even in so serious a poem, was not unusual:

Even so my sun one early morn did shine
With all-triumphant splendour on my brow;
But out, alack! he was but one hour mine,
The region cloud hath mask'd him from me now.

The Enemies' Flight

With Oxford's restoration to favour at Court, Charles Arundel, released from the Tower, fled to Paris with Charles Paget. There regrettably, they sold state secrets to the King of Spain until their attempts at double-espionage were discovered. At first Lord Paget threatened to disown his brother if he 'forgot his duty to England'. However, when as a zealous Roman Catholic he too came under suspicion, Lord Paget followed his brother to Paris. On the day he left he wrote to their mother, Lady Paget, trusting that she would not mislike the step he had now taken. His estates were immediately confiscated and the Queen issued a proclamation commanding his return.[6]

Meanwhile Henry Howard was placed under house arrest again for another six months, and Francis Southwell slid into obscurity.

Within weeks of the Queen forgiving him, Oxford was craving a favour on behalf of Lord Lumley, husband of his first cousin Elizabeth D'Arcy, whose grandfather was sent to spy on the 16th Earl of Oxford's love-life. Elizabeth's father, 2nd Lord D'Arcy, of St Osyth, had a collection of books and manuscripts magnificent enough to endear him to Oxford, who now asked that heavy taxes imposed on Lord Lumley for a misdemeanour many years before, should be lifted.

The Earl of Oxford's own finances were hardly flourishing, partly through his bad luck in his investments in voyages of discovery, though fundamentally because of his grandiose extravagances. More and more of the de Vere estates had to be sold. Some dated back to the Domesday Survey; others had accumulated through service and marriage. The 17th Earl of Oxford had already sold forty estates, partly on the advice of Queen Elizabeth who, he complained, believed that he meant to cut down all his woods especially about his house, 'which he did not like of as much as if he sold some land elsewhere'. This reference may have been to Hedingham Castle or to his London house. He had at some point left Oxford Court in Cheapside for Fisher's Folly in Bishopsgate,[7] whose extensive gardens, luxurious bowling alley and tennis court reached almost to the boundaries of Oxford Court, a quarter of a mile away. There was plenty of room for trees to surround any of his houses.

With his return to favour, his expenditure on theatricals increased. Plays were performed again at Court under his patronage; several of them were source plays or proved to be early versions of dramas now known as plays of Shakespeare.

Queen Elizabeth had done all she could to postpone war with Spain; but with King Philip of Spain starting to build a fleet for his planned invasion of England she had to face the inevitable. Dutch defences against Spain were weak, and on 15th March 1584, Sturmius wrote to her from his Strasbourg academy urging her to send 'some faithful and zealous personage such as the Earl of Oxford, the Earl of Leicester or Philip Sidney' in command of an expedition into the Low Countries.

It was over a year since she had sent two thousand English foot-soldiers for the relief of Antwerp. But they had arrived too late and Antwerp was captured by the Spanish. Meanwhile Oxford had written to his father-in-law, asking to borrow £200 in order to raise his own battalion. On 28th August 1585 he landed his men at Flushing to join Colonel John Norris.[8] King Philip was informed the next day that the Earl of Oxford had been sent to the Netherlands on the Queen's orders.

There was a hold-up caused by the Queen sending a civil servant to receive the keys of the town of Flushing and Brill as a security, in return for which she undertook to provide five thousand men and one thousand horse during the continuance of the war. Sir Philip Sidney was suggested as an alternative receiver of the keys. He had been knighted the year before and had married Secretary of State Sir Francis Walsingham's daughter. But Sir Philip, out of favour for having rushed off to Plymouth to join Sir Francis Drake on his voyage to the West Indies without Her Majesty's permission, was not at first on offer. He persuaded the Queen that it 'would fall out greatly to his disgrace to see another preferred before him, both for birth and judgement inferior to him' He was forgiven and sent to Flushing to receive the keys.

It seems strange that the Earl of Oxford, whose 'superior birth' the Queen had pointed out to Sidney over the tennis court quarrel and who was also on the spot, was not asked to perform the ceremony of the keys. Moreover when Colonel Norris recaptured Arnhem, the Queen, far from rejoicing in his victory, told him he was 'supposed to defend and not offend'. Oxford's reaction to this and to not being asked to receive the keys must have had some bearing on his being ordered home. The day

London Stone, 'a stone's throw from Oxford Court'. Shakespeare, in *Henry VI Part II*, has the rebel Cade proclaim his supremacy with: 'here, sitting on London Stone, I charge and command that, of the city's cost, the pissing-conduit run nothing but claret wine this first year of our reign'. The battered block of limestone is protected by a wrought iron grid let into the wall of the Bank of China, built on the site of *St Swithin London Stone* opposite Cannon Street station. The church was destroyed in the Great Fire of 1666, rebuilt by Wren, bombed in 1940 and demolished in 1960. Inside the bank, London Stone can be seen more clearly behind glass. It is said to be the Roman milestone that once stood in Agricola's London forum, with distances measured from it along the Roman military roads radiating from London.

after he left the Netherlands, the Queen signed the Earl of Leicester's commission as Lieutenant-General of the English forces in the Low Countries.

According to a letter received by Leicester on 14th October:

> the Earl of Oxford sent his money, apparel, wine and venison by ship to England. The ship was captured off Dunkirk by the Spaniards on that day, and a letter from Lord Burghley to Lord Oxford found by them on board. This letter appointed him to the command of the horse.

Colonel Norris's brother received a letter four days later, saying that 'the Earl of Oxford has returned this night into England, upon what humour I know not'. The humour the Earl was in the following month when Sir Philip Sidney, with the rank of General of the Horse, took over the governorship of Flushing, can only be surmised.

The Earl of Oxford returned to his wife and daughters and to his writing. In *A Discourse of English Poetry*, published in 1586, William Webbe writes:

> I may not omit the deserved commendations of many honourable and noble Lords and gentlemen in Her Majesty's Court, which, in the rare devices of poetry have been, and yet are, most skilful; among whom the Right Honourable Earl of Oxford may challenge to himself the title of the most excellent among the rest.

And yet no poetry or any other devices appeared under his name.

On 26th June 1586 Queen Elizabeth, while at Greenwich, signed a privy seal warrant in the Earl of Oxford's favour that has mystified historians ever since. In Queen Elizabeth's reign nobody but the King of Scotland and the Master of the Posts received an annuity of over £800 a year, but the Queen assigned to her 'beloved Cousin the Earl of Oxford' the sum of:

> One Thousand Pounds good and lawful money of England. The same to be yearly delivered and paid unto Our said Cousin at four terms of the year by even portions; and so to be continued unto him during Our pleasure.

It was signed at Greenwich. No reason why he received this grant is given. It was to continue after Queen Elizabeth's death, being paid by King James I. Suggestions have ranged from her sheer fondness for him to his being her highest paid spy, but he was never even abroad again after his brief military commission in the Netherlands. Whether he actually wrote the plays himself or not, it is now generally assumed that the annuity was paid to him to ensure that the Queen and her Court were fully supplied with theatrical entertainment, on which she depended as much as viewers depend on television today.

Woe on Woe

The administration of the campaign in the Netherlands in the following year was in even greater confusion that in the previous one. When the Queen heard that Leicester's wife intended to join him with coaches and litters and more ladies-in-waiting than she had herself, she tried to cancel his governor-generalship. He had been sent £20,000 to pay the soldiers' wages, against Oxford's mere £200 the year before, and yet Leicester's men were going hungry. Leicester's attempt to take Zutphen failed. Sir Philip Sidney, in a gesture of courtesy, abandoned his body armour before going into battle and was wounded in the thigh on 22nd September, five days before the trial of Mary Queen of Scots began in Westminister. When Sir Philip's wound turned septic, his wife was allowed to join him. He died three weeks later, by which time Mary Queen of Scots' trial was over. The Earl of Oxford was one of the twenty-four commissioners for the trial. Letters had been intercepted over a long enough period to leave no doubt that Queen Mary was plotting the murder of Queen Elizabeth by six of Elizabeth's own courtiers. Mary was found guilty and condemned to death.

Elaborate preparations for Sir Philip Sidney's funeral were strung out, probably as a diversion from the plight of the condemned Queen. Sir Philip, aged thirty-two, was immensely popular. Though no beauty, he was a great charmer and had been happily married for three years. Tales of his acts of chivalry continued to circulate.

Mary was beheaded on 8th February 1587 at Fotheringhay Castle, Northamptonshire. A note written by an onlooker mentions that she mounted the scaffold with her little dog concealed in the folds of her skirts. As her head was severed from her body her dog leapt out to crouch defiantly between her head and body.

Queen Elizabeth heard that the awful deed had been done when she came in from a ride at Greenwich. In her own room she burst into a passion of weeping and insisted that she had never meant her warrant to be carried out. Lord Burghley was banished from Court for two months and once more took to his bed. By then his daughter Anne was pregnant again, though still complaining, her father wrote, 'with dolour and weeping' and 'continually afflicted to behold the misery of her husband and of his children, to whom he will not leave a farthing of land . . . neither honour nor land or goods shall come to their children'. Burghley told Walsingham that anything he might do to relieve her misery would be unpopular with Oxford's 'lewd friends, who still rule him by flatteries'. These were the Earl's literary and dramatic admirers, and 'certain players whose approach gave a kind of joy', which inevitably the Earl preferred to the wailings of his wife, just as Hamlet avoided the wailings of his mistress. A fortnight later, on 26th May, a fourth daughter, Susan, was born to the Countess. The spirits of this 'of ladies most deject and wretched' can hardly have been raised by the death the same year of Frances, one of the three elder daughters. Anne's father endeavored to cheer her up with an ingenious arrangement for her husband to convey Hedingham Castle to the Crown, which was then returned to him with a charge for the rent to be settled on 'the issue of his wife, Anne'. The following year the Queen gave Oxford the priory of Earls Colne, which had been taken from his family at the Dissolution. His Countess was staying in the Queen's Palace at Greenwich at the time, where she fell seriously ill with fever. On 5th June 1588, three days before the priory was returned to the family, the hapless Countess of Oxford died aged thirty-one.

Her magnificent funeral in Westminster Abbey on 26th June was, according to a manuscript written by Garter King at Arms

> attended by many persons of great quality and honour. The chief mourner was the Countess of Lincoln, supported by the Lords Windsor and D'Arcy, and her train borne by the Lady Stafford; and among other mourners at her funeral were the Ladies Russell, Elizabeth Vere, Willoughby, sister to the Earl of Oxford, Cobham, Lumley, Hunsdon, Cecil, wife to Sir Thomas Cecil. Six bannerets were born by Michael Stanhope, Edward Wotton, Anthony Cooke, William Cecil, John Vere and Richard Cecil.

The extraordinary thing is that no mention is made of the Countess's widower. It has beeen suggested that his name was removed from this particular (and now only surviving) record through his in-laws blaming his wife's early death on his treatment of her. If, after raging with them, he had refused to attend, Garter King at Arms would have made some diplomatic excuse for him. If he had been ill or an active service, it would have been recorded. In fact, he may well have been at sea, for the funeral took place only three weeks before the English fleet was engaging the Spanish Armada off Portland. The Earl of Oxford had fitted out his 350-ton ship, *Edward Bonadventure*, at his own expense, adding forty cannon. Captained by James Lancaster, she was the second largest vessel in the flotilla of thirteen ships commanded by Sir Francis Drake. A ballad refers to Edward de Vere standing on the deck of his ship 'like warlike Mars up on the hatches'. He was in some heavy fighting in the last week of July off Plymouth, but 'was forced to land', Leicester wrote to Walsingham from Tilbury camp, where he was in supreme command with Norris as his Chief of Staff, continuing: 'my Lord of Oxford had returned to Tilbury for armour furniture. I trust he be free to go to the enemy as he seems to be most willing to hazard his life in this quarrel.'

Oxford was offered the governorship of Harwich, 'a place of great trust and great danger with 2,000 men under him'. At first, he liked the idea; then, Leicester noted, 'he came to me and said the place was of no service and no credit and he would ask the Queen for something else'.

Leicester added: 'For my own part to be gladder to be rid of him than to have him, but only to have him contented which now I find would be harder than I took it.'

Although he missed the decisive battle with the dramatic episode of the fire ships, Oxford had evidently served well enough at sea before this to take a prominent part in the procession to St Paul's Cathedral on 24th November 1588 to give thanks for the great victory. The report ran: 'The noble Earl of Oxford, then High Chamberlain of England, rode right before Her Majesty, his bonnet in his hand.' The Queen proceeded in state with 'two noblemen carrying the golden canopy over Her Majesty's head as she walked up the nave of St Paul's and took her seat in the choir'. A plan of the order of the procession shows the Sword of State borne by the Marquess of Winchester immediately in front of the Queen, who had the Lord Great Chamberlain of England and the Earl Marshal, the two senior noblemen who would have had the honour of carrying the golden canopy, on either side of her.

Oxfordians have just cause to claim Edward de Vere, 17th Earl of Oxford, was author of Shakespeare's Sonnet 125, with its opening line: 'Weren't aught to me I bore the canopy.' It would be meaningless, as would the rest of the poem, unless written by a high-ranking courtier.

The suggestion that Will Shakespeare of Stratford might have carried a canopy over the head of the Earl of Southampton, to whom the sonnets are dedicated, is not merely a 'might have been' but also a 'could *not* have been'. The ceremonial canopy, carried on this occasion by two noblemen and on others by four, was never borne over an Earl.

NOTES

1 Now buried beneath Lakenheath US airfield.
2 Charles Arundel was not connected with this earldom.
3 Lord Wentworth was a cousin of the earlier Lord Wentworth, whose daughters were considered as possible wives for the 16th Earl of Oxford.
4 Anne Vavasour's grandmother was a Knyvett of Buckenham Castle, Norfolk. The village was demolished because it was in the Breckland Army Training Area.
5 The notoriously unreliable Aubrey referred to it as a duel, with Walter Raleigh acting as Lord Oxford's second.
6 Lord Paget never returned and was to die in Brussels seven years later.
7 Probably in 1578, when his selling one property and buying another is recorded. Fisher's Folly was named after a developer who built this sumptious mansion but could only afford to live in it for a short time.
8 Norris's brother was eventually to marry Oxford's second daughter, Bridget.

CHAPTER FIFTEEN

Comedies, Histories and Tragedies

Within months of the funeral of the Countess of Oxford, her mother died at Cecil House. Effigies of them both lie side by side in the 24 foot high multi-marbled monument which Lord Burghley erected to them. He is represented in the upper storey with his son, Robert Cecil, and three granddaughters, Elizabeth, Bridget and Susan, kneel at the head and foot of the sarcophagus.

Lord Burghley summed up the situation at the time in a remarkable inscription which can be seen on this tomb in St Nicholas' Chapel, translated here as:

> Lady Elizabeth Vere, daughter of the most noble Edward Earl of Oxford and Anne his wife, daughter of Lord Burghley, born 2nd July 1575. She is fourteen years old and grieves bitterly and not without cause for the loss of her grandmother and mother but she feels happier because her most gracious Majesty has taken her into service as a Maid of Honour.
>
> Lady Bridget, the second daughter of the said Earl of Oxford and Anne, was born on 6th April 1584, and although she was hardly more than four years old when she placed her mother's body in the grave, yet it was not without tears that she recognized that her mother had been taken away from her, and shortly afterwards her grandmother as well. It is not true to say that she was left an orphan, seeing that her father is living and a most affectionate grandfather who acts as her painstaking guardian.
>
> Lady Susan, the third daughter, was born on 26th May 1587. On account of her age she was unable to recognize either her mother or her grandmother; indeed, it is only now that she is beginning to recognize her most loving grandfather, who has the care of all these children, so that they may not be deprived either of a pious education or of a suitable up-bringing.

Does the last phrase hint at the 17th Earl's early spell of Roman Catholicism? And is the reference to 'orphan' another dig at their father?

Certainly Burghley was soon suing Lord Oxford for his still unpaid marriage settlement. When Oxford sold Fisher's Folly to his cousin William Cornwallis, Lord Burghley wrote to William's father to probe for

The elaborate monument, echoing the flamboyance of Lord Burgley's Theobald's Palace, was erected by him in Westminster Abbey to his wife and daughter Anne, Countess of Oxford. Although all living at the time his son, Robert Cecil, and his three granddaughters, Elizabeth, Bridget and Susannah are all ahead and behind them, while Burghley (who was eventually entombed in Stamford) kneels over them above. Only missing from the family scene is his one-time wayward son by his first marriage, Thomas Cecil and the 'ill-conditioned' son-in-law, Edward, 17th Earl of Oxford. Although Oxford appears to have been buried beside his second wife at Hackney, there is a strong belief that he and his second wife were re-interred under a blank slab in Westminster Abbey.

information about the sale (receiving, however, something of a dusty answer).

In February 1589 the Earl of Oxford attended Parliament five times, but from then on there is no record of his appearing at Court and he faded from the public eye. The explanation seems to lie in the comment in Lord Lumley's introduction to *The Arte of English Poesie*, published that year:

In these days (although some learned Princes may take delight in Poets) yet universally it is not so. For as well Poets as Poesie are despised, and the name become of honourable infamous, subject to scorn and derision, and rather a reproach than a praise to any that useth it. . . And in Her Majesty's time that now is are sprung up another crew of Courtly makers, [ie poets] Noblemen and Gentlemen of Her Majesty's own servants, who have written excellently well as it would appear if their doings could be found out and made public with the rest, of which number is first that noble gentleman Edward, Earl of Oxford.

Edmund Spenser prefaced *The Faery Queene* with sonnets dedicated to the principal members of the aristocracy. In his sonnet addressed to 'the Earl of Oxenforde, Lord High Chamberlain of England' he refers to the mutual devotion between him and the Muses as 'the love which thou dost bear to th'Heliconian imps and they to thee'.

Angel Day dedicated his *The English Secretary* to Oxford, as one who from infancy was 'ever sacred to the Muses', and Thomas Watson also refers to him as 'ever the friend of the Muses'.

Lord Lumley wrote in 1589, in *The Arte of English Poesie:* 'For Tragedy Lord Buckhurst and Master Edward Ferrys do deserve the highest prize: the Earl of Oxford and Master Edwards of Her Majesty's Chapel for Comedy and Enterlude.'

Not only were the Muses of comedy, poetry, history and astronomy clearly his friends but also the goddesses of music. Anthony Munday had already dedicated translations to Oxford when employed by him. Now employed by Her Majesty, Munday published twenty-two poems of his own as *A Banquet of Dainty Conceits*, indicating their musical settings. One, he directed, was 'to be sung to the Earl of Oxford's March', and another 'to the Earl of Oxford's Galliard'. John Farmer, dedicating two song books to Oxford, wrote in his *Set of English Madrigals*:

> without flattery be it spoke, those that know Your Lordship know this that using this science as a recreation, Your Lordship has overgone most of them that make it a profession. Right Honourable my Lord, I hope it shall not be distasteful to you to number you here among the favourers of music and the practisers.

Oxford rented a room in old Blackfriars' Priory for his own choir to practise in, later passing the lease on to his secretary and actor manager, John Lyly. Known as 'The Earl of Oxford's Children', the choir boys performed at Court, as did his more athletic company known as 'The Servants of the Earl of Oxford', who gave displays of vaulting and tumbling. These were separate from 'Oxford's Men', his company of adult actors, who also appeared at Court and toured the provinces.

Then, as in today's films and television productions, speeches and situations were developed from a collection of like minds, dominated by one recognizably more meritoriously than the rest. Lyly was in Oxford's service until at least 1589, during which time several light-hearted plays were acted and published under Lyly's name. An acrostic poem of his, whose main feature is that the first letters of each line spell EDWARD DE VERE, was published in Munday's *The Mirror of Mutability*. Gabriel Harvey observed of Lyly, after he left the Earl's companies for the Queen's, 'Himself a mad lad as ever twanged: never troubled with any substance of wit or circumstance of honesty. Sometime the fiddlestick of Oxford, now the very babble of London.'

Among the many writers employed by Oxford was, after several years away, Thomas Churchyard, now in his seventies. This is known through furious letters from his landlady over Churchyard's rent, which Oxford owed her. Debts, large and small, have always been associated with this Earl and it is suggested that pressing debts were the reason for his wanting to raise an instant large sum at the expense of his regular income. It is also suggested that his consideration of a second marriage, which required him this time to put down his dower before taking delivery of the bride, was the reason for his writing to Lord Burghley, asking him to get the Queen's permission to exchange his pension of £1,000 a year for an immediate lump sum of £5,000. Oxford was only forty-one and apparently in good health, but there seems no reason to doubt that, though his idea seems short-sighted, his explanation to his father-in-law was genuine, particularly after the ambiguous reference to him in the family memorial. In a long letter dated 18th May 1591, he wrote wistfully, 'I would be glad to have an equal care with Your Lordship over my children', and goes on to add the reassurance that, with the capital sum in hand:

> So shall my children be provided for, myself at length settled in quiet and I hope your Lordship contented, remaining no cause for you to think me an evil father, nor any doubt in me but that I may enjoy that friendship from your Lordship that so near a match, and not fruitless, may lawfully expect. Good my Lord, think of this, and let me have both your furtherance and counsel in this cause. For to tell the truth, I am weary of an unsettled life, which is the very pestilence that happens unto Courtiers, that propound unto themselves no end of their time therein bestowed.

Lord Burghley must have dismissed the idea as imprudent, for he arranged instead to buy the Hedingham estate himself. On 2nd December 1591 the Earl of Oxford alienated his ancestral castle to his three daughters and his father-in-law. By then the castle itself had fallen into considerable disrepair. Lord Burghley immediately issued a warrant authorizing the dismantling of part of the building and several of the outhouses. This gave rise to a later rumour that the 17th Earl of Oxford himself had deliberately vandalized the ancient ancestral home of the de Veres to prevent his daughters using it. Oxford's letters to Burghley at this time, however, show nothing but affectionate intentions towards him.

Marriage Blessing

The Earl set about putting an end to his own 'unsettled life' by proposing to one of the Queen's maids of honour, the particularly beautiful Elizabeth, daughter of Sir Thomas Trentham, a Staffordshire landowner. The Queen gave permission for their marriage (permission was much needed in the case of courtiers if they were to keep out of the Tower) and it took place sometime after 4th July 1591. On that date the Earl signed all the fees and profits of the office of Great Chamberlain to be received after his death to the bride's brother, Francis Trentham. It was a doubtful dowry as even Oxford, while alive, had difficulty in obtaining them.

The Earl of Oxford and his new Countess began their life together in Stoke Newington, three miles north of the Tower of London, then a country village. Probably goaded by his new wife, who later complained of her husband's lack 'of economy', Oxford made a few abortive attempts to achieve a lucrative import monopoly on oils, wools and fruits and for farming Cornish tin mines. He was clearly not cut out for business, as demonstrated in the failure of his various investments in voyages of discovery. Now that he had given up soldiery and tournaments, poetry, literature and the drama were almost certainly the ruling passion of his life.

On 24th February 1593 the Earl and Countess's only child was born at Stoke Newington. He was christened Henry in the parish church on 31st March and recorded as 'Viscount Bulbecke'. The name Henry was new to the de Vere and Trentham families. The only Henry recently associated with Edward, Earl of Oxford, was Henry Wriothesley, 3rd Earl of

Southampton, who three years before had been offered the hand of Oxford's eldest daughter Elizabeth by her grandfather, Lord Burghley. Southampton was then seventeen and, though his mother approved the match, he asked to be given a year to make up his mind, pleading his youth. Like Oxford, Southampton had been a ward of Lord Burghley at Cecil House. He had also taken a degree from St John's College, Cambridge, and been admitted to Gray's Inn.

A month after the birth of Henry, Lord Bolebeck, not only the literary world but almost anyone who could read was reeling under the sensational publication of the sizzling narrative poem *Venus and Adonis*, based on Oxford's uncle's translation of Ovid's *Metamorphoses*. With the closure of the theatres on account of the plague, this evocative poem had an unprecedented and instant reception. The work, like a subsequent though less successful poem, *The Rape of Lucrece*, was unsigned, but both were dedicated to Henry Wroithesley, Earl of Southampton. The dedications were both signed 'William Shakespeare', a name that was soon to be associated with almost every entertaining and original play that appeared on the stage when the theatres reopened. Many of the plays, inaccurately remembered by underpaid actors or copied down during performances, were distributed by pirate printers. It was thirty years after the début of *Venus and Adonis* that the authentic edition of the plays was published as *Mr William Shakspear's Comedies, Histories and Tragedies*. The following dedication prefaced the so-called First Folio:

> To the most Noble and Incomparable Paire of Brethren, William Earle of Pembroke etc. Lord Chamberlaine to the King's most Excellent Majesty and Philip Earle of Montgomery etc. Gentleman of His Majestie's Bedchamber. Both Knights of the Most Noble Order of the Garter.

Oxfordians believe that the name 'Shakspear' was the pseudonym adopted by Edward de Vere, 17th Earl of Oxford. According to the antiquary Richard Verstegan, 'Shakspear' was among the 'syrnames imposed upon the first bearers of them for valour and feats of arms'.

Not only Oxfordians believe that these five lines in *Venus and Adonis* are directed to the dedicatee, Southampton, to try to persuade him to marry:

Thou wast begot; to get it is thy duty.
By law of nature though art bound to breed
That shine may live when thou thyself art dead
And so in spite of death thou dost survive,
In that thy likeness still is left alive.'

Facsimiles of four of the six only known signatures of Shakspeare extant. In none did he spell his name Shakespeare, nor are contemporary references to him or his family spelt thus. His will is well known for his leaving his second-best bed to his wife, but less known is his leaving no books. Edward de Vere left no will but not only mentions his books in his writings but more and more of his extensive library is coming to light in other men's collections, some with his own anotations.

The same message runs through the first twenty-nine of the 154 Sonnets known as Shakespeare's, suggesting that Southampton was again the intended recipient of the same mature man's advice. Eleven years before they were printed, according to Francis Meres in 1598, 'Shakspere's sug'd Sonnets' (sugared sonnets) were being circulated among the poet's friends.

The unsigned *Venus and Adonis* seems unlikely to have come from the pen of the twenty-nine-year-old actor from Stratford-upon-Avon, William. Shakespeare. He is first named as appearing in London and first shown as being in any way connected with the stage as one of the actors paid on 15th March 1594 for presenting at Court 'two severall comedies or interludes' before Her Majesty. So few facts are known about this man

– though many have been deduced from the contents of the plays bearing his name – that it is as yet impossible to know whether he was capable of writing anything at all beyond his signature. Six ill-formed samples of it are all that survive of his handwriting.

All Fancy-sick she is

When Southampton still refused to marry, Lord Burghley offered his eldest granddaughter, Elizabeth (Bess, earlier rejected by her father), to the Earl of Northumberland. But 'she cannot fancy him,' the Countess of Rutland was told. Evidently she already fancied William Stanley, to whom she became engaged three weeks after he succeeded to the title of Earl of Derby in 1594. His late brother was a scholar, poet and patron of the drama, praised by Spenser for his work under the pseudonym 'Amyntas'. The brothers were great-grandsons of the Stanley who placed the dead King Richard III's crown on King Henry VII's head after the Battle of Bosworth.

Lord Derby wrote a charming letter to Lord Burghley from his house in Cannon Row asking for his granddaughter's hand, a request was accepted until it was found that the late Lord Derby's Countess was pregnant. 'The marriage of the Lady Vere to the new Earl of Derby is deferred,' writes his priest, 'by reason that he standeth in hazard to be unearled again, his brother's wife being with child, until it is seen whether it be a boy or no'. Lord Burghley, who preferred his descendants to be titled, withdrew his consent until the Countess conveniently gave birth to a girl.

The marriage of the Earl of Oxford's eldest daughter, Elizabeth, to the Earl of Derby took place at Greenwich on 26th January 1595 in the presence of the Queen and the Court 'with great solemnity and triumph'. In the evening the Lord Chamberlain's company gave a performance of what has long been supposed was *A Midsummer-Night's Dream*, which reminder in mid-winter of a magical summer is known to have been written for a wedding at about this time. The play was acted by the bridegroom's late brother's company, which had been taken over after his death by Lord Hunsdon. Soon after the wedding the Earl of Oxford was staying with the newly married couple in Cannon Row and from then on visits are recorded between the Oxfords and the Derbys. Derby, like his father-in-law, was musically gifted and had after his accession to the earldom assembled his own company of actors, first recorded as acting in

Norwich. Soon after his marriage Derby is recorded as 'busied only in penning comedies for the common player', while Oxford was chosen by Francis Meres as 'best for comedy'.

When Henry, Lord Bolebeck, was three, his parents bought what must have been a leasehold from the Crown of King's Hold in Hackney, a parish adjoining Stoke Newington. King's Hold, or Place, was originally built (or more likely rebuilt, for its history dates back to Edward IV's reign) on a double-courtyard plan with a typically low Tudor block separating the entrance court from a quieter inner quadrangle. A long gallery, for indoor exercise, ran the full length of the upper floor on one side of this courtyard, and in a corner a small staircase led up to a single room forming a secluded study.

The Earl of Derby is recorded as staying at the King's House with his father-in-law when the Countess of Oxford was returning with Lord Derby from a visit to Cannon Row. She later felt herself marooned in Hackney after, as she wrote to the son of the Queen's doctor, 'a late mischance in my coach' prevented her from meeting him at the Court.

The Earl of Oxford attended the House of Lords for the last time in 1597. Apart from other visits recorded between him and the Earl of Derby, both appear from then on to have lived the kind of sequestered life that any writers and composers would welcome, with intermittent family interruptions.

In August 1597 the Earl of Pembroke and his Countess, sister of the late Sir Philip Sidney, were keen to promote a marriage between their eldest son William Herbert and the Earl of Oxford's second daughter Lady Bridget, then thirteen and living with her grandfather, Lord Burghley. Her father wrote to Lord Burghley full of enthusiasm for the match, which came to nothing. Her younger sister, Lady Susan, however was later to marry William Herbert's brother Philip. He was the younger of the two brothers described as the 'Incomparable Paire of Brethren' in the dedication of the First Folio of *Mr William Shakespeares Comedies, Histories & Tragedies*.

When she was fourteen Bridget Cecil married Francis Norris, the future Earl of Berkshire, whose brother had served with her father in the Netherlands. Meanwhile Henry, Earl of Southampton, at last felt old enough to fancy one of the Queen's maids of honour, Elizabeth Vernon, to Her Majesty's intense disapproval. He was obliged to withdraw from Court and volunteered to serve under the Queen's current favourite, the Earl of Essex, on his expedition to Cadiz. Southampton accompanied

Oxford's brother-in-law Sir Robert Cecil to Paris in 1598, the year Cecil's father died.

Lord Burghley died on 4th August, leaving most of his chattels to his granddaughters and his second son Sir Robert. There were lesser bequests to his elder son Sir Thomas, who succeeded to the barony of Burghley. Nothing was left to his son-in-law Oxford, the guardianship of whose daughters was taken over by Sir Robert despite their father's earlier appeal to care for them.

When, the following year, it was discovered that Southampton had secretly married Elizabeth Vernon, the Queen's displeasure knew no bounds and she dispatched him to Ireland to join her current favourite, the Earl of Essex, whose military ineptitude soon lost him her approval also. Both Essex and Southampton turned against her.

The new Globe playhouse had just opened, with William Shakespeare being one of seven men who took five shares in it between them.

On 7th February 1601 Southampton ordered a performance at the Globe of the tragedy of *Richard II* in the hope of exciting public feeling against the Queen by showing again the scene of the King's deposition, which had earlier been banned from the stage. The next day Southampton took part in an abortive revolt under Essex. Both Earls were arrested and imprisoned in the Tower.

The Earl of Oxford was summoned to act as the senior of twenty-five noblemen who tried Essex and Southampton ten days later. They were declared guilty of treason and condemned to death. Oxford was among those who helped to reduce Southampton's sentence to imprisonment.

During the execution of Essex, the Queen was playing the virginals in her privy chamber and she continued to play after the news came that the sentence had been carried out. Oxford turned to his old friend Sir Walter Raleigh with a cynical play on words: 'When Jacks start up, heads go down.' This was a much more elaborate analogy than a simple comparison between the rising and fall of traitors and the ups and downs of fingers on a musical keyboard. A 'Jack', besides meaning a knave, is also the name of a small piece of wood attached to a plaque on the virginals. When the 'head' or wider end of the finger key is depressed, the jack, like a car jack, is levered up to cause the plaque to twang the wire strung above it. The jack then slips back and, through an ingeniously whittled escarpment, repasses the wire without a sound.

Oxford was referring to Sir Walter Raleigh manipulating the execution and then surreptitiously slipping back into place. Raleigh had already privately advised the removal of Essex. The fact that only six months before Oxford had applied for the governorship of Jersey, and had been turned down in favour of Raleigh may have put something of a lash into Oxford's quip.

The strings in the virginals lie horizontally above the jacks, which are close enough to the keys to brush the palms of the hands playing on them, as referred to in Sonnet 128:

> How oft, when thou, my music, music play'st,
> Upon that blessed wood whose motion sounds
> With thy sweet fingers, when thou gently sway'st
> The wiry concord that mine ear confounds,
> Do I envy those jacks that nimble leap
> To kiss the tender inward of thy hand,
> Whilst my poor lips, which should that harvest reap,
> At the wood's boldness by thee blushing stand!
> To be so tickl'd, they would change their state
> And situation with those dancing chips,
> O'er whom thy fingers walk with gentle gait,
> Making dead wood more bless'd than living lips.
> Since saucy jacks so happy are in this,
> Give them thy fingers, me thy lips to kiss.

Oxfordians inevitably link the 'saucy jacks' with the Earl's oft-quoted wry jest made at Raleigh's expense.

After Sir Walter's appointment to Jersey, Oxford had appealed for the presidency of Wales, again to no avail. Wales went to Lord Zouch, a co-ward with the Earl at Cecil House. John Gerard, the herbalist, had inspired the students there with a love of plants, resulting in Zouch filling his garden at Hackney, near the Oxfords, with plants collected on his travels abroad.

A further disappointment for the Earl was the failure to procure the deeds of the Queen's grant to him of the lands of Sir Charles Danvers, forfeited after his execution as a conspirator with Essex. Despite appeals, the matter was never settled.

During the ninth session of Queen Elizabeth's reign, Oxford appointed his cousin, Lord Admiral Howard, to act as his proxy in the House of Lords. He was anxious enough about offending the Queen to have written to his brother-in-law Sir Robert after the Christmas festivities ending in January 1502: 'I hope that Her Majesty, after so many gracious words as she gave me at Greenwich at her departure, will not draw in the beams of her princely grace' – adding, with a view to the entertainment with which he provided her – 'to her own detriment'. Two months later, he amalgamated his company of actors with the Earl of Worcester's. The Queen took an active interest in the amalgamation, demanding through her Privy Council that the Lord Mayor should allow the actors to continue to play at 'the house called the Boar's Head' because 'it is the place they have specially used and do best like of', and even repeating, 'we do pray and require you that that said house, namely the Boar's Head, may be assigned unto them'. Presumably the Boar's Head, so called owing to its sign of the de Vere crest, a boar, was the Boar's Head tavern in Eastcheap on the Oxford Court estate. Stratfordians point out that Shakespeare chose the Boar's Head for the tavern scenes in *Henry V* because of the Elizabethan actors' affection, a century and a half after the occurrence of the events they re-enacted, for the actual tavern.

The sign of the Blue Boar, Eastcheap, near Oxford Court. Shakespeare sets three scenes in *Henry IV Parts I* and *II* in 'East cheap' and another in *Henry V* in 'London. Before a tavern in Eastcheap.' The Boar's Head was burnt down and rebuilt in 1688 and finally demolished in 1831 to make room for the new London Bridge.

The Passing of the Tudors

By the early spring of 1603 Queen Elizabeth's winter colds had turned to quinsy, from the effects of which she died at Richmond Palace in the small hours of 24th March.

Of all those left who had remained loyal and close to Queen Elizabeth throughout their lives, Edward de Vere, 17th Earl of Oxford, felt her death most deeply. He wrote to his brother-in-law, 'In this common shipwreck, mine is above all the rest.'

Until the day before her death, Queen Elizabeth had refused to nominate her successor, and then only by a faint wave of her hand did she agree that King James VI of Scotland should succeed her. Is it possible that her entertainingly imaginative cousin, one-time leading favourite and suggested physical lover, with his propensity for wild dreams, could have believed that she might nominate him? There is some evidence that he may once have thought that.

Two weeks after Queen Elizabeth's death Oxford abandoned part of the signature he had used consistently since he was eighteen: a flourish outlining a crown over the name 'Edward Oxenford', with seven notches along a line beneath it. This signature, suggesting King Edward VII, could only have been a secret joke between him and the Queen, it was typical of her sense of fun. Unless it was condoned by the Queen, inscribing each such signature would, of course, have been an act of treason. Oxford's guardian, who was to become his father-in-law, could not have failed to notice it, nor, evidently could Philip Sidney. An early signed poem by Oxford began, 'Were I a King I might command content' and Sidney's reply beginning: 'Wert though a King yet not command content.'

It is presumed that Oxford was one of the six unnamed Earls who carried the canopy over the Queen's body on her last journey through London as he is not mentioned in the order of the dignitaries in the funeral procession. It has been argued that the mention, five years earlier, of his not having 'an able body' and of 'mine infirmity' shows he would not have been able to carry the pole supporting the canopy, nor to have processed in the cortège to Westminster Abbey. However, he must have felt able to apply for the office of Lord Great Chamberlain at James I's Coronation, 'with all the fees and profits and advantages that his ancestors had had before him on Coronation Day'. The main claim was sanctioned by the Lord Steward and he was referred to in the records of the Jewel House and the King's Wardrobe regarding such items as 'forty yards of crimson velvet for the Earl's own robes', which were also sanctioned. His petition for his son to hold and perform the office of Chamberlain to the Queen was opposed by a disgruntled tenant whose manor at Sanford the Earl had sold over his head twenty-four years before.

Oxford also appealed for the return of the keepership of the Forest of Waltham and the house and park of Havering atte Bower of which he wrote:

> Till the 12th of Henry VIII mine ancestors have possessed – almost since the time of William the Conqueror – Henry VIII, the King, took it for term of his life from my grandfather – and though this three score years both my father and I have been dispossessed thereof, yet hath there been claims made9thereto many times.

This was something of an exaggeration for it was over a century after William the Conqueror's time that Aubrey, 2nd Earl of Oxford, was made 'Keeper of the Manor of Havering' when he was Sheriff of Essex in 1208. Domesday shows that Havering (later Havering atte Bower) was second only to Chelmsford in value of the thirty-one Essex estates 'King William of England' kept for himself, as had King Harold until 1066. Three hundred years later King Henry VIII took a fancy to the charming spot overlooking the forest and established his hygienic royal nurseries in Havering House. It was here that Queen Elizabeth spent six days in retirement in 1572, which gave rise to the legend that she had seduced the young 17th Earl of Oxford in his own house. In 1603, after her death, it became his in reality when King James I, six days before his Coronation, granted Oxford custody of the Forest of Essex and the keepership of Havering House.

On his way down from Scotland King James stayed with both Oxford's Cecil brothers-in-law, first at Burghley and then at Theobalds.

Monday, 25th July, the Feast of St James, was chosen for the Coronation of 'King James of England, with the noble lady, Queen Anne', to be 'together crowned and anointed at Westminster'.

On the morning of the ceremony, it was the duty of the Earl of Oxford, as Lord Great Chamberlain before the King rose, to enter his chamber where he slept and bring him a shirt, stockings and underclothing. The Lord Great Chamberlain and the Lord Chamberlain then had to dress the King in all his apparel. When the King was fully dressed and ready to leave his chamber then the Earl should have the bed on which the King had slept the night before the Coronation and all his bedding, the coverlet, curtains, pillows and the hangings of the whole room, with the King's nightgown, in which he was vested the night before the Coronation.

The Earl of Oxford was also granted the service of bringing the King water before and after eating at the Coronation Day banquet and being allowed to keep the basins, towels and tasting cup.

If, as has been suggested, the Earl was 'lamed for life' during his fight with Thomas Knyvett over Anne Vavasour twenty-one years before, at least he was spared the traditional Coronation procession from the Tower to the abbey, which was finally abandoned because of the plague. Ben Jonson, who had been commissioned by the City to produce the pageants on the route, published an account of what they would have been. As for Anne Vavasour, after various nefarious affairs she had married and then left a sea-captain for Sir Harry Lee, originator and organizer of the royal tilt held annually on the anniversary of Queen Elizabeth's Coronation.

Anne Vavasour's son, Edward Vere, was on writing terms with his natural father, the 17th Earl of Oxford, and was already a captain in an English regiment. He was later to serve in the Netherlands with the Earl of Southampton, whom King James released from the Tower early in his reign.

Almost immediately after his Coronation King James appointed the Earl of Oxford to his Privy Council. In the following month he renewed the mysterious £1,000 a year from the Exchequer to Oxford in exactly the same words as Queen Elizabeth used in the original grant. King James was no less enthusiastic than his predecessor in his love of stage plays and masques. It is not therefore surprising that the courtier who for twenty-three years had maintained one of the leading companies, and had gained the reputation of being the foremost writer of comedies (even though he claimed none as his own) should have had special favour shown him by the new Sovereign.

The 17th Earl of Oxford lived to enjoy the benefits conferred on him for less than a year. He must have been already seriously ill when, on 18th June 1604, he granted the custody of the forest of Essex to his son-in-law Lord Norris and to his first cousin Sir Francis Vere, who had just returned to England after twenty years' continuous campaigning in the Low Countries. Oxford made no will but, it is said, had long ago wished to leave his fortune, 'before he dissipated it on the theatre, foreign travel

King's Hold also known as King's Place, in its mid-eighteenth century glorification when the heightening of its turrets, roofs and windows 'to form a proper chapel and proper library to lay books in' gave it an air of almost aggressive ostentation.

and unsuccessful investments', to his two favourite cousins, Sir Francis and Sir Horatio Vere.

Six days later, on 24th June, the Earl died at King's Hold, Hackney. He was fifty-four. In the margin of the parish register beside the entry of his burial in St Augustine's Church, Hackney, has been written 'ye plague'.

In the table of *The Honourable Progeny of the Earles of Oxenforde* drawn up by Percivale Golding, first cousin of the 17th Earl, is stated: 'Edward de Vere: he died at his house in Hackney in the month of June, 1604 and lyeth buried at Westminster.' This may well have been wishful thinking. Many de Veres of lesser esteem were buried in the abbey, the 17th Earl's Countess directed in her will that she desired

> to be buried in the Church at Hackney, within the County of Middlesex, as near unto the body of my late dear and noble Lord and husband as may be: and that it may be done with as little pomp and ceremony as possible may be. Only I will that there be in the said Church erected for us a tomb fitting our degree, and of such charge as shall seem good to mine executors.

In 1721 John Strype described a tomb in St Augustine's believed to have been the Oxfords' as 'an ancient Table Monument with a fair grey marble. There were coats-of-arms on the sides, but torn off.' If the bodies of the Earl and his wife were removed to Westminster Abbey before 1616, when burial records for the abbey began, their escutcheons in the church in Hackney would have been removed from the old tomb as a matter of course.

A hint from Edward de Vere's verse 'Were I King' suggests, with other clues, that he had considered the possibility that, as a favourite of Queen Elizabeth I's, he might become her comsort. One clue is in the holiograph he used for 34 years until a few hours after her death on 24th March 1603.

Over his name appears what looks like a crown and under his name a flourish clearly notched 7 times, meaning, it is now believed, 'King Edward VII'. This letter, to Robert Cecil, his brother-in-law, laments that in 'thys common shypewrake, myne is above all the reste'.

Even if this was a playful joke between a close friend and the Queen (particularly if shared with the indominable Cecil family), de Vere was taking an extremely high risk in what could be seen as a treasonable offence; yet he was one of her few favourites whose head remained on his shoulders throughout her reign.

With the hope, or perhaps even pillow-promise, of becoming king, there would also have been the expectation of breeding a king. And in this the Edward de Vere was successful, although it was to be 400 years and 14 generations later before this 17th Earl of Oxford, succeeded in becoming the great (by 12) grandfather of the future heir presumptive to the English throne – Prince William of Wales. Had de Vere foreseen the following ancestral line, he might not have questioned the paternity of his daughter 'Bess', who later married the 6th Earl of Derby.

Oxfordians believe that by the time Prince William of Wales is King William V, he will have the added honour of certain proof of being directly descended from Shakespeare.

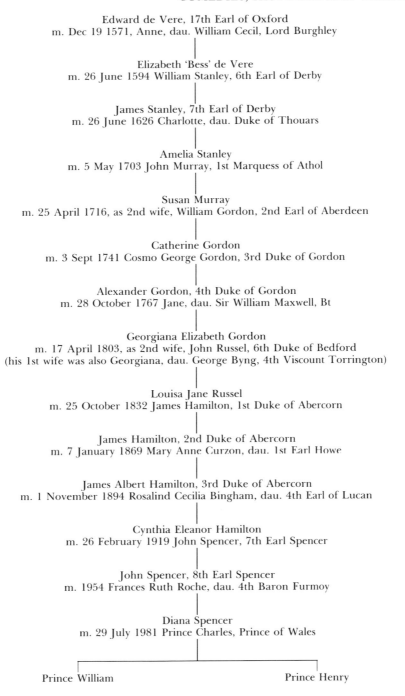

Edward de Vere, 17th Earl of Oxford
m. Dec 19 1571, Anne, dau. William Cecil, Lord Burghley

Elizabeth 'Bess' de Vere
m. 26 June 1594 William Stanley, 6th Earl of Derby

James Stanley, 7th Earl of Derby
m. 26 June 1626 Charlotte, dau. Duke of Thouars

Amelia Stanley
m. 5 May 1703 John Murray, 1st Marquess of Athol

Susan Murray
m. 25 April 1716, as 2nd wife, William Gordon, 2nd Earl of Aberdeen

Catherine Gordon
m. 3 Sept 1741 Cosmo George Gordon, 3rd Duke of Gordon

Alexander Gordon, 4th Duke of Gordon
m. 28 October 1767 Jane, dau. Sir William Maxwell, Bt

Georgiana Elizabeth Gordon
m. 17 April 1803, as 2nd wife, John Russel, 6th Duke of Bedford
(his 1st wife was also Georgiana, dau. George Byng, 4th Viscount Torrington)

Louisa Jane Russel
m. 25 October 1832 James Hamilton, 1st Duke of Abercorn

James Hamilton, 2nd Duke of Abercorn
m. 7 January 1869 Mary Anne Curzon, dau. 1st Earl Howe

James Albert Hamilton, 3rd Duke of Abercorn
m. 1 November 1894 Rosalind Cecilia Bingham, dau. 4th Earl of Lucan

Cynthia Eleanor Hamilton
m. 26 February 1919 John Spencer, 7th Earl Spencer

John Spencer, 8th Earl Spencer
m. 1954 Frances Ruth Roche, dau. 4th Baron Furmoy

Diana Spencer
m. 29 July 1981 Prince Charles, Prince of Wales

Prince William   Prince Henry

CHAPTER SIXTEEN

The Last of the Castle Hedingham Earls

WHEN his father died, Henry, eighteenth of the twenty de Vere Earls of Oxford, was eleven years old. There is no indication that Sir Robert Cecil, Earl of Salisbury, who had succeeded his own father as Master of the Royal Wards, applied for the boy's wardship. A pension of £200 a year was granted to the 18th Earl. His mother managed this for him in an effort to 'rebuild the ruined estate, and to train her son in a better economy than his father' though, later she had to admit, with little success.

Henry was not yet twelve when he was admitted as a member of the Inner Temple and made an esquire to Prince Charles, King James I's second son (later to become the hapless King Charles I). The latter appointment was made when this four-year-old was created Duke of York on 6th January 1605. King James visited Oxford University that summer, and Henry was among the students given MA degrees.

In 1609 the 18th Earl's mother obtained an act legalizing the sale of enough of his lands to buy, with her own resources, Hedingham Castle and the alienated estates from his half-sisters. By 8th July 'all the lands that had been Edward, 17th Earl of Oxford's, in Essex, Suffolk, Norfolk, Cambridgeshire and Hertfordshire which had been bought by the late 1st Lord Burghley' had been conveyed, successively, to the use of the Countess for life, then to the 18th Earl and his descendants and, should he fail to have any, to the Countess and the heirs of her body and finally to her brother Francis Trentham, who had subscribed £10,000 towards the arrangement.

To help to clear the encumbrance on the Hedingham estates, the Countess sold King's Hold to Sir Fulke Greville, Lord Brooke, in 1609. She also sold most of its contents including, it is thought, her late husband's papers to local dealers. Mr William Hall, procurer of manuscripts for publication, was married at Hackney parish church (to Marjorie Griffin) on 4th August 1608. 'Shake-spears Sonnets Neuer before Imprinted' was published by Thomas Thorpe in May 1609. In the dedication of the poems the publisher, 'T.T.', wishes the enigmatic 'Mr W. H. ALL. HAPPINESSE' which even Sir Sidney Lee, author of the standard *Life of Shakespeare* of 1898, believed stood for 'Mr W. H. ALL', wishing him happiness on his recent marriage and for his expected child. 'It is quite plain', wrote Sir Sidney,

> that negotiation with the author preceded the formation of Thorpe's resolve to publish for the first time Shakespeare's sonnets in 1609. Had Shakespeare associated himself with the enterprise the world would have fortunately been spared Thorpe's dedication to 'Mr W. H.' and 'T. T.'s place would have been filled with W. S.

If, as Oxfordians believe, the sonnets emerged from King's Holds, Hackney, the true 'W. S.', that is 'E. O.', would surely never have allowed his secret feelings to be exposed to the world in such an enterprise – unless, perhaps, after his death 'a rose by any other name would smell as sweet'.

On 3rd June 1610 at the creation as Prince of Wales of the King's eldest son, Henry, 'the hope of Europe' (whose potential was soon to be dashed

Facsimile of Dedication in 1609 edition of the *Sonnets of William Shakespeare.*

TO. THE. ONLIE. BEGETTER. OF.

THESE . INSVING . SONNETS.

Mr. W. H. ALL. HAPPINESSE.

AND. THAT. ETERNITIE.

PROMISED.

BY.

OVR. EVER-LIVING. POET.

WISHETH

THE . WELL-WISHING.

ADVENTVRER . IN.

SETTING.

FORTH.

T. T.

with his early death), the Earl of Oxford was made a Knight of the Bath. Eighteen months later he was granted the family keepership of Havering atte Bower. He and his mother were then living in Cannon Row, Westminster, with Hedingham Castle for quiet retirement. Only weeks before the 17th Earl died, Sir Francis Vere had bought, with his younger brother Horatio, Lord Vere, the estate of Tilbury atte Clare, whose keepership had been in their family for just under three hundred years.

Sir Francis was the first to retire to Tilbury Hall, only a short walk from Kirby Hall, in which they had been brought up in a large family. He ended his days writing up not only his military expeditions but also romancing about his five imaginary children, to the confusion of future genealogists. His young cousin failed to inherit the family talent for writing. In fact there is no evidence that the 18th Earl took any interest in literature at any time in his life. His father's extravagences were magnificent and prestigious; but Henry's were said to be 'sordid'.

When he was eighteen, he asked the Lord Treasuer to pay his pension to him and not to his mother. Three days later she demanded the punishment of John Hunt for seducing her son into evil courses and prejudicing him against her authority. 'Under pretence of kindred', she wrote:

> Hunt insinuated himself unto my son's acquaintance, drawing him from his lessons to course his greyhounds; taking him to taverns, plays and bad company; and teaching him swearing and flighty and ribald talk. He withdrew him from my house in Cannon Row for a disorderly life in Essex, hunting in deer parks and other like disorderly actions. He hath impudently presumed to be his bedfellow and otherwise used him most disrespectfully, has borrowed money in my son's name to his dishonour and lives wholly on my son's purse. He draws him from my house and causes him to spend all his time in play at an ordinary in Millfield Lane [which no longer exists as such] and not come home till 1 or 2 in the morning.

John Hunt was, in fact, Henry's second cousin. Frequenting taverns and plays and keeping bad company were complaints made against Henry's own father by his more Puritanical relations. Coursing hares with greyhounds has always been less costly than hunting them on horseback. 'Bedfellows' among men had a different meaning from today's. The poor Countess, the gist of whose cry can still be heard among widows of only sons in their adolescence, was obviously distraught. Perhaps she was already ill, for she died eighteen months later on 3rd January 1613, and was buried, as she had directed, in

Hackney church, close to her late dear and beloved husband Edward de Vere, 17th Earl of Oxford.

As soon as the 18th Earl of Oxford came of age, he inherited a large share of his mother's fortune and set out on an extended tour lasting nearly five years. He made his way via Brussels and Paris to Italy, where he stayed in Florence ostensibly 'to avoid excessive expenditure' and 'to learn the language and cavalry exercises', though a legend has it that he built his own palace in Venice. His offer to raise troops in England in the service of the republic of Venice, though authorized by King James, was declined by the Senate in November 1617. In the same year he tried to obtain the release of his first cousin Sidney Bertie, son of Lord Willoughby and Lady Mary, who had fallen into the hands of the Inquisition. The Earl of Oxford returned to England via The Hague in September 1618 and immediately signed a petition against the creation of baronets. 'So much had his noble and gallant Compartment there gained, that he came over refin'd in every esteem', as was no doubt noticed when he officiated as assistant to the body at the funeral of Queen Anne in Westminster Abbey on 13th May 1619. A week later he was granted the hereditary office of Lord Great Chamberlain.

A Palatinate in Bohemia

James I, having married his daughter Princess Elizabeth, to the Protestant Elector Palatine, agreed to help him to restore his hereditary dominions in Bohemia which had been occupied by the Spaniards in the opening stages of the Thirty Years War. The territory became known as 'the Palatinate', despite the existence of other palatinates, in the same way that in wars places often assume descriptive nicknames.

In 1620 Oxford was commissioned as a captain to serve under Sir Horatio Vere, who had taken over the English command from his brother in Bohemia. Within a year the Earl was made a member of the Council of War for the Palatinate and was ordered to find out how much aid England would give to the Elector. Exasperation with the King's young favourite, the Duke of Buckingham, who first advised on an expedition to the Palatinate and then intrigued with the Spanish to defeat it, led the Earl of Oxford to express his discontent with the King and government in such violent terms that he was sent to the Tower.

Six months later Buckingham, having made himself Lord High Admiral, made Oxford Vice-Admiral of the fleet which was to patrol the

English Channel. The Venetian Ambassador attributed this appointment to a desire 'to keep him out of the way, or to render him easy in the parliament . . . where he is considered one of the free-est speakers', adding admiringly, 'one of those gallant spirits that aimed at the public liberty, more than their own interest'.

His first naval command was of the ship *Assurance*; his pay was £3 a day. There was a disagreement over his capturing a ship which Buckingham made him return. After three months he was removed from his command 'out of respect for the States' (the Netherlands), though the more probable reason, it was rumoured, was his helping a lady-in-waiting to elope with a gentleman of the bedchamber. When, on returning from sea, he again spoke against Buckingham – which his friends dismissed as 'rash words which heat of wine cast up at a merry meeting' – he was sent to the Tower for a second time. Demand was made by his friends to give him a public trial but a bill was filed in the Star Chamber charging him with scandalous attacks on the government both publicly and in private conversation.

It is unlikely that Oxford would have been interested, even if his friends had brought him a copy, in Henry Peacham's *The Compleat Gentleman*, which was just published, eighteen years after the 17th Earl of Oxford's death and six after the burial recorded as follows at Holy Trinity Church, Stratford-upon-Avon: '25th April 1616. Will Shakspere Gent.' Peacham wrote:

> In the time of our Queen Elizabeth, which was truly a Golden Age (for such a world of fine wits and excellent spirits it produced, whose like are hardly to be hoped for in any succeeding age) above others who honoured Poesie with their pens and practice (to omit her Majestie, who had a singular gift hereto) were Edward, Earl of Oxford, the Lord Buckhurst, Henry Lord Paget, our phoenix the noble Sir Philip Sidney, M. Edward Dyer, M. Edmund Spenser, M. Samuel Daniel, with sondry others.

But no mention of Shakespeare.

The Earl was still in prison when, a year later, the First Folio of *MR WILLIAM SHAKESPEARES COMEDIES, HISTORIES & TRAGEDIES. Published according to the True Originall Copies* was sprung upon the world with the engraving of 'a wall-eyed man wearing a mask and two right sleeves' on the title page. Oxford may still have been unaware of any close family connection, even though the new publication included the now well-known dedication to his brother-in-law of the half-blood, the younger of the 'Incomparable Paire of Brethren'.

In December 1623 the Earl was released, after twenty months in the Tower with no legal proceedings brought against him, to marry Lady Diana Cecil, daughter of William, 2nd Earl of Exeter. The wedding took place on New Year's Day. She was a great beauty and brought him a fortune of £30,000. Of this the bridegroom was to have £4,000 in money and £1,000 a year in land.

Oxford declined a reconciliation with Buckingham 'to whose friendship and hostility he declared himself indifferent'.

In the early summer following his marriage, Oxford was sent to the Netherlands as colonel of a regiment of volunteers serving the Elector Palatine, only to find that Henry, 3rd Earl of Southampton, had also been made colonel of the same regiment. After a brief dispute Southampton, aged fifty-one, was given precedence on all military affairs over the Earl of Oxford, who was allowed first place in all civil matters. Their friendship revived in their shared distrust of the Duke of Buckingham.

It was on this summer's campaign that the Earl of Southampton died of fever at the Dutch port of Bergen-Op-Zoom.

The Earl of Oxford was abroad when King James died on 25th March 1625, and so took no part in his funeral. He had been sent to the Netherlands again on another ill-planned expedition launched by Buckingham, whose ever-decreasing popularity was to lead to his assassination three years later. On the way to his post Oxford attended the christening of the Elector and Princess Elizabeth's first son at The Hague, and stood as a proxy godfather for the Duke of Savoy.

At the siege of Breda, Oxford, 'being stout and heavy, he overheated himself with marching, fighting and vexing that the design was not succeeding'. On 20th May he wrote to his wife from Gertruydenberg, giving an account of the attack at Terheiden the same day and mentioning that he was slightly wounded by 'a shott on my left arme'. The wound turned septic and he died within three weeks at The Hague, aged thirty-two.

The last Earl of Oxford to possess the *Caput* of the ancient de Vere barony and the last to hold the office of Lord Great Chamberlain was buried in Westminster Abbey on 20th July 1625. His young widow sued for possession of the manor of Hedingham. The castle and honour were presumably assigned her in dower, for she held them till her death nearly thirty years later. Meanwhile she married Thomas Bruce, 1st Earl of Elgin, and lived partly in Bedfordshire, of which county Elgin's son by his first wife was Lord Lieutenant.

The wife of Sir Francis Vere erected his tomb in Westminster Abbey, copied exactly from the church in Breda, the scene of his final military exploits. Beside his effigy and the four knights supporting his arms, lies his brother, Horace, Lord Vere of Tilbury, who succeeded him as Commander-in-Chief in the Low Countries. In a grave north of the two 'Fighting Veres' lies Aubrey, 20th and last of the de Vere Earls of Oxford.

Four days after the 18th Earl of Oxford's funeral, his cousin Sir Horatio, was elevated to the peerage as Baron Vere of Tilbury. Robert Vere (who dropped the 'de'), heir male to his second cousin, succeeded him as 19th Earl of Oxford, only to have his right to the earldom and great chamberlainship challenged by Robert Bertie, Lord d'Eresby de Willoughby.

The Trial for the Cup and Basins

With preparations already begun for King Charles I's Coronation, the question of succession, particularly to the lord great chamberlainship, was treated with some urgency. Robert Vere, captain of a foot regiment in the Netherlands and then in his late forties, was the only son of Hugh de Vere, grandson of the 15th Earl of Oxford, and great-grandson of Aubrey de Vere and Marjorie Spring of Lavenham. Robert Bertie, Lord

Willoughby, son of the 17th Earl's sister and possible twin, Mary, was grandson of the 16th Earl of Oxford and heir general, that is to say, through the female line, as against the male.

There were eventually to be seven hearings of the case, with nothing settled by Coronation Day, 2nd February 1626, except that neither claimant should hold the office of Lord Great Chamberlain that day. Charles, 4th Earl of Worcester, was appointed to officiate.

The case was first referred to the Earl Marshal and other peers on 25th February 1626, with the Duke of Buckingham supporting Willoughby's claim so arrogantly that Oxford asked for it to be transferred to the House of Lords for a fairer hearing. The Earl had the sympathy of the house in his claim. Sir Symonds d'Ewes wrote: 'The Lords inclined much to Robert de Vere – the name sounded better than Bertie' [pronounced Barty] 'and I hope he will have it.' And he did. They unanimously held that the earldom passed to the heir male. But there was still uncertainty about the great chamberlainship, whereupon the Countess and Earl of Derby put in a claim, through the Countess being a daughter of the 17th Earl of Oxford, the Hereditary Lord Great Chamberlain. But they soon gave up.

After further indecision Buckingham cunningly 'hastned the tryall a little before the terme began and when but few judges were yet come to towne'. The Earl of Clare,[1] son-in-law of Lord Vere of Tilbury, speaking for Oxford, urged the lords that they should not vote until they heard the opinion of the judges 'but, the Duke of Buckingham having tamper'd with most of the Lords beforehand, it was carried away against him by many voices for the L. Willughby'.

On 22nd March 1626 Chief Justice Crew, in delivering the opinion of the judges on the claim to the earldom, stretched a point in speaking of 'this great and weighty cause, incomparable to any other that hath happened in any time'. In fact, the situation had been almost exactly the same a hundred years before on the early death of 'Little John of Camps', 14th Earl of Oxford, Hereditary Great Chamberlain, who also had three sisters and whose earldom was inherited by his second cousin and heir male.

After nearly a year the right of Robert Vere to the earldom was declared to King Charles by the House of Lords. Accordingly Robert, 19th Earl of Oxford, took his seat on 15th April 1626, next below the Earl of Arundel, premier Earl, while Lord Willoughby was granted the great chamberlainship.

Within months the lords addressed the King on the 'commiserable estate of the Earl of Oxon, who, sitting among us as a Peer, and being of so noble a blood, and ancient and honour in this kingdom . . . is left wholly denuded of any estate to support his honour'. The house begged the King to employ him and to give him some beginning to the establishment of him and his family in some grounded estate in this kingdom. Despite this appeal, all that he achieved in the next three years was a knighthood.

Meanwhile he had married Beatrice van Hemmema of an ancient Friesian family, dating back as far as the pirate-prince and perhaps Vere ancestors of that northern part of the Netherlands. They named their eldest son Aubrey. He was born on 28th February 1627 in London,

Robert Bertie, son of Perigrine, Lord Willoughby d'Eresby and Mary de Vere, daughter of the 16th Earl of Oxford. Bertie, Lord Willoughby, won his case in 1626 against the 19th Earl of Oxford to inherit the Lord Great Chamberlainship but not the Earldom of Oxford. He was subsequently created Earl of Lindsey. The office of Lord Great Chamberlain now alternates from reign to reign between their respective descendants, the Earls of Ancaster and the Marquesses of Cholmondeley.

where a daughter was born later and also two more sons, who were named Horatio and Francis after their famous cousins, 'The Fighting Veres'. Neither of the younger boys survived the nursery. Nevertheless Horatio, Lord Vere of Tilbury, made their father a lieutenant-colonel in an English regiment in the Dutch service under his high command. Oxford took part in the Battle of Bois-le-Duc under the now knighted Sir Edward Vere, natural son of the 17th Earl of Oxford and Anne Vavasour. When Sir Edward fell in the battle, Oxford was given command of his regiment and served with it as a full colonel at the Battle of Tholen in 1631. The following year, at the height of the successful siege of Maastricht, 'when bringing up reinforcements of musketeers to the right-hand sap', the Earl of Oxford received a mortal shot through the head and died on 7th August 1632. His burial place is unknown.

Another Widowed Countess

Aubrey, 20th Earl of Oxford, was five when his father was killed. His mother took him and his sister to live with her family in Friesland, where the Earl was brought up with big ideas but very little money to live up to them. When he was fourteen a committee was appointed in England to consider his estate. No doubt it was in connection with his inheritance that the Countess brought him back to England. She and her daughter were naturalized as English and took the Oath of Allegiance and Supremacy to King Charles I. Alas, Aubrey's father was found to have held at his death only a few tenements in Essex, some knight's fees in various other English counties and the honour of Whitchurch, Buckinghamshire, worth ten shillings.

Aubrey was sent to Oxford University, where he commanded a regiment of scholars. When he was seventeen, he was made a sergeant-major in Colonel Sir Richard Knightley MP's regiment in the Dutch service, but was soon court-martialled for killing a man in a duel. However, on grounds of self-defence he was pardoned and later promoted to colonel of the same regiment.

On 18th June 1647 he married, at St Martin-in-the-Fields Church, Westminster, the ten-year-old daughter of the late Viscount Bayning of Sudbury. Her stepmother Penelope had just died after her second marriage to Philip, Lord Herbert, eldest son of the Earl of Derby and Susan Vere. Anne brought to her marriage to the Earl of Oxford, lands in Essex, Suffolk, Gloucestershire, Kent, Surrey and the City of London.

247

The Earl of Oxford was ordered to attend the House of Lords shortly before it was abolished during the Commonwealth. After Charles I was executed in Whitehall on 30th January 1649, Oxford went to the Netherlands and stayed beside the future King Charles II at Frieda. Oxford was an avid royalist and fought duels, whether in the Netherlands or in England, with anyone who even hinted at criticism of the royal exiles. He is said to have fought the lieutenant-colonel of his own regiment, Robert Sidney, nephew of the poet, for 'passively accepting the Commonwealth' with such violence that 'they were with difficulty prevented by friends from killing each other'. On 20th June 1654 Oxford was committed to the Tower as being party to a plot against Oliver Cromwell. He was committed again for six weeks in the summer of 1659 on suspicion of favouring another royalist rising. His wife Anne, by then twenty-two, went with him and died in the Tower while her husband was a prisoner. She was buried at Westminster Abbey.

During his troubles, Diana, née Cecil, widow of the 18th Earl of Oxford and of the 1st Earl of Elgin, died aged fifty-eight in Bedfordshire. Under the 1609 settlement to her uncle, Francis Trentham, Hedingham Castle and its estate passed to his heiress, Elizabeth Trentham, who afterwards married 2nd Viscount Cullen.

The Return to the Monarchy

With the end of the Commonwealth the Earl of Oxford again took his seat in the House of Lords, on 27th April 1660, and he was one of the six peers to invite Charles II to return. On the King's arrival in London three weeks later, Oxford was nominated a Knight of the Garter and made Lord Lieutenant of Essex and also Chief Justice of the Forest of Eyre, south of the Trent, for which the Privy Seal paid him £5,000 on his retirement twelve years later. But the appointment he was to value most was that of colonel of the Royal Regiment of Horse on its formation for the suppression of Venner's rising against King Charles in January 1661. The Earl remained colonel of what came to be known as the 'Oxford Blues' for a total of over forty years.

With the Coronation planned for 23rd April 1661, rival petitions to perform the offices of the great chamberlainship were again being presented, with the Earl of Oxford Commissioner of Claims. This time there were a number, including his own. One of the claimants was Lord Windsor, representing his mother, Katherine, daughter of the 16th Earl of Oxford. An ancient skeleton was dragged out of the cupboard, and Lord Windsor alleged that his mother was the 16th Earl's only child by his only wife. This statement that the 16th Earl's second wife had not been legally married to him was not popular with her descendants.

Once again the Bertie family were successful. Monatagu Bertie, 2nd Earl of Lindsay and son of the previous successful claimant, officiated as Lord Great Chamberlain. Aubrey de Vere, 20th Earl of Oxford, who had been installed a Knight of the Garter at the Garter Ceremony at St George's, Windsor, the week before,[2] carried the sword *Curtana*. The new regalia, replaced after the Commonwealth destruction, bore the ancient names, but it was noted that the King had 'not high reverence for old customs'.

Among the many high offices Oxford now held were Warden of the New Forest, Steward of the Royal Artillery Company, lieutenant-general of Horse and Foot, Commissioner to consider military service and later Admiralty cases and Appeals for Prize. Later still he was made Envoy Extraordinary to the King of France.

During the Dutch Wars, though born half a Dutchman Oxford took an active part in the coastal defences of Essex and Harwich, as had many of his de Vere ancestors over the centuries.

After the conquest of New Amsterdam (renamed New York when the Duke of York, later James II, received its patent), the settlement was briefly surrendered back to the Dutch during the absence of its Governor, Colonel Lovelace, in 1673. When New York was returned to British sovereignty, Lovelace was arrested in Long Island and sent back to England. In 1674 Oxford was one of the commissioners to examine him.

The Mock Marriage

Of the six Kings and Queens of England reigning during Oxford's earldom, Charles II, who made him a Privy Councillor and gentleman of his bedchamber, was the only monarch with whom he became at all close. That was not difficult for a nobleman of a debonaire nature whom Macaulay later described as 'a man of loose morals, but of inoffensive temper and courtly manners'.

With one of the King's trumpeters officiating as priest, Oxford is said to have gone through a mock marriage to Elizabeth Davenport, an actress in the Duke of York's company who created the part of Roxalana in *The*

Siege of Rhodes and was 'snatched from the stage to become the Earl's mistress'. According to Pepys' diary, Roxalana's son, born in April 1664, was baptized on 15th May 1664 at St Paul's, Covent Garden, as 'Aubrey, son to the Rt. Hon. the Earl of Oxford'. Pepys, paying the Earl a visit at the unsocial hour of ten o' clock, wrote that he found him in bed 'and Lord helpe us! so rude and dirty a family I never saw'.

Six years later, on 8th May 1670, Eleanor Gwyn, who played Cyderia in Dryden's *Indian Emperor* at Drury Lane, gave birth to the King's illegitimate son, who was named Charles Beauclerk after him. The legend of Nell Gwyn dangling 'the bastard', as she called him, out of an upper windows by his ankles and threatening to drop him in the moat unless the King gave him a title may well have been initiated by Charles II himself at one of his famous Restoration carousals. His son was six and a half before he was created Earl of Burford and fourteen before he was elevated to become Duke of St Albans.

Meanwhile, in April 1673, the 20th Earl of Oxford married Diana, daughter of George Kirke, groom of the bedchamber. The only son of the marriage died when he was still only a baby and nothing is heard of his illegitimate son during the Earl's lifetime. Four daughters were born to the Countess, three of whom survived childhood. One of them, Diana, was to marry the handsome and well-endowed Charles, Duke of St Albans, illegitimate son of King Charles II.

After Charles II died and his much more sober brother James II, came to the throne, Oxford's attempts to follow up his royal friendship failed. The new King's supporters accused the Earl of being 'quite a stranger to business' and there were rumours of bribery, with Oxford bringing the King, 'being poor', 'a handsome present in the hope of becoming Lord Lieutenant of Essex for a second time'. Whether this was true or not, his lord lieutenancy was not renewed and the King removed him from being High Sheriff of Colchester. To the Earl's intense chagrin, the King also took the Oxford Blues regiment away from him and gave it to the Duke of Berwick. The reason given was that he would not use his influence for the removal of the Test Act, designed to detect Roman Catholics who might be in league with the Spanish. The King, whose second wife was a Roman Catholic, was anxious to abolish the Act.

Not surprisingly, Oxford deserted the King to welcome Prince William of Orange on 5th December 1688 at Salisbury. Three days later he was Prince William's commissioner to negotiate with King James at nearby Hungerford. On 11th December an invitation to become joint Sovereign with his wife Mary, King James's daughter, reached the Prince of Orange at Henley-on-Thames. James fled and the invitation was accepted. The Earl of Oxford had already been reinstated as Lord Lieutenant of Essex for the second time when King William gave him back his command of his Oxford Blues, both of which positions he retained for the rest of his life.

He was to live longer than any of the twenty de Vere Earls of Oxford and to hold the earldom for seventy-one years, twenty years longer than the previous longest term. Although he failed in his claims to act as Great Chamberlain at the Coronations of Charles II, James II, William and Mary, and Anne, he bore the Sword of State at all their Coronations.

King William III made him a Privy Councillor, which office he held again when Queen Anne, Mary's sister, came to the throne. In the last three years of his life he was also Speaker of the House of Lords.

The Earl died on 12th March 1703 at his house in Downing Street, London, and was buried ten days later in Westminster Abbey. He was seventy-six.

At the death of Aubrey de Vere, 20th Earl of Oxford, the Barony of Hanworth, held by the third son of the 20th Earl of Oxford's daughter, Diana, who was married to Charles Beauclerk, 1st Duke of St Albans, reverted to the Dukes of St Albans. The male line of this illustrious house having expired, 'entombed in the urns and sepulchres of mortality', the earldom of Oxford, created in 1142, became extinct.

NOTES

1 Grandson of Lord Sheffield, killed in Kett's Rebellion in Norwich, and the 16th Earl of Oxford's sister, Anne.
2 On his stall plate in St George's Chapel, Windsor, he styled himself 'Baron Bulbeck, Sanford et Ballidesmere', later adding 'Scales' to the list, although none of these baronies was, in fact, his.

Further Reading

Domesday Book, Sussex, Essex, Norfolk (2 vols), Suffolk. Facsimiles (of 1088) and translations on opposite pages. General Editor: John Morris – Phillimore 1976–86.

Dictionary of National Biography – Oxford University Press 1917.

Dictionary of Biographical References, L. B. Philips – Sampson Low 1871.

The Complete Peerage, Extant, Extinct and Dormant (12 vols). General Editors Vicary Gibbs and G. E. Cokayne – St Catherine's Press 1910.

The Dormant, Abbeyant, Forfeited and Extinct Peerages, Sir Bernard Burke – Harrison 1866.

The Battle Roll (3 vols), Duchess of Cleveland – John Murray 1907.

The Chronicles of England, Scotland and Ireland, Raphael Holinshed 1578.

The History of the Decline and Fall of the Roman Empire (6 vols), Edward Gibbon 1776–88.

National Trust Book of English Castles, Paul Johnson – Weidenfeld & Nicolson 1978.

The Cecils of Hatfield House, Lord David Cecil-Rainbird 1973.

Progresses and Publick Processions of Queen Elizabeth from contemporary records, edited by John Nichols 1833.

Palaces and Progresses of Elizabeth I, Ian Dunlop – Jonathan Cape 1962.

The Seventeenth Earl of Oxford 1550–1604, B. M. Ward – John Murray 1928.

'Shakespeare' Identified in Edward de Vere, the Seventeenth Earl of Oxford, J. Thomas Looney – Cecil Palmer 1920.

The Mystery of William Shakespeare, Charlton Ogburn – Dodd Mead & Co, NY 1984. Abridged paperback edited by Lord Vere – Cardinal 1988.

Hidden Allusions in Shakespeare's Plays, Eva Turner Clark – Minos 1974.

Works of Shakespeare, facsimiles and new editions 1593–1993.

William Shakespeare: A Documentary Life, S. Shoenbaum – Oxford University Press 1975.

Shakespeare the Man, A. L. Rowse – Macmillan 1973.

Ovid's Metamorphoses, translated by Arthur Golding 1565–67.

The English Arcadia, Gervase Markham 1607.

The Fighting Veres, C. R. Markham 1910.

Index

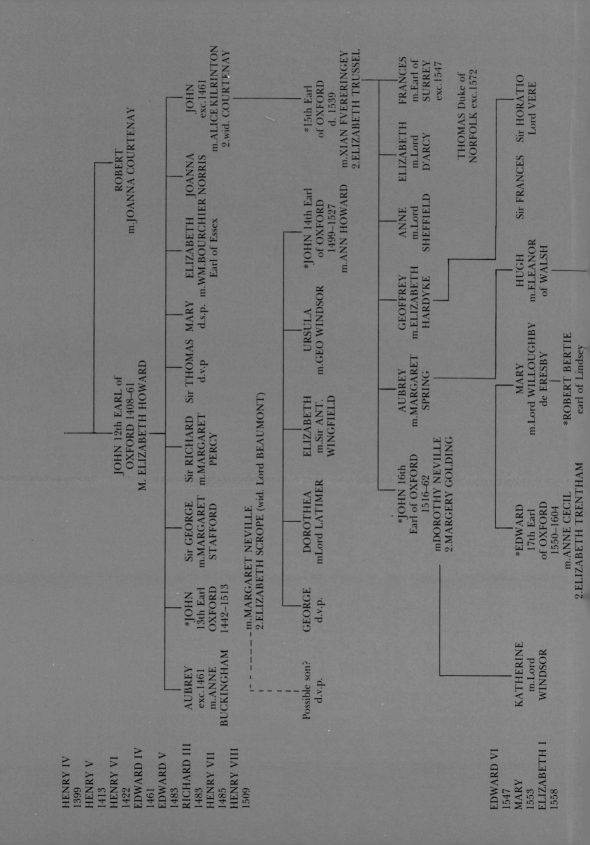

HENRY IV
1399
HENRY V
1413
HENRY VI
1422
EDWARD IV
1461
EDWARD V
1483
RICHARD III
1483
HENRY VII
1485
HENRY VIII
1509

ROBERT
m.JOANNA COURTENAY

JOHN 12th EARL of
OXFORD 1408–61
M. ELIZABETH HOWARD

AUBREY   *JOHN   Sir GEORGE   Sir RICHARD   Sir THOMAS   MARY   ELIZABETH   JOANNA   JOHN
exc.1461   13th Earl   m.MARGARET   m.MARGARET   d.v.p   d.s.p.   m.WM.BOURCHIER NORRIS   exc.1461
m.ANNE   OXFORD   STAFFORD   PERCY   Earl of Essex   m.ALICE KILRINTON
BUCKINGHAM   1442–1513   2.wid. COURTENAY

                – – – – – m.MARGARET NEVILLE
                          2.ELIZABETH SCROPE (wid. Lord BEAUMONT)

Possible son?   GEORGE   DOROTHEA   ELIZABETH   URSULA   *JOHN 14th Earl   *15th Earl
d.v.p.   d.v.p.   mLord LATIMER   m.Sir ANT.   m.GEO WINDSOR   of OXFORD   of OXFORD
                                                  WINGFIELD   1499–1527   d. 1539
                                                                                     m.ANN HOWARD   m.XIAN FVERERINGEY
                                                                                                             2.ELIZABETH TRUSSEL

                                                                                                             FRANCES
                                                                                                             m.Earl of
                                                                                                             SURREY
                                                                                                             exc.1547

                *JOHN 16th   AUBREY   GEOFFREY   ANNE   ELIZABETH
                Earl of OXFORD   m.MARGARET   m.ELIZABETH   m.Lord   m.Lord
                1516–62   SPRING   HARDYKE   SHEFFIELD   D'ARCY
                mDOROTHY NEVILLE
                2.MARGERY GOLDING   THOMAS Duke of
                                                                                                  NORFOLK exc.1572

                                                                    HUGH
                                                    MARY   m.ELEANOR
                                    *EDWARD   m.Lord WILLOUGHBY   of WALSH
                KATHERINE   17th Earl   de ERESBY   Sir FRANCES   Sir HORATIO
                m.Lord   of OXFORD   Lord VERE
                WINDSOR   1550–1604   *ROBERT BERTIE
                                    m.ANNE CECIL   earl of Lindsey
                                    2.ELIZABETH TRENTHAM

EDWARD VI
1547
MARY
1553
ELIZABETH I
1558